De kaart van de tijd

FÉLIX J. PALMA

De kaart van de tijd

Vertaald door Marleen Eijgenraam

SIJTHOFF

Uitgeverij Sijthoff en drukkerij Bariet vinden het belangrijk om op milieuvriendelijke en verantwoorde wijze met natuurlijke bronnen om te gaan.

Voor de vertaling van de citaten in dit boek is gebruikgemaakt van de volgende bronnen:
p. 479 & 480 H. G. Wells, *De onzichtbare man*, Amsterdam, Loeb 1984.
Vertaling: Lydia Belinfante, Manuel van Loggem
p. 481 Bram Stoker, *Dracula*, Amsterdam, Mynx 2009.
Vertaling: Piet Verhagen
p. 484 Henry James, *De onschuldigen*, Utrecht, IJzer 1998.
Vertaling: Fritz Boeringa

Oorspronkelijke titel: *El mapa del tiempo*
Omslagontwerp: DPS – Davy van der Elsken
Auteursfoto: Cristóbal Ortega

ISBN 978 90 218 0320 3
NUR 302

www.boekenwereld.com
www.uitgeverijsijthoff.nl
www.watleesjij.nu

Het verschil tussen verleden, heden en toekomst is slechts een illusie, maar wel een heel hardnekkige.

– Albert Einstein

Het meest perfecte en meest beangstigende kunstwerk van de mens is zijn indeling van de tijd.

– Elias Canetti

Wat wacht me in de richting die ik niet insla?

– Jack Kerouac

DEEL EEN

Wees welkom, geëerde lezer, en duik onder in de bladzijden van dit opwindende boek, waar u avonturen zult vinden waarvan u nooit had durven dromen!

Als u, zoals ieder weldenkend mens, meent dat de tijd een stroom is die alles meesleurt naar de donkerste oever, zult u hier ontdekken dat terugkeer naar het verleden mogelijk is, dat de mens in zijn eigen voetsporen kan treden dankzij een machine waarmee hij door de tijd kan reizen.

Spanning en sensatie gegarandeerd!

I

Andrew Harrington was liever meer dan één dood gestorven als hij daardoor niet had hoeven kiezen uit de vele pistolen die zijn vader in de vitrines in de salon bewaarde. Een juiste keuze maken was nooit zijn sterkste punt geweest. Op de keper beschouwd was zijn bestaan een opeenstapeling van verkeerde beslissingen, waarvan de laatste haar lange schaduw over de toekomst dreigde te werpen. Maar met dat weinig voorbeeldige leven vol stommiteiten was het nu afgelopen. Ditmaal meende hij de juiste keuze te hebben gemaakt: hij had ervoor gekozen helemaal niet meer te kiezen. In de toekomst maakte hij geen fouten meer, want er was voor hem geen toekomst. Die zou hij uitwissen door een van de wapens tegen zijn slaap te zetten. Een andere uitweg zag hij niet: alleen door de toekomst te vernietigen kon hij afrekenen met het verleden.

Hij bestudeerde de inhoud van de vitrine, het dodelijke gereedschap dat zijn vader sinds zijn terugkeer van de oorlog met veel zorg bijeen had gebracht. Zijn vader verafgoodde die wapens, maar Andrew verdacht hem ervan dat hij ze niet uit nostalgie had verzameld, maar uit fascinatie voor de uiteenlopende manieren die de mens door de jaren heen had bedacht om op onofficiële wijze afscheid te nemen van het leven. Met een objectiviteit die een contrast vormde met zijn vaders toewijding, liet hij zijn ogen gaan over het handzame, bijna huiselijk uitziende gereedschap, dat de hand de macht over dood en leven gaf en de oorlogen van de onaangename intimiteit van het man-tegenmangevecht had bevrijd. Andrew probeerde in te schatten welke dood zich als een loerend dier in elk van de wapens schuilhield. Welk wapen zou zijn vader hebben aanbevolen om zich door het hoofd te schieten? Hij bedacht dat de vuursteenpistolen, die prehistorische voorladers waar je elke keer kruit, munitie en, bij wijze van stop, een prop papier in moest doen, hem een eervolle, maar tevens langzame, moeilijke dood zouden bezorgen. Zijn voorkeur ging uit naar de krachtige dood die de moderne revolvers, in hun luxe houten, met velours beklede foedralen te bieden hadden. Hij overwoog een praktisch en afdoend uitziende Colt Single Action, maar zag ervan af toen hij zich herinnerde dat dat het wapen was waarmee hij Buffalo Bill in zijn Wild West-circus had zien zwaaien – dat erbarmelijke spektakel waarmee hij zijn heldendaden aan de overzijde van de oceaan nabootste met behulp van een stel geïmporteerde indianen en een dozijn apathische buffels die met opium gevoederd leken te zijn. Zijn dood was immers geen avontuur. Eveneens verwierp hij een fraaie Smith & Wesson – het wapen dat het einde had betekend van Jesse James, met wie Andrew zich niet op één lijn wilde stellen – en een Webley-revolver, die speciaal was ontworpen om in koloniale oorlogen potige inboorlingen in bedwang te houden en die hem bovendien veel te zwaar in de hand leek te liggen. Vervolgens liet hij zijn ogen gaan over een grappige Pepperbox met draaibare cilinder, het lievelingswapen van zijn vader, maar hij had ernstige twijfels of dat aanstellerige ding wel met voldoende overtuigingskracht een kogel kon afvuren. Ten slotte kwam hij uit op een elegante colt uit 1870 met paarlemoeren kolf, die zijn levenslicht zou doven met de tederheid van een liefhebbende vrouw.

Met een brutaal lachje pakte hij hem uit de vitrine, en dacht terug aan al die keren dat zijn vader hem had verboden de pistolen aan te raken. Maar de illustere William Harrington bevond zich op dit moment in Italië, en joeg nu waarschijnlijk de Trevifontein schrik aan met zijn minachtende blik. Het was een gelukkig toeval dat zijn ouders hun reis door Europa juist maakten in de tijd die hij voor zijn zelfmoord had uitgekozen. Hij betwijfelde of ze de daarin besloten boodschap zouden begrijpen – namelijk dat hij alléén had willen sterven, net zoals hij had geleefd – maar het boze gezicht dat zijn vader ongetwijfeld zou opzetten als hij ontdekte dat hij zich achter zijn rug om, zonder zijn toestemming, van het leven had beroofd, was hem voldoende.

Andrew opende het kastje waarin de munitie werd bewaard en stopte zes kogels in de cilinder van de revolver. Hij nam aan dat hij er maar één nodig had, maar je wist maar nooit. Het was tenslotte de eerste keer dat hij zelfmoord pleegde. Vervolgens wikkelde hij het wapen in een doek en stopte het in de zak van zijn jas, alsof het een stuk fruit was dat hij op een wandeling dacht te eten. Zijn volgende ongehoorzame daad was dat hij de vitrinekast liet openstaan. Als hij die moed eerder had gehad, bedacht hij, als hij zijn vader op het juiste moment het hoofd had durven bieden, zou zij nog in leven zijn. Maar toen hij dat eindelijk had gedaan, was het te laat geweest. Acht lange jaren al boette hij daarvoor. Acht lange jaren waarin het verdriet in zijn binnenste had gewoekerd als een giftige klimop, die met zijn klamme vingers zijn organen omklemde en zijn ziel deed wegrotten. Ondanks de inspanningen van zijn neef Charles, ondanks de afleiding die andere lichamen hem hadden geboden, weigerde het verdriet om de dood van Marie zich te laten begraven. Maar aan dat alles zou vannacht een einde komen. Zesentwintig jaar was een mooie leeftijd om te sterven, dacht hij, en tevreden voelde hij aan het pakje in zijn zak. Het wapen had hij. Nu alleen nog een passende plek om de ceremonie ten uitvoer te brengen. En er was maar één plek die daarvoor in aanmerking kwam.

Met de revolver in zijn zak, troostrijk als een talisman, liep hij de statige trap van huize Harrington af, dat gelegen was in het chique Kensington Gore, vlak bij de westelijke ingang van Hyde Park. Hoewel hij niet van plan was ook nog maar één blik te werpen op wat bijna drie decennia zijn thuis was geweest, kon hij toch de ziekelijke aandrang niet weerstaan om te blijven stilstaan voor het portret in de hal. Vanuit de vergulde lijst keek zijn vader hem misprijzend aan. Gepropt in zijn oude infanterie-uniform, waarin hij als jongeman in de Krim-oorlog had gevochten totdat een Russische bajonet zijn dij had verwond, wat een mankheid tot gevolg had gehad die zijn gang een verontrustende slinger gaf, wierp William Harrington vanaf zijn hoge plek aan de muur een spottende, afkeurende blik op de wereld, alsof die voor hem een mislukt werkstuk was dat hij al lang geleden had afgeschreven. Wie had opdracht gegeven om zo'n mistsluier over de slag van Sebastopol te leggen, waardoor je de punt van zijn bajonet niet meer kon zien? Wie had bepaald dat een vrouw de meest geschikte persoon was om Engelands lot te bestieren? Was het oosten werkelijk de beste plek om de zon te laten opkomen? Andrew had zijn vader niet anders gekend dan met die woeste vijandigheid in zijn ogen, zodat hij niet wist of hij zo geboren was of ermee was aangestoken door de wrede Ottomanen in de Krim; in elk geval was die woede niet, zoals een pukkel op je gezicht, op een gegeven moment weer vanzelf verdwenen, ook al kon je het lot dat zich na de oorlog voor deze soldaat zonder toekomst had ontvouwd alleen maar goedgunstig noemen. Wat gaf het dat hij met een stok moest lopen als zijn weg hem had gevoerd naar de plek waar hij zich nu bevond? Want zonder dat hij zijn ziel aan de duivel had hoeven verkopen, was de man met de dikke snor en het regelmatige gezicht op het schilderij van de ene dag op de andere een van de rijkste mannen van Londen geworden. Toen hij destijds met zijn bajonet in die verre oorlog had rondgedwaald had hij zelfs niet durven dromen van alles wat hij nu bezat. Maar hoe hij zijn rijkdom had vergaard, behoorde tot de best bewaarde familiegeheimen, en was voor Andrew daarom een volslagen mysterie.

En nu nadert het moment waarop de jongeman het lastige besluit moet nemen welke hoed en welke jas hij zal kiezen van alle hoeden en jassen waarmee de kast in de hal vol hangt, want zelfs voor de dood moet je immers presentabel zijn. Het is een scène die, Andrew kennende, vele tergend lange minuten kan duren, en omdat ik het niet nodig vind die tot in detail te beschrijven, maak ik van de gelegenheid gebruik om u welkom te heten in dit zojuist begonnen verhaal, dat ik na rijp beraad juist op dit moment en geen ander wilde laten beginnen, alsof ook ik heb moeten kiezen uit de vele beginscènes in mijn kast. Als dit verhaal ten einde is en u nog steeds aanwezig bent, zullen sommigen van u waarschijnlijk denken dat ik aan de verkeerde draad heb getrokken om de kluwen te ontwarren, dat het beter was geweest de chronologische volgorde aan te houden en te beginnen met het verhaal van juffrouw Haggerty. Misschien is dat zo, maar je hebt van die verhalen waarbij je niet bij het begin kunt beginnen, en mogelijk is dit zo'n verhaal.

Laten we juffrouw Haggerty dus voorlopig vergeten, laten we zelfs vergeten dat ik haar überhaupt heb genoemd, en laten we ons weer tot Andrew wenden die, inmiddels passend voorzien van jas en hoed en zelfs van een paar dikke handschoenen, juist het huis verlaat. Buiten bleef hij staan bij de trap die naar de tuin leidde en als een marmeren golf uitvloeide aan zijn voeten. Vandaar bekeek hij de wereld waarin hij was opgegroeid, in het plotselinge besef dat hij die, als alles goed ging, niet meer zou terugzien. De nacht daalde over huize Harrington neer, met de trage gratie van een sluier. De volle maan stond bleekwit aan de hemel en wierp haar melkachtige glans over de tuinen die het huis omgaven, met stijve bloemperkjes, hekken, en enorme stenen fonteinen met pompeuze beelden van sirenen, faunen en alle bijbehorende onmogelijke verwanten. Die stonden er bij dozijnen, omdat zijn vader met zijn weinig verfijnde geest zijn rijkdom alleen door een opeenstapeling van even dure als nutteloze zaken wist te etaleren. In het geval van de fonteinen was die ongebreidelde verzameling echter vergeeflijk, omdat hun geluiden zich bij elkaar voegden tot één vloeiend wiegelied, en het bedwelmende gekletter je al het andere deed vergeten. Verderop, aan de overkant van een groot, perfect gemaaid grasveld, verhief zich, sierlijk als een opvliegende zwaan, de reusachtige kas waar zijn moeder het grootste deel van de dag doorbracht en zich liet betoveren door de sprookjesachtige bloemen die aan de uit de koloniën meegebrachte zaden ontsproten.

Andrew keek een tijdje naar de maan en vroeg zich af of de mens daar ooit zou kunnen komen, zoals Jules Verne en Cyrano de Bergerac hadden geschreven. Wat zou hij er aantreffen als hij erin slaagde op het paarlemoerkleurige oppervlak te landen? Het maakte niet uit of hem dat zou lukken met een zeppelin, in een door een kanon afgevuurd projectiel of door zich te behangen met een dozijn flessen vol dauw die hem bij het verdampen naar de hemel droegen, zoals de held in het verhaal van de Gasconse vechtersbaas had gedaan. Voor de dichter Ariosto was de maan een opslagplaats van flessen waar het verstand werd bewaard van hen die het hadden verloren, maar Andrew voelde meer voor de suggestie van Plutarchus, die zich de maan voorstelde als de plek waar de reine zielen heen gingen als ze de wereld van de levenden hadden verlaten. Net als hij stelde Andrew zich graag voor dat de doden daarboven vredig samenleefden in door een leger van werkengelen gebouwde marmeren paleizen, of in grotten uitgehouwen in het witte maangesteente, wachtend tot de levenden hun vrijgeleide van de dood kregen en naar hen toe kwamen om het leven met hen voort te zetten, precies op het punt waarop ze het hadden verlaten. Soms beeldde hij zich in dat Marie nu in zo'n grot woonde, dat ze alles was vergeten wat er was gebeurd, en blij was dat de dood haar een beter bestaan bood dan het leven. De mooie Marie die op de witte maan geduldig wachtte tot hij zich eindelijk door het hoofd schoot en naar haar toe kwam om de lege plek in haar bed op te vullen.

Hij hield op met naar de maan te kijken toen hij zag dat Harold, de koetsier, op zijn verzoek onder aan de trap met een van de rijtuigen was voorgereden. Toen hij zijn meester de trap af zag komen, opende de koetsier snel het portier. De bedrijvigheid die de oude Harold aan de dag legde amuseerde Andrew altijd, omdat hij die niet erg vond passen bij een man van om en nabij de zestig. Maar het was duidelijk dat de koetsier zich goed in vorm hield.

'Naar Miller's Court,' beval hij.

Harold trok een verbaasd gezicht.

'Maar meneer, daar was toch...'

'Problemen, Harold?' onderbrak Andrew hem.

Een moment lang staarde de koetsier hem met open mond aan en zei toen: 'Nee, meneer.'

Andrew knikte ten teken dat het gesprek voor hem afgelopen was. Hij stapte in en maakte het zich gemakkelijk op het roodfluwelen bankje. Toen hij in het raampje van het portier de weerspiegeling van zijn gezicht zag, slaakte hij een weemoedige zucht. Dat afgetobde gezicht, was dat van hem? Het zag eruit als het gezicht van iemand uit wie ongemerkt alle leven was geweken, zoals wol die door een losse naad van een kussen glipt, wat in zekere zin ook klopte. Hij had nog altijd het regelmatige, knappe gezicht waarmee hij bij zijn geboorte was gezegend, maar nu leek het hem een leeg omhulsel, iets onduidelijks gebeeldhouwd uit een hoop as. Kennelijk had zijn lijden ook uiterlijk grote schade aangericht, want in de oud uitziende jongeman met de ingevallen wangen, de uitgebluste blik en de onverzorgde baard die hij in het raampje zag, kon hij zichzelf amper herkennen. Het verdriet had hem in de bloei van zijn leven gebroken en hem neerslachtig en somber gemaakt. Maar toen Harold, van de schrik bekomen, op de bok klom en de koets zich schommelend in beweging zette, wendde Andrew zich af van het gezicht dat met waterverf op het nachtelijke doek leek geschilderd. De laatste akte van de bedroevende voorstelling van zijn leven begon, en daarvan wilde hij geen detail missen. Boven zijn hoofd hoorde hij de zweep knallen, hij streelde het koude pakketje in zijn zak en liet zich wiegen door het zachte deinen van de koets.

Het rijtuig boog Knightsbridge in en reed langs het weelderige Hyde Park. Met een klein halfuurtje zouden ze in East End zijn, schatte Andrew, terwijl hij toekeek hoe de stad aan het raampje voorbijtrok. De rit was voor hem even fascinerend als verwarrend, omdat hij in dat ene halfuur alle gezichten toonde van zijn geliefde Londen, de grootste stad ter wereld, de zichtbare kop van een gulzige Kraken, die met zijn tentakels bijna een vijfde van het hele aardoppervlak omvatte en Canada, India, Australië en een groot deel van Afrika in zijn omhelzing verstikte. Toen ze verder naar het westen reden, maakte het groene, bijna landelijke Kensington plaats voor het veelvormige stedelijke gebied dat zich uitstrekte tot Piccadilly Circus, het plein waarop in het midden het standbeeld van de god Anteros stond, de wreker van de niet-beantwoorde liefde. Na Fleet Street kwamen de huisjes van de middenklasse in zicht die zich tegen St. Paul's Cathedral leken te vlijen, en nadat ze de Bank of England en Cornhill Street waren gepasseerd, werd de wereld overstroomd door ellende, een ellende die Andrews buren uit West End alleen maar kenden van de cartoons in *Punch*, en waarmee zelfs de lucht, die je nauwelijks kon inademen vanwege de stank uit de Theems, besmet leek.

Andrew had deze rit al acht jaar niet meer gemaakt, maar had al die tijd geweten dat het er vroeg of laat nog een keer van zou komen – maar dan voor het laatst. Het is daarom geen wonder dat hij bij het naderen van Aldgate, de toegangspoort tot Whitechapel, door een licht gevoel van onbehagen werd bevangen. Toen ze de wijk binnenreden, durfde hij nauwelijks door het raampje te kijken en voelde hij weer net zo'n gêne als vroeger. Ook toen was hij steeds door een pijnlijk gevoel van schaamte overvallen als hij met de koele blik van een natuurvorser door die hem vreemde wereld trok, zelfs toen zijn afschuw allang was veranderd in een groot medelijden met die arme mensen die de vuilnisbelt bewoonden waar de stad zijn menselijk afval stortte. Dat medelijden was nog steeds op zijn plaats, zoals hij nu moest vaststellen, want de armste wijk van Londen leek de afgelopen acht jaar nauwelijks veranderd. Armoede volgt altijd in het kielzog van de rijkdom, dacht Andrew toen ze door de donkere, lawaaierige straten vol kramen en karren reden, waar een menigte van beklagenswaardige figuren krioelde die hun leven sleten in de sombere schaduw van Christ Church. Aanvankelijk had hij niet kunnen geloven dat onder al het klatergoud van het bruisende Londen het voorportaal van de hel verborgen lag, waar de mensheid met de zegen van de koningin op afschuwelijke wijze verkommerde. Maar met de jaren was hij zijn naïviteit kwijtgeraakt. En terwijl het uiterlijk van Londen met het voortschrijden van de wetenschap voortdurend veranderde, de bewoners van de gegoede wijken zich ermee amuseerden het geblaf van hun honden op de wasrollen van hun fonografen vast te leggen, in telefoontoestellen te spreken die door Robertsons elektrische lampen werden verlicht, en de vrouwen hun kinderen in chloroformdampen ter wereld brachten, verbaasde het hem allang niet meer dat Whitechapel in zijn ondoordringbare pantser van dit alles onkundig bleef en in zijn eigen ellende stikte. Je daarbinnen wagen was nog altijd alsof je je hand in een wespennest stak. Hier toonde de armoede haar verwerpelijkste gezicht. Hier klonk steeds weer dezelfde troosteloze melodie. Andrew zag hoe mannen elkaar aftuigden in kroegen, hoorde geschreeuw uit het diepst van de stegen, ving een glimp op van een paar zatlappen die op straat waren gegooid en door een zwerm kinderen van hun schoenen werden ontdaan, en kruiste de blik van vechtlustig uitziende mannen die op de straathoeken stonden geposteerd, de koningen van deze parallelle wereld van ondeugd en criminaliteit.

Aangelokt door zijn chique koets riepen prostituees hem hun hitsige voorstellen toe, stroopten hun rokken op en pronkten met hun decolleté. Bij de aanblik van dat trieste schouwspel kromp Andrews hart ineen. Het waren vuile, afgeleefde vrouwen, aan wie je kon afzien wat ze dagelijks moesten ondergaan. Zelfs aan de jongsten en mooisten kleefde de troosteloosheid die over de hele wijk lag. Weer kwelde hij zich met de gedachte dat hij een van deze verdoemde vrouwen had kunnen redden, haar een beter lot had kunnen bieden dan de Schepper haar had toebedeeld. Maar dat had hij niet gedaan. Zijn pijn nam nog toe toen de koets The Ten Bells passeerde en vervolgens piepend en knarsend Crispin Street in reed naar Dorset Street, langs de pub de Brittannia, waar hij Marie voor het eerst had gesproken. Dorset Street was het eindpunt van de reis. Harold bracht de koets tot stilstand voor de stenen poort die de toegang vormde tot de woningen aan Miller's Court, kwam van de bok en opende het portier. Met een duizelig gevoel stapte Andrew uit en keek om zich heen, terwijl hij stond te trillen op zijn benen. Alles was nog precies zoals hij het zich herinnerde, inclusief de winkel met de smerige ramen van McCarthy, de eigenaar van de woningen, bij de ingang van de binnenplaats. Aan niets viel af te lezen dat ook in Whitechapel de tijd verstreek, en dat die dit deel van de stad niet meed, zoals de notabelen en bisschoppen die de stad bezochten.

'Je kunt teruggaan, Harold,' zei hij tegen de koetsier die zwijgend naast hem stond.

'Wanneer kom ik u weer ophalen?' vroeg de oude man.

Andrew keek hem aan en wist niet wat hij moest antwoorden. Weer ophalen? Hij onderdrukte een bittere lach. De enige koets die hem zou ophalen was die van het mortuarium in Golden Lane, dezelfde die acht jaar geleden op deze plek de droevige resten had opgehaald van wat eens zijn geliefde Marie was geweest.

'Vergeet dat je me hier hebt gebracht,' antwoordde hij.

De ernstige uitdrukking op het gezicht van de koetsier ontroerde Andrew. Vermoedde Harold wat hij hier kwam doen? Hij wist het niet zeker, want hij had nooit de moeite genomen om zich een idee te vormen van de intelligentie van de koetsier of van welke andere bediende dan ook; hij had ze hoogstens het elementaire gezonde verstand toegedicht van mensen die van jongs af aan tegen de stroom in moeten zwemmen waarin mensen als hijzelf zo gemakkelijk voortdreven. Nu leek hij echter bij de oude Harold een ongerustheid te bespeuren die alleen veroorzaakt kon zijn door een verbluffend rake conclusie over zijn plannen. Maar de constatering dat Harold in staat was gevolgtrekkingen te maken was niet de enige ontdekking die Andrew deed in die korte ogenblikken dat ze elkaar, anders dan gebruikelijk, strak bleven aankijken. Andrew was zich tevens bewust van iets waarvan hij zelfs geen idee had gehad: de genegenheid die een bediende voor zijn meester kan voelen. Hoewel hij bedienden alleen maar kon zien als schimmen die met raadselachtige bedoelingen door het huis lopen, en hij hun bestaan slechts opmerkte als hij zijn glas op een blad wilde zetten of iemand nodig had om de haard aan te steken, waren die geestverschijningen blijkbaar in staat zich zorgen te maken om het lot van hun meesters, en deden ze dat ook. Voor Andrew waren al die mensen zonder gezicht – de dienstmeisjes die vanwege een of andere futiliteit door zijn moeder werden ontslagen, de keukenmeisjes die systematisch werden bezwangerd door de staljongens, als in een oeroude rite, de butlers die met prachtige aanbevelingsbrieven naar andere huizen vertrokken, identiek aan het hunne – onderdeel van een steeds veranderend landschap waar hij nooit op had gelet.

'Goed, meneer,' mompelde Harold.

En Andrew begreep dat de koetsier met die woorden voorgoed afscheid van hem nam, dat dit voor de oude man de enige manier was om hem vaarwel te zeggen, omdat hij zich aan een omhelzing niet durfde te wagen. En met bevend hart keek Andrew toe hoe de stevig gebouwde man, die bijna drie keer zo oud was als hij, en aan wie hij ongetwijfeld de leidende rol moest afstaan als ze op een onbewoond eiland schipbreuk zouden lijden, resoluut op de bok klom, de paarden aanspoorde en verdween in de mist die zich als een vuile schuimlaag over de Londense straten begon te verspreiden. Langzaam stierf het geluid van de paardenhoeven weg. Het was vreemd dat hij wel van de koetsier afscheid had genomen voor hij zijn zelfmoord beging, en niet van zijn ouders of zijn neef Charles, maar zo was het leven.

Datzelfde dacht Harold Barker terwijl hij de paarden voortjoeg door Dorset Street, op zoek naar een uitgang uit die ellendige wijk waar een mensenleven maar drie penny's waard was. Hijzelf had ook een van die ongelukkigen kunnen zijn die in dit stinkende stuk Londen probeerden te overleven, ware het niet dat zijn vader er alles aan had gedaan om hem uit de misère te halen en hem als koetsier had laten werken zodra hij een bok kon beklimmen. Ja, het was die dronken ouweheer van hem geweest die hem zijn eerste baantje had bezorgd, de eerste van een lange rij die ten slotte had geleid naar de stallen van de illustere William Harrington, bij wie hij inmiddels al zijn halve leven in dienst was. Het waren rustige jaren geweest, moest hij toegeven – en gaf hij inderdaad ook toe als hij 's avonds laat, als zijn meesters al sliepen en zijn taak erop zat, zijn leven overdacht: rustige jaren waarin hij een vrouw had gevonden die hem twee gezonde, sterke jongens had geschonken, van wie er een door meneer Harrington als tuinman in dienst was genomen. Omdat hij het geluk had gehad dat zijn leven anders was gelopen dan aanvankelijk zijn lot leek te zijn, kon hij die stumpers nu met een zekere afstand en compassie bekijken. Destijds, in die vreselijke herfst acht jaar geleden, toen zelfs de hemel leek te bloeden, had Harold zijn meester vaker naar Whitechapel moeten rijden dan hem lief was. Wat er in die van God en iedereen verlaten wirwar van straten was gebeurd, had hij in de kranten gelezen, maar vooral in de ogen van zijn meester weerspiegeld gezien. Nu wist hij dat de jonge Harrington er nooit overheen was gekomen, dat al die uitzinnige expedities naar kroegen en bordelen die zijn neef Charles voor hem had georganiseerd, terwijl hij zelf intussen kleumend op de bok zat te wachten, nergens toe hadden geleid, dat ze de ontzetting niet uit zijn ogen hadden kunnen verdrijven. Maar vannacht leek zijn meester de wapens neer te willen leggen, leek het of hij zich wilde overgeven aan een vijand die onoverwinnelijk was gebleken. Die bult in zijn jaszak moest immers wel een wapen zijn. Maar wat kon hij doen? Moest hij omkeren en proberen hem tegen te houden? Is het aan een bediende om het lot van zijn meester te veranderen? Hij schudde zijn hoofd. Misschien draafde hij door, dacht hij, en wilde de jongen alleen maar veilig met een wapen op zak in die kamer vol spoken overnachten.

Hij hield op met zijn gepieker toen hij een rijtuig uit de mist zag opdoemen dat hem bekend voorkwam. Het was de koets van de familie Winslow, en als zijn ogen hem niet bedrogen moest de figuur die hij stevig ingepakt op de bok zag zitten Edward Rush zijn, een van hun koetsiers. Rush leek hem ook te herkennen, want automatisch minderde hij vaart. Harold knikte zijn collega zwijgend toe en richtte vervolgens zijn blik op de passagier in de koets. Een ogenblik lang keken de jonge Charles Winslow en hij elkaar ernstig aan. Woorden waren overbodig.

'Sneller, Edward,' beval Charles Winslow zijn koetsier, en klopte als een specht tweemaal met de knop van zijn stok tegen het dak van de koets.

Opgelucht zag Harold hoe het rijtuig weer in de mist verdween en koers zette in de richting van Miller's Court. Hij hoefde niet meer in te grijpen. Hij hoopte alleen dat de jonge Winslow op tijd kwam. Hij was graag in de buurt gebleven om te zien hoe alles afliep, maar hij had zijn orders, ook al kwam het hem voor dat die van een dode kwamen. Opnieuw spoorde hij dus de paarden aan en probeerde zo snel mogelijk weg te komen uit die ellendige buurt waar een mensenleven – en het spijt me dat ik mezelf moet herhalen, maar het was nu eenmaal wat Harold dacht – maar drie penny's waard was. Ik moet toegeven dat die zin heel treffend het eigene van de buurt samenvat, en misschien moeten we van een koetsier ook geen complexere beoordeling verwachten. Maar koetsier Barker, wiens levensgeschiedenis, zoals welbeschouwd ieder mensenleven, de moeite van het vertellen waard zou zijn, is voor dit verhaal verder niet van belang. Misschien komt er ooit iemand anders die zijn verhaal wil vertellen, en dan is er materiaal genoeg om het de emotie mee te geven die elk verhaal nodig heeft – ik denk aan het moment dat hij Rebecca, zijn vrouw, leerde kennen, of aan het werkelijk idiote voorval met de fret en de hark – maar daar is het ons op dit moment niet om te doen.

Laten we daarom Harold, van wie ik niet eens durf te zeggen of hij in dit verhaal nog zal opduiken, laten voor wat hij is, want we zullen nog veel meer personages tegenkomen en je kunt niet ieder gezicht onthouden. Laten we terugkeren naar Andrew, die op dit moment de toegangspoort van Miller's Court passeert en verder loopt over de modderige keien, terwijl zijn ogen kamer nummer 13 zoeken en hij in zijn jaszak naar de sleutel tast. Na enig zoeken in de duisternis vond hij de kamer en bleef voor de deur staan met een eerbied die iedereen die hem vanachter de ramen zou hebben bespied absurd had geleken. Maar voor Andrew was die kamer veel meer dan het ellendige onderkomen van mensen die zo arm als kerkratten waren. Hij was er sinds die rampzalige nacht niet meer geweest, maar had ervoor gezorgd dat de kamer intact bleef, precies zoals hij zich herinnerde. De afgelopen acht jaar had hij zijn bedienden iedere maand de huur laten betalen zodat niemand anders er zijn intrek kon nemen, want als hij ooit besloot terug te keren, wilde hij er niets anders aantreffen dan de sporen van Marie. De huur, niet meer dan een paar penny's, was voor hem een kleinigheid, en meneer McCarthy was verrukt geweest dat een bemiddelde, duidelijk perverse heer zo gek was het krot voor onbepaalde tijd te huren, want hij had grote twijfels of iemand, na wat er tussen die vier muren was gebeurd, er nog zou durven slapen. Andrew begreep dat hij diep in zijn hart altijd had geweten dat hij zou terugkomen, dat wat hij ging doen nergens anders kon plaatsvinden dan daar.

Hij deed de deur open en keek weemoedig de kamer rond. Het was niet veel meer dan een vuile rommelkamer, met afgebladderde muren en een allegaartje van meubels waaronder een krakkemikkig bed, een zwart geworden spiegel, een eenvoudige houten kast, een viezige schoorsteen en een paar stoelen die het waarschijnlijk al zouden begeven als er een vlieg op neerstreek. Opnieuw verbaasde hij zich erover dat iemand daar kon leven. Maar was hij hier zelf niet gelukkiger geweest dan te midden van de luxe van huize Harrington? Als het waar was dat het paradijs voor iedereen ergens anders lag, zoals hij eens had gelezen, dan bevond het zijne zich ongetwijfeld hier op deze plek, waar hij was gekomen met een kaart die niet bestond uit rivieren en dalen, maar uit kussen en liefkozingen.

En het was ook een liefkozing, maar dan een ijzige in zijn nek, die hem duidelijk maakte dat niemand de moeite had genomen het kapotte raam links van de deur te repareren. Waarom zou iemand dat ook hebben gedaan? McCarthy leek zo iemand die meent dat je niet méér moet werken dan strikt noodzakelijk is, en als Andrew hem ter verantwoording zou roepen, kon hij als excuus aanvoeren dat hij zelf had gewild dat alles bleef zoals het was en dat hij had gedacht dat die wens zich ook tot het raam uitstrekte. Andrew zuchtte. Hij had niets bij de hand om het gat te dichten, en besloot dan maar de hand aan zichzelf te slaan met hoed op en jas aan. Hij nam voorzichtig plaats op een van de stoelen, haalde het pakketje uit zijn zak en vouwde langzaam de doek open, alsof het een gewijde handeling betrof. De colt glansde in het maanlicht dat moeizaam door het smerige raam sijpelde.

Hij streelde het wapen alsof het een kat was die opgerold op zijn schoot lag, terwijl hij zich nog eenmaal liet meevoeren door de glimlach van Marie. Nog altijd verbaasde het hem dat zijn herinneringen zo fris waren gebleven. Hij herinnerde zich alles buitengewoon levendig, alsof er geen kloof van acht jaar tussen hen gaapte, en soms leken de herinneringen zelfs nog mooier dan wat er in werkelijkheid was gebeurd. Hoe kon het dat kopieën unieker leken dan het origineel? Het antwoord was duidelijk: dat kwam door de tijd die het almaar opborrelende heden veranderde in het afgeronde, voltooide schilderij dat verleden heet, een schilderij waarop de mens blindelings zijn onregelmatige penseelstreken zet die pas betekenis krijgen als je ver genoeg weg gaat staan om het doek in zijn geheel te bekijken.

II

Toen hun blikken elkaar voor de eerste keer kruisten, was Marie zelf niet aanwezig geweest. Andrew was verliefd op haar geworden zonder haar in levenden lijve voor zich te hebben, en dat vond hij even romantisch als paradoxaal. Het was gebeurd in het huis van zijn oom in Queen's Gate, tegenover het Natural History Museum, een plek die Andrew zo ongeveer als zijn tweede huis beschouwde. Zijn neef was even oud als hij, en ze waren praktisch samen opgegroeid, wat zo ver ging dat de kindermeisjes soms niet eens meer wisten wie van beiden de zoon van hun meester was. Natuurlijk had hun maatschappelijke positie hen voor ontberingen en rampen behoed, en hun alleen de aangename kant van het leven getoond, maar vervolgens hadden ze het leven opgevat als een voortdurend feest waarop alles is toegestaan. Zoals ze als kinderen hun speelgoed hadden geruild, ruilden ze als opgroeiende jongens hun veroveringen, om daarna, nieuwsgierig tot hoever de straffeloosheid zou gaan die ze kennelijk genoten, samen steeds nieuwe strategieën te bedenken waarmee ze de grenzen van het toelaatbare aftastten. Hun brutale uitvallen en hun min of meer kwalijke streken waren zo goed op elkaar afgestemd, dat het jarenlang moeilijk was hen niet als een en dezelfde persoon te zien, zowel door hun tweelingachtige verstandhouding als door de hooghartige manier waarop ze het leven tegemoet traden, en zelfs door hun fysieke gelijkenis, want beide jongens waren slank en gespierd als de lopers op een schaakbord, en ze bezaten de tere schoonheid van aartsengelen die hen immuun maakte voor terechtwijzingen, speciaal die van vrouwen, zoals duidelijk werd tijdens hun verblijf in Cambridge, waar ze een recordaantal veroveringen maakten dat tot op de dag van vandaag nog door niemand is overtroffen. Het feit dat ze dezelfde kleermakers en hoedenwinkels bezochten, vormde de kroon op de verontrustende gelijkenis. Eindeloos gingen ze ermee door elkaar na te doen, tot het tweekoppige wezen dat ze samen vormden plotseling, zonder waarschuwing vooraf, alsof God Zijn gebrek aan creativiteit wilde goedmaken, uiteenviel in twee helften die totaal verschillend waren: Andrew werd een stille, gereserveerde jongeman, terwijl Charles de lichtzinnige houding uit zijn jonge jaren bleef perfectioneren. Dat verstoorde hun op bloedbanden gebaseerde vriendschap echter niet. Door het plotselinge verschil in karakter werden ze niet uit elkaar gedreven, maar vulden ze elkaar juist aan. Charles' zorgeloze zwier vond zijn contrapunt in de elegante melancholie van zijn neef, die op zijn beurt niet langer tevreden leek met zo'n grillige manier om van het leven te genieten. Charles keek spottend toe hoe Andrew zijn dagen een nieuwe inhoud probeerde te geven, hoe hij, heimelijk teleurgesteld, wachtte op een verlichting die niet kwam. En intussen zag Andrew geamuseerd hoe zijn neef in zijn schreeuwerige vermomming van oppervlakkige jongeman door het leven ging, terwijl je aan zijn gebaren en meningsuitingen kon merken dat hij even ontgoocheld was als hijzelf, al leek hij niet van plan met zijn aangename leventje te stoppen. Nee, Charles leefde intens, alsof hij zintuigen te kort kwam om van het leven te genieten, terwijl Andrew dagenlang in een hoekje kon zitten en rustig kon toezien hoe een roos in zijn handen verwelkte.

In de augustusmaand waarin het allemaal was gebeurd, waren ze allebei achttien geworden, en hoewel ze geen van beiden aanstalten maakten volwassen te worden, vermoedden ze wel dat het luie leventje niet veel langer meer kon duren, dat hun ouders vroeg of laat genoeg zouden krijgen van hun gelummel, en een bezigheid voor hen zouden zoeken bij een van de familiebedrijven. Maar voorlopig was het vermakelijk om te zien hoeveel verder ze nog konden gaan. Charles ging inmiddels al een paar dagen per week naar kantoor om er wat karweitjes te doen, maar Andrew wachtte liever tot het gevoel van verveling zo sterk zou zijn dat een aanstelling bij een van de familiebedrijven eerder een opluchting dan een straf was. Aan zijn vaders zakelijke wensen werd al voldaan door Andrews oudere broer Anthony, zodat de illustere William Harrington het zich kon veroorloven zijn tweede zoon nog een paar jaar als zwart schaap te laten rondlopen, mits hij niet al te zeer uit zijn gezichtsveld verdween. Maar precies dat had Andrew gedaan. Hij had zich aan zijn vaders blik onttrokken. En nu was hij van plan nog verder uit zijn gezichtsveld te verdwijnen, tot hij compleet verdwenen zou zijn en elke mogelijkheid tot redding was uitgesloten.

Maar laten we ons niet door het drama laten meeslepen en verdergaan met ons verhaal. Andrew was die middag naar het huis van de Winslows gegaan om met zijn neef Charles plannen te maken voor een zondags uitstapje met de charmante zusjes Keller. Zoals gewoonlijk zouden ze hen meenemen naar The Serpentine, naar het kleine weiland vol bloemen in Hyde Park waar ze hun romantische valstrikken doorgaans zetten. Maar Charles sliep nog, en de butler liet hem doorlopen naar de bibliotheek. Andrew vond het niet erg om daar te wachten tot zijn neef verscheen, want tussen al die boeken, die het lichte vertrek vulden met een heel eigen, zware geur, voelde hij zich bijzonder prettig. Zijn vader beroemde zich erop dat hij thuis een aanzienlijke bibliotheek bezat, maar in het huis van zijn neef stonden tenminste niet alleen maar obscure boeken over politiek en andere al even saaie onderwerpen. Hier vond je klassieke werken en avonturenromans, van Verne tot Salgari, maar ook, en dat amuseerde Andrew nog het meest, voorbeelden van een zonderlinge, ietwat exotische, door velen als lichtzinnig bestempelde literatuur. Het ging om romans waarin de auteurs hun verbeelding de vrije loop lieten, ook al maakten ze zich daarbij een beetje, of zelfs helemaal belachelijk. Zoals iedere gevoelige lezer las Charles met plezier Homerus' *Odyssee* en *Ilias*, maar hij genoot pas echt als hij zich verdiepte in het absurde *Batrachomyomachia*, het werk waarin de blinde dichter zichzelf parodieert, en met een epische breedvoerigheid een veldslag tussen muizen en kikkers beschrijft. Andrew herinnerde zich nog andere boeken die zijn neef hem had geleend, zoals bijvoorbeeld de *Ware verhalen* van Lucianus van Samosata, handelend over fantastische reizen met een vliegend schip, waarmee de hoofdpersoon zelfs op de zon belandt en door het binnenste van een reusachtige walvis trekt. Of *De man in de maan*, van Francis Godwin, de eerste roman over een interplanetaire reis, waarin de Spanjaard Domingo González in een door wilde ganzen getrokken machine naar de maan vliegt. Voor Andrew waren zulke fantasieverhalen niet meer dan los vuurwerk dat geen sporen aan de hemel nalaat, maar hij begreep wel, of meende te begrijpen waarom zijn neef er zo door werd meegesleept. Dergelijke literatuur, die door de meeste mensen werd verworpen, was als een soort lood dat Charles' ziel in evenwicht hield, het tegenwicht dat hem ervoor behoedde dat hij ten prooi viel aan ernst en melancholie, zoals hemzelf was gebeurd. Hij had die lichte, zorgeloze blik op het leven niet weten over te nemen, en alles leek hem pijnlijk zwaar, en voorzien van de plechtigheid dat het vergankelijke leven zelfs aan de meest onbeduidende handeling verleent.

Maar die middag had Andrew geen tijd om welk boek dan ook te pakken. Hij kwam niet eens in de buurt van de boekenkast, want halverwege de kamer werd hij abrupt tot staan gebracht door de aanblik van het aanbiddelijkste wezen dat hij ooit had gezien. In verwarring staarde hij haar aan terwijl de tijd zich leek te verdichten, zelfs stil leek te staan, tot hij het ten slotte waagde het portret langzaam te naderen om het van dichterbij te bekijken. De vrouw droeg een zwartfluwelen hoedje en had een gebloemde doek om haar hals. Ze voldeed misschien niet aan het universele schoonheidsideaal, moest zelfs Andrew toegeven, want haar neus was te groot voor haar gezicht, haar ogen stonden te dicht op elkaar en haar rossige haar zag er nogal wanordelijk uit, maar er ging een even vage als onmiskenbare charme van haar uit. Hij wist niet precies waardoor ze hem zo betoverde. Misschien was het het contrast tussen haar fragiele verschijning en de kracht van haar blik, een blik die hij bij geen van zijn veroveringen ooit was tegengekomen. Het was een wilde, vastberaden blik, met tegelijk een vleugje prille onschuld, alsof ze elke dag de wereld van haar meest verdorven kant zag, maar 's nachts in haar bed nog steeds geloofde dat het maar een nare waanvoorstelling was, een luchtspiegeling die snel zou verdwijnen en plaatsmaken voor een vriendelijker werkelijkheid. Het was de blik van iemand die naar iets verlangt en weigert te accepteren dat hij het nooit zal krijgen, omdat hoop het enige is wat hem rest.

'Een betoverend schepsel, nietwaar?' zei Charles achter zijn rug.

Andrew schrok. Hij was zo verdiept in het portret dat hij hem niet had horen binnenkomen. Hij knikte, terwijl zijn neef naar de trolley met drankjes liep. Meer viel hem kennelijk niet in om uit te drukken wat het portret bij hem had teweeggebracht: de wens om het meisje te beschermen, gemengd met een gevoel van bewondering – net zo'n gevoel, dacht hij, licht beschaamd vanwege de ongepaste vergelijking, als katten bij hem wekten.

'Ik heb het mijn vader voor zijn verjaardag gegeven,' legde Charles uit, terwijl hij een brandy inschonk. 'Het hangt hier nog maar een paar dagen.'

'Wie is het?' vroeg Andrew. 'Ik heb haar op de feesten van Lady Holland en Lord Broughton nooit gezien.'

'Op die feesten?' lachte Charles. 'Ik ga waarachtig nog denken dat de maker talent heeft. Hij heeft jou er ook al in laten lopen.'

'Hoe bedoel je?' vroeg Andrew, terwijl hij het glas aannam dat zijn neef hem gaf.

'Denk je dat ik het aan mijn vader heb gegeven omdat het zo goed geschilderd is? Lijkt het je soms een schilderij dat mijn blik waard is?' Charles pakte hem bij de arm en liet hem wat dichter bij het portret komen. 'Bekijk het eens goed. Kijk naar de penseelvoering: daar zit geen greintje talent achter. De schilder is niet meer dan een wat uitbundig uitgevallen leerling van Edgar Degas. Waar de Parijzenaar liefelijk is, is híj ruw en somber.'

Andrew had niet genoeg verstand van schilderkunst om met zijn neef in discussie te gaan, en het enige wat hem interesseerde was de identiteit van het model. Hij knikte dus berustend, als wilde hij daarmee zeggen dat hij het met Charles' oordeel eens was: de schilder kon maar beter fietsen repareren. Charles glimlachte om de manier waarop zijn neef had geweigerd zich in een discussie te laten betrekken die hemzelf de kans had geboden zijn schilderkunstige kennis breed uit te meten, en zei ten slotte op samenzweerderige toon: 'Ik heb het hem om een andere reden cadeau gedaan, beste neef.'

Met een grote teug dronk hij zijn glas leeg, keek nog een ogenblik naar het schilderij en knikte tevreden.

'En wat is die reden dan wel, Charles?' vroeg Andrew ten slotte ongeduldig.

'Mijn heimelijke plezier dat mijn vader, die het gepeupel haat alsof het minderwaardige wezens zijn, het portret van een ordinaire prostituee in zijn bibliotheek heeft hangen.'

Zijn woorden brachten Andrew van zijn stuk.

'Een prostituee?' bracht hij ten slotte uit.

'Ja,' antwoordde Charles, terwijl er een brede glimlach op zijn gezicht verscheen, 'maar niet zo'n verfijnd hoertje uit de bordelen van Russell Square, zelfs niet een van degenen die rondzwerven in het park bij Vincent Street, maar een weerzinwekkende prostituee uit Whitechapel, zo een die de allerarmste sloebers tegen betaling van drie schamele penny's de gelegenheid biedt hun ellende in haar stinkende schoot te lozen.'

Andrew had een slok brandy nodig om de woorden van zijn

neef te verwerken. De onthulling had hem ontegenzeglijk verrast, zoals iedereen die het portret zag verrast zou zijn geweest, maar had hem vreemd genoeg ook teleurgesteld. Opnieuw keek hij naar het portret en probeerde te begrijpen waarom hij zo ontstemd was. Dat lieve schepsel was een ordinaire hoer! Nu begreep hij de mengeling van vuur en hardheid die uit haar ogen sprak en die de schilder zo goed had weten te treffen. Maar Andrew kon niet ontkennen dat zijn teleurstelling een veel egoïstischer reden had: de vrouw hoorde niet tot zijn wereld, en dat betekende dat hij haar nooit kon leren kennen.

'Ik ben eraan gekomen via Bruce Driscoll,' legde Charles uit, terwijl hij opnieuw de glazen vulde. 'Je kunt je Bruce toch nog wel herinneren?'

Andrew knikte zonder veel enthousiasme. Bruce was een vriend van zijn neef die uit verveling, en omdat hij het geld ervoor had, kunstverzamelaar was geworden, een verwaande kwast die over zeeën van tijd beschikte en geen gelegenheid voorbij liet gaan om hen met zijn kennis van de schilderkunst te overstelpen.

'Je weet hoe graag hij loopt rond te snuffelen,' zei zijn neef, terwijl hij hem zijn glas brandy aangaf. 'De laatste keer dat ik hem zag, vertelde hij over een schilder die hij op een van zijn wandelingen over de rommelmarkt had ontdekt. Een zekere Walter Sickert, de oprichter van de New English Art Club. Hij heeft zijn atelier in Cleveland Street, en schildert de hoeren uit East End alsof het deftige dames zijn. Toen ik bij hem op bezoek was, kon ik er niet omheen zijn laatste werk te kopen.'

'Heeft hij iets over haar verteld?' vroeg Andrew, op een toon alsof het hem nauwelijks interesseerde.

'Over dat hoertje? Hij heeft me alleen haar naam genoemd. Ik geloof dat ze Marie Jeannette heette.'

'Marie Jeannette,' mompelde Andrew. Haar naam paste al even goed bij haar als haar hoedje.

'Een hoer uit Whitechapel...' zei hij zachtjes voor zich heen, nog steeds verbluft.

'Ja, een hoer uit Whitechapel. En ze hangt bij mijn vader in de bibliotheek!' riep Charles, terwijl hij met een theatraal triomfgebaar zijn armen spreidde. 'Is dat niet gewoonweg geniaal?'

Charles legde zijn arm om Andrews schouder en terwijl hij hem naar de salon bracht, sneed hij een ander onderwerp aan. Andrew deed zijn best om zijn verwarring niet te laten merken, maar tijdens het bespreken van de veroveringsplannen voor de charmante zusjes Keller was het meisje van het portret geen moment uit zijn gedachten.

Die nacht kon Andrew de slaap niet vatten. Waar zou de vrouw van het schilderij nu zijn? Wat was ze aan het doen? Bij de vierde of vijfde vraag noemde hij haar al bij haar naam, alsof hij haar echt kende en er tussen hen een intimiteit bestond waarvan in werkelijkheid geen sprake was. Maar toen hij jaloers begon te worden op de bedelaars die voor een paar penny's konden krijgen wat voor hem, ondanks zijn fortuin, onbereikbaar was, begreep hij dat hij er echt slecht aan toe was. Maar was ze echt zo onbereikbaar? Eigenlijk kon hij haar, gezien zijn situatie, in elk geval lichamelijk gemakkelijker bezitten dan wie dan ook, en dat voor de rest van zijn leven. Het probleem was hoe hij haar kon vinden. Andrew was nog nooit in Whitechapel geweest, al had hij er genoeg over gehoord om te weten dat het geen aanbevelenswaardige buurt was, al helemaal niet voor iemand van zijn stand. Het was niet raadzaam er in je eentje heen te gaan, dat was duidelijk, maar aan Charles had hij in dit geval niets. Zijn neef zou niet begrijpen dat hij het geslacht van die sjofele hoer prefereerde boven de zoete honingpot die de charmante zusjes Keller onder hun rokken verborgen hielden, of die van de geurende lichtekooien uit Chelsea, waaraan de helft van de keurige heren van West End zich laafde. Misschien zou hij het begrijpen, en zelfs voor de grap besluiten met hem mee te gaan, als Andrew het bracht als een bevlieging, maar hij wist dat wat hij voelde veel meer was dan dat. Of misschien toch niet? Pas als hij haar in zijn armen hield, zou hij weten wat hij van haar wilde.

Was het werkelijk zo moeilijk haar te vinden? Drie slapeloze nachten waren voldoende om een strategie te bedenken.

En terwijl de mensen zich vermaakten in het Crystal Palace, dat naar Sydenham was verplaatst nadat het in zijn enorme buik van smeedijzer en glas de beste voortbrengselen van de industrie van het Britse Rijk had gehuisvest, en waar je nu kon genieten van orgelconcerten, kinderballet en buiksprekers, en waar zelfs de mogelijkheid bestond om in de schitterende tuinen een hapje te eten in gezelschap van dinosauriërs, iguanodonten en grondluiaarden die men naar analogie van de in Sussex Weald opgedoken fossielen had gereconstrueerd; terwijl de mensen in de rij stonden voor het wassenbeeldenmuseum van Madame Tussauds, dat de nachtrust van zijn bezoekers voorgoed verstoorde met zijn Chamber of Horrors, waar alle gekken, moordenaars en gifmengers die Engeland met bloed hadden bespat zich naast Marie Antoinettes guillotine verdrongen, stond Andrew Harrington, onberoerd door de feeststemming in de stad, voor de spiegel en bekeek zijn vermomming. Een bediende had hem wat armoedige, afgedragen kleren geleend, en toen hij zichzelf zag in het aftandse jasje en de versleten broek, zijn goudblonde haar verborgen onder een geruite pet die hij diep over zijn ogen had getrokken, moest hij onwillekeurig lachen: hij zou beslist worden aangezien voor een armoedzaaier, voor een schoenlapper misschien of een barbier. En in die uitdossing vroeg hij de verbaasde Harold hem naar Whitechapel te rijden. Voor ze vertrokken vroeg hij de koetsier om geheimhouding. Niemand mocht iets weten van dit uitstapje naar de slechtste buurt van Londen, zijn vader niet, mevrouw niet, zijn broer Anthony niet en zelfs zijn neef Charles niet. Helemaal niemand.

III

Om geen aandacht te trekken liet Andrew de chique koets halt houden in Leadenhall en ging te voet verder naar Commercial Street. Nadat hij een eind door de stinkende straat was geslenterd, verzamelde hij al zijn moed en ging de wirwar van steegjes binnen waaruit Whitechapel bestond. Hij had nog geen tien minuten gelopen of er waren al een dozijn prostituees uit de mist opgedoemd die hem voorstelden een uitstapje naar hun venusheuvel te maken, maar geen van hen was het meisje van het portret. Als er algen om hen heen hadden gewoekerd, had Andrew ze voor vuile, gebarsten boegbeelden aangezien. Hij wees ze, al doorlopend, vriendelijk af, en had diep medelijden met de blauwbekkende vogelverschriksters die op zo'n manier aan de kost moesten zien te komen. Het wellustige lachje dat ze met hun tandeloze mond probeerden te vormen, riep eerder afkeer dan begeerte op. Zou Marie er buiten het schilderij ook zo uitzien, ver van de penselen die haar tot zo'n engelachtig wezen hadden gemaakt?

Hij begreep al snel dat het waarschijnlijk niet zou lukken haar bij toeval te vinden. Misschien was het beter als hij rechtstreeks naar haar vroeg. Toen hij had vastgesteld dat zijn vermomming doeltreffend was, besloot hij The Ten Bells binnen te gaan, een drukke kroeg op de hoek van Fournier en Commercial Street, tegenover de spookachtige Christ Church, waar de hoeren heen gingen als ze op zoek waren naar klanten, zoals hij vaststelde toen hij door de ramen naar binnen gluurde. Twee van hen spraken hem aan zodra hij bij de bar stond. Andrew probeerde vlot over te komen en bood ze een pint donker bier aan, sloeg hun voorstellen zo vriendelijk mogelijk af en vertelde dat hij op zoek was naar een vrouw die luisterde naar de naam Marie Jeannette. Een van hen stapte onmiddellijk beledigd op, waarschijnlijk omdat ze geen zin had haar tijd te verdoen met iemand die geen geld aan haar zou spenderen, maar de andere, de grootste van de twee, bleef en accepteerde zijn glas bier.

'Ik neem aan dat je Marie Kelly bedoelt. Allemaal willen ze die verdomde Ierse. Op dit uur heeft ze waarschijnlijk al een paar kerels bediend en zit ze in de Brittannia. Daar gaan we allemaal heen als we genoeg geld hebben voor een bed en nog iets extra voor een snelle slok om dit ellendige leven te vergeten,' zei ze, eerder ironisch dan kwaad.

'Waar is die kroeg?' vroeg Andrew.

'Hier vlakbij. Op de hoek van Crispin en Dorset Street.'

Andrew bedankte haar en gaf haar vier shilling voor de informatie.

'Zoek maar een kamer,' adviseerde hij haar met een glimlach. 'Het is vannacht te koud om op straat te blijven.'

'O, dank u wel, meneer! Dat is erg aardig van u,' antwoordde de hoer, oprecht dankbaar.

Andrew tikte beleefd aan zijn pet en nam afscheid.

'Als Marie Kelly niet aan uw wensen voldoet, komt u maar naar mij,' riep ze hem na, met een restje koketterie dat werd bedorven door haar tandeloze glimlach. 'Ik heet Liz, Liz Stride, niet vergeten!'

Het kostte Andrew geen moeite de Brittannia te vinden, een eenvoudige kroeg met aan de straatzijde doorlopende ramen. Aan olielampen geen gebrek, maar het zicht was er minimaal vanwege de dikke tabakswalm. Achterin stond een lange bar, met links daarvan twee zitjes, en de met zaagsel bedekte vloer stond vol met houten tafeltjes waaraan de rumoerige clientèle zich ophield. Een leger van kelners met smerige schorten wrong zich tussen de tafels door, balancerend met tinnen kannen vol bier. In een hoek van de ruimte bood een gammele piano zijn geel geworden tanden aan eenieder die meende nog wat te moeten toevoegen aan het lawaai. Andrew bereikte de bar die propvol stond met kruiken wijn, olielampen en schotels met stukken kaas zo groot als stenen uit een steengroeve. Hij stak zijn sigaret aan in de vlam van een van de lampen, bestelde een pint bier, en onopvallend leunend op de toog liet hij zijn blik gaan over de gasten, met opgetrokken neus vanwege de sterke geur van warme worstjes die uit de keuken kwam. Het was hier inderdaad veel rustiger dan in The Ten Bells. Aan de tafeltjes zaten matrozen op verlof en mensen uit de buurt, even eenvoudig gekleed als hijzelf; verderop zat een groepje prostituees zich ijverig te bezatten. Hij dronk zijn bier en probeerde Marie Kelly te ontwaren, maar geen van de hoeren voldeed aan de beschrijving. Bij zijn derde pint zakte de moed hem in de schoenen en vroeg hij zich af wat hij hier in vredesnaam hoopte te vinden.

Hij stond op het punt te vertrekken, toen ze de deur binnenkwam. Hij herkende haar direct. Het was het meisje van het portret, geen twijfel aan, en nu ze bovendien bewoog vond hij haar nog veel mooier. Ze zag er moe uit, maar haar bewegingen waren energiek, zoals Andrew al had vermoed toen hij haar op het schilderij had gezien. De meeste gasten keken nauwelijks op of om. Hoe was het mogelijk dat niemand reageerde op het kleine wonder dat zich in het lokaal voltrok? Te midden van de algehele onverschilligheid voelde Andrew zich een bevoorrechte getuige. Het deed hem denken aan een voorval van lang geleden, toen hij als kind eens had gezien hoe de wind met zijn onzichtbare vingers een vallend boomblad had opgepakt en het als een tol op het water van een plas had laten dansen, tot een wiel van een rijtuig de dans verstoorde, wat Andrew het idee had gegeven dat de natuur haar krachten had gebundeld om dit kunststukje voor één enkele toeschouwer uit te voeren. Vanaf dat moment koesterde hij de overtuiging dat het universum vulkanen liet uitbarsten tot ontzag van de mensheid, maar nog iets extra's in petto had voor een handjevol uitverkorenen, die net als hij de werkelijkheid zagen als een soort behang waarachter iets anders schuilging. Sprakeloos keek hij toe hoe Marie Kelly op hem afliep, alsof ze hem kende. Zijn hart sloeg op hol, maar hij kalmeerde wat toen ze, met haar ellebogen leunend op de bar, een halve pint bier bestelde zonder hem ook maar een blik waardig te keuren.

'Hoe gaan de zaken vanavond, Marie?' vroeg de waardin.

'Ik mag niet klagen, mevrouw Ringer.'

Andrew slikte, een flauwte nabij. Daar stond ze, vlak naast hem! Hij kon het nauwelijks geloven. Hij had zelfs haar stem gehoord. Een vermoeide, enigszins hese, maar prachtige stem. En als hij zich concentreerde en de geur van tabak en worstjes wegdacht, zou hij zelfs haar geur ruiken. De geur van Marie Kelly! Gebiologeerd sloeg Andrew haar gade, en zag in elk van haar bewegingen bevestigd wat hij al wist. Zoals een schelp de razende zee in haar binnenste meedraagt, zo leek ook haar fragiel ogende lichaam een natuurkracht te bevatten.

Toen de waardin het bier op de toog zette, begreep Andrew dat zich hier een kans voordeed die hij niet mocht laten lopen. Haastig voelde hij in zijn zakken en legde wat geld neer.

'Laat mij u dit aanbieden, juffrouw,' zei hij.

Het even hoffelijke als onverwachte gebaar leverde hem een ronduit waarderende blik van Marie Kelly op. Nu hij haar ogen op zich gericht wist, voelde hij zich als verlamd. Zoals hij op het schilderij al had gezien, had het meisje een prachtige oogopslag, die echter leek schuil te gaan onder een laag verbittering. De vergelijking drong zich op met een bloemenweide die als vuilnisbelt werd gebruikt. Toch voelde hij zich bevangen door iets wat groter was dan hijzelf, en hij probeerde het moment dat hun blikken elkaar kruisten voor haar even veelzeggend te laten zijn als voor hem. Maar er zijn dingen – en u moet me maar verontschuldigen als zich onder u een romantische ziel bevindt – die niet met een blik zijn uit te drukken. Hoe kon Andrew haar deelgenoot maken van het bijna mystieke gevoel dat hem op dat moment vervulde, hoe kon hij haar louter met zijn ogen uitleggen dat hij haar, zonder het te weten, al zijn hele leven lang had gezocht? Als we daarbij bedenken dat Marie Kelly's bestaan haar nu niet bepaald had toegerust om de subtiliteiten van het leven op te pikken, zal het u niet verbazen dat deze eerste poging tot, laat ons zeggen, spirituele communicatie, tot mislukken was gedoemd. Andrew deed wat hij kon, maar de vrouw interpreteerde zijn vurige blik op dezelfde wijze als die van de overige mannen door wie ze nacht in, nacht uit werd benaderd.

'Dank u, meneer,' antwoordde ze met een uitdagend lachje, dat er plichtmatig uitzag.

Terwijl hij haar reactie, die hem van kapitaal belang leek, met een knikje afdeed, kwam hij geschrokken tot de ontdekking dat hij, ondanks zijn zorgvuldig uitgedachte plan, niet had bedacht hoe hij een gesprek met haar moest beginnen als hij haar eenmaal in levenden lijve voor zich had. Waarover kon hij het met haar hebben? Meer nog: waarover kon je het hebben met een hoer? Een hoer uit Whitechapel, om precies te zijn. Met de prostituees uit Chelsea had hij alleen het hoogstnoodzakelijke uitgewisseld over het gewenste standje of het licht in de kamer, en met de charmante zusjes Keller en zijn verdere vrouwelijke kennissen, jongedames die je niet moest vermoeien met politiek of de theorieën van Darwin, besprak hij alleen trivialiteiten, zoals de nieuwste mode uit Parijs, de botanie, en de laatste tijd het spiritisme dat zo in de mode was. Geen van die onderwerpen leek hem echter geschikt om te bespreken met een vrouw die nauwelijks geïnteresseerd kon zijn in het oproepen van een geest die haar vertelde met wie van haar vele rijke aanbidders ze uiteindelijk zou trouwen. Hij keek haar dus alleen maar verrukt aan. Gelukkig kende Marie Kelly een betere manier om het ijs te breken.

'Ik weet wat u wilt, meneer, maar u bent te verlegen om het te vragen,' zei ze, terwijl ze nadrukkelijk glimlachte en even over zijn hand streek, waardoor zijn haren rechtovereind gingen staan. 'Voor drie penny's kan ik uw dromen laten uitkomen. Tenminste voor vannacht.'

Andrew keek haar geroerd aan. Ze had geen idee hoezeer ze de spijker op zijn kop sloeg. Zij was zijn enige droom geweest de afgelopen nachten, zijn diepste verlangen, zijn dringendste begeerte, en nu, dacht hij ongelovig, kon hij haar dan eindelijk bezitten. Bij de gedachte alleen al haar te kunnen aanraken, dat ranke lichaam dat zich onder haar versleten kleren aftekende te kunnen liefkozen, diepe zuchten te ontlokken aan haar lippen terwijl hij zelf in vuur en vlam raakte bij haar felle blik, de blik van een ontembaar, mishandeld dier, doortrok hem een opwindende huivering, die echter plaatsmaakte voor droefheid toen hij haar onverdiende hulpeloosheid zag, het gemak waarmee iedereen die verdwaalde engel kon betasten, in een smerig steegje kon onteren zonder dat er een haan naar kraaide. Was dat bijzondere wezen daarvoor geschapen? Met een brok in zijn keel accepteerde hij haar voorstel, beschaamd dat hij haar precies zo moest nemen als iedereen, alsof hij dezelfde bedoelingen had als haar andere klanten. Toen hij eenmaal ja had gezegd, lachte Marie Kelly hem toe met een enthousiasme dat Andrew onoprecht leek, en beduidde hem met een knikje de pub te verlaten.

Het was Andrew vreemd te moede toen hij zo met kleine mussenpasjes achter de hoer aan liep, alsof Marie Kelly hem naar het schavot leidde in plaats van naar de ankerplaats van haar schoot. Maar had de ontmoeting werkelijk anders kunnen verlopen? Vanaf het moment dat hij het schilderij van zijn neef had gezien had hij zich op onbekend terrein begeven, waar hij zich niet kon oriënteren omdat niets hem bekend voorkwam, waar alles nieuw was en waar het, te oordelen naar de verlaten steegjes die ze door liepen, zelfs gevaarlijk kon zijn. Liep hij soms met open ogen in een val van haar pooier? Hij vroeg zich af of Harold zijn kreten zou horen, en zo ja, of hij hem dan te hulp zou komen, of van de gelegenheid gebruik zou maken om zich te wreken voor de onverschilligheid waarmee zijn meester hem al die jaren had bejegend. Nadat ze een stukje door Hanbury Street waren gelopen, een modderige straat die door een flakkerende olielantaarn op de hoek maar amper werd verlicht, beduidde Marie Kelly hem dat hij haar moest volgen door een smalle passage die uitliep op een dichte duisternis. Andrew volgde haar, overtuigd dat hij daar ter plekke zou sterven, of in elk geval flink zou worden afgetuigd door een paar kerels die een kop groter waren dan hij, en minachtend op zijn bloedende lijf zouden spugen nadat ze hem tot op zijn sokken hadden uitgekleed en beroofd. Zo ging het tenslotte toe in deze buurt, en een dergelijk einde van zijn dwaze avontuur zou welverdiend zijn. Maar hij had geen tijd om zijn angst tot wasdom te laten komen, want al snel stonden ze op een smerig plaatsje vol plassen, dat er verlaten bij lag. Andrew keek argwanend om zich heen. Maar hoe onwaarschijnlijk het hem ook voorkwam, ze waren er alleen. De wereld waar ze vandaan kwamen was nog slechts waarneembaar als een gedempt geroezemoes, met daarbovenuit het klokgelui van een verre kerk. Aan zijn voeten zag hij de maan weerspiegeld in een plas, als een verfrommelde brief, op de grond gegooid door een verbitterde minnaar.

'Hier worden we niet gestoord, meneer,' zei Marie Kelly geruststellend, terwijl ze tegen de muur leunde en hem naar zich toe trok.

Voor hij wist wat er gebeurde, frummelde de hoer aan zijn broeksluiting en haalde zijn penis eruit. Dat deed ze met een verbluffende vanzelfsprekendheid, zonder het opwindende ceremonieel dat hij van de prostituees in Chelsea gewend was. De onverschilligheid waarmee ze zijn lid pakte en onder haar opgestroopte rokken stak, maakte duidelijk dat wat voor hem een magisch moment betekende, voor haar niet meer dan routine was.

'Hij zit er al in,' verzekerde ze hem.

Erin? Andrew was ervaren genoeg om te weten dat de hoer loog en dat ze zijn penis gewoon tussen haar dijen had geklemd. Hij nam aan dat het een soort onderlinge afspraak was, een truc waarmee de meisjes, als ze geluk hadden en de klant niets merkte of al te dronken was, het binnendringen konden voorkomen, en zo het aantal haastige penetraties dat ze dagelijks moesten verdragen even beperkt konden houden als het aantal hinderlijke zwangerschappen dat zo'n grote hoeveelheid sperma met zich meebracht. In dat besef begon Andrew energiek te stoten, bereid om gehoorzaam mee te doen aan de schijnvertoning, want eigenlijk was het hem meer dan genoeg om met zijn steigerende mannelijkheid de zijdeachtige binnenkant van haar dijen te beroeren en om, voor de duur van dit schijngevecht, haar lichaam tegen het zijne te voelen. Wat gaf het dat het allemaal een farce was, als hij door die zogenaamde penetratie de door de fatsoensnormen gedicteerde afstand kon overwinnen en een intimiteit kon bereiken die alleen minnaars kennen? Haar warme ademhaling in zijn oor te voelen, de verborgen geur van haar hals in te ademen, haar tegen zich aan te kunnen drukken tot hij haar lichaam met het zijne voelde versmelten, dat alles was oneindig veel meer waard dan drie penny's. En het had dezelfde uitwerking als het echte werk, zoals hij ontsteld vaststelde toen hij merkte hoe hij bijna meteen klaarkwam tussen haar onderrokken. Een beetje beschaamd over zijn geringe uithoudingsvermogen bleef hij nog even tegen haar aangedrukt staan in een heerlijke trance, tot ze ongeduldig begon te draaien. Ietwat gegeneerd maakte hij zich van haar los. Zich van zijn ongemakkelijkheid niet bewust trok het hoertje haar rok recht en stak haar hand uit om te beuren. Andrew gaf haar haastig het afgesproken bedrag en probeerde zich een houding te geven. Hij had nog genoeg geld op zak om haar voor de hele nacht te kunnen kopen, maar hij gaf er de voorkeur aan thuis in zijn bed nog wat na te genieten van alles wat er was gebeurd, en een afspraak met haar te maken voor de volgende dag.

'Ik heet Andrew,' stelde hij zich voor met een stem die schel klonk van emotie. Geamuseerd trok ze een wenkbrauw op. 'En ik wil je morgen graag weer zien.'

'Natuurlijk, meneer. U weet waar u me kunt vinden,' zei de hoer, terwijl ze hem door het donkere steegje loodste waardoor ze waren gekomen.

Terwijl ze de terugweg aanvaardden naar de grotere straten, vroeg Andrew zich af of het feit dat hij tussen haar dijen was klaargekomen hem het recht gaf zijn arm om haar schouders te leggen. Hij besloot van wel en wilde dat juist doen, toen ze een paartje tegen het lijf liepen dat hun bijna op de tast door de nauwe passage tegemoetkwam. Andrew mompelde een verontschuldiging tegen de man tegen wie hij was opgebotst, en die hem, al was hij nauwelijks meer dan een schim in het donkere steegje, behoorlijk forsgebouwd leek. Hij liep gearmd met een hoertje dat door Marie Kelly vrolijk werd begroet.

'Helemaal voor jou, Annie,' zei ze, doelend op het achterplaatsje waar ze net vandaan kwamen.

Annie bedankte haar met een ordinaire lach en trok haar metgezel mee naar het eind van het steegje. Andrew zag hoe ze wankelend opgingen in de dichte duisternis. Zou die krachtpatser er genoeg aan hebben als ze zijn lid tussen haar dijen zou klemmen? vroeg hij zich af, toen hij zag hoe begerig de man de hoer tegen zich aan drukte.

'Ik zei u toch dat het een stil plekje was?' zei Marie Kelly onverschillig toen ze weer in Hanbury Street stonden.

Voor de Brittannia namen ze zonder veel woorden afscheid. Enigszins ontmoedigd door de koelheid die ze na de daad aan de dag had gelegd, probeerde Andrew zich in de wirwar van sombere steegjes te oriënteren en ging op zoek naar de koets. Het kostte hem meer dan een halfuur om die te vinden. Hij vermeed het Harold aan te kijken toen hij in het rijtuig stapte.

'Naar huis, mijnheer?' vroeg de koetsier sarcastisch.

Toen hij de volgende avond naar de Brittannia ging, had hij zich voorgenomen zich te gedragen als een zelfverzekerd man en niet als het onervaren, bange ventje van de vorige keer. Hij moest zijn zenuwen vergeten en bewijzen dat hij zich kon aanpassen aan het milieu, om vervolgens al zijn charmes in de strijd te gooien, het hele repertoire aan lachjes en vleierijtjes waarmee hij de dames van zijn stand gewoonlijk in de ban hield.

Marie Kelly zat aan een tafeltje in de hoek en knikte hem vanachter een pint bier vermoeid toe. Haar bedroefde gezicht bracht hem van zijn stuk, maar omdat hij wel wist dat hij niet zomaar een alternatief paraat had, besloot hij zich gewoon te houden aan zijn oorspronkelijke plan. Hij haalde een glas bier aan de bar, nam plaats aan het tafeltje van het meisje, en zei zo losjes mogelijk dat hij een probaat middel wist om die verslagen uitdrukking van haar gezicht te halen. Marie Kelly's blik bevestigde wat hij al had gevreesd: een ongelukkiger opmerking had hij niet kunnen maken. Andrew was ervan overtuigd dat ze hem zou wegsturen zonder er een woord aan vuil te maken, met een handbeweging waarmee je een lastige vlieg wegjaagt. Maar ze hield zich in en keek hem een paar seconden belangstellend aan, tot ze kennelijk tot de conclusie kwam dat ze haar hart evengoed kon uitstorten bij hem als bij ieder ander. Ze nam een slok uit haar kroes, alsof ze haar keel wilde schoonspoelen, veegde haar mond af aan haar mouw en vertelde dat haar vriendin Annie, de vrouw die ze de vorige avond in Hanbury Street waren tegengekomen, die ochtend vermoord was aangetroffen op het binnenplaatsje waar zij beiden ook waren geweest. Het arme mens was zowat onthoofd, haar lichaam van onder tot boven opengereten, de darmen eruit getrokken en de baarmoeder eruit gesneden.

'Wat erg,' stamelde Andrew, hevig geschrokken, zowel vanwege de grondigheid waarmee de moordenaar te werk was gegaan als vanwege het feit dat hij hem vlak voor de moord was tegengekomen. Die klant had duidelijk aan de normale dienstverlening niet genoeg gehad! Maar Marie Kelly maakte zich meer zorgen om iets anders. Naar haar zeggen was Annie de derde prostituee die in minder dan een maand tijd in Whitechapel was vermoord. Op 31 augustus was Polly Nicholls met doorgesneden keel gevonden in Buck's Row, tegenover Essex Wharf, en op de zevende van diezelfde maand was een zekere Martha Tabram bruut met een pennenmes gestoken en van de trap van een pension gegooid. Volgens Marie Kelly was het het werk van de oplichtersbende uit Old Nichol Street, die van de hoeren een deel van hun verdiensten opeiste.

'Die rotkerels rusten niet voor wij allemaal voor ze werken,' siste ze tussen haar tanden.

Andrew was geschokt over het gebeurde, maar het verwonderde hem niet, ze waren tenslotte in Whitechapel, de smerige mestvaalt waar Londen zijn handen van af had getrokken, en waar te midden van de Duitse, Joodse en Franse immigranten meer dan duizend prostituees op een kluitje bijeen zaten. Steekpartijen waren hier aan de orde van de dag, dat was normaal. Marie Kelly veegde een paar tranen weg, en een paar minuten keek ze stil voor zich heen, als in gebed, tot ze tot Andrews verrassing plotseling uit haar lethargie ontwaakte, zijn hand pakte en hem wellustig toelachte. Het leven ging door. Wat er ook gebeurde, het leven ging door. Was dat wat ze hem met dat lachje wilde zeggen? Marie Kelly was per slot van rekening niet vermoord, ze moest verder leven in die stinkende buurt, de straten afstruinen op zoek naar geld voor een bed. Vol medelijden keek Andrew naar de hand met de vuile nagels die nu eenzaam op de zijne lag, en ook hij moest zich even concentreren om te wisselen van masker, net als een acteur die een paar minuten stilte in zijn kleedkamer nodig heeft om in de huid van een ander te kruipen voor hij het toneel opgaat. Ook voor hem ging het leven tenslotte door. De moord op een hoer was niet iets waarvan de wereld stilstond. Dus streelde hij teder haar hand, klaar om door te gaan met zijn plan. Als iemand die een beslagen ruit schoonveegt, ontdeed hij zijn glimlach van het waas van droefheid, en keek het meisje voor het eerst rechtstreeks aan.

'Ik heb genoeg geld om je voor de hele nacht te kopen, maar geen trucs op een koude binnenplaats meer!'

Zijn woorden verrasten Marie Kelly en haar houding verstrakte, maar Andrews glimlach stelde haar meteen weer gerust.

'Ik heb een kamer in Miller's Court, maar ik weet niet of die voor u wel goed genoeg is,' antwoordde ze koket.

'Ik weet zeker dat alles naar mijn zin zal zijn,' waagde Andrew te antwoorden, blij met de lichtzinnige toon die het gesprek nu had aangenomen, een register dat hij perfect beheerste.

'Eerst moet ik mijn nietsnut van een man eruit gooien,' antwoordde ze. 'Die vindt het niet prettig als ik mijn werk mee naar huis neem.'

Haar antwoord was voor Andrew opnieuw een verrassing, een van de vele in die vreemde nacht die hij duidelijk niet onder controle had. Hij probeerde zijn teleurstelling niet te laten merken.

'Maar je geld zal hem vast overtuigen,' besloot ze met een slim lachje.

Zo ontdekte Andrew dat het paradijs lag in een miserabel kamertje in Whitechapel. Die nacht veranderde alles tussen hen. Andrew beminde haar zo eerbiedig, en streelde haar naakte, op bed uitgestrekte lichaam zo liefdevol, dat Marie Kelly voelde hoe er een bres ontstond in de verschansing die ze had opgeworpen ter bescherming van haar ziel, de koude laag rijp die zorgde dat er niets tot haar huid doordrong, die alles buiten hield wat haar pijn kon doen. De zoete kussen waarmee Andrew haar lichaam overdekte zorgden er tot haar verrassing voor dat haar eigen liefkozingen steeds minder mechanisch werden, en al snel ontdekte ze dat in het bed niet langer een hoer lag, maar de naar liefde hongerende vrouw die ze altijd was gebleven. Ook Andrew begreep dat hij met zijn liefkozingen de ware Marie Kelly tevoorschijn bracht, alsof hij haar bevrijdde uit zo'n watertank waarin magiërs hun aan handen en voeten gebonden fraaie assistentes lieten zakken, alsof hij zo'n goed richtinggevoel had dat hij niet, zoals haar minnaars, verdwaalde in het labyrint, en kon doordringen waar niemand anders kwam, in een soort afgesloten kamer waar zich haar ware kern bevond. Ze brandden in hetzelfde vuur, en toen dat doofde en Marie Kelly met een dromerige blik over de lente in Parijs begon, waar ze een paar jaar als kunstenaarsmodel had gewerkt, en over haar jeugd in Wales, in Ratcliffe Highway, begreep Andrew dat het gevoel in zijn borst, een volkomen nieuw gevoel, liefde moest zijn, want ongewild ervoer hij gehoorzaam alles waarvan de dichters spreken. Het vertederde hem hoe ze gloedvol vertelde over de Parijse pleinen waar zeeën van petunia's en gladiolen bloeiden, en hoe ze bij terugkomst in Londen iedereen had gevraagd haar naam op z'n Frans uit te spreken, omdat dat voor haar de enige manier was om die verre geuren, die de scherpe kantjes van het leven haalden, te bewaren. Maar het ontroerde hem ook dat haar stem bedroefd klonk toen ze hem gedetailleerd uit de doeken deed hoe men in Ratcliffe Highway piraten zo aan de brug over de Theems hing dat ze bij opkomend tij verdronken. Want zo was Marie Kelly: zoet en bitter tegelijk, een verdwaald schot in de roos van de natuur, een zuivere vergissing van de Schepper. Toen ze Andrew vroeg wat voor werk hij deed, waardoor hij kennelijk in staat was haar voor de rest van haar leven te kopen, besloot hij het risico te nemen haar de waarheid te vertellen, omdat deze liefde, mocht ze opbloeien, alleen gebaseerd mocht zijn op de waarheid, maar ook omdat de waarheid – hoe het schilderij hem had betoverd en hem tot zijn absurde zoektocht had gebracht, in een wereld die zo anders was dan de zijne, en hoe hij haar daar had gevonden – hem even mooi en bijzonder voorkwam als zo'n onmogelijke liefde waarover je las in romans. Toen hun lichamen elkaar weer zochten, wist hij dat het geen dwaasheid was geweest om verliefd op haar te worden; integendeel, misschien wel het verstandigste wat hij in zijn leven ooit had gedaan. En toen hij de kamer verliet, met de herinnering aan haar huid op zijn lippen, probeerde hij niet naar Joe, haar man, te kijken, die kleumend van de kou tegen de muur geleund stond.

Toen Harold hem thuis afleverde was het al vroeg in de ochtend. Te opgewonden om naar bed te gaan, al was het maar om er nog wat na te genieten van de met Marie Kelly beleefde momenten, liep Andrew naar de stallen en zadelde een paard. Hij had lang niet meer door Hyde Park gereden, en al helemaal niet meer 's morgens vroeg, zijn favoriete tijdstip, als het gras nog vochtig was van de dauw en de wereld door niemand betreden leek. Het zou zonde zijn om deze kans te laten lopen. Even later galoppeerde Andrew door het bos dat zich uitstrekte tegenover huize Harrington, lachte in zichzelf en slaakte zo nu en dan een uitgelaten kreet, als een soldaat die een overwinning heeft behaald, want zo voelde hij zich als hij terugdacht aan de liefdevolle blik waarmee Marie Kelly de zijne had beantwoord toen ze afscheid hadden genomen tot de volgende avond. Alsof ze in zijn ogen had gelezen dat hij haar, zonder het te weten, al jaren had gezocht, zult u zeggen. Misschien is dit het moment om me te verontschuldigen voor mijn eerdere scepsis en toe te geven dat werkelijk alles met een blik valt uit te drukken: een blik is kennelijk een bodemloze put die aan alles plaats biedt. En zo reed Andrew voort op zijn paard, in een juichende stemming, voor het eerst overmand door de tintelende emotie die we misschien maar gewoon bij de naam moeten noemen: geluk. En omdat hij zo vreselijk verliefd was, leek elk stukje van de wereld dat hij betrad te stralen, alsof elk onderdeel – de met afgevallen bladeren bedekte paadjes, de stenen, de struiken, de bomen en zelfs de van tak tot tak springende eekhoorns – van binnenuit werd verlicht. Maar denkt u nu niet dat ik me ga verliezen in een beschrijving van vele hectaren geëxalteerd, bijna lichtend parklandschap, want dat ben ik niet van plan en dat zou ook niet in overeenstemming met de waarheid zijn, want ondanks zijn veranderde kijk op de dingen was er aan het landschap waar Andrew doorheen reed natuurlijk niets veranderd. En dat gold ook voor de eekhoorns, want dat zijn beestjes die zich al helemaal niet van de wijs laten brengen.

Na meer dan een uur ononderbroken galopperen, ontdekte Andrew dat hij nog bijna de hele dag voor zich had voor hij weer zou terugkeren naar Marie Kelly's eenvoudige sponde. Hij moest dus een bezigheid zoeken die hem afleidde van het kwellende gevoel dat hem ongetwijfeld zou overvallen als hij merkte dat de tijd, ondanks de omstandigheden, of misschien juist daardoor, niet sneller ging, maar juist op boosaardige wijze vertraagde. Hij besloot zijn neef Charles op te zoeken, degene met wie hij zijn geluk altijd deelde; ditmaal was hij echter beslist niet van plan hem iets te vertellen. Misschien wilde hij eigenlijk alleen maar vaststellen hoe zijn neef er nu uitzag, kijken of hij, net als de eekhoorns, ook straalde.

IV

In de eetkamer van de Winslows stond alles klaar voor het ontbijt van de jonge Charles, die ongetwijfeld nog steeds in zijn bed lag te luieren. Aan een van de grote ramen stond een enorme tafel, waarop de bedienden een dozijn borden met broodjes, biscuitjes en jam hadden klaargezet, en diverse kannen met grapefruitsap en melk. Het meeste zouden ze moeten weggooien, want hoewel het leek of er een heel regiment werd verwacht, stond het er allemaal alleen voor zijn neef, en die zou gezien zijn befaamde gebrek aan eetlust 's morgens vast alleen maar verstrooid wat aan een biscuitje knabbelen. Andrew schaamde zich plotseling over die verspilling van eten en dat verbaasde hem, want zo'n volgestouwde tafel die niemand leeg at was voor hem immers al jaren een vertrouwd beeld, zowel hier als bij hem thuis. Hij begreep dat deze ongewone reactie de eerste van vele zou zijn op zijn bezoeken aan Whitechapel, waar de mensen in staat waren een moord te begaan voor de kruimels van het biscuitje waarin zijn neef lusteloos hapte. Zou de hele situatie niet alleen zijn gevoel, maar ook zijn sociale geweten wakker schudden? Het eerste leed voor Andrew geen twijfel, maar in het laatste geloofde hij niet erg, omdat hij hoorde tot het slag mensen dat zo veel aandacht aan zijn innerlijk besteedt, dat er niet veel tijd overblijft om zich druk te maken over de wereld buiten. Juist hij leefde een leven dat gewijd was aan de oplossing van het mysterie dat hij voor zichzelf vormde, aan het onderzoek naar zijn gevoelens en reacties, en aan zijn pogingen om dat raadselachtige instrument dat zijn geest was te stemmen tot hij tevreden was met de klank. Het was een onderneming die hem soms, omdat hij de dingen voortdurend weer net iets anders bekeek, net zo onmogelijk leek als het in formatie laten zwemmen van de vissen in de vijver, maar hij had het gevoel dat hij die opdracht eerst tot een goed einde moest brengen voor hij zich kon bezighouden met wat er in de wereld, voorbij de grenzen van zijn veilige dagelijkse omgeving, gebeurde. In elk geval zou het interessant zijn om te zien hoe nieuwe zorgen, die hij tot dan toe niet had gekend, nu zijn aandacht vroegen. En wie weet, misschien vond hij in zijn reactie daarop wel de oplossing voor het raadsel Andrew Harrington.

Hij pakte een appel van de fruitschaal en ging zitten om, zoals zo vaak, te wachten tot zijn neef tot de wereld der levenden zou terugkeren. Happend in de appel, met zijn bemodderde laarzen op een voetenbankje, dacht hij glimlachend aan Marie Kelly's kussen, aan de zoete, uitputtende manier waarop ze beiden de schade van jaren van gevoelshonger hadden ingehaald, tot hij opeens de krant op tafel zag liggen. Het was de ochtendeditie van *The Star*, die in vette koppen berichtte over de moord op Annie Chapman, een prostituee uit Whitechapel. Gedetailleerd werd uit de doeken gedaan welke brute amputaties ze had ondergaan: behalve haar baarmoeder, zoals Marie Kelly al had verteld, waren ook haar blaas en vagina verwijderd. Verder werd vermeld dat aan een van haar vingers een paar goedkope ringen ontbraken. De politie leek in het duister te tasten over de identiteit van de moordenaar, maar bij de verhoren van de hoeren uit East End was wel de naam van een verdachte opgedoken: een Joodse schoenmaker met de bijnaam Leren Voorschoot, die hen regelmatig onder bedreiging van een mes van hun geld beroofde. Het verslag ging vergezeld van een lugubere illustratie waarop je een politieagent zag die met zijn lantaarn het bebloede lichaam van een vrouw bescheen. Andrew schudde zijn hoofd. Hij was vergeten dat zijn paradijs midden in de hel lag, en dat de vrouw die hij liefhad een engel was in een land van duivels. Aandachtig las hij de drie pagina's door waarin de moorden die tot dan toe in Whitechapel waren gepleegd nog eens de revue passeerden. Maar het stond allemaal ver van hem af, daar in die luxueuze eetkamer, waar de vuiligheid en de dwalingen waartoe mensen in staat zijn even ver weg leken als het stof dat door de bedienden voortdurend ijverig werd weggepoetst. Hij was van plan geweest Marie Kelly genoeg geld te geven om de afpersers die zij voor de moorden verantwoordelijk hield rustig te houden, maar de berichten leken niet in die richting te gaan. Uit de precisie waarmee de organen waren verwijderd leidde de politie af dat de vermoedelijke moordenaar iets van chirurgie moest weten, zodat praktisch iedereen met het beroep van arts de dader kon zijn, maar ook bontwerkers, koks en barbiers, kortom, ieder die met het mes kon omgaan tot de verdachten behoorde. Er werd ook verteld dat het medium van koningin Victoria het gezicht van de moordenaar had gezien. Andrew zuchtte. De helderziende wist meer van de moordenaar dan hijzelf, terwijl hij hem nota bene vlak voor de moord tegen het lijf was gelopen!

'Sinds wanneer hou jij je bezig met het wel en wee van het Rijk, neef?' klonk Charles' lachende stem achter hem. 'Ah, ik zie dat je belangstelling uitgaat naar de sensatieberichten!'

'Goedemorgen, Charles,' begroette Andrew hem, en legde de krant op tafel, alsof hij er alleen maar uit verveling wat in had zitten bladeren.

'Het is ongelooflijk hoeveel aandacht ze besteden aan de moorden op die arme hoeren,' zei Charles, terwijl hij een trosje glanzende druiven van de fruitschaal pakte en op de stoel tegenover hem ging zitten. 'Hoewel ik moet toegeven dat het me intrigeert dat ze zo veel belang hechten aan die onverkwikkelijke zaak. Ze hebben Fred Abberline met het onderzoek belast, de beste speurder van Scotland Yard. Het is duidelijk dat de zaak de Metropolitan Police een maatje te groot is.'

Andrew knikte quasiverstrooid, en keek door het raam hoe de wind een zeppelinvormige wolk uiteen blies. Hij wilde niet al te geïnteresseerd lijken, maar eigenlijk wilde hij alles weten over die misdrijven, die zich kennelijk alleen afspeelden in de wijk van zijn geliefde. Hoe zou Charles reageren als hij hem vertelde dat hij de vorige nacht in een donker straatje in Whitechapel tegen de moordenaar was opgebotst? Het vervelende was wel dat hij intussen niets over de man kon zeggen, behalve dat het om een kolossaal iemand ging die vreselijk had gestonken.

'Maar ook nu Scotland Yard zich ermee bezighoudt, zijn er alleen nog maar verdachten, soms op het belachelijke af,' vervolgde zijn neef, terwijl hij een druif van het trosje plukte en ermee speelde tussen zijn vingers. 'Weet je dat ze een indiaan uit de show van Buffalo Bill verdenken, en zelfs Richard Mansfield, de acteur die in *Dr. Jekyll and Mr. Hyde* speelt in het Lyceumtheater? Een stuk dat ik je trouwens zeer kan aanbevelen. Het is werkelijk huiveringwekkend hoe Mansfield op het toneel van gedaante verandert.'

Andrew beloofde dat hij erheen zou gaan, en gooide het restant van zijn appel op de tafel.

'Om kort te gaan,' concludeerde Charles, die van het onderwerp leek te willen afstappen, 'die arme drommels in Whitechapel hebben een burgerwacht gevormd die in de straten patrouilleert. Londen groeit zo snel dat de politie het allemaal niet aankan. Iedereen lijkt wel in deze ellendige stad te willen wonen. Zelfs uit de verste graafschappen komen ze hiernaartoe op zoek naar een beter leven, om vervolgens te eindigen in een fabriek waar ze worden uitgebuit en tyfus oplopen, of terecht te komen in de misdaad om de exorbitante huur voor een souterrain of ander slecht geventileerd krot te kunnen betalen. Eigenlijk verbaast het me dat er niet meer moorden en berovingen zijn, als je bedenkt hoe vaak de daders er ongestraft mee wegkomen. Als de misdadigers zich op de een of andere manier zouden organiseren, hadden ze Londen in hun zak, Andrew, twijfel daar maar niet aan. Het verbaast me niet dat de koningin bang is voor een volksopstand, een revolutie zoals onze Franse buren hebben meegemaakt, en waarbij zijzelf en haar hele familie op de guillotine eindigen. Het hele imperium is niet meer dan een façade die hoe langer hoe meer gestut moet worden om niet in elkaar te storten. Onze schapen en ossen grazen in Argentinië, onze thee wordt verbouwd door Chinezen en Indiërs, het goud komt uit Zuid-Afrika en Australië, en onze wijn halen we uit Spanje en Frankrijk. Dus vertel me maar, beste neef: wat, behalve de misdaad, is nu eigenlijk nog echt Engels? Met een georganiseerde opstand zouden de misdadigers het land zo kunnen overnemen. Gelukkig gaan misdaad en gezond verstand zelden samen.'

Andrew hoorde zijn neef met genoegen aan. Hij hield ervan hem op die mismoedige toon te horen uitweiden, zogenaamd alsof hij zijn eigen woorden niet serieus nam. Zijn geest was er een vol contradicties, en deed denken aan een huis met ontelbaar veel kamers die onderling niet verbonden zijn, zodat wat er in de ene kamer gebeurde geen gevolgen heeft voor de andere. Daarom kon zijn neef te midden van de luxe die hem omgaf de meest etterende wonden opmerken, om die het volgende moment weer te vergeten, terwijl hij zelf, om een eenvoudig voorbeeld te noemen, niet meer tot de geslachtsdaad in staat was als hij in de buurt van een slachthuis of een invalidenhospitaal was geweest. Andrews binnenste had meer weg van een slakkenhuis waarin alles verdween en alles resoneerde. Dat was in de grond van de zaak wat hen van elkaar onderscheidde en waardoor ze elkaar aanvulden: Charles redeneerde, Andrew voelde.

'In elk geval maken die brute misdaden Whitechapel tot een gebied waar je de nacht maar beter niet kan doorbrengen, beste neef,' zei Charles, terwijl hij zijn onverschillige pose opgaf, zich over de tafel boog en Andrew veelbetekenend aankeek. 'En al helemaal niet met een hoer.'

Andrew keek hem verrast aan.

'Je weet het?' vroeg hij.

Zijn neef glimlachte.

'De bedienden praten, Andrew. Onze intiemste geheimen stromen als ondergrondse rivieren onder de comfortabele bodem waarop wij lopen, dat zou je inmiddels toch moeten weten,' zei hij, terwijl hij symbolisch met zijn schoen op het tapijt tikte.

Andrew zuchtte. Het was niet toevallig dat zijn neef de krant daar had laten liggen. In werkelijkheid had hij waarschijnlijk niet eens geslapen. Charles genoot van dit soort spelletjes. Je kon je makkelijk voorstellen hoe hij zich achter een van de kamerschermen in de eetkamer had verstopt, en geduldig had gewacht tot zijn verwarde neef in de val liep, zoals het ook inderdaad was gegaan.

'Ik wil echt niet dat mijn vader erachter komt, Charles,' smeekte hij.

'Rustig maar, neef. Ik weet wat een opschudding dat in de familie teweeg zou brengen. Maar zeg eens, ben je verliefd op haar of is het maar een bevlieging?'

Andrew zweeg. Wat kon hij zeggen?

'Je hoeft niet te antwoorden,' zei zijn neef op berustende toon. 'Ik ben bang dat ik het een noch het ander zou begrijpen. Ik hoop alleen dat je weet wat je doet.'

Andrew wist ongetwijfeld niet wat hij deed, maar hij kon er niet mee stoppen. Als een mot die wordt aangetrokken door het licht, haastte hij zich iedere avond naar het miserabele kamertje in Miller's Court om zich daar, vol overgave, te storten in het razende vuur dat Marie Kelly heette. De hele nacht bedreven ze de liefde, in de ban van een onstilbaar verlangen, alsof ze vergiftigd waren en niet wisten hoe lang ze nog te leven hadden, alsof daarbuiten de wereld in elkaar stortte door een plotselinge uitbraak van de pest. En als hij maar genoeg munten op haar nachtkastje legde, zo had Andrew al snel door, kon hun liefdesvuur zachtjes blijven branden tot na het ochtendgloren, want zijn geld beschermde hun roes tegen het daglicht en hield zelfs Joe, Marie

Kelly's echtgenoot, op een afstand; hij probeerde niet aan hem te denken als hij in zijn armoedige kleren samen met haar door de wirwar van modderige straatjes van Whitechapel liep. Het waren rustige, aangename wandelingen, waarbij ze allerlei collega's en kennissen van Marie Kelly tegenkwamen, het lijdzame voetvolk van een oorlog zonder loopgraven, een stelletje arme drommels dat elke dag maar weer opstond om uit een soort dierlijke overlevingsdrang de confrontatie aan te gaan met een wereld die hun vijandig gezind was, mensen voor wie Andrew meer en meer bewondering kreeg en die hij gefascineerd bekeek, alsof het exotische bloemen waren. Geleidelijk kwam hij tot de overtuiging dat het leven in die buurt echter, eenvoudiger en beter te begrijpen was dan in het met luxe tapijten belegde bastion waar zijn eigen bestaan zich afspeelde.

Soms moest hij zijn pet diep over zijn ogen trekken om niet te worden herkend door de groepjes rijke jongelui die op sommige nachten de buurt binnenvielen. Ze kwamen in deftige rijtuigen en liepen als arrogante, brutale veroveraars door de straten, op zoek naar een of ander armoedig bordeel waar ze ongestraft hun laagste instincten konden botvieren, want volgens geruchten die je vaak in de rooksalons in West End hoorde, kon je, als je over het geld en de fantasie beschikte, alles met die arme hoeren uit Whitechapel doen. Als hij zo'n lawaaierige zwerm jongelui gadesloeg, voelde Andrew tot zijn verbazing een beschermende impuls opkomen, en dat moest wel zijn omdat hij Whitechapel onbewust was gaan zien als een gebied dat hij een beetje in de gaten moest houden. Aan die barbaarse invasies kon hij echter weinig doen. Hij kon zich alleen maar overgeven aan een gevoel van verdriet en onmacht, en alles proberen te vergeten in de armen van zijn geliefde, die hem met de dag mooier leek, alsof ze onder zijn liefdevolle aandacht de glans had teruggekregen waarmee ze was geboren, maar waarvan het leven haar had beroofd.

Maar zoals u weet bestaat er geen paradijs zonder slang, en hoe zoeter de tijd die Andrew met zijn geliefde doorbracht, hoe bitterder de smaak op zijn lippen toen hem duidelijk werd dat dit alles was wat Marie Kelly hem kon schenken. Het was hem niet genoeg en hij verlangde elke dag naar meer, omdat hun liefde, die buiten Whitechapel niet bestaanbaar zou zijn, ondanks haar onmiskenbare hevigheid toch iets toevalligs en onechts bleef houden. En terwijl buiten op straat de Joodse schoenlapper met de bijnaam Leren Voorschoot bijna werd gelyncht door een woedende menigte, begroef Andrew zijn woede en angst in Marie Kelly's armen, en vroeg zich af of zijn geliefde zo hartstochtelijk was omdat ook zij had begrepen dat ze een passie beleefden die het lot hun zomaar had toegeworpen, een passie waaraan ze zich vastklampten als aan een roos die hen met zijn geur bedwelmde, maar doorns had waaraan ze hun vingers verwondden. Of misschien wilde ze met haar hartstocht juist zeggen dat ze hun liefde moesten behoeden voor het langzame uitdoven dat onvermijdelijk leek, ook al moest ze daarvoor de wereld op zijn kop zetten. Maar als dat zo was, beschikte hij dan over dezelfde kracht, over het noodzakelijke vertrouwen om een strijd aan te gaan die op voorhand verloren leek? Al deed Andrew nog zo zijn best, het lukte hem niet zich Marie Kelly voor te stellen in zijn wereld van opgedirkte jongedames, wier enige doel in het leven was hun dikke buik te laten zien en een hoop kinderen te krijgen, en de vrienden van hun geliefde echtgenoot te vermaken met hun pianospel. Zou Marie Kelly die rol kunnen spelen, en het hoofd boven water kunnen houden in de stroom van sociale afwijzing die ze ongetwijfeld over zich heen zou krijgen, of zou ze ten onder gaan als een exotische bloem buiten haar kas?

Dergelijke zorgen kwelden hem heimelijk, en de krant bood maar weinig afleiding, met al die verhalen over de moorden op de hoeren. Op een ochtend bij het ontbijt stuitte hij op de publicatie van een brief die de moordenaar brutaalweg aan de Central Press Agency had gestuurd, en waarin hij verzekerde dat ze hem niet makkelijk te pakken zouden krijgen, dat hij nog meer moorden zou plegen en de hoeren in Whitechapel met zijn mes zou blijven bewerken. De brief was, heel toepasselijk, met rode inkt geschreven en ondertekend met Jack the Ripper, en Andrew moest toegeven dat dat een verontrustender en opvallender naam was dan de weinig fantasievolle bijnaam de 'moordenaar van Whitechapel' waaronder hij tot dan toe bekend had gestaan. De nieuwe, door de pers gepropageerde naam, die natuurlijk verwees naar de hoofdpersoon in de goedkope Jack Lightfoot-romannetjes en zijn manier van omgaan met vrouwen, werd al snel door iedereen overgenomen, zoals Andrew keer op keer merkte als hij in de wijk kwam en hoorde hoe de naam met een pervers soort opwinding werd uitgesproken, alsof de arme zielen in Whitechapel het spannend en zelfs wel modern vonden dat hun buurt onveilig werd gemaakt door een meedogenloze moordenaar. En omdat Scotland Yard naar aanleiding van de lugubere brief plotseling werd bedolven onder een stortvloed van soortgelijke epistels, waarin de vermoedelijke moordenaar de draak stak met de politie, kinderachtig opschepte over zijn misdaden en verdere bedreigingen uitte, kwam Andrew tot de conclusie dat er in Engeland heel wat mensen rondliepen die kennelijk graag wat opwinding in hun leven brachten door zich als moordenaar voor te doen, normale mensen die behept waren met sadistische trekjes en ziekelijke driften die gelukkig nooit op andere wijze tot uiting zouden komen. Behalve dat het politieonderzoek erdoor belemmerd werd, maakte deze massahysterie de kerel die hij in de passage naar Hanbury Street tegen het lijf was gelopen tot een monster, tot de belichaming van de diepste angsten van de mens. En misschien was het deze oncontroleerbare wildgroei van kandidaatdaders die de echte moordenaar ertoe bracht zichzelf in de nacht van 30 september te overtreffen. In de houtzagerij aan Dutfield's Yard vermoordde hij de Zweedse Elizabeth Stride, het hoertje dat hem bij zijn eerste bezoek aan Whitechapel op het spoor van Marie had gezet en, amper een uur later, sneed hij in alle rust Catherine Eddowes open op Mitre Square, haalde haar linkernier en een handvol ingewanden eruit en sneed haar zelfs de neus af.

De koude oktobermaand die volgde legde een waas van berusting over de ongelukkige bewoners van Whitechapel die zich, ondanks de bemoeienissen van Scotland Yard, meer dan ooit aan hun lot overgelaten voelden. Op de gezichten van de hoeren was hulpeloosheid te lezen, maar ook een vreemd aandoende onderwerping aan hun vreselijke lot. Het leven werd een lang, gespannen wachten, waarin Andrew Marie Kelly's bevende lichaam met alle kracht omhelsde en haar zachtjes toefluisterde dat ze zich geen zorgen moest maken, als ze maar uit de buurt bleef van het jachtterrein van The Ripper, de donkere plaatsjes en verlaten steegjes waar hij rondzwierf met zijn bloeddorstige mes. Maar zijn woorden hadden geen enkel effect op de geschokte Marie Kelly, die intussen zelfs aan andere hoeren onderdak bood in haar kamertje in Miller's Court, om ze weg te houden van de onveilige straten – wat leidde tot heibel met Joe, waarbij een van de ramen sneuvelde. De volgende avond gaf Andrew haar het benodigde geld om het kapotte raam te laten repareren, zodat de snijdende kou niet langer vrij spel had. Maar ze legde het op het nachtkastje en vlijde zich, gewoontegetrouw, bereidwillig op bed. Maar ditmaal bood ze hem niet meer dan haar lichaam, en ze keek hem aan met de bedroefde, pijnlijke blik die ze al een paar dagen in haar ogen had, en waarin hij een wanhopige schreeuw om hulp meende te zien, een stil verzoek om haar daar weg te halen, voor het te laat was.

Alsof hij plotseling was vergeten dat in een blik alles te lezen valt, deed Andrew net alsof hij die wens, hoe duidelijk die ook was, niet zag, omdat hij niet wist hoe hij de wereld op z'n kop moest zetten – wat in zijn geval niet minder betekende dan dat hij de confrontatie met zijn vader moest aangaan. Misschien was het daarom dat Marie Kelly, als in een stil protest tegen zijn lafheid, weer de straat op ging, op zoek naar klanten, en zich 's nachts met haar vriendinnen in de Brittannia bedronk, de machteloosheid van de politie vervloekend en het helse monster verwensend dat nog steeds de spot dreef met alles en iedereen, want nu had George Lusk, een socialistische agitator die zichzelf tot president van de burgerwacht van Whitechapel had benoemd, een kartonnen doos met daarin een menselijke nier toegestuurd gekregen. Kwaad op zichzelf, vanwege zijn gebrek aan moed, zag Andrew haar iedere nacht dronken het kamertje binnenwankelen. Voor ze op de grond viel of zich als een hondje oprolde voor de warme haard, nam hij haar dan in zijn armen en legde haar in bed, dankbaar dat ze die nacht niet tegen een mes was aangelopen. Maar hij wist dat ze zo niet kon doorgaan, ook al had de moordenaar in geen weken meer toegeslagen en patrouilleerden er meer dan tachtig agenten in de wijk. En hij wist dat alleen hij haar veiligheid kon bieden. Daarom nam Andrew, terwijl hij in de donkere kamer zat en zijn geliefde haar alcoholische nachtmerries vol opengesneden lijken droomde, zichzelf heilig voor om de volgende dag met zijn vader te spreken. Maar als de volgende dag dan was gekomen, ijsbeerde hij voor de deur van zijn vaders kantoor heen en weer en durfde er niet naar binnen te gaan. 's Avonds keerde hij met hangend hoofd en beschaamd, soms ook gewapend met een fles drank, weer terug naar het kamertje van Marie Kelly en nam haar stille, verwijtende blik in ontvangst. Dan dacht Andrew terug aan alles wat hij had gezegd, de hoogdravende woorden waarmee hij hun verbintenis had willen bezegelen: dat hij al achttien, honderd, misschien wel vijfhonderd jaar op haar wachtte, dat hij naar haar op zoek was geweest in elk van haar incarnaties, mochten die er zijn geweest, omdat ze voorbestemd waren elkaar in het labyrint van de tijd te ontmoeten, en dergelijke woorden meer, die voor Marie Kelly onder de huidige omstandigheden wel moesten klinken als een larmoyante poging om een romantisch tintje te geven aan iets wat niets anders was dan de begeerte van een bronstig dier, of erger nog, als een poging om de opwinding te verbergen die de toeristische uitstapjes naar de schaduwzijde van het leven hem bezorgden. Waar is al die liefde van je nu gebleven, Andrew, leek ze hem met haar bange gazelleogen te zeggen, voor ze in de richting van de Brittannia verdween en uren later waggelend weer terugkeerde.

Totdat er op de koude avond van de zevende november, toen hij haar weer naar de kroeg zag gaan, bij Andrew vanbinnen iets gebeurde. Misschien was het de alcohol, die sommige mensen, bij een juiste dosering althans, tijdelijk helder maakt, of misschien had hij gewoon lang genoeg gewacht en was die helderheid vanzelf ontstaan, in elk geval begreep Andrew nu dat zijn leven zonder Marie Kelly geen zin had, en dat hij daarom niets te verliezen had als hij vocht voor een toekomst aan haar zijde. In een plotselinge vlaag van moed, opeens bevrijd van dat onmachtige gevoel alsof zijn longen verstopt waren door een laag dorre bladeren, stormde hij de kamer uit, gooide de deur met een harde klap achter zich dicht, en liep met grote passen naar de plek waar Harold gewoonlijk op hem wachtte, de koetsier die de lange nachten van zijn meesters plezier doorbracht op de bok van het rijtuig, in elkaar gedoken als een uil en de kou verdrijvend met een fles cognac.

Die avond zou William Harrington erachter komen dat zijn jongste zoon verliefd was geworden op een hoer.

V

Ja, ik weet dat ik u aan het begin van dit verhaal een wonderbaarlijke tijdmachine heb aangekondigd, en ik verzeker u dat die ook komt. We zullen zelfs te maken krijgen met dappere ontdekkingsreizigers en woeste inheemse stammen, die in geen enkele avonturenroman mogen ontbreken. Maar alles op zijn tijd. Moeten voor het begin van een partij schaak soms niet eerst de stukken worden opgesteld? Staat u mij dus toe dat ik het bord verder in gereedheid breng, en terugkeer naar de jonge Andrew, die de lange weg naar huize Harrington had kunnen gebruiken om zijn geest helder te maken, maar in plaats daarvan de voorkeur gaf aan het vertroebelen van zijn brein door de fles die hij in zijn zak had leeg te drinken. Het had tenslotte geen enkele zin om met een coherent verhaal en heldere ideeën bij zijn vader aan te komen, want hij was ervan overtuigd dat hij geen fatsoenlijk gesprek over de kwestie met hem kon voeren. Het was beter om zich zo veel mogelijk te verdoven, en precies nuchter genoeg te blijven om nog uit zijn woorden te kunnen komen. Het was zelfs niet de moeite om de elegante kleren aan te trekken die hij uit voorzorg altijd op het bankje in de koets had liggen. Vanavond hoefde hij geen geheim meer te bewaren. Toen ze bij huize Harrington aankwamen, stapte Andrew uit de koets, vroeg Harold op zijn plaats te blijven en liep op het huis af. Toen de koetsier hem in zijn vodden de trap op zag gaan, schudde hij ontdaan zijn hoofd en vroeg zich af of hij het geschreeuw van meneer Harrington buiten zou kunnen horen.

Pas toen hij strompelend de bibliotheek binnenviel, herinnerde Andrew zich dat zijn vader die avond een bespreking met ondernemers had: een dozijn mannen staarde hem sprakeloos aan. Dat was niet de situatie die hij had verwacht, maar er stroomde inmiddels te veel alcohol door zijn aderen om zich nu te laten intimideren. Zijn ogen zochten zijn vader te midden van al die mannen in pak, en ten slotte zag hij hem staan bij de haard, naast zijn broer Anthony, met een glas in de ene en een sigaar in de andere hand. Beiden namen hem verbijsterd op. Maar zijn kleding was het ergste niet – daar zouden ze gauw genoeg achter komen, zei Andrew bij zichzelf. Eigenlijk was hij blij dat hij publiek had. Als hij toch werd afgemaakt, dan liever omringd door getuigen dan alleen met zijn vader in zijn kantoor. Terwijl de aanwezigen gebiologeerd toekeken, schraapte hij luidruchtig zijn keel en zei: 'Vader, ik kom je meedelen dat ik verliefd ben.'

Een enkele gast kuchte, maar voor het overige viel zijn verklaring in een zee van absolute stilte.

'Andrew, ik geloof niet dat dit het juiste moment is om...' begon zijn vader, zichtbaar geïrriteerd, maar Andrew snoerde hem met een onverwacht autoritair gebaar de mond.

'Ik kan je verzekeren, vader, dat dit moment net zo slecht is als elk ander,' zei hij, en probeerde rechtovereind te blijven, om zijn vermetele optreden niet met een smak op de grond te beeindigen.

Zijn vader keek boos, maar dwong zichzelf rustig te blijven. Andrew haalde diep adem. Het moment was gekomen om zijn leven voorgoed te ruïneren.

'En de vrouw die mijn hart heeft gestolen...' vervolgde hij, 'is een prostituee uit Whitechapel die Marie Kelly heet.'

Ziezo, dat was eruit. Hij lachte de aanwezigen uitdagend toe. Hij zag verschrikte gezichten, handen aan voorhoofden en gesticulerende armen, maar niemand zei iets. Het was duidelijk dat het William Harrington was die moest spreken: hier werd een toneelstuk voor twee personen opgevoerd. Alle blikken waren dus gericht op de gastheer. Zijn vader keek hoofdschuddend naar het tapijt en er ontsnapte een hees gegrom aan zijn keel. Op de tast zette hij zijn glas op de schoorsteen, alsof het hem plotseling hinderde.

'In tegenstelling tot wat ik u vaak heb horen beweren, heren,' ging Andrew verder, de beginnende woedeaanval van zijn vader negerend, 'leiden hoeren dat leven van ze niet omdat ze slecht zijn. Ik verzeker u dat ze stuk voor stuk liever fatsoenlijk werk zouden vinden, maar ze hebben geen keus, gelooft u me, ik weet waarover ik spreek.' Zijn vaders collega's praktiseerden nog steeds de kunst om zonder hun mond te openen hun verbazing te uiten. 'Ik heb de laatste weken veel tijd met ze doorgebracht. Ik heb gezien hoe ze zich 's morgens wassen in de drenkbakken voor de paarden, hoe ze zittend slapen als ze geen bed konden betalen, met een touw vastgebonden aan de muur...'

En hoe meer hij op die manier over de hoeren sprak, hoe duidelijker Andrew begreep dat zijn gevoelens voor Marie Kelly veel dieper gingen dan hij had gedacht. Met eindeloos mededogen bekeek hij al die heren met hun ordelijke leven, met hun kleurloze bestaan dat geen verrukkingen kende, al die heren die nooit op het idee zouden komen zich over te geven aan een passie. Hij zou ze kunnen uitleggen wat het betekende je hoofd te verliezen, te branden als in een aanval van koorts. Hij zou ze kunnen vertellen hoe liefde er vanbinnen uitzag, want hij had die geopend als een vrucht, opengemaakt als een horloge om het mechanisme ervan te doorgronden, het raderwerk dat ervoor zorgt dat de wijzers de tijd in stukken verdelen. Maar Andrew kon ze niets van dit alles vertellen, omdat zijn vader op dat moment met grote stappen door de kamer beende, grommend van woede en met zijn stok bijna gaten in het tapijt borend, vlak voor hem bleef stilstaan en hem vervolgens een flinke klap in zijn gezicht gaf. Verrast deed Andrew een paar stappen achteruit. Toen hij begreep wat er was gebeurd, streek hij over zijn pijnlijke wang en zette zijn uitdagende glimlach weer op. Gedurende een moment dat voor de aanwezigen een eeuwigheid leek, staarden vader en zoon elkaar aan, tot de eerste zei: 'Vanaf nu heb ik nog maar één zoon.'

Andrew probeerde een neutraal gezicht te trekken.

'Zoals je wilt,' zei hij koeltjes. Daarop richtte hij zich met iets als een buiging tot de aanwezigen. 'Heren, als u mij excuseert, ik moet weg, voor altijd.'

Hij draaide zich zo trots als hij kon om en verliet het vertrek. De nachtelijke kou bracht verfrissing. Eigenlijk, zei hij bij zichzelf, terwijl hij de trap af liep en probeerde niet te struikelen, was het, afgezien van het onverwachte publiek maar inclusief de woedende klap, precies gegaan zoals hij had verwacht. Zijn beledigde vader had hem zojuist onterfd. En dat voor de ogen van de rijkste zakenlieden van Londen, een demonstratie ter plekke van zijn beruchte razernij, met ditmaal zijn eigen telg als doelwit, en zonder enig teken van wroeging. Nu had Andrew niets meer, alleen zijn liefde voor Marie Kelly. Als hij vóór het rampzalige gesprek nog een sprankje hoop had gehad dat zijn vader, geroerd door zijn verhaal, te vermurwen was, misschien zelfs zou toestaan dat hij zijn geliefde naar huis meebracht, om haar zo ver mogelijk uit de buurt te houden van het monster in Whitechapel, nu was duidelijk dat ze het op eigen kracht moesten zien te redden. Hij stapte in de koets en gaf Harold opdracht terug te rijden naar Miller's Court. De koetsier, die de tijd tot de ontknoping van het drama had gedood door rondjes om het rijtuig te lopen, klom weer op de bok, spoorde de paarden aan en probeerde zich voor te stellen wat zich binnen had afgespeeld, en we moeten hem nageven dat hij met de schaarse aanwijzingen die hij had, de scène verbazingwekkend nauwkeurig reconstrueerde.

Het rijtuig hield op de gebruikelijke plaats stil. Andrew sprong naar buiten en rende naar Dorset Street, verlangend om Marie

Kelly in zijn armen te sluiten en haar te vertellen hoeveel hij van haar hield. Voor haar had hij alles opgegeven. Maar hij had geen medelijden met zichzelf, en voelde alleen een lichte onzekerheid over zijn toekomst. Ze zouden het wel redden. Hij wist zeker dat hij op Charles kon rekenen. Zijn neef zou hem genoeg lenen om in Vauxhall of Warwick Street een huis te kunnen huren, in elk geval tot ze fatsoenlijk werk hadden gevonden en op eigen benen konden staan. Marie Kelly kon in een confectieatelier werken, en hij, wat kon hij? Het maakte niet uit, hij was sterk en had een goed stel hersens, hij vond wel iets. Wat telde was dat hij de confrontatie met zijn vader was aangegaan, het resultaat was minder van belang. Zonder woorden had Marie Kelly hem gevraagd haar uit Whitechapel weg te halen, en dat zou hij doen, met of zonder hulp. Ze gingen daar weg, weg uit die ellendige buurt, weg uit die voorpost van de hel.

Voor de poort naar Miller's Court bleef hij hijgend staan en keek op zijn horloge. Het was vijf uur in de ochtend. Marie Kelly zou al wel terug zijn in haar kamer, waarschijnlijk even dronken als hijzelf. Het zou leuk zijn om samen dronken te zijn, dacht Andrew, en gebarend en grommend als Darwins primaten met elkaar te praten. Opgetogen als een kind liep hij de binnenplaats op. De deur van kamer nummer 13 was dicht. Hij klopte een paar keer, maar er kwam geen antwoord. Marie sliep zeker al, maar dat was geen probleem. Voorzichtig, zodat hij zich niet sneed aan de glasresten in het kozijn, stak Andrew zijn hand door het gat in het raam en schoof de grendel weg, zoals hij Marie Kelly zelf had zien doen vanaf het moment dat ze de sleutel ergens was verloren.

'Marie,' riep hij, terwijl hij de deur opende, 'ik ben het, Andrew!'

Staat u mij toe dat ik het verhaal op dit punt onderbreek om u te waarschuwen dat wat nu volgt zich moeilijk in woorden laat vatten, omdat Andrew te veel gewaarwordingen lijkt te hebben voor de paar seconden die de scène duurde. Bedenkt u daarom dat de tijd elastisch is, dat hij achter de rug van de klok om kan uitdijen en inkrimpen als een accordeon. Ik weet zeker dat u dat in uw eigen leven ook vaak hebt ervaren, afhankelijk van aan welke kant van de toiletdeur u zich bevond. In dit geval rekte de tijd in Andrews geest zich uit, waardoor een paar luttele seconden tot een eeuwigheid werden. Dat is het gezichtspunt van waaruit ik u de scène ga vertellen, en ik zou u daarom willen vragen de discrepanties die er ongetwijfeld tussen de gebeurtenissen en de tijd zullen bestaan, niet aan mijn slechte vertelkunst te wijten.

Toen hij de deur had geopend en de eerste stap in de kamer had gezet, begreep Andrew aanvankelijk niet wat hij zag, of, beter gezegd, hij weigerde te geloven wat hij zag. In die even korte als eindeloze tijd was de wereld voor Andrew nog intact, zij het dat in een nog functionerend hoekje van zijn geest al de zekerheid groeide dat datgene wat hij zag zijn dood zou zijn, want geen mens kan zo'n aanblik verdragen en verder leven, tenminste niet ongedeerd. En wat hij voor zich zag, laten we het maar zonder omwegen zeggen, was Marie Kelly maar tegelijkertijd ook niet, want het was moeilijk te accepteren dat wat daar op het bed lag, in zeeën van bloed, Marie Kelly was. Andrew was niet bij machte om datgene wat hij in het kamertje zag te vergelijken met iets wat hij eerder had gezien, want net als de meeste mensen had hij nog nooit een grondig verminkt menselijk lichaam onder ogen gehad. En toen zijn verstand, hoewel niets in zijn aangename leventje van partijtjes en dure hoeden hem daarop had voorbereid, ten slotte wel moest accepteren dat hij tegenover een met zorg misvormd lijk stond, had hij niet eens de tijd de passende afschuw te voelen, want nu moest hij de hele gruwelijke keten van gevolgtrekkingen wel afgaan, tot hij bij de onontkoombare conclusie kwam dat het gehavende lichaam dat van zijn geliefde moest zijn. The Ripper, want diens werk kon het alleen maar zijn, had haar huid van haar gezicht gesneden en haar daarmee onherkenbaar gemaakt. Maar Andrew kon niet ontkennen dat het Marie Kelly's lijk was. Dat zou behalve weinig realistisch ook te kinderachtig zijn, want door de grootte en bouw, maar vooral door de plek waar het lag, kon het ontzielde lichaam alleen dat van haar zijn. Een golf van verdriet overspoelde Andrew, een afschuwelijk verdriet, dat echter nog maar een flauwe afspiegeling was van wat het in de loop van de tijd zou worden, want nu was hij nog verdoofd, wat hem in zekere zin beschermde. Toen er geen twijfel meer mogelijk was dat hij het lijk van zijn geliefde voor zich had, dwong hij zich uit een soort postume trouw er met een liefdevolle blik naar te kijken. Het was hem echter onmogelijk haar afgestroopte gezicht en de macabere glimlach van de schedel die tussen de flarden huid zichtbaar was anders dan met walging te bezien. Maar had hij op die schedel niet pas nog vol hartstocht zijn kussen gedrukt? Hoe kon die hem dan tegenstaan? Hetzelfde gold voor het lichaam, dat hij nachtenlang had geliefkoosd, maar dat hem nu, van onder tot boven opengesneden en half gevild, afkeer inboezemde. Zijn reactie wees hem erop dat dit op de een of andere manier niet langer Marie Kelly was, want The Ripper had haar op zijn waanzinnige speurtocht naar haar binnenste gereduceerd tot een omhulsel van vlees, en haar van haar menselijkheid beroofd. Na die laatste overpeinzing begon Andrew, half gefascineerd, half ontzet, meer en meer de concrete details waar te nemen, zoals de bruine klomp vlees tussen haar benen, die misschien wel haar lever was, of de borst die op het nachtkastje lag, en die hij daar, ver van zijn natuurlijke habitat, voor een versgebakken oliebol had aangezien als hij niet was bekroond door een violette tepel. Alles leek uiterst zorgvuldig gerangschikt, wat de verschrikkelijke kalmte verried waarmee de moordenaar te werk was gegaan. En de warmte in de kamer, die hij nu pas opmerkte, duidde erop dat het monster zelfs de tijd had genomen om een lekker vuurtje aan te leggen om bij te kunnen werken. Andrew sloot zijn ogen. Hij had genoeg gezien. Meer wilde hij niet weten. De moordenaar had hem niet alleen laten zien hoe wreed en onverschillig de mens tegenover zijn naaste kon zijn, en wat voor gruweldaden hij kon begaan als hij over voldoende tijd, fantasie en een scherp mes beschikte, maar had hem ook, en wel heel hardhandig, een lesje in anatomie geleerd. Voor het eerst besefte Andrew dat het leven, het echte leven, niets te maken heeft met de manier waarop iemand zijn dagen vult, met de lippen die hij kust, de medailles die hij krijgt opgespeld of de schoenen die hij lapt. Het leven, het echte leven, speelt zich stilletjes af in ons binnenste, stroomt daar als een ondergrondse rivier, als een onopvallend wonder, met als enige getuigen chirurgen en gerechtsartsen, en misschien dus ook die meedogenloze moordenaar. Alleen zij wisten dat koningin Victoria uiteindelijk de gelijke was van de meest ellendige bedelaar in Londen, een complex mechanisme van botten, organen en weefsels, tot leven gewekt door Gods adem.

Dit is, in detail uitgewerkt, wat Andrew ervoer in de paar seconden die hij voor Marie Kelly's lijk stond. En in de mist van verdriet en afschuw dook ten slotte ook Andrews slechte geweten op, want direct gaf Andrew zichzelf de schuld van de moord op zijn geliefde. Hij had haar kunnen redden, maar hij was te laat geweest. Dit was de prijs voor zijn lafheid. Hij kreunde van woede en onmacht toen hij zich Marie Kelly onder de barbaarse slachting voorstelde. En plotseling begreep hij dat hij moest verdwijnen voor iemand hem daar zag, wilde hij niet met de moord in verband worden gebracht. Het kon zelfs zijn dat de moordenaar nog in de buurt rondhing, trots op zijn macabere werkstuk, en niet zou aarzelen nog een volgend slachtoffer te maken. Hij wierp een laatste blik op Marie Kelly, durfde haar echter niet aan te raken en dwong zich, met een uiterste wilsinspanning, het kamertje te verlaten en haar daar achter te laten.

Met een gevoel alsof hij op watten liep, sloot hij de deur achter zich en liet alles achter zoals hij het had aangetroffen. Hij zocht de uitgang van het complex, maar werd plotseling zo misselijk dat hij de toegangspoort maar amper bereikte. Hij zakte er op zijn knieën en begon hevig te braken. Toen hij alles eruit had gegooid – en behalve de alcohol die hij die nacht had gedronken, was dat niet veel – krabbelde hij op en leunde tegen de muur met een lichaam dat ijskoud en krachteloos aanvoelde. Vanuit die positie kon hij kamer nummer 13 zien, het paradijs waar hij zo gelukkig was geweest, maar dat nu het uiteengereten lichaam van zijn geliefde verborg. Hij deed een paar stappen, stelde vast dat zijn misselijkheid voldoende was gezakt om niet tegen de vlakte te gaan, en liep wankelend Dorset Street in.

Hij was te zeer van slag om zich te kunnen oriënteren, en strompelde kreunend en snikkend door de stegen. Hij nam niet eens de moeite de koets te zoeken, want nu hij wist dat hij thuis niet langer welkom was, was er geen bestemming meer die hij Harold kon opgeven. Hij liep het ene straatje na het andere door, dwalend naar waar zijn voeten hem brachten. Toen hij dacht dat hij Whitechapel achter zich had gelaten, zocht hij een verlaten steegje en zakte uitgeput tussen het vuilnis in elkaar. Opgerold als een foetus bleef hij liggen en liet dat wat nog restte van de nacht langzaam verstrijken. En zoals ik al voorspelde, werd de pijn heviger naarmate de verdoving uitgewerkt raakte. Zijn verdriet nam zo toe dat het zich vertaalde in lichamelijk lijden. Ineens deed het pijn om in zijn lichaam te zijn, alsof het plotseling een sarcofaag was geworden met scherpe punten aan de binnenkant. Hij wilde zichzelf ontvluchten, zich ontdoen van het pijnlijke materiaal waaruit hij bestond, maar hij zat gevangen in zijn gewonde vlees. Angstig vroeg hij zich af of hij voorgoed met die pijn zou moeten leven. Ergens had hij gelezen dat in de ogen van de doden het laatste beeld staat gegrift dat ze hebben gezien. Zou in Marie Kelly's pupillen de beestachtige lach van The Ripper zijn achtergebleven? Hij wist het niet, maar hij wist wel dat, als die regel opging, hij de uitzondering zou zijn. Als hij stierf maakte het niet uit wat hij nog zou zien, want in zijn ogen zou het verminkte gezicht van Marie Kelly te zien zijn.

Hij had de wil noch de kracht om zich te verzetten tegen het verdriet, en zo liet hij de tijd verstrijken. Nu eens hief hij zijn hoofd en schreeuwde het uit, om kenbaar te maken dat hij het niet eens was met alles wat – onomkeerbaar – was gebeurd, dan weer uitte hij onsamenhangende bedreigingen tegen The Ripper, die hem misschien wel was gevolgd en hem aan het begin van het steegje opwachtte met zijn mes, zich verkneukelend over zijn angst, maar het grootste deel van de tijd jammerde hij alleen maar zachtjes huilend voor zich heen, onbewust van zijn omgeving.

De nieuwe dag, die de duisternis langzaam maar zeker verdreef, bracht hem weer een beetje bij zinnen. Het kabbelende geluid van het leven drong vanuit de ingang van het steegje tot hem door. Met moeite stond hij op, en rillend van de kou in het armoedige jasje van zijn bediende liep hij naar de straat, waar het intussen al verbazend druk was.

Toen hij de vlaggen aan de gevels zag, viel hem in dat de nieuwe burgemeester vandaag zijn ambt zou aanvaarden. Zo rechtop mogelijk lopend mengde hij zich onder de mensen. Zijn kleren waren vuil, maar daardoor viel hij net zo weinig op als elke willekeurige bedelaar. Hij wist niet waar hij was, maar dat stoorde hem niet, want hij wist evenmin waar hij naartoe moest of wat hij moest doen. De eerste kroeg waar hij langskwam leek hem een even goede bestemming als elke andere. Het was in elk geval beter dan zich te laten meevoeren met de mensenstroom in de richting van het Paleis van Justitie, waar James Whitehead, de nieuwe burgemeester, in zijn karos zou arriveren. De alcohol zou hem helpen de kou in zijn binnenste te verdrijven, en tegelijk zijn gedachten zo benevelen dat ze niet gevaarlijk meer waren. Het lokaal was halfleeg. Uit de keuken kwam een sterke geur van worstjes en spek die zijn maag van streek maakte. Hij vluchtte naar het verst van de keuken gelegen tafeltje en bestelde een fles wijn. Hij moest eerst een handvol ponden op tafel leggen om het wantrouwen van de bediende weg te nemen. Onder het wachten bekeek hij de aanwezigen, niet meer dan twee stamgasten die zwijgend zaten te drinken en zich niet druk maakten om het tumult op straat. Een van hen ontmoette zijn blik, en Andrew voelde een schok van ontzetting. Was dat misschien The Ripper? Was hij hem hierheen gevolgd? Maar toen hij zag dat de man te klein was om een bedreiging te zijn voor wie dan ook, kalmeerde hij weer, al trilde zijn hand nog toen hij de fles aanpakte. Hij wist nu waartoe de mens in staat was, ieder mens, zelfs dat kleine mannetje dat rustig zijn bier dronk. Waarschijnlijk miste hij het talent om de Sixtijnse Kapel te beschilderen, maar dat betekende niet dat hij het niet in zich had om iemands buik open te rijten en de ingewanden om het lichaam heen te draperen. Hij wierp een blik door het raam. Daarbuiten liepen de mensen, en zij gingen gewoon door met hun leven. Waarom stopten ze daar niet mee, waarom zagen ze niet dat de wereld was veranderd, dat het geen leefbare plek meer was? Hij slaakte een diepe zucht. Alleen voor hem was de wereld veranderd. Hij leunde achterover op zijn bankje om zich in alle rust te bedrinken. Daarna zou hij wel zien. Hij keek naar zijn geld. Het was waarschijnlijk genoeg om de hele alcoholvoorraad van die kroeg op te drinken, zodat elk ander plan voorlopig kon wachten. Onderuitgezakt op zijn bankje, en druk doende elke opkomende gedachte de kop in te drukken, liet Andrew de dag verstrijken, met de minuut meer verdoofd, met de minuut dichter bij de afgrond van de bewusteloosheid. Maar hij was nog niet zo ver heen dat hij niet reageerde op de kreten van een krantenverkoper.

'*The Star!* Speciale editie! Jack the Ripper opgepakt!'

Andrew sprong op. The Ripper gepakt? Hij kon het niet geloven. Hij keek door het raam en probeerde helder te kijken, tot hij een jongen zag die op een straathoek kranten verkocht. Hij riep hem bij zich en door het open raam kocht hij een krant. Met bevende handen schoof hij wat flessen opzij en spreidde de krant uit op de tafel. Hij had het goed gehoord. JACK THE RIPPER OPGEPAKT! luidde de kop. In zijn beschonken toestand was het lezen van het bericht een tijdrovend en frustrerend karwei, maar met veel geduld en veel wrijven in zijn ogen wist hij het ten slotte te ontcijferen. De vorige avond had Jack the Ripper dus zijn laatste moord gepleegd. Het slachtoffer was een prostituee genaamd Marie Jeannette Kelly uit Wales, en haar lichaam was gevonden in een huurkamer aan Miller's Court, Dorset Street 26. Andrew sloeg de volgende alinea over, waarin met veel gevoel voor detail de vreselijke verminkingen werden opgesomd die de moordenaar haar had toegebracht, en ging meteen door naar het bericht over zijn aanhouding. Volgens de krant was de moordenaar die East End vier maanden had geterroriseerd een uur na zijn afgrijselijke misdaad opgepakt door George Lusk en zijn mannen. Kennelijk had een getuige, die anoniem wilde blijven, Marie Kelly's kreten gehoord en de burgerwacht gewaarschuwd. Helaas was die te laat gearriveerd in Miller's Court, maar ze hadden The Ripper kunnen insluiten in Middlesex Street. Aanvankelijk had de moordenaar geprobeerd alles te ontkennen, maar toen ze hem hadden gefouilleerd en in zijn zak het nog warme hart van zijn slachtoffer hadden gevonden, gaf hij alles toe. De man heette Bryan Reese en werkte als kok op het koopvaardijschip *Slip*, dat in juli vanuit Barbados in de haven van Londen was aangekomen en de volgende week zou vertrekken naar de Caraïben. Toen de met het onderzoek belaste Frederick Abberline hem verhoorde, had Reese de vijf hem ten laste gelegde moorden bekend, en zich bovendien verheugd betoond dat hij zijn bloedige afscheid in een warme kamer had kunnen vieren, want hij had er genoeg van gehad om zijn moorden altijd maar buiten in de kou te moeten plegen. 'Zodra ik haar zag, wist ik dat ik die dronken hoer moest volgen,' had de moordenaar tevreden verklaard. Hij beweerde ook dat hij zijn moeder, die net als zijn slachtoffers prostituee was geweest, had vermoord zodra hij oud genoeg was om een mes vast te houden, maar dat gegeven, dat een verklaring zou kunnen vormen voor zijn gedrag, had men nog niet kunnen bevestigen. Het bericht ging vergezeld van een foto van de moordenaar, zodat Andrew eindelijk het gezicht zag van de man tegen wie hij in de donkere passage naar Hanbury Street was opgebotst. Maar wat hij zag stelde hem teleur: een normaal uitziende, ietwat gezette man, met lange, gekrulde bakkebaarden en een dichte snor. Ondanks zijn boosaardige lachje, dat waarschijnlijk vooral was toe te schrijven aan de omstandigheden waaronder hij was gefotografeerd, moest Andrew toegeven dat de man zowel een nietsontziende moordenaar als een doodeerlijke bakker kon zijn. En natuurlijk zag hij er lang niet zo monsterlijk uit als in de fantasie van de Londenaren. Op de volgende pagina's stonden nog meer berichten die verband hielden met de zaak, zoals het artikel over het ontslag van commissaris sir Charles Warren, nadat die het falen van de politie in deze zaak had toegegeven, en de verklaringen van Reese' verbijsterde collega's, maar Andrew wist wat hij weten wilde, en sloeg de eerste pagina weer op. Hij concludeerde dat hij net na het vertrek van de moordenaar bij Marie Kelly's kamertje was aangekomen en er vlak voor de komst van de door Lusk aangevoerde meute weer was weggegaan, alsof ze met z'n allen onderdeel van één grote choreografie waren geweest. Hij moest er niet aan denken wat er zou zijn gebeurd als hij een paar minuten langer had gewacht en de burgerwacht hem bij het lijk van Marie Kelly had aangetroffen. Zo had hij toch nog geluk gehad, zei hij bij zichzelf. Hij knipte het voorpaginabericht uit, vouwde het dubbel, stopte het in de zak van zijn jasje en bestelde nog een fles, om te vieren dat hij tenminste niet door een woedende menigte in elkaar was geslagen, al was zijn hart dan onherstelbaar gebroken.

Acht jaar later haalde Andrew het knipsel weer uit zijn zak tevoorschijn. Het was net zo aangetast door de tand des tijds als hijzelf. Hoe vaak had hij het niet gelezen, hoe vaak had hij Marie Kelly's gruwelijke verminkingen niet weer doorgenomen, alsof het een soort boetedoening was? Van de afgelopen jaren was hem verder nauwelijks iets bijgebleven. Wat had hij sindsdien gedaan? Moeilijk te zeggen. Hij herinnerde zich vaag dat Harold, nadat hij alle kroegen en pubs in de omgeving had afgezocht, hem bewusteloos in die kroeg had aangetroffen en naar huis had gebracht. Daar had hij verscheidene dagen met koorts in bed gelegen. Hij had voortdurend geijld en nachtmerries gehad, waarin Marie Kelly's lijk in bed naast hem lag, met haar ingewanden in een ondoorgrondelijk patroon over de kamer verspreid, of hijzelf onder de goedkeurende blik van Reese met een enorm mes haar buik openreet. Op een van zijn betere momenten herkende hij zijn vader, die stijf rechtop aan zijn bed zat en zich voor zijn optreden verontschuldigde. Maar dat was nogal makkelijk, om zich nu te verontschuldigen, nu hij niets meer hoefde te accepteren, nu hij zich alleen maar hoefde aan te sluiten bij de theatrale verslagenheid waarin zijn hele familie, Harold incluis, was gedompeld. Andrew stuurde zijn vader met een geërgerd gebaar weg. Maar tot zijn grote woede vatte de hoogmoedige William Harrington dat op als een vergevingsgezind gebaar, te oordelen naar de tevreden glimlach waarmee hij de kamer verliet, alsof hij een mooie schikking had getroffen. William Harrington had zijn geweten willen zuiveren, en dat was hem gelukt, of Andrew het daar nu mee eens was of niet. Nu kon hij de kwestie vergeten en zich weer aan zijn zaken wijden. En eigenlijk kon het Andrew ook niet schelen, want zijn vader en hij hadden nooit goed met elkaar overweg gekund, en waarom zou daar nu verandering in komen?

Het duurde te lang voor zijn koorts was genezen om Marie Kelly's begrafenis te kunnen bijwonen, maar bij de terechtstelling van haar moordenaar kon hij wel aanwezig zijn. Ondanks de protesten van een aantal artsen, die vonden dat het monsterlijke brein van Reese waardevol studiemateriaal was voor de wetenschap, omdat in de groeven en plooien daarvan de misdaden waartoe hij vanaf zijn geboorte was voorbestemd te lezen moesten zijn, werd The Ripper in de Wandsworth-gevangenis opgehangen. Bijna als in een reflex ging Andrew erheen, en keek toe hoe de beul Reese het leven ontnam, zonder dat Marie Kelly en haar vriendinnen daarmee hun leven terugkregen. Zo werkten de dingen niet, de Schepper deed niet aan ruil, alleen aan compensatie. Hoogstens zou er op het moment dat de strop Jack the Rippers nek brak ergens een kind zijn geboren, maar de doden laten herrijzen was een andere zaak. Misschien kwam het daardoor dat veel mensen inmiddels aan Zijn macht twijfelden, en zich zelfs afvroegen of Hij werkelijk de wereld had geschapen. Diezelfde middag vatte het schilderij van Marie Kelly in de bibliotheek van de Winslows vlam door een vonk van een lamp en verbrandde. Zo werd het hem tenminste verteld door zijn neef, die nog juist op tijd was geweest om de brand te blussen.

Andrew was Charles dankbaar voor zijn gebaar, maar het verhaal viel niet simpelweg af te sluiten door de aanleiding ervan te elimineren. Nee, dat was niet zomaar ongedaan te maken. Dankzij de grootmoedigheid van zijn vader kon Andrew zijn oude leventje weer oppakken, maar hij had er nu weinig aan weer de erfgenaam te zijn van het enorme fortuin dat zijn vader en broer hadden vergaard. Dat kon de wonden in zijn binnenste niet genezen, maar hij ontdekte al snel dat al dat geld wel van pas kwam in de opiumholen in Poland Street. Hij had zoveel gedronken dat alcohol hem inmiddels niets meer deed, maar opium bracht een vergetelheid die veel effectiever en weldadiger was. Niet voor niets hadden de Grieken al opium gebruikt tegen allerlei aandoeningen. Zo maakte Andrew het tot een gewoonte zijn dagen door te brengen in de opiumhuizen, waar hij achter een exotisch gordijn op een matras lurkte aan zijn pijp. In die schaars verlichte vertrekken vol spiegels met vliegenpoep probeerde Andrew zijn verdriet kwijt te raken in de labyrinten van een eindeloze neveldroom, terwijl een magere Maleisiër van tijd tot tijd zijn pijp bijvulde, totdat Harold of zijn neef Charles het gordijn openschoof en hem daar weghaalde. Als Coleridge al opium gebruikte voor zoiets belachelijks als een gaatje in zijn kies, waarom zou hij het dan niet nemen om de hevige pijn van zijn gebroken hart te verzachten? antwoordde hij Charles, toen die hem waarschuwde voor het gevaar van verslaving. Zijn neef had natuurlijk gelijk en hoewel Andrew, toen zijn lijden wat afnam, stopte met zijn bezoeken aan de opiumholen, ging hij nog een tijdlang niet de straat op zonder flink wat ampullen met laudanum op zak.

Dat duurde zo'n twee à drie jaar, tot het verdriet ten slotte verdween en daarvoor in de plaats iets nog veel ergers kwam: leegte, lethargie en totale gevoelloosheid. De gebeurtenissen hadden hem gebroken en zijn levenslust vergald. De manier waarop hij altijd met de werkelijkheid in contact had gestaan was verstoord, en doof en blind was hij in een stil hoekje van het universum achtergebleven. Hij was nog slechts een automaat, een zwaarmoedig schepsel dat zonder het te willen voortleefde, want het leven, het echte leven, had niets te maken met de manier waarop hij zijn dagen vulde, maar speelde zich stilletjes af in zijn binnenste, als een onopvallend wonder. Hij werd, om kort te gaan, een getroebleerde ziel die zich overdag in zijn kamer opsloot en 's nachts, niet langer geïnteresseerd in de zaken van de levenden, als een geestverschijning door Hyde Park dwaalde, en zelfs in het bloeien van een bloem niets dan een onbezonnen, vergeefs en nutteloos gebeuren kon zien. In die tijd was zijn neef getrouwd met een van de zusjes Keller – Victoria of Madeleine, daar wilde hij vanaf zijn – en had een mooi huis gekocht in Elystan Street. Desondanks bezocht hij Andrew bijna dagelijks, en soms sleepte hij hem mee naar zijn favoriete bordeel, in de hoop dat een van de nieuwe meisjes het nodige vuur bezat om de geest van zijn neef weer te doen ontvlammen. Maar het was allemaal tevergeefs, niets kon Andrew uit de put halen waarin hij met alle geweld wilde blijven zitten. In de ogen van zijn neef las Charles – wiens perspectief ik nu zal innemen, als u mij dit gegoochel met gezichtspunten ter wille van het dramatisch effect toestaat – de berusting van iemand die zijn slachtofferrol heeft aanvaard. Per slot van rekening had de wereld ook martelaars nodig die met hun levensgeschiedenis getuigden van de wreedheid van de Schepper, van Zijn vindingrijkheid bij het uitdenken van tragische lotsbestemmingen. Misschien had zijn neef zelfs geleerd de gebeurtenissen te zien als een kans om zijn ziel aan een onderzoek te onderwerpen, om zich in haar onherbergzaamste en donkerste regionen te wagen. Hoeveel mensen gaan niet door het leven zonder het lijden in zuivere vorm te ervaren? Andrew had het grootste geluk en de diepste smart gekend, had zijn ziel om zo te zeggen helemaal geëxploiteerd. En nu, in zijn verdriet berustend zoals een fakir rust op zijn spijkerbed, leek hij ergens op te wachten, misschien wel op het applaus dat aangaf dat de voorstelling was afgelopen, want het was Charles duidelijk dat zijn neef alleen nog in leven was omdat hij zich verplicht voelde al dat lijden te ondergaan, of het nu was om empirisch onderzoek te doen naar het verdriet of om voor zijn schuld te boeten. Zodra hij van mening was dat hij zijn taak had volbracht, zou hij een buiging maken en het toneel voorgoed verlaten. Daarom slaakte Charles elke keer een zucht van verlichting als hij huize Harrington betrad en Andrew ergens gebroken, maar tenminste nog levend aantrof. En als hij dan met lege handen weer thuiskwam, met het gevoel dat alles wat hij voor Andrew kon doen tevergeefs was, overdacht hij gefascineerd het mysterie van het leven, dat zo onvoorspelbaar en grillig verliep dat het door de simpele aanschaf van een schilderij al kon veranderen. Kon hij het nog een keer van richting laten veranderen? Kon hij het leven van zijn neef nog een andere wending geven, voor het te laat was? Hij wist het niet. Eén ding wist hij echter zeker: als hij het niet probeerde, deed niemand anders het.

In het kamertje in Dorset Street vouwde Andrew het knipsel open en las de lijst met Marie Kelly's verminkingen voor de laatste maal door, als in gebed. Daarop vouwde hij het papier weer dicht en stak het in de zak van zijn jas. Hij keek naar het bed, waar geen spoor meer te zien was van wat zich er acht jaar geleden had afgespeeld. Maar dat was dan ook het enige wat veranderd was, verder was alles nog hetzelfde: de zwarte spiegel waarin de moord was vereeuwigd, Mary Kelly's parfumflesjes, de commode met haar kleren; zelfs de as in de haard was nog een overblijfsel van het vuur dat The Ripper had aangestoken om comfortabel te kunnen werken. Een betere plek om zich het leven te benemen kon hij zich niet voorstellen. Hij zette de loop van het pistool onder zijn kin en legde zijn vinger om de trekker. Opnieuw zouden de muren met bloed worden bespat. En op de verre maan zou zijn ziel de lege plaats innemen die Marie Kelly al die tijd voor hem in haar bed had vrijgehouden.

VI

Met de loop van de revolver tegen zijn kin en zijn vinger om de trekker overdacht Andrew hoe vreemd het was dat hij op dit punt was beland, dat hij had besloten zich het leven te benemen terwijl hij het grootste deel van zijn leven alleen maar had gedaan wat iedereen deed: de dood vrezen, haar in elke ziekte voelen aankomen, voelen hoe ze je besloop, de dood, die perfide heerseres van een wereld vol afgronden en scheidslijnen, van glad ijs en bokkige paarden, die spotte met de belachelijke broosheid van hen die zich de koning der schepping noemden. Al die angst, om dan ten slotte toch de dood te omarmen, zei hij bij zichzelf. Maar het was niet anders. Als het leven je alleen nog maar een nutteloze onderneming leek, zonder enige beloning, dan was je eraan toe het op te geven. En dat bereikte je maar op één manier. De vage angst die hij voelde was echter niet van metafysische aard. Het sterven op zich beangstigde hem niet in het minst, want of de dood nu een brug is naar een of ander Bijbels oord of een loopplank die op boosaardige wijze over het niets is gelegd, de angst voor de dood komt altijd voort uit de zekerheid dat het universum niet samen met ons sterft, maar blijft voortbestaan, zoals de hond verder leeft na het uittrekken van de teek. De trekker overhalen kwam er dus eigenlijk op neer dat je het spel opgaf en alle hoop liet varen dat je in de volgende ronde betere kaarten kreeg. Want daar geloofde Andrew niet in. Hij had zijn geloof verloren. Hij geloofde niet dat het lot een compensatie voor zijn lijden in petto had, want hij was ervan overtuigd dat zoiets niet bestond. Nee, zijn angst had een veel banalere reden, namelijk de pijn die hij waarschijnlijk zou voelen als de kogel zijn kaak verbrijzelde. Het zou ongetwijfeld heel onaangenaam zijn, maar het hoorde bij zijn plan, en als zodanig had hij het maar te accepteren. Hij voelde hoe zijn vinger zich om de trekker kromde en hij klemde zijn tanden stevig op elkaar, klaar om een punt te zetten achter zijn rampzalige bestaan.

Op dat moment werd er aan de deur geklopt. Verbaasd opende Andrew zijn ogen. Wie kon dat zijn? Meneer McCarthy, die hem had zien aankomen en om geld kwam vragen om het raam te repareren? Het gebons werd luider. Die ellendige geldwolf! Als hij het waagde zijn kop door het gat te steken, zou hij hem neerschieten. Hij hoefde zich nu toch zeker niet meer te houden aan dat belachelijke verbod om je naaste neer te schieten, zeker als die naaste meneer McCarthy was?!

'Andrew, ik weet dat je daar bent! Doe open!'

Ontstemd herkende Andrew de stem van zijn neef Charles. Charles, altijd weer Charles, die hem overal volgde en hem in de gaten hield. Dan nog liever meneer McCarthy! Op Charles kon hij niet schieten. Hoe had zijn neef hem daar trouwens gevonden? En waarom gaf hij niet op, nu hij het inmiddels zelf ook had opgegeven?

'Ga weg, Charles, ik ben bezig,' riep hij.

'Niet doen, Andrew! Ik heb ontdekt hoe we Marie kunnen redden!'

Haar redden? Andrew lachte grimmig. Hij moest toegeven dat zijn neef bijzonder inventief was, maar dit was op het randje van de goede smaak.

'Mag ik je eraan herinneren dat Marie dood is?' riep hij. 'Acht jaar geleden is ze in dit ellendige kamertje vermoord. Toen ik haar kon redden, heb ik dat niet gedaan. Hoe kunnen we haar dan nu redden, Charles? Soms door een tijdreis te maken?'

'Precies,' antwoordde zijn neef, en schoof iets onder de deur door.

Andrew wierp er een blik op, lichtelijk nieuwsgierig. Het zag eruit als een folder.

'Wil je het lezen, Andrew?' vroeg zijn neef, die nu door het gat in het raam tegen hem sprak. 'Alsjeblieft!'

Andrew voelde zich beschaamd dat zijn neef hem zo zag, met de revolver belachelijk tegen zijn kin gedrukt, wat misschien wel de minst geschikte plek was om je door het hoofd te schieten. Omdat hij begreep dat Charles niet weg zou gaan, liet hij het wapen met een geërgerde zucht zakken, legde het op bed en bukte zich naar het velletje papier.

'Goed, Charles, jij wint,' bromde hij. 'Eens zien wat we hier hebben.'

Hij pakte het blad van de grond en bekeek het. Het was een vaalblauw strooibiljet. Vol ongeloof las hij het door. Wat hij in zijn hand hield was een reclamebiljet van de firma Murray Tijdreizen, die zich, hoe onwaarschijnlijk het ook mocht klinken, met tijdreizen bezighield. De tekst luidde als volgt:

Hebt u er genoeg van om door de ruimte te reizen?
Reis dan nu door de tijd, in de vierde dimensie!
Profiteer van ons introductieaanbod en reis met ons naar het jaar 2000.
Wees getuige van de toekomst, van de tijd van uw kleinkinderen.
Voor slechts honderd pond kunt u drie uur in het jaar 2000 vertoeven.
Bekijk met eigen ogen de oorlog tussen mens en machine, de oorlog die de loop van de wereld zal veranderen, en laat u niets wijsmaken!

De tekst ging vergezeld van een onbeholpen tekening die een verwoede slag tussen twee machtige legers moest voorstellen. Je zag iets wat vermoedelijk ingestorte gebouwen waren, een soort landschap van puin, waarin twee partijen stonden opgesteld. Die aan de ene kant waren duidelijk mensen, en die aan de andere kant leken vreemde, mensachtige wezens van metaal. De tekening was te rudimentair om er verder nog iets uit af te leiden.

Wat voor de duivel moest dat betekenen? Nu moest Andrew wel opendoen. Charles kwam binnen en sloot de deur achter zich. Hij blies in zijn verkleumde handen en glimlachte breed, tevreden over het feit dat hij de zelfmoord van zijn neef had voorkomen. Voorlopig tenminste. Snel pakte hij het pistool van het bed.

'Hoe wist je dat ik hier was?' vroeg Andrew, terwijl zijn neef met het wapen in de hand voor de spiegel stond.

'Je stelt me teleur, neef,' antwoordde Charles. Hij liet de kogels uit het magazijn in zijn hand glijden en stopte ze in zijn jaszak. 'De vitrine van je vader stond open, er ontbrak een pistool en vandaag is het 7 november. Waar had ik je beter kunnen zoeken dan hier? Het ontbrak er nog maar aan dat je kruimeltjes op de weg had gestrooid!'

'Tja,' zei Andrew. Hij zag in dat zijn neef gelijk had. Hij had niet bepaald moeite gedaan om zijn sporen te verbergen.

Charles pakte het pistool bij de loop en gaf het aan Andrew.

'Zo. Nu kun je schieten zoveel je wilt.'

Geërgerd pakte Andrew het aan en stopte het in zijn zak, om het ongemakkelijke ding zo snel mogelijk van het toneel te laten verdwijnen. Hij zou een andere keer zelfmoord moeten plegen, niets aan te doen. Charles keek hem spottend aan, wachtend op een verklaring, maar Andrew voelde zich niet in staat hem ervan te overtuigen dat zelfmoord de enige oplossing was die hij voor zijn probleem had kunnen vinden. Hij ging de kwestie liever uit de weg door net te doen of hij belangstelling had voor het strooibiljet, voor zijn neef het in zijn hoofd zou halen hem een preek te geven.

'En wat is dit? Een grap?' vroeg hij, zwaaiend met het velletje papier. 'Waar heb je het laten drukken?'

Charles schudde zijn hoofd.

'Het is geen grap, neef. Murray Tijdreizen bestaat echt. Ze zitten in Greek Street, in Soho. En ze houden zich inderdaad bezig met tijdreizen.'

'Maar... kun je dan door de tijd reizen?' stamelde Andrew ongelovig.

'Reken maar, neef,' antwoordde Charles zonder een greintje ironie, 'ik heb het zelf gedaan!'

Een paar tellen keken ze elkaar zwijgend aan.

'Ik geloof je niet,' zei Andrew ten slotte, en zocht op het ernstige gezicht van zijn neef naar iets wat hem zou verraden. Maar Charles haalde alleen maar zijn schouders op.

'Het is echt waar,' verzekerde hij, 'Madeleine en ik zijn vorige week naar het jaar 2000 gereisd.'

Andrew barstte in lachen uit, maar toen hij zag dat het zijn neef ernst was, stierf zijn lach langzaam weg.

'Je maakt geen grapje?'

'Beslist niet,' antwoordde Charles. 'Maar zoveel heeft het nu ook weer niet om het lijf. Het is smerig en koud in het jaar 2000, en de mensen voeren er oorlog tegen machines. Maar als je niet gaat kijken, is het net alsof je de opera hebt gemist waar iedereen het over heeft.'

Andrew bleef verbaasd kijken.

'Toch is het een unieke ervaring,' ging zijn neef verder. 'Het is gewoon heel spannend. Zelfs Madeleine beveelt het haar vriendinnen aan. Ze was helemaal verkikkerd op de laarzen die de soldaten aanhadden. Ze wilde beslist een paar voor me meebrengen uit Parijs, maar ze heeft ze niet gevonden. Nog wat te vroeg, ben ik bang.'

Andrew las de folder nog een keer door, maar er stond nog steeds hetzelfde.

'Ik geloof nog steeds niet dat...' stamelde hij.

'Ik begrijp het, beste neef, ik begrijp het. Maar weet je, terwijl jij als een spook door Hyde Park zwierf, heeft de wereld niet stilgestaan. De tijd gaat door, ook als je niet kijkt. En geloof me, hoe onwaarschijnlijk je het ook zult vinden, het afgelopen jaar is er in de salons over niets anders gepraat dan over tijdreizen. Het werd hét onderwerp van gesprek sinds vorige lente die roman verscheen waarmee het allemaal is begonnen.'

'Een roman?' vroeg Andrew, die er niets meer van begreep.

'Precies. *De tijdmachine*, van H.G. Wells. Het is een van de boeken die ik je heb geleend. Heb je het niet gelezen?'

Vanaf het moment dat Andrew had geweigerd hem te vergezellen op de tochten langs kroegen en bordelen waarmee Charles hem voor het leven probeerde terug te winnen, en hij zich thuis had opgesloten, was zijn neef begonnen boeken voor hem mee te brengen bij zijn bezoeken. Meestal waren dat pas verschenen boeken van onbekende auteurs die, geïnspireerd door de recente uitbarsting van wetenschappelijke activiteit, schreven over machines waarmee de vreemdste wonderen werden verricht. Het werden toekomstromans genoemd, de term die de Engelse uitgevers hadden gegeven aan de 'wonderreizen' van Jules Verne, een begrip dat verbazend snel was ingeburgerd en nu werd gebruikt voor elk fantastisch verhaal dat beweerde op de wetenschap te zijn gebaseerd. Volgens zijn neef pakten de toekomstromans de draad weer op van het werk van Bergerac en Samosata, en waren ze de opvolgers van de oude verhalen over spoken en kastelen. Andrew herinnerde zich een paar waanzinnige apparaten uit die romannetjes, zoals een helm tegen nachtmerries, een soort kap die verbonden was met een kleine stoommachine die boze dromen opzoog en ze als zoete dromen weer retourneerde. Vooral herinnerde hij zich de machine die de dingen groter maakte, en die door een Joodse geleerde werd uitgeprobeerd op insecten: het beeld van Londen, aangevallen door een zwerm vliegen ter grootte van zeppelins, die torens deden instorten en gebouwen verpulverden alleen maar door erop neer te strijken, was belachelijk angstaanjagend. Normaal gesproken had Andrew die boeken verslonden, maar hoezeer het hem ook speet, hij kon nu niet opeens vanuit zijn algehele desinteresse de wereld van de fictie betreden. Hij zocht geen vertroosting van welke aard dan ook, hij wilde regelrecht in de afgrond van het niets kijken, zodat Charles hem dus ook niet kon bereiken via de omweg van de literatuur. Het boek van die Wells zou wel onder in zijn boekenkist liggen, nam Andrew aan, onder een berg soortgelijke romannetjes die hij amper had doorgebladerd.

Bij het zien van Andrews afwezige blik, schudde Charles quasi-ontroostbaar zijn hoofd, gebaarde dat hij weer moest gaan zitten, pakte de andere stoel erbij en nam tegenover hem plaats. Licht naar voren gebogen, als een pastoor die iemand de biecht gaat afnemen, gaf hij een korte samenvatting van de roman, die volgens hem in Engeland een revolutie had teweeggebracht. Andrew hoorde hem sceptisch aan. Zoals uit de titel viel op te maken, ging het om een geleerde die een tijdmachine uitvond waarmee hij door de eeuwen reisde. Door het overhalen van een eenvoudig hendeltje op zijn toestel katapulteerde de uitvinder zichzelf de toekomst in, en keek met open mond toe hoe om hem heen slakken renden als hazen, bomen als waterstralen uit de grond spoten, en sterren ronddraaiden aan een hemel die in een oogwenk van dag naar nacht overging... Op die onvoorstelbare tocht kwam hij helemaal in het jaar 802.701, waar hij een samenleving aantrof die in twee vijandige rassen was verdeeld: de mooie, nutteloze Eloi en de Morlocks, monsterlijke wezens die onder de grond leefden en zich voedden met hun bovenburen, die ze hielden als vee. Bij die woorden trok Andrew een vies gezicht, wat zijn neef aan het lachen maakte. De plot op zich deed er niet zoveel toe, vervolgde hij, die diende alleen maar om een wat kinderlijke karikatuur van de maatschappij van die tijd te schetsen. Wat de Engelsen pas echt had geschokt, was dat Wells de tijd behandelde als een vierde dimensie, en er een soort tunnel van maakte waar je doorheen kon reizen.

'Zoals we allemaal weten heeft elk voorwerp drie dimensies,' legde Charles uit, terwijl hij zijn hoed pakte en hem als een goochelaar ronddraaide tussen zijn handen, 'hoogte, lengte en breedte. Maar om te zorgen dat het voorwerp werkelijk bestaat, dat deze hoed deel uitmaakt van de realiteit waarin we ons bevinden, moet er nog iets anders zijn, namelijk duur. Behalve dat het voorwerp zich uitstrekt in de ruimte, moet het zich ook uitstrekken in de tijd. We zien deze hoed niet alleen omdat hij plaats inneemt in de ruimte, maar ook omdat hij tijd inneemt. Dat verhindert dat hij voor onze ogen verdwijnt. We leven dus in een vierdimensionale wereld. En als we de tijd gewoon als een dimensie zien, wat belet ons dan die te doorkruisen? Feitelijk doen we dat al. Jij en ik bewegen ons voort in de tijd, net als onze hoeden, al is het op een oninteressante, lineaire manier, zonder een seconde over te slaan, onverbiddelijk op weg naar ons einde. Wat Wells zich in zijn boek afvraagt is waarom we onze reis niet kunnen versnellen, of kunnen omkeren en terugreizen naar het gebied dat we 'verleden' noemen, en dat in de grond van de zaak niets anders is dan het stuk draad dat van de kluwen van ons leven is afgewikkeld. Als de tijd een ruimtelijke dimensie is, waarom kunnen we ons er dan niet vrij in bewegen, zoals in de andere drie?'

Tevreden over zijn uiteenzetting legde Charles de hoed weer terug op het bed. Vervolgens keek hij naar Andrew, en gaf hem de tijd om zijn woorden te verwerken.

'Ik moet je bekennen dat ik het, toen ik de roman las, vrij ingenieus vond om op die manier een idee dat nog slechts fantasie was geloofwaardig te maken,' ging Charles even later door, toen zijn neef bleef zwijgen, 'maar ik verwachtte niet dat de wetenschap het aannemelijk vond. Het boek werd een daverend succes, Andrew, en in de clubs, de salons, op de universiteiten, in de fabrieken werd over niets anders meer gepraat. De crisis in de Verenigde Staten en de mogelijke gevolgen voor Engeland, de schilderijen van Waterhouse, of de toneelstukken van Oscar Wilde waren geen gespreksonderwerp meer. De discussie ging nu alleen maar over de vraag of tijdreizen al dan niet mogelijk waren. Zelfs vrouwen vonden het een interessant onderwerp en maakten er op hun feministische bijeenkomsten tijd voor vrij. Het werd Engelands favoriete tijdverdrijf, de beste manier om een beetje leven in de brouwerij te brengen bij de thee om te speculeren over hoe de wereld van de toekomst eruit zou zien en te bediscussiëren welke gebeurtenissen in het verleden moesten worden veranderd. Het waren natuurlijk vruchteloze discussies, omdat men nooit tot een echte conclusie kon komen, behalve in kringen van de wetenschap, waar een nog veel feller debat werd gevoerd, zoals je bijna dagelijks in de kranten kon lezen. Maar het viel niet te ontkennen dat Wells' roman het vuurtje had aangestoken, dat hij het verlangen had wakker gemaakt om naar de toekomst te reizen, om verder te gaan dan ons broze, vergankelijke lichaam ons toestond. Iedereen wilde ineens naar de toekomst, en het jaar 2000 werd het meest vanzelfsprekende doel, het jaar dat iedereen wilde meemaken, want een eeuw was meer dan genoeg om alles uit te vinden wat nog uit te vinden viel, en de wereld tot een onherkenbare, magische en misschien zelfs wel betere plek te maken. Eigenlijk was het allemaal niet meer dan een onschuldig spelletje, een naïeve droom. Tot afgelopen oktober Murray Tijdreizen zijn deuren opende. Met veel tamtam werd het in de kranten en op aanplakbiljetten aangekondigd: Gilliam Murray kon onze dromen waarmaken, hij kon ons meenemen naar het jaar 2000. De kaartjes waren niet goedkoop, maar desondanks vormden zich lange rijen voor het gebouw. Ik zag hoe mensen die altijd beweerd hadden dat tijdreizen onmogelijk waren, nu als hoopvolle kinderen voor de deur stonden te wachten. Niemand wilde het missen. Madeleine en ik konden niet meer mee met de eerste expeditie, maar gelukkig wel met de tweede. En we zijn naar de toekomst gereisd, Andrew! Zowaar als ik hier sta ben ik honderdvijf jaar verderop in de toekomst geweest. De asvlekken zitten nog op deze jas en hij ruikt nog naar de oorlog van de toekomst. Ik heb zelfs een stuk puin opgeraapt toen niemand keek, een steen die we naast de zilveren dienbladen uit Sheffield in de vitrine hebben gelegd, en die zich dus tegelijk ook nog in een of ander gebouw in het nog niet verwoeste Londen moet bevinden.'

Andrew voelde zich als een bootje in een maalstroom. Het leek hem ongelooflijk dat je door de tijd kon reizen, dat de mens niet uitsluitend gebonden was aan zijn eigen tijd, het terrein begrensd door de levensduur van zijn hart en de taaiheid van zijn lichaam, maar dat hij ook andere tijden kon bezoeken, andere momenten die hem niet toebehoorden, momenten die voorbij zijn eigen dood lagen, voorbij de zich vaag aftekenende rij van zijn nakomelingen, dat hij het heiligdom van de toekomst kon ontwijden en kon komen op plaatsen die alleen voor dromen en fantasie bereikbaar waren. En voor het eerst sinds jaren voelde hij dat hij nieuwsgierig was, dat zijn belangstelling was gewekt door iets wat lag voorbij de muur van apathie waarachter hij zich had verscholen. Maar onmiddellijk dwong hij zichzelf het bescheiden vuurtje te doven, voor het tot een echte brand kon uitgroeien. Hij was in de rouw, hij was een man met een verslagen hart en een verdoofde ziel, een wezen zonder emoties, een afgerond mens die alles had gevoeld wat er te voelen viel. Op de hele wereld was niets de moeite waard om voor te leven. Hij kon niet verder bestaan, niet zonder haar.

'Het is verbluffend, Charles,' zuchtte hij mat, alsof al die tegennatuurlijke reizen hem koud lieten, 'maar wat heeft het met Marie te maken?'

'Snap je dat dan niet, neef?' antwoordde Charles bijna verontwaardigd. 'Die man kan naar de toekomst reizen. Ik weet zeker dat hij ook een privéreis naar het verleden kan organiseren als je hem genoeg geld biedt. Dan heb je echt iemand om op te schieten.'

Andrews mond viel open.

'The Ripper?' vroeg hij met een aarzelende stem.

'Precies,' antwoordde Charles. 'Als je naar het verleden reist, kun je Marie eigenhandig redden.'

Andrew greep zich vast aan zijn stoel. Was dat mogelijk? Kon hij naar het verleden reizen, naar de nacht van 7 november 1888, en Marie het leven redden? De gedachte dat het waar zou kunnen zijn bracht hem van zijn stuk, niet alleen vanwege het wonder dat hij de tijd dan als het ware ongedaan maakte, maar ook omdat hij dan terugging naar een tijd waarin zij nog leefde, en hij weer het lichaam kon omhelzen dat hij in stukken gereten voor zich had gezien. Maar wat hem vooral aangreep was dat iemand hem de kans bood Marie te redden, zijn fout goed te maken, te veranderen wat hij al die jaren had gezien als iets wat onveranderlijk was. Hoe vaak had hij de Schepper daar niet om gesmeekt! Kennelijk had hij zijn gebed aan het verkeerde adres gericht. Het was de eeuw van de wetenschap!

'Laten we het gewoon proberen, Andrew. We hebben niets te verliezen,' hoorde hij zijn neef zeggen. 'Wat zeg je ervan?'

Andrew keek een tijd naar de grond, en deed zijn best om alle emoties te ordenen. Hij geloofde weliswaar niet aan de mogelijkheid, maar als die toch bestond, dan moest hij er natuurlijk van profiteren: het was precies wat hij altijd had gewild, de kans waarop hij al acht jaar wachtte. Hij keek op naar zijn neef.

'Akkoord,' zei hij met een schorre, nog wat onvaste stem.

'Geweldig, Andrew!' jubelde Charles, en klopte hem op de schouder. 'Geweldig!'

Zonder veel overtuiging lachte Andrew hem toe, en keek vervolgens weer naar zijn schoenen, terwijl hij probeerde alles te verwerken: hij zou naar een hem bekend verleden reizen, naar de al gebruikte momenten van zijn leven, naar zijn eigen herinneringen.

'Goed,' zei Charles, met een blik op zijn zakhorloge, 'maar eerst gaan we een hapje eten. Het is niet verstandig om met een lege maag naar het verleden te gaan.'

Ze verlieten het kamertje en liepen naar Charles' koets, die bij de poort stond te wachten. Die nacht legden ze, alsof het een nacht als alle andere was, de gebruikelijke route af. Ze aten in Café Royal – Charles was dol op de vleespastei die ze daar maakten – en gingen naar het bordeel van madame Norrell om stoom af te blazen – Charles wijdde de nieuwe aanwinsten graag in voor ze door al te veel handen waren gegaan. Ze eindigden in de Claridges-bar – waar ze volgens Charles de beste keuze aan champagne hadden – en dronken er tot het ochtendgloren. Voor de alcohol hen al te zeer naar het hoofd zou stijgen, legde Charles uit dat hij naar het jaar 2000 was gereisd in een enorme tram genaamd de Cronotilus die met behulp van een indrukwekkende stoomketel door de eeuwen werd voortgestuwd, maar Andrews hoofd stond niet naar de toekomst. Hij was juist bezig zich het tegenovergestelde voor te stellen, hoe het zou zijn om naar het verleden te reizen. Daar kon hij Marie redden door The Ripper tegen te houden, zo had zijn neef hem verzekerd. De afgelopen jaren had Andrew een blinde woede tegen het monster opgebouwd, een woede die hij steeds als zinloos had beschouwd, maar nu zou hij er iets mee kunnen doen. Maar, bedacht hij, tekeergaan tegen iemand die was terechtgesteld, was wel iets anders dan echt de confrontatie met hem aangaan, in dat treffen dat Murray voor hem zou organiseren. Hij klemde zijn hand om het pistool in zijn zak terwijl hij terugdacht aan de ruwe botsing met de man in Hanbury Street, en probeerde zich moed in te spreken met de gedachte dat hij weliswaar nog nooit op een mens had geschoten, maar wel had geoefend met flessen, duiven en konijnen. Als hij kalm bleef, zou het allemaal goed gaan. Hij zou rustig op het hart of het hoofd richten, zonder haast afdrukken, en The Ripper voor de tweede keer zien sterven. Ja, zo zou hij het doen. Maar ditmaal zou de dood van The Ripper Marie Kelly weer tot leven brengen, alsof iemand in de machinerie van het universum een losse moer had aangedraaid en het nu allemaal beter werkte.

VII

Ondanks het vroege uur wemelde het in Soho van de mensen, en Charles en Andrew moesten zich een weg banen door de menigte. Je zag mannen met bolhoeden en vrouwen met hoedjes met veren, waarop soms zelfs een kunstvogeltje nestelde; de arm in arm flanerende paartjes liepen winkel in, winkel uit en probeerden de straat over te steken, waar, traag als een lavastroom, een compacte stoet voorbijtrok van luxueuze rijtuigen, kleine cabriolets, dubbeldeksbussen en karren vol vaten, bergen fruit en onder een zeildoek verborgen vracht, misschien wel van het kerkhof gestolen lijken. Op de straathoeken etaleerden vuile, in lompen gehulde tweederangs schilders, acteurs en kunstenmakers hun twijfelachtige talenten, in de hoop de aandacht te trekken van een of andere beschermheer. Vanaf het moment dat ze onderweg waren liep Charles druk te praten, maar Andrew kon hem nauwelijks verstaan door het geratel van de wielen en het geschreeuw van de straatverkopers en aspirant-kunstenaars. Willoos liet hij zich door zijn neef meevoeren door de bleke ochtend en keek slechts op wanneer een bloemverkoopster met haar geurige mand hun pad kruiste, en hij de zoete geur opsnoof.

Toen ze Greek Street in liepen zagen ze meteen het eenvoudige gebouw waarin Murray Tijdreizen was gevestigd. Het was een gerenoveerd oud theater en de nieuwe eigenaar had niet geschroomd om op de neoclassicistische gevel motieven aan te brengen die op de een of andere manier verwezen naar de tijd. De ingang werd gevormd door een kleine, door zuilen geflankeerde trap, die via een deur met elegant houtsnijwerk toegang gaf tot het gebouw, en werd bekroond door een fronton waarop Chronos het wiel van de dierenriem liet draaien. De god van de tijd, weergegeven als een knorrige oude man met een lange baard die bijna tot op zijn navel reikte, werd omgeven door een kring van zandlopers, een motief dat nog eens werd herhaald op de bogen van de grote ramen op de bovenverdieping. Tussen fronton en bovendorpel verkondigden opzichtige letters van roze marmer ieder die lezen kon dat dit kleurrijke gebouw het kantoor van Murray Tijdreizen was.

Charles en Andrew zagen dat de mensen de stoep direct voor het gebouw meden. Toen ze bij de ingang kwamen, begrepen ze waarom. Er hing een sterke, misselijkmakende geur waardoor ze het ontbijt dat ze net ergens rustig hadden genuttigd nauwelijks konden binnenhouden. De stank kwam van een kleverige brij, die twee werklieden, met zakdoeken voor hun gezicht en gewapend met borstels en bakken zeepwater, van de gevel probeerden te verwijderen. Als het donkere spul met de borstel in aanraking kwam, droop het als walgelijk zwart slijm op de stoep.

'Excuses voor het ongemak, heren,' zei een van de arbeiders, terwijl hij de zakdoek van zijn gezicht trok. 'Een of andere onverlaat heeft de gevel volgesmeerd met koeiendrek, maar hij is al bijna weer schoon.'

Andrew en Charles keken elkaar vragend aan, haalden hun zakdoek tevoorschijn, bedekten als struikrovers hun gezicht en liepen snel naar binnen. In de hal werd de stank in bedwang gehouden door strategisch geplaatste vazen met rozen en gladiolen. Net als buiten aan de gevel, werd de bezoeker ook hier bedolven onder een groot aantal verwijzingen naar de tijd. In het midden van de ruimte verhief zich op een voetstuk een reusachtige mechanische sculptuur, bestaande uit twee naar het halfduister van het dak reikende gelede, spinachtige armen die een zandloper vastklemden ter grootte van een kalf, van bewerkt glas en met ijzeren beslag. Hij bevatte geen zand maar een soort blauwig zaagsel, dat sierlijk van de ene bol naar de andere stroomde, en dat zelfs een levendige schittering gaf als het licht van de lampen erop viel. Een verborgen mechanisme van tandraderen zorgde ervoor dat de armen de zandloper omdraaiden als de onderste bol helemaal gevuld was, zodat het zogenaamde zand, net als de tijd, onophoudelijk bleef stromen. Deze kolossale sculptuur was omgeven door andere toestellen die ook het vermelden waard zijn, minder spectaculair maar waardiger, omdat ze al honderden jaren geleden waren bedacht, zoals de constructies van emmers met schoepen en tandwielen die achter in het vertrek stonden en die, volgens het bordje op de sokkel, de eerste voorlopers van mechanische uurwerken waren. En verder hingen er honderden wandklokken aan de muren, van traditionele Hollandse stoeltjesklokken, versierd met zeemeerminnen en cherubijnen, tot Oostenrijks-Hongaarse klokken met een secondewijzer. Samen zorgden ze voor een nijver getik dat voor de werknemers in het gebouw inmiddels de nooit eindigende symfonie moest zijn die hun leven begeleidde, zodat ze zich 's zondags zonder dat troostende geluid wel hulpeloos zouden voelen.

Een jongedame die hen door de hal zag dwalen verliet haar tafel in de hoek van de zaal en liep op hen af om hen te begroeten. Ze liep met de gratie van een knaagdier, haar pasjes aangepast aan het getik van de klokken. Nadat ze hen beleefd had gegroet, vertelde ze enthousiast dat er voor de derde expeditie naar het jaar 2000 nog plaatsen waren, zodat ze desgewenst konden reserveren. Met een charmante glimlach sloeg Charles haar voorstel af en vertelde dat ze waren gekomen om met Gilliam Murray te spreken. Na een korte aarzeling bevestigde het meisje dat de heer Murray in het gebouw was en dat ze kon proberen of hij hen ondanks zijn drukke bezigheden wilde ontvangen, waarvoor Charles haar bedankte met een nog bredere glimlach. Toen ze erin geslaagd was haar blik van zijn perfecte rij tanden los te maken, draaide ze zich om en beduidde dat ze haar moesten volgen. Achter in de zaal liep een brede marmeren trap naar de afdelingen boven. Achter het meisje aan liepen Charles en Andrew door een lange gang, behangen met wandtapijten met scènes uit de oorlog van de toekomst. Zoals je kon verwachten was ook de gang overladen met allerlei soorten klokken, die hangend aan de wanden en op ladekasten en buffetten hun onophoudelijke getik lieten horen. Bij de protserige deur naar Murrays kantoor vroeg het meisje hen te wachten, maar Charles negeerde haar verzoek en liep, zijn neef meetrekkend, achter haar aan de kamer binnen.

De afmetingen van de kamer verrasten Andrew, evenals de rommelige opstelling van de meubels en de vele kaarten aan de muren, die hem deden denken aan zo'n tent van waaruit veldmaarschalken oorlog voeren. Ze moesten een paar keer kijken voor ze Gilliam Murray zagen, die languit op het kleed lag te spelen met een hond.

'Goedemorgen, meneer Murray,' was Charles de secretaresse voor. 'Ik ben Charles Winslow, en dit is mijn neef Andrew Harrington. Als u het niet te druk hebt, zouden wij u graag willen spreken.'

Gilliam Murray, een kolossale vent in een schreeuwerig paars pak, beantwoordde Charles' ironische opmerking met een glimlach, maar het was de mysterieuze glimlach van iemand die zijn mouwen vol azen heeft en niet zal aarzelen ze uit te spelen.

'Voor twee zo voortreffelijke heren heb ik altijd wel even tijd,' zei hij, terwijl hij opstond van het kleed.

Toen hij voor hen stond, konden Andrew en Charles vaststellen dat Gilliam Murray wel betoverd leek. Alles aan hem was twee keer zo groot als normaal, van zijn handen, die stieren leken te kunnen bedwingen door ze bij de hoorns te vatten, tot zijn hoofd, dat meer op dat van een minotaurus leek. Maar ondanks zijn bouw bewoog de zakenman zich niet stuntelig, maar juist met een verbazende, om niet te zeggen sensuele souplesse.

Zijn lichtbruine haar was zorgvuldig naar achteren gekamd, en in zijn enorme blauwe ogen brandde een intens vuur dat wees op een ambitieuze, hoogmoedige geest, een vuur dat hij had geleerd te temperen met het brede scala aan vriendelijke lachjes dat hij met zijn vlezige lippen kon vormen.

De reus wenkte dat ze hem moesten volgen naar zijn bureau achter in de kamer, en leidde hen over het pad tussen de vele globes en de overal verspreid staande, onder boeken en schriften bedolven tafeltjes. Andrew zag dat ook hier de onvermijdelijke klokken niet ontbraken. Afgezien van de klokken aan de muren en op de schappen van de boekenkast, stond er ook een enorme vitrine met draagbare schaduwklokken, zonnewijzers, fijn bewerkte wateruurwerken en andere apparaten die het verstrijken van de tijd lieten zien. Maar Andrew kon zich niet aan de indruk onttrekken dat Gilliam al die voorwerpen alleen maar uitstalde om aan te tonen hoe belachelijk ze waren, de vergeefse poging van de mens om te vangen wat niet te vangen is, de tijd, die absolute, mysterieuze, ontembare kracht. Het enige wat de mens had bereikt, leek de zakenman met zijn bonte verzameling klokken te willen zeggen, was dat hij de tijd had ontdaan van zijn metafysische karakter en hem tot een gewoon instrument had gemaakt waarmee je kon zorgen dat je niet te laat op je afspraken kwam.

Charles en Andrew namen plaats op de twee comfortabele stoelen in jakobijnse stijl voor het bureau, een imposant meubel met bolpoten waarachter Murray ging zitten, omlijst door het enorme raam achter hem. Het overvloedige licht dat door de in lood gevatte ruiten kwam, gaf het kantoor een vrolijke, landelijke atmosfeer, en wekte bij Andrew zelfs de indruk dat de ondernemer over zijn eigen zon beschikte, terwijl het voor de rest van de wereld een sombere ochtend bleef.

'Ik hoop dat u ons die vervelende stank bij de ingang kunt vergeven,' verontschuldigde Gilliam zich met een vies gezicht. 'Het is al de tweede keer dat ze de gevel met drek insmeren. Misschien is het een georganiseerde groep die op deze stuitende manier probeert ons bedrijf tegen te werken,' zei hij, en haalde bedroefd zijn schouders op, als om zijn ontsteltenis te onderstrepen. 'Niet iedereen vindt tijdreizen goed voor onze samenleving, zoals u ziet. Maar toch heeft de maatschappij ons er zelf om gevraagd na het verschijnen van het prachtige boek van de heer Wells. Puur vandalisme, iets anders kan ik er niet in zien, aangezien de daders geen briefjes met eisen of iets dergelijks achterlaten. Ze besmeuren eenvoudigweg de gevel.'

Na die woorden staarde Gilliam Murray voor zich uit. Een paar tellen bleef hij in zijn overpeinzingen verzonken, maar toen leek hij zich weer te herinneren waar hij was, richtte zich op in zijn stoel, en keek zijn gasten geïnteresseerd aan.

'Maar vertelt u eens, heren, waarmee kan ik u van dienst zijn?'

'Ik zou graag willen dat u een privéreis naar de herfst van 1888 voor mij organiseert, meneer Murray,' antwoordde Andrew, die vol ongeduld leek te hebben gewacht tot de reus hun het woord gaf.

'Naar de Herfst van de angst?' vroeg Murray verbaasd.

'Ja, naar de nacht van 7 november, om precies te zijn.'

Gilliam keek hem een paar tellen zwijgend aan. Ten slotte opende hij, zonder zijn teleurstelling te verbergen, een van de laden in zijn bureau en haalde er een bundeltje papieren uit die met een lint waren samengebonden. Met tegenzin legde hij ze op tafel, alsof hij hun een drukkende last toonde die hij in stilte moest dragen.

'Weet u wat dit is, meneer Harrington?' zei hij zuchtend. 'Dit zijn de brieven en verzoeken die we dagelijks ontvangen. Er zijn mensen die willen dat we ze meenemen om te gaan wandelen in de Hangende tuinen van Babylon, anderen willen Cleopatra, Galileo of Plato ontmoeten, weer anderen willen met eigen ogen de Slag bij Waterloo of de bouw van de piramides of de kruisiging van Christus zien. Iedereen wil naar zijn eigen favoriete historische moment, alsof ze hun koetsier een adres opgeven. Ze denken dat het verleden voor ons klaarstaat. U wilt naar 1888. Daar zult u ongetwijfeld uw redenen voor hebben, net als de schrijvers van al deze brieven, maar ik ben bang dat ik u niet van dienst kan zijn.'

'Het zijn maar acht jaar, meneer Murray,' antwoordde Andrew. 'En ik ben bereid u te betalen wat u wilt.'

Murray lachte bitter.

'Het is geen kwestie van afstand in tijd, of van geld. Als dat zo was, meneer Harrington, dan ben ik ervan overtuigd dat we tot overeenstemming konden komen. Het probleem is, hoe zal ik het zeggen, van technische aard. We kunnen niet zomaar naar iedere willekeurige tijd reizen, of het nu in het verleden of in de toekomst is.'

'U kunt ons alleen naar het jaar 2000 brengen?' riep Charles, zichtbaar teleurgesteld.

'Zo is het, meneer Winslow,' zei Murray, terwijl hij zijn bedroefde blik op Charles richtte. 'We hopen weliswaar ons aanbod in de toekomst verder uit te breiden, maar voorlopig is, zoals u in onze advertentie kunt zien, de enige bestemming die we aanbieden 20 mei 2000, de dag waarop de beslissende slag plaatsvindt tussen de machinemensen, geleid door de verdorven Salomo, en het mensenleger onder aanvoering van de dappere kapitein Shackleton. Vond u dat niet spannend genoeg, meneer Winslow?' vroeg hij enigszins spottend, waarmee hij liet blijken dat hij het gezicht van de deelnemers aan zijn expedities niet snel vergat.

'Jawel, meneer Murray,' antwoordde Charles na een lichte aarzeling. 'Het was werkelijk spannend. Ik dacht alleen...'

'... dat we zomaar in elke richting van de tijdstroom konden reizen,' vulde de ondernemer aan. 'Ja, ja, ik weet het. Maar zo is het helaas niet. Ik ben bang dat het verleden niet tot onze competentie behoort.'

Daarop keek Murray hen oprecht verdrietig aan, alsof hij de schade opnam die zijn woorden bij zijn gasten hadden aangericht.

'Het probleem, heren,' zuchtte hij, achteroverleunend in zijn stoel, 'is dat we niet door de tijdstroom reizen, zoals het personage van Wells, maar door wat zich daarbuiten bevindt. We maken om zo te zeggen een tijdreis buiten de tijd. We reizen langs de buitenkant.'

Hij zweeg en keek hen strak aan, zonder met zijn ogen te knipperen, onverstoorbaar als een kat.

'Dat begrijp ik niet,' zei Charles ten slotte.

Gilliam Murray knikte, alsof hij niet anders had verwacht.

'Ik zal u een eenvoudig voorbeeld geven. Je kunt een gebouw vanbinnen doorlopen, door de kamers stuk voor stuk af te gaan. Maar je kunt ook over de daklijst lopen, nietwaar?'

Charles en Andrew knikten nors, een beetje beledigd omdat Murray hen blijkbaar als domme kinderen wenste te behandelen.

'Het klinkt misschien vreemd,' vervolgde hun gastheer, 'maar het was niet het boek van meneer Wells dat me deed besluiten de mogelijkheid van tijdreizen te onderzoeken. Als u bekend bent met zijn roman, weet u waarschijnlijk dat Wells de wetenschappelijke gemeenschap alleen maar de handschoen toewerpt en suggereert welke weg ze met haar onderzoekingen kan inslaan. Maar wat betreft de werking van zijn uitvinding omzeilt hij, in tegenstelling tot zijn collega Verne, handig elke realistische uitleg en beschrijft ons de machine met behulp van zijn buitengewone fantasie, wat ook volkomen legitiem is, omdat het gaat om een roman. Maar totdat de wetenschap aantoont dat de bouw van zo'n toestel mogelijk is, blijft zijn machine een stuk speelgoed. Of de wetenschap daartoe in staat zal zijn? Ik denk graag van wel. De successen die onze geleerden in deze eeuw hebben behaald, stemmen me buitengewoon optimistisch. U zult het met me eens zijn, heren, dat we in een unieke tijd leven. Een tijd waarin de mens elke dag opnieuw God in twijfel trekt. Hoeveel wonderen heeft de wetenschap ons de laatste jaren niet gebracht? Veel van die uitvindingen vergemakkelijken slechts ons leven, zoals de mechanische rekenmachine, de schrijfmachine en de elektrische lift, maar andere geven ons een gevoel van macht, omdat ze het onmogelijke mogelijk maken. Zo kunnen we tegenwoordig zonder een stap te hoeven verzetten, grote afstanden afleggen dankzij de locomotief, en spoedig zullen we met mensen aan de andere kant van het land kunnen spreken zonder dat we ons fysiek hoeven te verplaatsen, zoals de Amerikanen al doen met behulp van de zogenaamde telefoon. Natuurlijk zullen er altijd mensen zijn die zich tegen de vooruitgang verzetten, die het heiligschennis vinden dat de mens zijn grenzen overschrijdt. Ik persoonlijk vind echter dat de wetenschap de mens juist verheft door zijn heerschappij over de natuur te versterken, net zoals het onderwijs en de moraal ons helpen onze oorspronkelijke barbaarsheid te overwinnen. Kijkt u bijvoorbeeld eens naar deze chronometer,' zei hij, terwijl hij een houten kistje pakte dat op het bureau stond. 'Tegenwoordig worden ze in serie gemaakt en alle schepen ter wereld hebben er een. Maar dat wil niet zeggen dat er altijd met een chronometer is genavigeerd, want al lijkt het ons nu iets wat er altijd is geweest omdat het onderdeel uitmaakt van ons dagelijks leven, toch heeft de Britse Admiraliteit destijds een premie van twintigduizend pond sterling moeten uitloven voor degene die een manier kon bedenken om op zee de lengtegraad te bepalen, want geen enkele klokkenmaker was in staat een klok te maken die het slingeren van een schip verdroeg zonder op hol te slaan. De wedstrijd werd gewonnen door een zekere John Harrison, die veertig jaar van zijn leven besteedde aan het oplossen van het lastige probleem. Toen hij zijn prijs eindelijk in ontvangst nam, was hij bijna tachtig. Fascinerend, vindt u niet? Achter elke uitvinding schuilt de inspanning van een mens, een leven gewijd aan de oplossing van een probleem, aan het bedenken van iets wat hem zal overleven, wat deel zal uitmaken van een wereld die zonder hem verdergaat. Zolang er mensen zijn die er niet louter genoegen mee nemen de vruchten van de bomen te eten en op trommels te slaan om regen af te smeken, maar besluiten hun intelligentie te gebruiken om uit te stijgen boven hun rol van parasiet in het werk Gods, zal de wetenschap nooit ten onder gaan. Daarom twijfel ik er niet aan dat spoedig iedereen zo'n machine als die van Wells zal kunnen aanschaffen om naar elk gewenst punt in de tijd te reizen, zoals we ook gevleugelde koetsen zullen hebben waarmee we kunnen vliegen als vogels. De mens van de toekomst zal een dubbelleven kunnen leiden: door de week werkt hij op een bank en 's zondags bedrijft hij de liefde met de schone Nefertiti of helpt hij Hannibal Rome te veroveren. Kunt u zich voorstellen hoe zo'n uitvinding onze samenleving zou veranderen?' Gilliam keek hen even geamuseerd aan, en zette toen het kistje weer terug op het bureau, met de deksel open, als een oester of een doosje met een verlovingsring. Hij ging verder: 'Maar zolang de wetenschap nog naar een mogelijkheid op zoek is om die dromen werkelijkheid te maken, hebben wij iets anders waarmee we door de tijd kunnen reizen, al is het daarbij helaas niet mogelijk onze bestemming te kiezen.'

'Wat bedoelt u?' vroeg Andrew.

'Ik bedoel... de magie,' onthulde Gilliam met holle stem.

'De magie?' echode Andrew.

'Ja, de magie,' herhaalde zijn gastheer, terwijl hij geheimzinnig met zijn vingers door de lucht wapperde en het geluid nadeed van de wind die door de schoorsteen huilt, 'maar niet de magie die u kunt zien in de theaters, en ook niet die waar die zwendelaars van de Gouden Dageraad zo hoog van opgeven. Ik bedoel de echte. Gelooft u in magie, heren?'

Andrew en Charles aarzelden even, een beetje confuus door de wending die het gesprek nam, maar Gilliam had geen antwoord nodig.

'Natuurlijk niet,' zei hij spijtig. 'Daarom spreek ik er zo min mogelijk over. Ik heb liever dat mijn klanten denken dat we met behulp van de wetenschap naar de toekomst reizen. In de wetenschap gelooft iedereen. De wetenschap is tegenwoordig geloofwaardiger dan de magie. We leven in moderne tijden. Maar de magie bestaat, kan ik u verzekeren.'

Toen stond hij tot Andrews en Charles' verrassing lenig op uit zijn stoel en liet een doordringend gefluit horen. De hond, die al die tijd op het kleed had gelegen, sprong op en draafde vrolijk naar zijn baasje.

'Dit, heren, is Eterno,' zei hij, terwijl de hond opgewonden om hem heen cirkelde. 'Houdt u van honden? Aait u hem gerust.'

Alsof het een voorwaarde was waaraan voldaan moest worden om Gilliam door te laten gaan met zijn betoog, stonden Charles en Andrew op en streken met hun hand over de rug van het dier, een nerveuze golden retriever met een zachte, goed verzorgde vacht.

'Heren,' vervolgde Murray, 'besef wel dat u een wonder aait. Want, zoals ik al zei, magie bestaat. Hoe oud denkt u dat Eterno is?'

Charles had thuis verschillende honden en was van jongs af aan met hun aanwezigheid vertrouwd, zodat de vraag voor hem niet moeilijk te beantwoorden was. Met het air van een kenner bekeek hij het gebit van de hond en antwoordde zonder aarzelen: 'Eén jaar, hooguit twee.'

'Inderdaad,' zei Gilliam, terwijl hij neerknielde en teder de nek van het beest krabde, 'je lijkt een jaar, hè, een jaar in de reele tijd.'

Andrew zocht de ogen van zijn neef, om te zien wat die van dit alles dacht. Charles stelde hem gerust met een kalme glimlach.

'Zoals ik al zei,' vervolgde Murray terwijl hij overeind kwam, 'heb ik mijn bedrijf niet opgericht naar aanleiding van het boek van Wells. Het was puur toeval, al zal ik niet ontkennen dat ik enorm van zijn werk heb geprofiteerd, omdat hij een diep in de maatschappij verborgen verlangen heeft gewekt. Weet u wat tijdreizen zo aantrekkelijk maakt? Dat het iets is wat we allemaal graag willen. Tijdreizen is een oude droom van de mensheid. Maar zou u er ooit aan hebben gedacht voordat u het boek van meneer Wells had gelezen? Ik ben bang van niet. Ikzelf ook niet, kan ik u vertellen. Meneer Wells heeft op de een of andere manier een abstracte wens concreet gemaakt, een latente behoefte in woorden uitgedrukt.'

Murray pauzeerde even om zijn woorden bij zijn gasten te laten bezinken, zoals bij het uitkloppen van een kleed het stof op de meubels neerdaalt.

'Voor ik dit bedrijf oprichtte,' ging hij even later verder, 'werkte ik bij mijn vader. We hielden ons bezig met het financieren van expedities. We waren een van die honderden genootschappen die hun ontdekkingsreizigers naar de verste hoeken van de aarde sturen, om ze etnografische en archeologische kennis te laten verzamelen die in wetenschappelijke tijdschriften wordt gepubliceerd, of insecten en exotische bloemen voor een museum dat zijn vitrines wil vullen met de uitbundigste creaties van de Schepper. Maar los van het commerciële aspect werden we ook gedreven door de wens om de wereld waarin we leven zo goed mogelijk te leren kennen. We hadden om zo te zeggen ruimtelijke aspiraties. Maar je weet nooit wat het lot voor je in petto heeft, nietwaar, heren?'

Zonder op antwoord te wachten, gebaarde Murray hem te volgen. Door het woud van tafeltjes en globes, steeds met Eterno achter zich aan, leidde hij hen naar een van de wanden. In tegenstelling tot de overige was die niet gevuld met boekenkasten vol atlassen, geografische verhandelingen, astronomische studies en talloze boeken over de vreemdste onderwerpen, maar geheel bedekt met kaarten gerangschikt naar de datum waarop ze waren gemaakt. De collectie begon, als een reis door de tijd, met reproducties van kaarten uit de renaissance waarop de wereld, in de geest van Ptolemaeus, werd weergegeven als een insect zonder poten, onthutsend klein en uit niet veel meer bestaand dan een vormeloos Europa. Daarna kwam er een kaart van de Duitse geograaf Martin Waldseemüller, waarop Amerika was afgebroken van het Aziatische continent, en de reis eindigde met de werken van Abraham Ortelius en Gerardus Mercator, waarop de wereld aanzienlijk was uitgedijd, en afmetingen had die vergelijkbaar waren met de huidige. Als je van links naar rechts liep, zoals Murray hun voorging, had de chronologische ordening eenzelfde effect als wanneer je keek naar een bloem die zich opende of een zich uitrekkende kat, want de wereld leek letterlijk voor hun ogen te groeien, zich intrigerend langzaam te ontvouwen en steeds omvangrijker te worden naarmate zeevaarders en ontdekkingsreizigers de grenzen verruimden. Andrew vond het fascinerend dat een paar eeuwen geleden niemand nog had vermoed dat de wereld aan de overzijde van de Atlantische Oceaan verderging, dat haar ware afmetingen in feite afhingen van de vasthoudendheid en het goede gesternte van de ontdekkingsreizigers, die met hun gevaarlijke reizen de middeleeuwse leegte, woonplaats van monsters, hadden gevuld. Maar aan de andere kant vond hij het ook weer jammer dat de wereld nu geen mysterie meer was, dat er niet meer landen en oceanen waren dan op de recentste kaarten stonden afgebeeld, dat er alleen een officiële, bekende wereld was met vaste afmetingen, waar alleen nog de laatste hand moest worden gelegd aan de kustlijnen. Murray liet hen stilhouden voor de enorme kaart die het sluitstuk van de collectie vormde.

'Heren, u bevindt zich nu voor wat misschien wel de nauwkeurigste kaart is die u in heel Engeland kunt vinden,' zei Gilliam zonder zijn trots te verbergen. 'Ik houd hem voortdurend bij, en zodra er een onbekend stukje wereld in kaart wordt gebracht, laat ik de kaart opnieuw tekenen en verbrand ik de vorige. Ik zie dat als een symbolisch gebaar waarmee ik mijn oude, onjuiste voorstelling van de aarde uitwis. Veel van de hier ingetekende expedities zijn door ons gefinancierd en uitgerust.'

Het was een verwarrende kaart, wanordelijk bezaaid met lijnen in verschillende kleuren die, zoals Gilliam uitlegde, stonden voor alle expedities die de mens tot op heden had gemaakt en waarvan hij de bijbehorende lotgevallen, ongetwijfeld met ziekelijk genoegen, in de linkermarge had genoteerd. Maar één blik op de kaart volstond om te zien dat de nauwkeurigheid waarmee het slingerende verloop van elke reis was weergegeven uiteindelijk zinloos was, omdat de elkaar voortdurend kruisende lijnen het onmogelijk maakten een individuele route te volgen. Dat was een gevolg van het absurde streven van hun gastheer om werkelijk alle expedities weer te geven, vanaf de oudste, zoals die van Marco Polo, zichtbaar in een gouden lijn die door India, China, Centraal-Azië en de Maleisische Archipel kronkelde, tot de laatste, van sir Francis Younghusband die van Peking naar Kasjmir was gereisd, via het met gletsjers bedekte Karakorumgebergte. Maar niet alleen de continenten waren volgekrabbeld. Er waren ook lijnen buiten de grenzen van het land die op zee het schuimende kielzog volgden van beroemde schepen zoals de karvelen van admiraal Columbus op de Atlantische Oceaan of de *Erebus* en de *Terror* op de Noordelijke IJszee bij hun poging een kortere weg naar China te vinden. De beide laatste sporen eindigden abrupt, zoals ook in werkelijkheid de schepen waren verdwenen zodra ze de Straat van Lancaster, de vermeende noordwestelijke doorgang, waren gepasseerd. Andrew kon geen wijs worden uit de wirwar van lijnen en besloot een blauwe lijn te volgen die het eiland Borneo doorsneed, het regenachtige paradijs in het zuidoosten van Azië waar gibbons en krokodillen leefden, en die de omzwervingen markeerde van sir James Brooke, bijgenaamd de luipaard van Sarawak, een naam die Andrew kende van de Sandokan-boeken waarin hij de rol van wrede piratendoder speelde. Maar nu vroeg Gilliam hen hun aandacht te richten op het verwarrendste deel van de kaart, het Afrikaanse continent, waar de lijnen van alle expedities die hadden geprobeerd de legendarische bronnen van de Nijl te vinden door elkaar heen liepen. De reizen van de Nederlandse Alexine Tinne en die van het echtpaar Baker, de tochten van Burton en

Speke, de beroemde reizen van Livingstone en Stanley en vele andere vormden er een dicht netwerk waaruit niet veel op te maken was, behalve de aantrekkingskracht die het zwarte continent uitoefende op de dragers van de tropenhelm.

'De geschiedenis van de ontdekking van de tijdreizen begint hier precies tweeëntwintig jaar geleden,' zei Gilliam daarop met veel gevoel voor drama.

Alsof hij het verhaal al duizend keer had gehoord, ging Eterno aan de voeten van zijn baasje liggen, Charles lachte verheugd bij het veelbelovende begin, maar Andrew trok een wanhopig gezicht, omdat hij begreep dat hij nog veel geduld zou moeten oefenen voor hij zou weten of hij Marie Kelly kon redden of niet.

VIII

Staat u mij toe dat ik nu een kunstgreep uithaal en u Gilliam Murrays verhaal niet in de eerste maar in de derde persoon vertel, als was het een passage uit een avonturenroman, zoals de zakenman het zelf ook graag beschouwde. In die tijd, het begin van de tweede helft van de negentiende eeuw, was het ontdekken van de mythische bronnen van de Nijl, die Ptolemaeus in de Bergen van de Maan in het hart van donker Afrika had gesitueerd, het voornaamste doel van de meeste expedities geworden. Toch leken de moderne ontdekkingsreizigers even weinig geluk te hebben als Herodotus, Nero en al die anderen die er in de loop van de geschiedenis tevergeefs naar hadden gezocht. De expeditie van Richard Burton en John Speke had er alleen maar toe geleid dat ze ruzie kregen, en de tocht van David Livingstone had ook al geen nieuw licht op de zaak geworpen. Livingstone leed aan dysenterie toen Henry Stanley hem in Ujiji aantrof, maar desondanks weigerde hij met hem naar de hoofdstad terug te keren. In plaats daarvan vertrok hij op een nieuwe expeditie, ditmaal naar het Tanganyikameer, vanwaar hij, door koorts geveld en aan het eind van zijn krachten, in een draagstoel moest terugkeren. De Schotse ontdekkingsreiziger stierf in Chitambo en zijn laatste reis maakte hij als lijk, gebalsemd in de stam van een *myonga*; het kostte zijn dragers negen maanden om hem naar Zanzibar te vervoeren, vanwaar hij naar Groot-Brittannië werd verscheept. In 1878 werd hij met alle eer in de Westminster Abbey begraven, maar ondanks zijn onmiskenbare successen bleef de ligging van de bronnen van de Nijl een mysterie en iedereen, van de Royal Geographic Society tot het onbeduidendste wetenschapsmuseum, wilde met de eer gaan strijken en de plek vinden die zich zo moeilijk ontdekken liet. De Murrays wilden niet achterblijven, dus toen de *New York Herald* en de *London Daily Telegraph* de nieuwe expeditie van Stanley uitrustten, zonden ook zij een van hun beste ontdekkingsreizigers naar het onherbergzame Afrikaanse continent.

Zijn naam was Oliver Tremanquai. Hij had met succes diverse expedities in de Himalaya volbracht en was een bedreven jager. Onder zijn jachttrofeeën bevonden zich Indische tijgers, Balkanberen en olifanten uit Ceylon. Hij was tevens een diep religieus man en al was hij nooit missionaris geweest, hij liet geen gelegenheid voorbijgaan om elke inboorling die hij tegenkwam het evangelie te verkondigen, waarbij hij de prestaties van zijn god aanprees alsof hij een pistool aan de man bracht. Vol enthousiasme over zijn nieuwe missie vertrok Tremanquai uit Zanzibar, waar hij dragers en proviand bijeenbracht, maar al enkele dagen nadat hij het continent was binnengedrongen, verloren de Murrays elk contact met hem. De weken gingen langzaam voorbij zonder dat ze iets van hem vernamen. Wat was er met de ontdekkingsreiziger gebeurd? Met veel verdriet legden de Murrays zich er ten slotte bij neer hem als opgegeven te beschouwen, want er was geen Stanley die ze konden vragen hem te gaan zoeken: al hun mannen waren drukbezet.

Tien maanden later, net nadat ze met instemming van zijn vrouw, die tot dan toe had geweigerd zich in rouwkleren te hullen, een symbolische begrafenis te zijner ere hadden gehouden, verscheen Tremanquai op hun kantoor. Een spook had geen grotere opschudding teweeg kunnen brengen. Hij was vreselijk mager, zijn ogen stonden hol en zijn vuile, stinkende lichaam verried dat hij de laatste maanden nu niet bepaald rozenbaden had genomen. Zijn erbarmelijke verschijning maakte duidelijk dat de expeditie vanaf het begin een volslagen mislukking was geweest, want nauwelijks waren ze het oerwoud binnengedrongen, of ze waren in de hinderlaag van een Somalische stam gevallen. Tremanquai had niet eens tijd gehad zijn geweer te richten op de katachtige schimmen die uit het struikgewas tevoorschijn kwamen, en werd direct door een regen van pijlen getroffen. In het dichte oerwoud, ver van de blikken van de beschaving, werd de expeditie bruut en grondig uitgemoord. Zijn tegenstanders dachten dat hij, net als de rest van zijn mannen, dood was, maar Tremanquai was door het leven gehard, en om hem te doden was meer nodig dan een horde wilden. Wekenlang zwierf hij door de jungle, gewond en koortsig, steunend op zijn geweer, met nog een paar pijlen in zijn lijf, tot hij stuitte op een kleine inheemse nederzetting, omringd door een palissade. Uitgeput zakte hij voor de smalle ingang in elkaar, en bleef daar liggen als door het tij neergesmeten afval.

Een paar dagen later werd hij wakker op een ongemakkelijke stromatras, helemaal naakt, zijn vele wonden bedekt met onsmakelijk uitziende doeken. Het meisje dat de groenige kompressen aanbracht leek niet te behoren tot enige stam die hij kende. Haar lichaam was lang en soepel, met smalle heupen. Ze had nauwelijks borsten en haar donkere huid had een matte glans. Al snel ontdekte hij dat de mannen even lichtgebouwd waren, met bijna onzichtbare spieren en broze botten. Omdat hij niet wist tot welke stam ze behoorden, gaf Tremanquai ze de eerste de beste naam die bij hem opkwam. Hij noemde ze de rietmensen, omdat ze dun en buigzaam waren als riet. Tremanquai was een uitstekende schutter, maar had niet bepaald een grote fantasie. Het etherische voorkomen van de rietmensen verbaasde hem, net als de enorme donkere ogen in hun fijne poppengezichtjes. Maar naarmate hij langzaam herstelde ontdekte hij nog veel meer waar hij zich over verwonderde, zoals hun onmogelijke taal, gesmoorde klanken die hij, toch gewend de vreemdste dialecten na te doen, onmogelijk kon reproduceren, en het feit dat ze allemaal precies even oud waren. Ook ontbraken in de nederzetting de meest elementaire voorwerpen, alsof hun leven zich elders afspeelde en ze het tot één enkele verrichting, de ademhaling, hadden beperkt. Maar de vraag die Tremanquai steeds meer bezighield, was hoe de rietmensen de voortdurende aanvallen van de naburige stammen overleefden. Ze waren met weinigen, leken sterk noch gewelddadig, en het enige wapen dat hij in de nederzetting had gezien was zijn eigen geweer.

Op een avond zag hij hoe ze het deden. Een wachter meldde dat de nederzetting was omsingeld door de wrede Masaï. Vanuit zijn hut keek Tremanquai, samen met zijn verzorgster, toe hoe zijn etherische redders zich opstelden op het dorpsplein, tegenover de smalle ingang, waaraan vreemd genoeg een poort ontbrak. Keurig opgesteld en kwetsbaar, alsof ze geofferd gingen worden, pakten de rietmensen elkaar bij de hand en hieven een raadselachtig gezang aan. Toen Tremanquai van zijn verbazing was bekomen, greep hij zijn geweer en kroop naar het raam om zijn gastheren zo goed mogelijk te verdedigen. In de nederzetting brandden vrijwel geen fakkels, maar een doorgewinterde jager als hij had genoeg aan het licht van de maan. Hij richtte zijn geweer op de ingang, met het idee dat als hij erin slaagde een paar Masaï te doden, de anderen misschien zouden denken dat de nederzetting door blanken werd verdedigd, en de aftocht zouden blazen. Maar tot zijn verrassing duwde het meisje het wapen zachtjes naar beneden, waarmee ze hem duidelijk maakte dat hij niet hoefde in te grijpen. Tremanquai wilde protesteren, maar bedacht zich toen hij haar kalme blik zag. Angstig keek hij toe hoe de woeste Masaï in groten getale met hun lansen door de ingang naar binnen stormden, terwijl zijn gastheren rustig hun komst afwachtten, zonder met het onaangename gezang te stoppen. Tremanquai bereidde zich voor op een slachting. Toen hij vertelde wat er daarna gebeurde, begon zijn stem te trillen, alsof hij zijn eigen woorden niet kon geloven. De lucht scheurde open. Beter kon hij het niet uitleggen. Het was alsof je een stuk behang lostrok en de muur erachter zag. Het verschil was dat er geen muur, maar een andere wereld zichtbaar werd. Een wereld die de ontdekkingsreiziger aanvankelijk vanaf zijn plek niet kon zien, maar die een flauwe gloed verspreidde waardoor de duisternis om hem heen werd verlicht. Sprakeloos keek hij toe hoe de eerste Masaï in het gat stortten dat tussen henzelf en hun slachtoffers was ontstaan, en uit de werkelijkheid, uit de wereld waarin Tremanquai zich bevond, verdwenen, alsof ze in het niets waren opgegaan. De overgebleven Masaï sloegen doodsbenauwd op de vlucht toen ze zagen hoe hun broeders door de nacht werden opgeslokt. De ontdekkingsreiziger schudde zijn hoofd, overrompeld door wat hij had gezien. Nu begreep hij hoe het dorp erin geslaagd was de aanvallen van vijandige stammen af te slaan.

Wankelend kwam hij uit zijn hut en liep naar het gat dat het gezang van zijn gastheren in het weefsel van de werkelijkheid had geboord. Toen hij ervoor stond, zag hij een opening, golvend als een gordijn en groter dan hij had gedacht. Het gat begon op de grond, kwam tot boven zijn hoofd en was zo breed dat er zonder moeite een wagen doorheen kon. De randen deinden lichtjes in het landschap, en lieten het beurtelings verdwijnen en weer tevoorschijn komen, zoals golven op het strand. Gefascineerd keek Tremanquai door het gat, alsof hij door een raam keek. Aan de andere kant zag hij een wereld die anders was dan de onze, een soort roze steenvlakte, waar een gure wind woei die het zand van de bodem meevoerde. Aan het uiteinde van de vlakte, slecht zichtbaar door het vele stof in de lucht, onderscheidde hij duistere bergen. Blind en ontredderd strompelden de Masaï door die vreemde wereld en staken lukraak op elkaar in, waardoor er steeds minder overbleven. In vervoering sloeg Tremanquai de bizarre dans des doods gade, en voelde een wind door zijn haren strijken die niet van deze wereld was, net zomin als het vreemde stof in zijn neus.

De rietmensen, die nog steeds in een groepje bij elkaar op het dorpsplein stonden, hieven opnieuw hun afschuwelijke gezang aan, en het gat sloot zich, kromp langzaam voor Tremanquais verbijsterde ogen in elkaar, tot er niets meer van over was. De ontdekkingsreiziger streek met zijn hand door de lucht waar zoeven nog het gat was geweest. Opeens leek het alsof er nooit iets had bestaan tussen hem en de groep rietmensen, die nu weggliepen, ieder naar zijn eigen hut, alsof er niets bijzonders was gebeurd. Voor Tremanquai was echter de wereld zoals hij die kende voorgoed veranderd. Hij begreep dat hij nu slechts twee mogelijkheden had. Of hij beschouwde zijn wereld, die hij altijd als uniek had gezien, als een van de vele bestaande, die kennelijk op elkaar lagen als de bladzijden van een boek, zodat je ze met één dolkstoot allemaal kon doorsnijden, of, en dat was eenvoudiger, hij werd gek.

Die nacht kon de ontdekkingsreiziger, zoals te begrijpen is, niet slapen. Met wijd open ogen en gespannen lag hij op zijn matras, gespitst op elk geluid uit de duisternis. Het besef dat hij zich bevond in een nederzetting van tovenaars, tegen wie noch zijn geweer noch zijn god iets konden uitrichten, vervulde hem met grote angst. Zodra hij meer dan een paar stappen kon zetten zonder draaierig te worden, vluchtte hij uit het dorp. Het kostte hem verscheidene weken om terug te keren naar de haven van Zanzibar. Daar overleefde hij zo goed en zo kwaad als het ging, tot hij zich wist te verbergen op een schip dat naar Londen voer. Tien maanden na zijn vertrek was hij weer terug, maar hij was een ander mens geworden door wat hij had meegemaakt, dat zag je meteen. Het was een vreselijke odyssee geweest, maar dat geloofde Sebastian Murray natuurlijk niet. Hij had geen idee wat er al die tijd met zijn beste ontdekkingsreiziger gebeurd kon zijn, maar hij was duidelijk niet van plan enig geloof te hechten aan dat verhaal van die rietmensen en hun bizarre gaten. Dat was gewoon gekkenpraat. En Tremanquai zelf leek hem gelijk te geven toen hij niet in staat bleek zijn normale leven met zijn exweduwe en zijn twee dochters weer op te pakken. Waarschijnlijk was zijn vrouw liever bloemen blijven brengen op zijn graf, dan samen te moeten leven met die vreemde die uit Afrika was teruggekomen en die perioden van apathie afwisselde met onvoorspelbare uitbarstingen van waanzin die het tot dan toe vredige gezinsleven ruw verstoorden. Zijn voortdurende aanvallen, waarbij hij soms naakt over straat holde, of vanuit zijn raam op de hoed van voorbijgangers schoot, vormden een constante bedreiging voor de rust in de buurt. Uiteindelijk werd hij naar de afdeling voor geesteszieken van Guy's Hospital gebracht waar ze hem opsloten in een cel.

Maar daar leefde hij niet in totale eenzaamheid. Buiten medeweten van zijn vader zocht Gilliam Murray hem op wanneer hij maar kon, omdat het hem verdriet deed een van hun beste mannen in zo'n erbarmelijke toestand te zien, maar ook omdat hij het spannend vond hem dat fantastische verhaal te horen vertellen. Als jongeman van net twintig ging hij met even grote verwachting bij de ontdekkingsreiziger op bezoek als een kind dat naar een poppenkastvoorstelling gaat, en Tremanquai stelde hem nooit teleur. Op zijn bed gezeten, zijn ogen gericht op de grote vochtplekken op de muren, vertelde hij elke keer weer het verhaal van de rietmensen, steeds met nieuwe bijzonderheden, blij met zijn publiek en met meer dan genoeg tijd om zijn verhaal nog wat aan te dikken. Een tijdlang dacht Gilliam dat hij zijn verstand weer terug zou krijgen, maar na vier jaar opsluiting verhing Tremanquai zich in zijn cel. Hij liet een bericht achter op een smerig stukje papier. In een verdraaid handschrift, misschien zijn gewone manier van schrijven, misschien een gevolg van zijn innerlijk lijden, deelde hij niet zonder ironie mee dat hij vertrok naar een andere wereld, een van de vele bestaande.

Gilliam werkte nu bij zijn vader in de zaak, en hoewel hij het verhaal van Tremanquai ondanks zijn vele bezoeken nog steeds als onzin beschouwde – of misschien juist daarom, want het beste eerbewijs dat hij hem kon geven was zich te laten meeslepen door zijn waanzin – stuurde hij achter de rug van zijn vader om twee ontdekkingsreizigers naar Afrika, die de mythische rietmensen moesten gaan zoeken. Samuel Kaufman en Forrest Austin waren twee idioten, opscheppers die wel een slokje lustten en die al hun expedities tot een fiasco hadden weten te maken, maar ze waren de enigen die zijn vader niet zou missen en die schouderophalend naar het zwarte continent zouden vertrekken om naar een stam van zingende tovenaars te zoeken die poorten naar andere werelden konden openen. Ze waren, gezien hun overduidelijke ongeschiktheid, ook de enigen aan wie je zo'n zinloze missie kon opdragen, die uiteindelijk slechts Gilliams bescheiden hommage was aan de ongelukkige Oliver Tremanquai. Bijna stiekem vertrokken Kaufman en Austin uit Engeland. Noch Gillam noch zijzelf konden bevroeden dat zij de beroemdste ontdekkingsreizigers van hun tijd zouden worden. Zodra ze in Afrika waren aangekomen berichtten ze, zoals afgesproken, over hun vorderingen door middel van telegrammen, die Gilliam vluchtig doorkeek en met een licht gevoel van medelijden opborg in een la van zijn bureau.

Alles werd anders toen hij drie maanden later een telegram kreeg waarin ze vertelden dat ze de rietmensen eindelijk hadden gevonden. Het was niet te geloven! Hielden ze hem voor de gek, als straf omdat hij ze op die bizarre missie had gestuurd? Maar de details in de telegrammen sloten bedrog uit, want ze kwamen precies overeen met het relaas van Oliver Tremanquai. Tot zijn verbijstering kon Gilliam dus alleen maar concluderen dat zowel Tremanquai als Kaufman en Austin de waarheid hadden gesproken: de rietmensen bestonden echt. Vanaf dat moment waren de telegrammen iedere dag voor Gilliam Murray de belangrijkste reden om op te staan. Opgewonden wachtte hij tot ze werden bezorgd, las en herlas ze in zijn kantoor, met de deur op slot, voorlopig absoluut niet van plan de verbazingwekkende ontdekking met iemand te delen, zelfs niet met zijn vader.

Volgens de telegrammen was het voor Kaufman en Austin niet moeilijk geweest om, toen ze de nederzetting eenmaal hadden gevonden, er als gast te worden opgenomen. Eigenlijk leken de rietmensen alles goed te vinden, niet in staat zich tegen wat dan ook te verzetten. In de aanwezigheid van de ontdekkingsreizigers leken ze daarom ook niet erg geïnteresseerd. Ze tolereerden hen gewoon. Dat was voor Kaufman en Austin ook genoeg, en in plaats van de moed te verliezen omdat ze nu voor het belangrijkste en moeilijkste deel van de missie stonden, namelijk vaststellen of die wilden echt doorgangen naar andere werelden konden openen, oefenden ze geduld en beschouwden het allemaal als een betaalde vakantie. Hoewel ze het niet met zo veel woorden zeiden, kon Gilliam zich goed voorstellen hoe ze de hele dag in de zon lagen en zich te goed deden aan de kratten whisky die ze op de expeditie hadden meegenomen, terwijl hij de andere kant op keek. En, gek genoeg, was dat de beste tactiek die ze maar hadden kunnen bedenken, want de alcoholische roes waarin ze voortdurend verkeerden en hun naakte vertoningen op het gras maakten de rietmensen nieuwsgierig naar het amberkleurige vocht waardoor die vrolijke uitbarstingen werden veroorzaakt. Door de whisky met hen te delen ontstond langzamerhand een soort ruwe kameraadschap die Gilliam in zijn kantoor toejuichte, want dat vormde ongetwijfeld de eerste stap naar verdere toenadering. En dat had hij goed gezien, want het elementaire contact groeide geleidelijk uit tot een wederzijdse band van vertrouwen en genegenheid, die hem echter wel diverse zendingen van de beste Schotse whisky kostte; nog steeds vroeg hij zich af of er werkelijk zo veel liters nodig waren geweest voor zo weinig inboorlingen.

Eindelijk ontving hij op een ochtend het langverwachte telegram waarin Kaufman en Austin vertelden hoe de rietmensen hen naar het dorpsplein hadden gebracht, waar ze als gebaar van dankbaarheid en vriendschap een gat naar de andere wereld voor hen hadden gemaakt. Om de opening en de roze vlakte daarachter te beschrijven, gebruikten ze bijna dezelfde woorden als Tremanquai vijf jaar daarvoor, maar voor de jonge Gilliam was het nu geen fantasie meer, maar werkelijkheid wat daar gebeurde. Plotseling voelde hij zich beklemd, en niet omdat hij opgesloten zat in zijn kantoor. Hij voelde zich bekneld tussen de muren van een wereld waarvan hij nu wist dat het niet de enige was. Maar dat zou niet lang meer duren, zei hij bij zichzelf. Vervolgens wijdde hij een paar minuten aan de nagedachtenis van de arme Oliver Tremanquai. Hij had het idee dat zijn sterke religieuze overtuiging hem had belet te aanvaarden wat hij had gezien, zodat hem niets anders was overgebleven dan de weg van de waanzin. Gelukkig waren die domme Kaufman en Austin veel simpeler geesten, wat hen ervoor behoedde hetzelfde lot te ondergaan. Hij las het telegram wel honderden keren over. De rietmensen bestonden niet alleen, maar ze praktiseerden iets wat Gilliam, anders dan Tremanquai, liever magie noemde dan toverij. Kaufman en Austin stonden nu op de drempel van een onbekende wereld, en natuurlijk konden ze de verleiding niet weerstaan die te onderzoeken.

Bij het lezen van hun volgende telegrammen kreeg Gilliam spijt dat hij niet met hen mee was gegaan. Met instemming van de rietmensen, die hen hun gang lieten gaan, maakten Kaufman en Austin korte uitstapjes naar de wereld aan de andere kant, en steeds berichtten ze hem uitvoerig over alle bijzonderheden. Die andere wereld bestond hoofdzakelijk uit een grote vlakte van roze, enigszins lichtgevende steen, die zich uitstrekte onder een hemel die met een zeer dichte mist was bedekt. Als er daarachter al een zon scheen, dan kwam er geen straaltje doorheen. Het enige licht kwam van het vreemde materiaal waaruit de bodem bestond, zodat het landschap in een triest halfduister was gehuld dat de dag en de nacht samensmolt tot een eeuwige schemering en het zicht in de verte bemoeilijkte, hoewel je van je eigen laarzen elk detail kon onderscheiden. Af en toe werd de vlakte gegeseld door een razende wind die zandstormen veroorzaakte waardoor de lucht nog dichter kwam te zitten. En ze zagen nog iets vreemds: zodra ze het gat door waren, bleven hun horloges stilstaan. Op mysterieuze wijze begonnen ze echter weer te lopen als ze terugkeerden naar hun eigen werkelijkheid. Het was alsof de horloges unaniem hadden besloten de tijd die hun eigenaars in de andere wereld doorbrachten niet te meten. Kaufman en Austin keken elkaar aan en het is niet moeilijk je voor te stellen hoe ze daarbij dom hun schouders ophaalden. Nadat ze naar eigen schatting een nacht aan de andere kant hadden doorgebracht, direct bij het gat, om de rietmensen in de gaten te kunnen houden, deden ze nog een ontdekking. Ze hoefden zich niet te scheren: hun baard was niet gegroeid. Ze zagen ook dat het snijwondje op Austins arm dat hij had opgelopen kort voordat ze door het gat waren gegaan plotseling ophield met bloeden, zodat hij het zelfs vergat te verbinden. Hij dacht er pas weer aan toen de wond na hun terugkeer in de nederzetting opnieuw begon te bloeden. Gefascineerd noteerde Gilliam dit feit en wat er met hun baarden en horloges was gebeurd in zijn aantekenboekje. Alles wees op een onmogelijke plichtsverzaking van de tijd. Terwijl hij in zijn kantoor zijn hersens pijnigde, voorzagen Kaufman en Austin zich van wapens en proviand, en zetten koers naar het enige wat de eentonigheid van de vlakte doorbrak: het duistere gebergte dat zich spookachtig aftekende aan de horizon.

Omdat hun horloges onbruikbaar bleven, besloten ze de duur van de reis af te meten aan hun perioden van slaap, maar die methode bleek al snel onbruikbaar, want soms werd hun slaap onderbroken door de wind, die ineens zo krachtig opstak dat ze wakker moesten blijven om te zorgen dat hun tent overeind bleef, terwijl ze andere keren door vermoeidheid werden overvallen zodra ze even pauzeerden om te eten of weer op krachten te komen. Het enige wat ze er dus over konden zeggen was dat ze na een min of meer redelijke tijd, niet lang en niet kort, de langverwachte bergen bereikten. Het gebergte bestond uit dezelfde lichtgevende steen als de vlakte, maar zag er toch naargeestig uit, als een verrot en vervallen gebit. De spitse toppen sneden door de mist, en op sommige plekken zagen ze holtes die wel grotten leken. Bij gebrek aan een beter plan besloten ze een berg op te klimmen tot ze bij de eerste grot zouden komen. Ze gingen meteen op pad. Op een kleine bergtop kregen ze een vollediger zicht op de vlakte. Het gat was nu nog maar een glinsterend puntje aan de horizon. Daar wachtte hun de terugweg, en ondertussen diende het hun als gids. Ze waren niet bang dat de rietmensen het zouden sluiten, want uit voorzorg hadden ze alle overgebleven whisky meegenomen. En toen zagen ze de andere glinsterende punten aan de horizon. Door de mist gaven ze maar weinig licht, maar het leken er minstens een half dozijn. Waren het nieuwe gaten die naar nog andere werelden leidden? Het antwoord vonden ze in de grot die ze nu op het punt stonden te verkennen. Direct bij binnenkomst begrepen ze dat hij werd bewoond. Overal zagen ze tekenen van leven: resten van vuren, kommen, gereedschappen en al die dagelijkse benodigdheden die Tremanquai in de nederzetting van de rietmensen zo had gemist. Achter in de grot troffen ze een nog nauwere, donkere ruimte aan waarvan de wanden waren bedekt met muurtekeningen. De meeste stelden alledaagse scènes voor uit het leven van de rietmensen. Zij moesten de tekeningen wel hebben gemaakt, te oordelen naar de lange figuurtjes die je overal zag. Daar, in die schemerige wereld, speelde zich kennelijk hun leven af. De nederzetting was maar een doorgangshuis, een tijdelijke vestiging, een van de vele die ze wellicht ook in andere werelden bewoonden. Kaufman en Austin hechtten niet veel belang aan deze afbeeldingen van landelijke scènes. Er waren twee andere muurschilderingen die sterk hun aandacht trokken. Eén ervan nam een hele wand in beslag en voor zover ze konden zien moest het een kaart van die wereld zijn, of tenminste van het deel dat de stam had verkend, en dat de naaste omgeving van het gebergte omvatte. Het fascinerende was dat op de rudimentaire kaart de plaats van een aantal gaten was aangegeven, en, als ze het goed begrepen, ook wat zich daarachter bevond. De weergave was eenvoudig: een gele ster symboliseerde het gat, en de figuren ernaast de wereld erachter. Tenminste, dat leidden ze af uit de stip omringd door hutten die vermoedelijk het gat voorstelde waardoor ze gekomen waren, met de nederzetting aan de andere kant, in hun eigen wereld. Afgezien van dat gat stonden er nog vier openingen op de kaart, minder dan aan de horizon te zien waren. Waarheen zouden die gaten leiden? Uit luiheid of gebrek aan enthousiasme hadden de rietmensen alleen de werelden afgebeeld die behoorden bij de openingen het dichtst bij de grot. In een ervan speelde zich zo te zien een oorlog af tussen twee soorten figuren: de ene leken mensen te zijn, de andere bestonden uit vierkantjes en rechthoeken. De andere tekeningen waren nog raadselachtiger, en Kaufman en Austin maakten er alleen uit op dat er in die wereld tientallen van zulke gaten waren, maar dat ze nooit te weten zouden komen wat erachter zat als ze er niet zelf doorheen gingen, want het gekrabbel van de rietmensen was voor hen even ondoorgrondelijk als de droom van een blinde. De tweede muurtekening die hun aandacht trok bevond zich aan de andere kant, en stelde een groep rietmensen voor die vluchtte voor iets wat eruitzag als een reusachtig dier. Het was een stevige viervoeter met de staart van een draak en de rug vol met stekels. Kaufman en Austin keken elkaar aan, geschrokken dat ze zich in een wereld bevonden waarin beesten voorkwamen waarvan alleen al de afbeelding angstaanjagend was. Hoe zou het wel niet zijn om die in werkelijkheid tegen te komen? Maar ze peinsden er niet over rechtsomkeert te maken. Ze hadden hun geweren bij zich en genoeg munitie om het tegen een heel leger van die monsters op te nemen, voor het geval ze werkelijk bestonden en niet alleen maar een soort allegorisch verzinsel van de rietmensen waren. Bovendien hadden ze whisky bij zich, die magische drank die hun de nodige moed zou verschaffen, of in elk geval, mochten ze door een beest ter grootte van een olifant worden verslonden, dat tot een makkelijk te verdragen tegenslag zou maken. Wat konden ze nog meer wensen?

Ze besloten de ontdekkingstocht voort te zetten en vertrokken in de richting van het gat waar zich de oorlog afspeelde, omdat dat het dichtst bij de bergen lag. Het was een vermoeiende tocht, verzwaard door plotseling opstekende zandstormen die hen dwongen hun tent op te zetten en zich daarin te verbergen als ze niet wilden eindigen als twee glimmende zilveren kandelaars. Maar in elk geval kwamen ze niet zo'n reusachtig beest tegen. Toen ze het gat bereikten wisten ze natuurlijk niet hoeveel tijd er was verstreken, maar ze waren volkomen uitgeput. Grootte en aard van de opening waren vergelijkbaar met die van het gat waardoor ze de schemerige wereld waren binnengegaan. Het enige verschil was dat hier geen nederzetting met primitieve hutten te zien was, maar een verwoeste stad. Hoewel er amper nog iets overeind stond, herkenden ze het type bouw. Een paar minuten stonden ze naar het puinlandschap te kijken alsof ze voor een etalage stonden, en probeerden een teken van leven te ontdekken of iets anders dat hun houvast kon geven, maar niets verstoorde de rust van de grondig verwoeste stad. Welke oorlog kon zo'n vreselijke verwoesting aanrichten? Nadat ze zich met een paar slokken whisky weer de moed hadden ingedronken die ze bij de aanblik van de verwoeste stad verloren waren, zetten Kaufman en Austin hun tropenhelm stevig op hun hoofd en sprongen heldhaftig door het gat. Meteen roken ze een lucht die hun bekend voorkwam, maar al snel hadden ze door dat het niet om een bijzondere lucht ging, maar om die van hun eigen wereld die ze tijdens hun verblijf op de roze vlakte niet meer hadden geroken.

Geschrokken door het schouwspel van verwoesting bewogen ze zich met het geweer in de aanslag voorzichtig door de met brokken puin bezaaide straten, tot ze opeens werden tegengehouden. Sprakeloos van verbazing staarden Kaufman en Austin naar het obstakel dat hun de weg versperde: het was de klokkentoren van de Big Ben! Als de afgesneden kop van een vis lag de kapotte toren voor hen op straat; de enorme wijzerplaat leek wel een oog dat hen berustend aankeek. Huiverend keken ze om zich heen, en bezagen elk ingestort gebouw met plotselinge genegenheid, keken vol heimwee naar de horizon vol puin, waar donkere rookpluimen opstegen die de hemel van het verwoeste Londen verduisterden. Ze konden hun tranen niet bedwingen. En zo zouden ze daar tot het einde van hun dagen zijn blijven staan, huilend bij de resten van hun geliefde stad, als ze niet opeens een vreemd geluid hadden gehoord. Het klonk als een metalig gebonk.

Opnieuw met het geweer in de aanslag liepen ze in de richting van het lawaai, tot ze bij een grote berg puin kwamen. Op handen en voeten klommen ze erop, zonder lawaai te maken. Vanaf deze geïmproviseerde tribune konden ze, zonder zelf gezien te worden, de veroorzakers van het metalen gedreun bekijken. Het waren vreemde ijzeren wezens, vaag menselijk, die zich voortbewogen door iets op hun rug wat wel een stoommotortje leek, te oordelen naar de stoom die van tijd tot tijd door de naden naar buiten kwam. Telkens wanneer ze met hun zware ijzeren voeten tegen de stukken metaal stootten waarmee de grond bezaaid lag, klonk het geluid van een op hol geslagen klok dat hun aandacht had getrokken. Aanvankelijk hadden de verblufte ontdekkingsreizigers geen idee wat het allemaal voorstelde, tot Austin iets tussen het puin vandaan haalde wat eruitzag als een krantenpagina. Met trillende vingers spreidde hij de bladzijde uit. Daar stond een foto van de wezens die zich pal onder hen bevonden. Het artikel sprak van de onstuitbare opmars van het leger van de machinemensen, en eindigde met het verzoek aan de lezers om hun geloof in het menselijke kamp, onder aanvoering van de dappere kapitein Derek Shackleton, niet te verliezen. Maar wat hen het meest verbaasde was de datum van de krant. De verdwaalde pagina was van 3 april 2000. Kaufman en Austin schudden eensgezind het hoofd, langzaam van links naar rechts, maar kregen niet de tijd hun ontsteltenis op een meer geraffineerde wijze te uiten, omdat op datzelfde moment een stuk balk uit het bergje onder hun voeten losschoot, met veel lawaai op de straat viel en de machinemensen alarmeerde. Kaufman en Austin wisselden een angstige blik en maakten zich uit de voeten. Zonder achterom te kijken renden ze zo hard als ze konden naar het tijdgat waardoor ze deze wereld binnen waren gekomen. Ze kwamen er zonder problemen doorheen, maar bleven doorrennen tot hun voeten hen niet meer konden dragen. Ze zetten hun tent op en verstopten zich, probeerden te kalmeren en te verwerken wat ze hadden gezien, natuurlijk met de onschatbare hulp van de whisky. Het was duidelijk dat het moment gekomen was om terug te keren naar de nederzetting, Londen te informeren en te hopen dat Gilliam Murray hun kon verklaren wat ze hadden gezien.

Hiermee waren hun avonturen echter nog niet ten einde. Op de terugweg naar de nederzetting werden ze aangevallen door een reusachtig beest met stekels op zijn rug, waarvan ze het eventuele bestaan helemaal waren vergeten. Het kostte hun de grootste moeite om van het dier af te komen. Bij hun pogingen het beest te verjagen verschoten ze bijna al hun munitie, omdat de kogels bleven afketsen op het pantser van stekels, zonder enige schade aan te richten. Ten slotte schoten ze op de ogen, het enige zwakke punt dat ze konden ontdekken, en zo konden ze het dier uiteindelijk verjagen. Daarna bereikten ze zonder verdere incidenten het tijdgat, schreven meteen naar Londen en vertelden alles wat ze hadden beleefd.

Toen Gilliam Murray hun verslag ontving, vertrok hij onmiddellijk naar Afrika. Hij trof de ontdekkingsreizigers in de nederzetting, en even ongelovig als Thomas zijn vingers in de wond van de herrezen Christus had gelegd, liep hij door het verwoeste Londen van het jaar 2000. Hij verbleef verscheidene maanden bij de rietmensen, hoewel hij niet precies zou kunnen zeggen hoe lang, omdat hij veel tijd doorbracht op de roze vlakte, om de juistheid vast te stellen van alles wat zijn ontdekkingsreizigers hem hadden verteld. Zoals ze in hun telegrammen al hadden geschreven, stopten in deze sombere wereld horloges met tikken, waren scheermessen overbodig, en wees in het algemeen niets op het verstrijken van de tijd, waaruit hij moest concluderen dat de momenten die hij daar doorbracht, hoe ongelooflijk het ook was, een soort pauzes waren in zijn bestaan die zijn onverbiddelijke gang naar de dood konden vertragen. Hij merkte dat dat geen onzin was toen hij zag hoe het jonge hondje dat hij meegenomen had bij zijn terugkeer in de nederzetting afrende op de andere hondjes uit hetzelfde nest, maar op volwassen honden stuitte. Gilliam had zich tijdens zijn verblijf op de vlakte geen enkele keer hoeven scheren, maar het voorbeeld van het hondje Eterno liet op nog veel spectaculairder wijze zien dat de tijd hier niet bestond. Gilliam kwam ook tot de conclusie dat de gaten in de roze vlakte niet naar andere werelden leidden, zoals hij aanvankelijk had gedacht, maar naar verschillende tijden in dezelfde wereld, die gewoon zijn eigen wereld was. De roze vlakte bevond zich buiten de tijdstroom, buiten de tijd, het toneel waarop zich het leven van de mensen, de planten en de dieren afspeelde. En de wezens die op de vlakte woonden, de schepsels die Tremanquai de rietmensen had gedoopt, wisten hoe ze de tijdstroom binnen konden gaan door er gaten in te maken, openingen die de mens kon gebruiken om door de tijd te reizen, om van het ene tijdperk naar het andere te gaan. Toen hij zich dat realiseerde, werd Gilliam door opwinding en angst bevangen. Hij had de grootste ontdekking in de geschiedenis van de mensheid gedaan: hij had ontdekt wat er onder de wereld zat, wat zich achter de werkelijkheid verborg. Hij had de vierde dimensie ontdekt!

Wat zit het leven toch vreemd in elkaar, dacht hij. Hij was op zoek gegaan naar de bronnen van de Nijl, en had uiteindelijk een geheime doorgang naar het jaar 2000 gevonden. Maar zo gaat dat bij grote ontdekkingen. Was de *Beagle* niet om economische en strategische redenen op weg gegaan? De ontdekkingen zouden heel wat bescheidener zijn geweest als er geen jonge natuuronderzoeker was meegereisd die zo gevoelig was dat hij de verschillen tussen de vinkensnavels had opgemerkt. Het verhaal van de natuurlijke selectie zou de wereld radicaal veranderen. En al even toevallig had hij, Gilliam, de vierde dimensie ontdekt.

Maar wat had je eraan iets te ontdekken als je het niet met anderen kon delen? Gilliam wilde de mensen in de hoofdstad meenemen naar het jaar 2000, zodat ze met eigen ogen konden zien wat de toekomst voor hen in petto had. De vraag was alleen: hoe? Hij kon geen schepen vol Londenaren naar een inheemse nederzetting ergens in het hart van Afrika brengen, waar de rietmensen op dat moment woonden. De enige mogelijkheid was om het tijdgat naar Londen te brengen. Zou dat kunnen? Hij wist het niet, maar hij kon het altijd proberen. Hij liet Kaufman en Austin achter bij de rietmensen en keerde terug naar Londen, waar hij een smeedijzeren kist ter grootte van een kamer liet maken. Met die kist en met meer dan duizend liter whisky ging hij terug naar de nederzetting om de ruil te doen die het beeld van de wereld zoals men die kende grondig zou veranderen. De rietmensen, die hij stomdronken had gevoerd, wilden hun magische gezang wel voor hem aanheffen in de donkere kist. Toen het gat zich eenmaal had gevormd, werkten Gilliam en zijn mannen hen naar buiten en sloten de zware deur. Ze wachtten tot de whisky ook de laatste rietmens had gevloerd en aanvaardden de terugtocht. De reis verliep moeizaam en Gilliam kon pas rustig ademhalen toen ze de enorme kist in Zanzibar aan boord van een schip hadden weten te krijgen. Tijdens de overtocht deed hij geen oog dicht. Dag en nacht zat hij aan dek en keek vol genegenheid naar de duistere kist die door de rest van de passagiers met verbijstering werd gadegeslagen. Zou je het tijdgat echt kunnen stelen? Het antwoord op die vraag liet hem geen rust, en het ongeduld dat aan hem knaagde maakte dat de terugtocht eindeloos duurde. Toen ze eindelijk in de haven van Liverpool aankwamen, had hij grote twijfels, en zodra hij op kantoor was maakte hij de kist in het diepste geheim open. Het gat was er nog! De diefstal was gelukt! De volgende stap was om het aan zijn vader te laten zien.

'Wat voor de duivel is dat?' riep Sebastian Murray, toen hij het tijdgat in de kist zag trillen.

'Hierdoor is Oliver Tremanquai gek geworden, vader,' antwoordde Gilliam, met genegenheid terugdenkend aan de ontdekkingsreiziger. 'Dus wees voorzichtig!'

Zijn vader werd bleek. Toch ging hij met Gilliam door het gat en reisde naar de toekomst, naar het verwoeste Londen waar de mensen zich als ratten tussen de ruïnes verborgen. Toen hij van zijn verbazing was bekomen, kwamen ze overeen dat ze de vondst aan de wereld moesten tonen, en dat ze dat het beste konden doen door van het gat handel te maken. Als ze de mensen het jaar 2000 lieten zien, zou dat hun genoeg geld opleveren voor zowel de reizen zelf als het onderzoek naar de vierde dimensie. Als eerste zetten ze een veilige route uit naar het gat in de tijd, ruimden gevaren uit de weg, richtten observatieposten in en effenden de weg, zodat een tram met plaats voor dertig personen zonder problemen zijn doel zou kunnen bereiken. Helaas leefde Sebastian Murray niet lang genoeg om mee te maken hoe Murray Tijdreizen zijn deuren opende, maar Gilliam troostte zich met de gedachte dat zijn vader in elk geval de toekomst na zijn eigen dood had leren kennen.

IX

Toen de ondernemer klaar was met zijn verhaal, zweeg hij en keek zijn twee gasten verwachtingsvol aan. Andrew nam aan dat hij een of andere reactie verwachtte, maar hij wist niet wat hij zeggen moest. Hij was in de war. Hij vond het moeilijk te geloven dat het verhaal van zijn gastheer iets anders was dan de plot van een avonturenroman. Die roze vlakte leek hem even reëel als Lilliput, het eiland in de Stille Zuidzee waar Lemuel Gulliver was gestrand en dat werd bewoond door piepkleine mensjes van een paar duimen lang. Maar uit Charles' stralende glimlach maakte hij op dat zijn neef er wel in geloofde. Hij was per slot van rekening al naar het jaar 2000 gereisd. Wat maakte het dan uit dat je om daar te komen een roze vlakte moest doorkruisen waar de tijd stilstond?

'En als u nu zo vriendelijk wilt zijn mij te volgen, heren, dan zal ik u iets tonen wat ik alleen laat zien aan mensen die ik vertrouw,' zei Gilliam, en hij hervatte de rondleiding door zijn immense kantoor.

Terwijl Eterno om hen heen cirkelde, liepen ze naar een andere wand, waar hun een kleine verzameling foto's wachtte en iets wat waarschijnlijk ook een kaart was, maar aan het zicht werd onttrokken door een rood zijden gordijn. Andrew stelde verbaasd vast dat de foto's in de vierde dimensie waren gemaakt, hoewel ze net zo goed in elke willekeurige woestijn konden zijn genomen, want geen camera kon de kleuren van de wereld vastleggen, van deze net zomin als van een andere, naar het scheen. Je moest je fantasie gebruiken om het wittige zand als roze te zien. De meeste foto's toonden alledaagse tafereeltjes tijdens de expeditie: Gilliam en twee mannen, die vermoedelijk Kaufman en Austin waren, bij het opzetten van de tent, bij het koffiedrinken tijdens een pauze, bij het maken van een kampvuur, poserend voor de spookachtige bergen die je in de dikke mist slechts met moeite kon ontwaren. Allemaal wel heel gewoontjes. Slechts bij één foto had Andrew het idee dat hij inderdaad een onbekende wereld zag. Hij toonde Kaufman en Austin – de eerste fors en met een buikje, de tweede zo dun als een lat – die breeduit stonden te lachen, de hoeden schuin, de geweren omhoog, en met hun voet rustend op de enorme kop van een draak als uit een sprookje, die als een jachttrofee op het zand lag. Andrew wilde zich juist over de foto buigen om de vage gestalte wat beter te bekijken, toen hij werd opgeschrikt door een onaangenaam piepend geluid. Naast hem trok Gilliam met een gouden koord het zijden gordijn weg, om hun te laten zien wat zich erachter bevond.

'Heren, ik kan u verzekeren dat u een kaart als deze in heel Engeland niet zult vinden,' zei hij, de borst gezwollen van trots. 'Het is een exacte kopie van de tekening in de grot van de rietmensen, natuurlijk aangevuld met de resultaten van onze latere onderzoekingen.'

Wat het poppenkastgordijn onthulde, leek eerder een tekening van een fantasierijk kind dan een kaart. Natuurlijk overheerste de kleur roze, die de vlakte voorstelde. In het midden lagen de bergen, maar er waren ook andere geografische zaken ingetekend. In de rechterhoek bijvoorbeeld was de golvende lijn van een rivier te zien, en daar vlakbij een heldergroene vlek, die waarschijnlijk een bos of een wei moest voorstellen. Andrew vond het vreemd om die symbolen, horend bij de kaarten waarmee zijn eigen wereld werd weergegeven, nu aan te treffen op een tekening die de vierde dimensie moest voorstellen. Maar wat hem het meest opviel waren de gouden punten waarmee de vlakte was bezaaid en die ongetwijfeld de tijdgaten weergaven. Twee ervan, het gat dat naar het jaar 2000 leidde en het gat dat Murray nu in bezit had, waren met elkaar verbonden door een kronkelige rode lijn, die waarschijnlijk de route van de tram weergaf.

'Zoals u ziet, zijn er heel wat tijdgaten, maar we weten nog niet waarheen ze voeren. Of er een bij is naar de herfst van 1888? Misschien wel, wie weet?' zei Gilliam, met een veelbetekenende blik naar Andrew. 'Kaufman en Austin proberen nu het gat te bereiken dat het dichtst bij de opening naar het jaar 2000 ligt, maar ze weten nog niet hoe ze de kudde dieren moeten omzeilen die graast in het tussenliggende dal.'

Terwijl Andrew en Charles de kaart bestudeerden, knielde Gilliam neer en aaide de hond.

'Ah, de vierde dimensie! Welke geheimen liggen daar verborgen?' mompelde hij dromerig. 'Ik weet alleen dat onze kaars er niet uitdooft, om het eens poëtisch te zeggen. Het lijkt alsof Eterno één jaar oud is, maar hij is al vier jaar geleden geboren. Dat moet dus vermoedelijk zijn werkelijke leeftijd zijn, ware het niet dat het grootste deel van die jaren – de tijd doorgebracht op de vlakte – niet lijkt te tellen. Eterno heeft me vergezeld bij mijn onderzoekingen in Afrika, en sinds we weer in Londen zijn, slaapt hij elke nacht naast me in het tijdgat. Ik heb hem niet zomaar Eterno genoemd, heren, en zolang het in mijn macht ligt, zal ik er alles aan doen om te zorgen dat hij zijn naam eer aandoet.'

Andrew huiverde onwillekeurig toen hij de blik van de hond zag.

'Wat stelt dat gebouw voor?' vroeg Charles, wijzend naar het symbool van een kasteel vlak bij de bergen.

'O, dat,' zei Gilliam ongemakkelijk. 'Dat is het paleis van Hare Majesteit.'

'Van de koningin?' vroeg Charles verbaasd. 'Heeft die een paleis in de vierde dimensie?'

'Inderdaad, meneer Winslow. Een soort geschenk als dank voor haar royale bijdrage aan onze expedities.' Gilliam dacht even na, alsof hij overwoog of hij hun nog meer moest vertellen. Ten slotte vervolgde hij: 'Sinds we voor haar en haar gevolg een privéreis naar het jaar 2000 hebben georganiseerd, is Hare Majesteit geïnteresseerd in de bijzondere wetten die in de vierde dimensie gelden, enne... heeft ze ons duidelijk gemaakt dat ze graag over een residentie op de vlakte zou beschikken, waar ze zich af en toe kan terugtrekken, als haar verplichtingen het toelaten, alsof ze naar een kuuroord gaat. Ze is er al een aantal maanden, dus ik vrees dat ze lang koningin zal zijn...' zei hij, en het was duidelijk dat het hem ergerde dat hij die concessie had moeten doen, terwijl hij zelf en Eterno waarschijnlijk genoegen moesten nemen met een verblijf in een miserabele tent. 'Maar dat maakt me niet uit. Ik wil alleen maar dat ze me met rust laten. Het Britse imperium wil de maan veroveren. Ze doen maar... Maar de toekomst is van mij!'

Hij schoof het gordijntje dicht en bracht hen weer naar zijn bureau. Hij vroeg hen plaats te nemen en ging zitten in zijn stoel, terwijl Eterno, de hond die de mensen zou overleven – met uitzondering dan van Gilliam, de koningin en de fortuinlijke bedienden van haar tijdloze paleis – zich aan zijn voeten legde.

'Goed, heren, ik hoop dat ik hiermee een antwoord heb gegeven op uw vraag waarom we u alleen naar 20 mei van het jaar 2000 kunnen brengen, waar u de beslissende slag van de mensheid kunt bekijken,' zei hij ironisch toen hij eenmaal zat.

Andrew zuchtte. Het interesseerde hem allemaal geen zier, zolang verdriet het enige was wat hij kon voelen. Hij was kennelijk weer terug bij af. Hij zou zijn zelfmoord moeten voortzetten zodra Charles even niet oplette. Ooit zou hij een keer moeten slapen!

'Er is dus geen enkele mogelijkheid om naar 1888 te reizen?' hoorde hij zijn neef vragen. Charles wilde zich kennelijk nog niet gewonnen geven.

'Ik denk dat het geen probleem zou zijn als u over een tijdmachine zou beschikken,' antwoordde Gilliam schouderophalend.

'Dan moeten we er maar op vertrouwen dat die snel uitgevonden wordt, Andrew,' zei Charles, en gaf hem een klopje op zijn knie. Daarna stond hij op.

'Misschien is zo'n toestel al wel uitgevonden, heren,' zei Gilliam plotseling.

Charles draaide zich abrupt om.

'Hoe bedoelt u?'

'Hm, het is maar een vermoeden...' antwoordde de ondernemer, 'maar toen we onze zaak openden, was er iemand die zich bijzonder hardnekkig verzette tegen ons werk. Hij hield vol dat tijdreizen te veel risico's inhielden, dat het beter was behoedzaam te werk te gaan. Ik heb altijd gedacht dat hij dat alleen maar zei omdat hij zelf een tijdmachine had en ermee wilde experimenteren vóór het grote publiek ervan zou horen. Of misschien wilde hij de machine alleen voor zichzelf houden, om als enige heer en meester over de tijd te zijn.'

'Over wie hebt u het?' vroeg Andrew.

Gilliam leunde met een zelfgenoegzaam lachje achterover in zijn stoel.

'Ik heb het natuurlijk over de heer Wells,' antwoordde hij.

'Maar waarom denkt u dat?' vroeg Charles. 'Wells heeft het in zijn boek alleen over een reis naar de toekomst. De mogelijkheid van een reis naar het verleden noemt hij niet eens.'

'Daarom juist, meneer Winslow. Stelt u zich eens voor, heren: u bouwt een tijdmachine, de grootste uitvinding in de geschiedenis van de mensheid. Vanwege de ongelooflijke perspectieven die dat biedt, moet u het natuurlijk geheimhouden, want u wilt niet dat de machine in onbevoegde handen valt. Maar zou u de verleiding kunnen weerstaan om uw ontdekking wereldkundig te maken? Een roman zou het perfecte medium kunnen zijn om ruchtbaarheid te geven aan uw geheim zonder dat iemand op het idee komt dat het meer is dan fictie, denkt u niet? Maar misschien overtuigt ijdelheid u niet als motief? Stelt u zich dan voor dat het hem niet om zijn ego gaat, maar dat hij hulp nodig heeft. Misschien is *De tijdmachine* niet meer dan een in zee gegooide fles, een noodkreet voor wie de boodschap weet te interpreteren. Wie weet? In elk geval, heren, heeft Wells de mogelijkheid van een reis naar het verleden beslist overwogen, en wel met de bedoeling het verleden te veranderen, wat, denk ik, ook uw beweegreden is, meneer Harrington.'

Andrew schrok, alsof hij op een misdaad was betrapt. Gilliam schonk hem een spottend lachje, en rommelde wat in een la van zijn bureau. Toen hij had gevonden wat hij zocht, gooide hij een nummer van de *Science Schools Journal* uit 1888 op tafel. Op het voorblad van het beduimelde tijdschrift stond de titel *The Chronic Argonauts*, door H.G. Wells. Hij gaf het blad aan Andrew, en vroeg er voorzichtig mee te zijn, omdat het ging om een nummer dat niet meer verkrijgbaar was.

'Precies acht jaar geleden, toen hij net als jong ventje in Londen was aangekomen om de wereld te veroveren, publiceerde Wells het verhaal *The Chronic Argonauts*, over een krankzinnige geleerde genaamd Moses Nebogipfel, die naar het verleden reisde om een moord te plegen. Misschien vond Wells dat hij daarmee te ver was gegaan, en besloot hij in *De tijdmachine* elke zinspeling op reizen naar het verleden te vermijden om de lezers niet op een idee te brengen, en zich alleen op de toekomst te richten. Hij verzon een held die, zoals u weet, veel rechtschapener is dan Nebogipfel, maar in de roman niet bij name wordt genoemd. Misschien kon Wells het niet laten die kleine knipoog te maken.'

Andrew en Charles wisselden een blik, en keken vervolgens naar Gilliam Murray, die iets in een notitieboekje krabbelde.

'Dit is het adres van meneer Wells,' zei hij, en gaf het briefje aan Andrew. 'Niets staat u in de weg om te kijken of mijn vermoedens juist zijn.'

X

Omgeven door de rozengeur waarvan de hal was doortrokken verlieten ze het gebouw van Murray Tijdreizen. Op straat stapten ze in het eerste rijtuig dat ze tegenkwamen en gaven de koetsier een adres op in Woking, in het graafschap Surrey, waar de schrijver H.G. Wells woonde. Na het gesprek met Gilliam Murray, dat hem tot God weet wat voor duistere overpeinzingen had gebracht, was Andrew in een diep stilzwijgen verzonken, maar omdat de reis minstens drie uur zou duren had Charles geen haast om de stilte te doorbreken. Hij gaf zijn neef liever de tijd die hij nodig had om zijn gedachten te ordenen. Hij had vandaag al te veel emoties moeten verwerken, en er zouden er nog meer komen. Zijn relatie met Andrew kende altijd al veelvuldige en onvoorspelbare perioden van stilte, en daarmee wist hij intussen ontspannen om te gaan. Hij sloot dus zijn ogen en liet zich in slaap wiegen door het schommelen van het rijtuig.

Hen stoorde de stilte dan misschien niet, maar ik kan me zo voorstellen dat u, die in zekere zin ook meereist, zich er misschien wat ongemakkelijk onder voelt. Ik zal daarom die stilte, slechts verstoord door het ratelen van de koets, laten voor wat ze is, en u ook niet lastigvallen met een beschrijving van de achterhand van de paarden, waarop de in zichzelf gekeerde blik van Andrew was gefixeerd. En omdat ik u niet eens op een onderhoudende manier kan vertellen wat er omgaat in zijn hoofd, waar de mogelijkheid om Marie Kelly te redden langzaam verdampte – al had men dan een manier gevonden om door de tijd te reizen, het was kennelijk nog niet mogelijk dat gericht te doen – wil ik van dit stilvallen van de actie gebruikmaken om u iets te vertellen wat in het begin van dit verhaal nog onbesproken bleef, en wat alleen ik u kan vertellen, omdat het een episode betreft die de inzittenden van de koets onbekend is. Ik doel op de duizelingwekkende stijging op de maatschappelijke ladder van hun beider vaders, William Harrington en Sidney Winslow, een stijging die door eerstgenoemde met een karakteristieke mengeling van geluk en meesterschap in gang was gezet en waarover beiden hadden besloten het zwijgen te bewaren, maar die ze voor mij, die alles ziet, niet verborgen kunnen houden.

Ik zou u mijn indruk van William Harrington onverbloemd kunnen beschrijven, maar mijn mening is van weinig belang. Laten we ons liever houden aan het beeld dat Andrew zich van zijn vader had gevormd, en dat de werkelijkheid vrij dicht benadert. Voor hem was zijn vader een strijdlustige ondernemer, die op het slagveld van het zakendoen de meest bijzondere wapenfeiten kon laten zien, zoals hierna nog zal blijken, maar die in het alledaagse gevecht van man tot man, de strijd die ons werkelijk tot mens maakt, omdat we daarin onze goedheid en edelmoedigheid kunnen tonen, slechts tot lafheden in staat leek. William Harrington bezat het soort zelfvertrouwen dat tegelijk genade en straf is, een onwrikbaar vertrouwen dat elk moment kan omslaan in een blinde arrogantie. Hij was zo iemand die denkt dat de wereld op z'n kop staat als hij ondersteboven aan een tak hangt, of, om een ander beeld te gebruiken, dat God de zon louter heeft geschapen om zíjn vruchten te laten rijpen, en daaraan hoeft niets meer te worden toegevoegd.

William Harrington kwam terug van de Krim in een wereld die door machines werd beheerst. Maar hij zag algauw dat die machines niet het einde betekenden van het oude handwerk, want zelfs het glas van het Crystal Palace, die in Hyde Park gestrande transparante walvis met zijn buik vol mechanische misbaksels, was nog met de hand gemaakt. Die weg moest hij natuurlijk niet inslaan als hij rijk wilde worden – een doel dat hij zich met de onbezonnenheid van zijn ruim twintig jaren had gesteld toen hij op een slapeloze nacht in zijn bed lag te woelen naast zijn kersverse vrouw, de preutse dochter van een luciferfabrikant voor wie hij sinds kort werkte. Hij begreep dat hij een saai bestaan tegemoet ging, en vroeg zich af of hij niet in opstand moest komen tegen zo'n alledaags lot. Waarom had zijn moeder hem ter wereld gebracht, als het meest opwindende in zijn leven zou zijn dat een vijandige bajonet hem mank had gemaakt? Wat was zijn lot? Louter als vulsel dienen, of de geschiedenisboeken ingaan? Zijn deerniswekkende optreden op de Krim leek in de richting van het eerste te wijzen, maar William Harrington was te gulzig om daarmee tevreden te zijn. We leven vermoedelijk maar één keer, zei hij bij zichzelf, en wat ik in dit leven niet bereik, zal ik nooit bereiken.

De volgende ochtend vroeg hij zijn zwager Sidney bij zich, een pientere, capabele jongeman die zijn leven verdeed met het voeren van de boekhouding van het kleine familiebedrijf. Hij verzekerde hem dat hij aan zijn zijde een glanzende carrière tegemoet kon zien. Ze zouden zeker stijgen op de maatschappelijke ladder, zo verzekerde Willam hem, maar dan moesten ze de lucifers vergeten en een eigen zaak beginnen, wat niet moeilijk zou zijn omdat Sidney toevallig over wat spaargeld beschikte. Tijdens een uitgebreid drinkgelag wist William hem ervan te overtuigen dat zijn saaie leven wel een dosis ondernemersavontuur kon gebruiken en haalde hij zijn zwager over hem zijn geld toe te vertrouwen. Ze hadden weinig te verliezen en veel te winnen. Het belangrijkste was iets te vinden waarmee ze op korte termijn een flinke winst konden boeken, zei hij tot slot. Tot zijn verrassing was Sidney het met hem eens, en zette hij meteen zijn inventieve brein aan het werk. Bij hun volgende bijeenkomst had hij de tekeningen bij zich van een revolutionaire vinding, die hij de 'vrijgezellenhelper' noemde. Het was een stoel voor liefhebbers van pikante literatuur, met een ingebouwde lessenaar die zelf de bladzijden omsloeg, zodat je beide handen vrij had. Op Sidneys gedetailleerde tekeningen van het apparaat stonden nog meer snufjes, zoals een emmertje met spons, zodat de klant niet hoefde op te staan en door kon gaan met lezen. Sidney was ervan overtuigd dat zijn uitvinding hen binnen de kortste keren rijk zou maken, maar William was daar minder zeker van. Zijn zwager had duidelijk zijn eigen behoeften met die van de rest van de mensheid verward. Maar toen hij hem ervan had weten te overtuigen dat de geraffineerde stoel niet zo onmisbaar was voor het Britse Rijk als hij had gedacht, wat geen eenvoudige opgave was, waren ze weer terug bij af en stonden ze met lege handen.

Wanhopig richtten ze hun blik op het goederenverkeer met de koloniën. Welk product viel er nog te importeren, in welke behoefte moest nog worden voorzien? Ze bestudeerden hun omgeving, maar het leek de Engelse burgers aan niets te ontbreken. Hare Majesteit had immers haar talloze tentakels waarmee ze alles uit de wereld haalde wat het land nodig had. Natuurlijk misten ze nog iets, maar dat was een behoefte waar niemand hardop over durfde te spreken.

Ze vonden het in een winkelstraat in New York, waar ze heen waren gereisd om inspiratie op te doen. Ze waren juist op de terugweg naar hun hotel om hun geteisterde voeten een poosje in een teil heet water te laten bungelen, toen ze het product zagen: achter een winkelruit lagen stapels vreemde pakjes met vijfhonderd velletjes manillapapier die aloë bevatten. 'Gayetty's medicinaal papier,' lazen ze op de verpakking. Wat voor de duivel kon je daar nu mee? Ze kwamen erachter toen ze het briefje met instructies lazen dat op de ruit was geplakt, en waarop zonder enige gêne een hand was afgebeeld die het product vaardig toepaste op het meest intieme deel van het achterwerk. Kennelijk was die Gayetty van mening dat het hoog tijd werd om de maïskolven en parochieblaadjes rust te gunnen. William en Sidney wisselden een blik van verstandhouding. Dat was het! Je hoefde niet bijzonder slim te zijn om te kunnen voorspellen hoe dit een geschenk uit de hemel zou zijn voor de honderdduizenden Engelse achterwerken die rood waren van de ruwe kranten. Bij vijftig cent per pakje zouden ze binnen de kortste keren binnenlopen. Ze kochten zoveel als nodig was om de kleine winkel te bevoorraden die ze in een van de hoofdstraten in Londen kochten, legden een berg pakjes in de etalage, plakten een aanplakbiljet op de ruit waarin gedetailleerd uit de doeken werd gedaan hoe het papier moest worden gebruikt, en posteerden zich achter de toonbank in afwachting van de horden mensen die hun de wonderbaarlijke uitvinding uit handen kwamen rukken. Maar op de dag van de opening rinkelde de winkelbel niet eenmaal, evenmin als de volgende dagen, die al snel weken werden.

Drie maanden kostte het William en Sidney om hun nederlaag toe te geven. Hun dromen waren meteen alweer aan diggelen geslagen, maar ze hadden nu wel genoeg medicinaal papier om het de rest van hun dagen zonder Sears-catalogi te kunnen stellen. De wereld heeft echter zijn eigen, onnavolgbare logica, en ze hadden hun noodlijdende winkel nog niet gesloten of de handel kwam tot bloei. In de donkerste hoeken in de kroegen, bij de ingang van de steegjes, 's ochtends vroeg in de hun vertrouwde bordelen werden William en Sidney aangesproken door de meest uiteenlopende figuren die, fluisterend en wantrouwend om zich heen kijkend, hun pakjes wonderpapier bestelden, om vervolgens haastig in de nacht te verdwijnen. Verrast door het onderhandse karakter van hun handel, wenden de jonge ondernemers zich aan om in het holst van de nacht door de stad te trekken, de een hinkend, de ander hijgend, om hun clandestiene waar af te leveren, ver weg van indiscrete blikken. Al snel vonden ze het normaal om hun schaamtevolle product achter te laten bij de voordeur, op de afgesproken wijze met hun wandelstok op het raam te tikken, pakjes van de brug te gooien in onopvallend passerende barkassen, bundeltjes bankbiljetten aan te treffen onder bankjes in verlaten parken, of om bij de hekken van voorname huizen het riedeltje van een putter of groenvink te fluiten. Heel Londen wilde het legendarische Gayetty-papier, maar zonder dat de buurman het merkte, en William profiteerde daarvan door de prijs langzaam maar zeker op te drijven tot een werkelijk obsceen bedrag, dat de meeste klanten echter toch bereid waren te betalen.

Na een paar jaar konden ze twee luxueuze huizen kopen in Brompton, die ze echter algauw inruilden voor een huis in Kensington, want afgezien van zijn verzameling wandelstokken, zette William zijn succes om in een reeks steeds fraaiere panden. Nog altijd verbaasd dat de gok om zijn spaargeld in handen van zijn zwager te geven hem een charmant huis in Queen's Gate had opgeleverd, met zicht op het mooiste deel van Londen, genoot Sidney van zijn bezittingen en gaf zich over aan de geneugten van het gezinsleven dat door de kerk zo werd aangeprezen. Hij vulde zijn huis met kinderen, boeken en werken van veelbelovende schilders, nam een paar bedienden, en wist zelfs zijn oude aversie jegens het plebs om te zetten in onverschilligheid, nu hij zich veilig voelde. Kortom, hij leidde zijn nieuwe leven van welvarend man, en het kon hem niets schelen dat dat leven rustte op de weinig eervolle handel in wc-papier. Maar William stak anders in elkaar. Zijn hebzucht en ijdelheid stonden een gevoel van tevredenheid in de weg. Hij had het applaus van een publiek nodig, de achting van de wereld. Met andere woorden, hij wilde door Londens elite worden uitgenodigd voor de vossenjacht, als was hij een van hen. Maar hoe hij zich ook uitsloofde en visitekaartjes ronddeelde in de rooksalons, er gebeurde niets. Er zat geen enkel schot in de zaak, en langzaam vulde zijn ziel zich met een bittere wrok jegens die rijke kliek die hem op zo'n vernederende wijze buitensloot, terwijl de heren ondertussen hun illustere achterwerk afveegden met het zachte papier dat hij hun leverde. Het kwam tot een uitbarsting op een van de zeldzame feesten waarvoor ze werden uitgenodigd, toen iemand, aangemoedigd door de alcohol, wilde laten zien hoe geestig hij was door hen beiden tot Officieel Schoonveger van het Koninkrijk te benoemen. Nog voor de eerste lach klonk, stormde William Harrington af op de onbeschaamde vlerk die dat had gezegd, en brak hem de neus met een klap van zijn wandelstok, waarna Sidney hem mee naar buiten kon trekken.

Het feest markeerde een omslag in hun leven, want het leerde William Harrington een bittere maar nuttige les: hoeveel hij ook aan het medicinale papier dankte en hoeveel rijkdom dat hem ook bracht, het was een stigma dat hem voorgoed zou aankleven, tenzij hij er iets aan deed. Hij zette dus zijn haat om in inventiviteit en investeerde een deel van zijn vermogen in minder beschamende zaken. Zo werd hij bijvoorbeeld binnen enkele maanden hoofdaandeelhouder van verschillende reparatiewerkplaatsen bij de in opkomst zijnde spoorwegen. De volgende stap was de aankoop van de verwaarloosde rederij Fellowship, die hij nieuw leven inblies en tot de rendabelste ter wereld maakte. In minder dan twee jaar bereikte hij met zijn kleine imperium van succesvolle bedrijven, door Sidney met de gratie van een orkestdirigent geleid, dat zijn naam niet langer met het medicinale papier werd geassocieerd; hij annuleerde de laatste bestellingen en dompelde daarmee heel Londen in diepe verslagenheid. In de lente van 1872 nodigde Annesley Hall hem uit voor zijn eerste vossenjacht op zijn landgoed in Newstead, waar alle Londense prominenten aanwezig waren en hem bejubelden om zijn buitengewone successen. Helaas kwam op de jachtpartij de geestige jongeman om het leven die zich destijds op het feest ten koste van William had geamuseerd. In de krant stond dat de ongelukkige zichzelf per ongeluk in de voet had geschoten. Het was ongeveer in die tijd dat William Harrington zijn soldatenuniform uit de hutkoffer had gehaald en zich daarin had laten vereeuwigen, glimlachend alsof zijn borst vol medailles hing. Zo begroette hij voortaan eenieder die zijn stukje van de wereld tegenover Hyde Park betrad.

Dit, en geen ander, is het geheim dat hun vaders zo angstvallig bewaren, een luchtig verhaal dat me geschikt leek om de vermoeiende reis voor u te veraangenamen. Maar ik ben bang dat we er te snel doorheen zijn. In de koets heerst nog steeds diepe stilte, en dat kon nog wel eens lang gaan duren, want als Andrew het in zijn kop heeft kan het uren duren voor hij weer op aarde terugkeert, tenzij hij zich brandt aan een gloeiende pook of een vat kokende olie, maar dat soort zaken sleept Charles gewoonlijk niet met zich mee. Om dus te voorkomen dat ik de weinig interessante achterhand van de paarden moet beschrijven, zit er niets anders op dan dat ik u alvast meeneem naar het doel van de reis, het huis van de heer Wells. Ik ben immers, zoals u uit een aantal van mijn interventies hebt kunnen opmaken, niet gebonden aan het langzame tempo van de koets, maar kan me bewegen met de snelheid van het licht, zodat we ons in een mum van tijd boven het dak van een eenvoudig huis in Woking bevinden van drie verdiepingen plus een tuin, omgeven door heide en zilveren populieren, en waarvan de gevel zachtjes trilt als de trein naar Lynton er voorbij raast.

XI

Meteen al merk ik dat het moment dat ik heb gekozen om het leven van de schrijver Herbert George Wells binnen te vallen niet het meest gelukkige is. Om u niet al te zeer lastig te vallen zou ik met een korte beschrijving van zijn uiterlijk kunnen volstaan en u kunnen vertellen dat de beroemde schrijver een magere, bleke jongeman was die betere dagen had gekend. Maar van de vele personages die rondzwemmen in de vissenkom van dit verhaal is Wells, waarschijnlijk zonder het te willen, degene die de meeste rondjes maakt, zodat ik wat nauwkeuriger zal moeten zijn bij het vervaardigen van zijn portret. Naast zijn angstwekkende magerte en zijn bleke huid, viel de snor op die hij volgens de laatste mode had laten staan, maar die te groot en te zwaar was en niet paste bij zijn kinderlijke gezicht. Hij welfde zich nogal dreigend boven een fijn getekende, enigszins vrouwelijke mond, die hem, samen met zijn heldere ogen, een gezichtsuitdrukking gaf die je engelachtig zou kunnen noemen, als er geen ondeugend lachje om zijn lippen had gespeeld. Om kort te gaan, Wells leek wel zo'n porseleinen figuurtje, met een paar lachende ogen waarachter een levendige, scherpe intelligentie schuilging. Voor hen die nog meer details willen horen en voor mensen zonder fantasie voeg ik er nog aan toe dat de schrijver iets meer dan vijftig kilo woog, schoenmaat 43 had en zijn scheiding links droeg, en dat zijn lichaamsgeur, die meestal fruitig was, vandaag neigde naar bedorven zweet, omdat hij een paar uur daarvoor met zijn nieuwe vrouw door Surrey had gereden op een tandemfiets, de nieuwe uitvinding die het hart van het paar direct had gestolen omdat die voer noch stal nodig heeft en nooit wegloopt van de plek waar je hem hebt achtergelaten. Aan deze beschrijving valt weinig meer toe te voegen zonder te vervallen in vivisectie of intimiteiten, zoals de bescheiden omvang en zuidoostelijke inclinatie van zijn mannelijk lid.

Op dit moment zat hij aan de keukentafel, waar hij altijd werkte, met een tijdschrift in zijn handen. Zijn lichaam, gespannen rechtop op zijn stoel, verried een innerlijke strijd, want al leek het op het eerste gezicht misschien alsof hij daar alleen maar rustig zat terwijl het fraaie kantwerk van schaduwen dat de namiddagzon door de bomen in de tuin liet vallen hem langzaam bedekte, in werkelijkheid was hij nauwelijks in staat zijn woede te bedwingen. Hij ademde een-, twee-, driemaal diep in, en probeerde vertwijfeld te kalmeren. Het lukte hem niet, want hij smeet het tijdschrift dat hij aan het lezen was met alle kracht tegen de keukendeur. Als een gewonde duif vloog het blad door de lucht, tot het zo'n twee meter voor zijn voeten op de grond neerkwam. Wells bekeek het met een zeker mededogen, haalde diep adem, schudde zijn hoofd en stond ten slotte op om het op te rapen, boos op zichzelf om zijn buitensporige woede die hij niet passend vond voor een beschaafd mens. Hij legde het tijdschrift weer op tafel en ging zitten met het berustende gezicht van iemand die weet dat het een teken van moed en wijsheid is om tegenslagen blijmoedig te verdragen.

Het tijdschrift in kwestie was een nummer van *The Speaker*, waarin een vernietigende kritiek stond op zijn laatste roman, *Het eiland van dr. Moreau*, opnieuw een populair-wetenschappelijke roman met als eigenlijke onderwerp een van zijn favoriete obsessies: de dromer die wordt verslagen door zijn eigen dromen. De held was een schipbreukeling genaamd Prendick, die was beland op een eiland dat op geen enkele kaart te vinden was, het domein van een krankzinnige geleerde die vanwege zijn wrede dierexperimenten uit Engeland was verbannen. Het boek was een poging een stap verder te gaan dan Darwin: de krankzinnige geleerde probeerde leven tot verandering te brengen zonder dat er een langzame, natuurlijke evolutie aan te pas kwam. En hoewel Wells achteraf niet erg tevreden was geweest over het boek, dat met horten en stoten onder zijn handen was gegroeid door min of meer schokkende beelden aaneen te rijgen, en hij op kritiek was voorbereid, was de pijn er niet minder om.

Wells wist heel goed dat ongunstige recensies eigenlijk alleen maar een aanslag op het moreel van de schrijver vormen, aangezien ze slechts gedurende een etmaal na het verschijnen van een boek een lichte rimpeling teweegbrengen, als een hinderlijke maar zwakke bries. De kritiek die hij nu voor zich had, en die de roman zo lichtvaardig als perverse fantasie bestempelde, zou de verkoop van zijn boek zelfs bevorderen en daarmee de weg voor een volgende publicatie alleen maar verder effenen. Maar voor ze een boek vanuit hun ivoren toren zo genadeloos neermaaien, zouden de inktkoelies van de kranten en literatuurbijlagen moeten bedenken dat elk boek een samenspel is van inspanning en verbeeldingskracht, de belichaming van een eenzaam streven, van een soms lang gerijpte droom, of zelfs van een wanhopige poging een leven zin te geven. Maar hem zouden ze niet kleinkrijgen. Hij had immers zijn mand.

Hij keek naar de rieten mand die op een plank in de keuken stond, en voelde meteen hoe zijn terneergeslagen gemoed zich herstelde en iets provocerends, iets uitdagends kreeg. De mand werkte inderdaad onmiddellijk. Daarom liet hij hem ook nooit alleen, en sleepte hij het ding overal mee naartoe, ook al leidde dat tot argwanende blikken in zijn omgeving. Wells had nooit in talismannen of magische voorwerpen geloofd, maar door de vreemde manier waarop de mand in zijn leven was gekomen en wat hij met zijn aanwezigheid had veroorzaakt, had hij voor dat voorwerp een uitzondering moeten maken. Hij zag dat Jane er groente in had gedaan en dat ergerde hem niet, maar amuseerde hem juist, want met die huiselijke bestemming verhulde zijn vrouw niet alleen zijn magische eigenschappen, maar vergrootte ze grappig genoeg ook zijn nut: behalve dat de mand geluk bracht en hem een enorm gevoel van zelfvertrouwen gaf als hij dacht aan degene die hem had gemaakt, was hij ook nog eens gewoon als mand te gebruiken.

Veel rustiger nu sloeg Wells het tijdschrift dicht. Hij mocht tevreden zijn over zijn succes en zou niet toestaan dat iemand het ondermijnde. Hij was dertig jaar oud en na een angstige periode van eindeloos vechten tegen de elementen was zijn leven eindelijk in rustiger vaarwater terechtgekomen. Het was duidelijk dat hij schrijver zou worden, dat hij al schrijver was. De drie romans die hij had gepubliceerd getuigden daarvan. Schrijver! Dat klonk goed, en het was een beroep dat hem absoluut niet tegenstond, hij had het immers vroeger al overwogen als alternatief voor het beroep van leraar. Het was altijd zijn wens geweest mensen wakker te schudden vanaf een podium, maar dat kon je net zo goed doen vanuit een boek, misschien nog wel beter en met meer effect.

Schrijver. Dat klonk goed, heel goed zelfs!

Toen hij was gekalmeerd keek Wells tevreden om zich heen, naar wat de literatuur hem had opgeleverd. Het was een eenvoudig huis dat hij een paar jaar eerder onmogelijk had kunnen kopen toen hij moest leven van zijn doodvermoeiende lessen en van de artikelen die hij in lokale kranten geplaatst kreeg, en toen hij alleen door de mand de moed niet verloor. Hij vergeleek het onwillekeurig met het huis in Bromley, in Kent, waar hij was opgegroeid, dat ellendige hol dat altijd stonk naar de paraffineolie waarmee zijn vader de vloer inwreef om de kakkerlakken te verdelgen waarmee ze genoodzaakt waren samen te leven.

Niemand had kunnen vermoeden dat dat afschuwelijke krot een schrijver zou voortbrengen, maar dat was toch gebeurd, al was het een langzame en veelbewogen bevalling geweest. Precies eenentwintig jaar en drie maanden had hij erover gedaan om zijn dromen waar te maken. Volgens zijn eigen berekening natuurlijk, want gewoonlijk wees Wells 5 juni 1874 aan als de dag waarop hem, misschien op onnodig hardhandige wijze, zijn roeping was onthuld. Op die dag had hij een spectaculair ongeluk gehad, en die gebeurtenis, die in de loop van jaren van enorme betekenis was gebleken, had hem ervan overtuigd dat onze wil van weinig belang is bij het uitstippelen van onze toekomst, omdat het uiteindelijk de grillige spelingen van het lot zijn die de doorslag geven. Alsof hij een papieren vogeltje openvouwde om te zien hoe het is gemaakt, kon Wells op elk moment zijn leven uit elkaar nemen om te kijken hoe het tot dusver zijn vorm had gekregen. Dat deed hij vaak, de stamboom volgen tot de oorsprong van een willekeurig moment, want die oefening in metafysische ontleding schonk hem troost en bood hem houvast in een woelige wereld. Op die manier had hij vastgesteld dat het startpunt, de vonk die de gebeurtenissen had ontketend die hem tot schrijver hadden gemaakt, op het eerste gezicht misschien vreemd leek: zijn vaders venijnige worpen op het cricketveld. Daarmee was het allemaal begonnen, want als zijn vader niet tot zulke dodelijke worpen in staat was geweest, zou hij niet zijn uitgenodigd voor het team van het graafschap, en als hij niet was toegetreden tot dat team, zou hij zijn middagen niet met zijn kameraden hebben doorgebracht in The Bell, de kroeg vlak bij zijn huis, en als hij zijn middagen daar niet had verbeuzeld, met verwaarlozing van het porseleinwinkeltje dat hij samen met zijn moeder thuis op de benedenverdieping dreef, zou hij geen vriendschap hebben gesloten met de zoon van de eigenaar van de kroeg, en als die geen genegenheid voor hem had opgevat, zou hij de kleine Bertie niet in zijn armen hebben genomen en in de lucht hebben gegooid toen hij de kinderen op een middag bij een partij cricket had ontmoet, en als hij hem niet in de lucht had gegooid, zou hij hem niet uit zijn handen hebben laten glippen, en als dat niet was gebeurd, zou de achtjarige Wells zijn scheenbeen niet hebben gebroken toen hij tegen een van de pennen sloeg waarmee de scheerlijnen van het bierstalletje bevestigd waren, en als hij zijn been niet had gebroken, waardoor hij de hele zomer in bed had moeten blijven, zou hij niet het perfecte excuus hebben gehad om zich over te geven aan het enige vermaak dat in die omstandigheden binnen zijn bereik lag, namelijk lezen, die ongezonde bezigheid die in elke andere situatie de argwaan van zijn ouders zou hebben gewekt, en dan zou hij Dickens, Swift en Washington Irving niet hebben ontdekt, schrijvers die een zaadje in hem plantten dat, hoe weinig water en aandacht het ook kreeg, op een gegeven moment toch zou ontkiemen.

Maar makkelijk was het niet geweest. Het leek wel alsof, juist op het moment dat hij een glimp opving van zijn lot en hij zijn weg duidelijk voor zich zag, ook de wind was opgestoken die hem in zijn voortgang belemmerde. Een harde, niet-aflatende wind, in de gedaante van zijn moeder, Sarah Wells, die geen andere missie in het leven leek te hebben dan de kleine Bertie en zijn oudere broers Fred en Frank tot succesvolle mannen te maken, wat voor haar gelijkstond aan een bestaan als winkelbediende of manufacturier.

Na de aangename pauze ten gevolge van zijn gebroken been, nog eens genereus verlengd doordat de dorpsdokter het been verkeerd zette en toen opnieuw moest breken, ging de kleine Bertie naar de Academy in Bromley die zijn twee broers al hadden doorlopen zonder dat meneer Morley, de meester, ook maar enig plezier aan hen had beleefd. Bertie was echter het bewijs dat de bloemen in één boeket niet allemaal hetzelfde hoeven te ruiken. Meneer Morley was zo verbaasd over de uitzonderlijke intelligentie van de jonge Wells dat hij zelfs een oogje dichtkneep toen het lesgeld uitbleef, maar dat kon niet verhinderen dat zijn moeder hem weer wegrukte uit die heerlijke wereld van krijtjes en lessenaars, en hem als leerjongen naar de manufacturenzaak Rodgers and Denyer in Windsor stuurde. Nadat hij daar twee maanden had gewerkt, van halfacht 's ochtends tot acht uur 's avonds, met een korte pauze voor het middageten in een benauwde kelder waar nooit licht kwam, vreesde Wells dat zijn jeugdige vuur langzaam maar zeker zou uitdoven, net zoals bij zijn oudere broers, die geen schim meer waren van de vrolijke, vastberaden jongens die ze ooit waren geweest. Hij deed dus zijn uiterste best de wereld te bewijzen dat hij geen aanleg had voor het beroep van manufacturier en gaf zich meer dan ooit over aan zijn fantasieën, tot er voor zijn bazen niets anders op zat dan de jongen die de bestellingen door elkaar haalde en het grootste deel van de dag in een hoekje zat te dromen, te ontslaan. Door bemiddeling van een achterneef van zijn moeder werd hij daarop naar Wookey gestuurd als hulpje van een familielid die daar een school leidde; hij zou daar ook zijn onderwijzersopleiding kunnen afmaken. Maar hij was nog niet begonnen met het werk of het eindigde alweer toen de schoolleider werd ontmaskerd als een oplichter die met valse papieren aan zijn baan was gekomen. En weer viel de inmiddels niet meer zo kleine Bertie ten prooi aan de obsessies van zijn moeder, die hem opnieuw het verkeerde pad op stuurde. Zo begon Wells, net veertien geworden, als leerjongen in de apotheek van meneer Cowap, die de opdracht had hem op te leiden in zijn vak. Cowap zag echter al snel in dat de jongen veel te bijzonder was om zijn leven met zo'n baan te verdoen en vertrouwde hem toe aan Horace Byatt, de directeur van de middelbare school in Midhurst, die permanent op zoek was naar briljante leerlingen om zijn instituut het ontbrekende academische aanzien te geven. Het was voor Wells niet moeilijk om uit te blinken onder de middelmatige leerlingen en direct Byatts aandacht te trekken. In samenspraak met de apotheker besloot Byatt de begaafde jongen de best mogelijke opleiding te bieden. Maar zijn moeder kwam er al snel achter dat de twee filantropen een verbond hadden gesloten om de kleine Bertie in het verderf te storten en zond haar zoon naar een andere manufacturenzaak, ditmaal in Southsea. Daar bracht Wells twee jaar door in een staat van diepe radeloosheid, omdat hij eenvoudigweg niet kon begrijpen waarom hij altijd, juist als hij op de goede weg was, op zo'n felle tegenwind stuitte. Het leven in Edwin Hydes Handelscentrum voor Manufacturen had veel weg van een verblijf in de hel: dertien uur hard werken om daarna te worden opgesloten in de benauwde barak die als slaapzaal diende. De werknemers sliepen er zo dicht op elkaar dat zelfs hun dromen zich met elkaar vermengden. Enkele jaren daarvoor had zijn moeder, overtuigd dat haar man de porseleinzaak uiteindelijk naar het bankroet zou leiden, een betrekking aanvaard als huishoudster in het landhuis Uppark, een grote boerderij achter de heuvels van Harting Down, waar ze in haar jeugd als dienstmeisje had gewerkt. Daarheen stuurde Wells vanuit zijn gevangenschap een aantal wanhopige en nogal klagerige brieven, die ik hier uit respect niet zal weergeven, maar waarin de kinderlijkste smeekbeden werden afgewisseld met de meest fantasievolle redeneringen, in een vergeefse poging haar ertoe te brengen hem er weg te halen. Maar niets bracht zijn moeder af van haar streven een fatsoenlijke manufacturenverkoper van hem te maken. Ten slotte werd zijn oude beschermer Horace Byatt, bij wie de leerlingen nu toestroomden, zijn redding: hij bood Wells een betrekking aan als leraar, voor twintig pond in het eerste jaar en veertig in de jaren daarop. Wanhopig schermde Wells met die bedragen bij zijn moeder en uiteindelijk stemde ze er met tegenzin in toe dat hij de manufacturenhandel verliet, moe van alle vruchteloze inspanningen om hem op het rechte pad te houden. Opgelucht trad Wells in dienst bij zijn weldoener, en maar al te graag wilde hij aan Byatts verwachtingen voldoen. Overdag gaf hij les aan de jonge leerlingen en 's nachts maakte hij zijn onderwijzersstudie af en verslond gulzig alles wat hij tegenkwam over biologie, natuurkunde, astronomie en andere natuurwetenschappelijke vakken. Zijn titanische inspanningen werden beloond met een studiebeurs voor de Normal School of Science in Londen, waar niemand minder dan professor Huxley doceerde, de beroemde fysioloog die Darwin had verdedigd in zijn dialectische debatten met bisschop Wilberforce.

Hij was er zo aan gewend dat de wereld zich steeds van haar meest onaangename kant liet zien, dat hij aanvankelijk argwanend reageerde toen zijn tante, Mary Wells, hem voorstelde bij haar thuis te komen wonen aan Euston Road, want het leek een heel normaal, warm en gezellig huis, waar een vredige harmonie heerste, een hemelsbreed verschil met het sjofele decor waartegen zijn bestaan zich tot dan toe had afgespeeld. Maar uiteindelijk was hij zijn tante zo dankbaar voor de rustpauze in de eindeloze strijd waaruit zijn leven had bestaan, dat hij het bijna als zijn plicht zag haar om de hand te vragen van haar dochter Isabel, een lief, goedig meisje wier stille aanwezigheid nauwelijks opviel. Al snel kreeg Wells echter door dat dat een overhaaste beslissing was geweest, want na de bruiloft, die snel werd afgehandeld als een vervelende formaliteit, bleek niet alleen dat zijn nichtje, zoals hij al had vermoed, totaal niet bij hem paste, maar moest hij ook vaststellen dat Isabel was opgevoed tot een modelechtgenote, dat wil zeggen, tot een vrouw die alle mogelijke behoeften van haar man vervulde, behalve natuurlijk die in bed, waar ze de gevoelloosheid had van een machine die optimaal is ingesteld op de voortplanting maar ongeschikt is voor het genot. Ondanks alles was het gebrek aan seksuele begeerte bij zijn vrouw echter maar een klein euvel dat gemakkelijk te verhelpen viel door andere bedden te bezoeken. Wells ontdekte al snel dat de wereld uitstekend was voorzien van heerlijke sponden waar hij door zijn hypnotiserende welbespraaktheid vrije toegang had, zodat hij weer volop van het leven kon genieten nu het bergafwaarts leek te gaan. Hij vond nu ook dat het moment gekomen was om de wereld zijn diepste droom te openbaren, en publiceerde een kort verhaal in de *Science Schools Journal*.

Hij gaf het de titel *The Chronic Argonauts*, en de hoofdpersoon was een krankzinnige geleerde, doctor Nebogipfel, die een tijdmachine uitvond die hij gebruikte om naar het verleden te reizen en een moord te plegen. Die eerste voorzichtige poging om zich als schrijver te bewijzen veranderde de wereld echter niet, die draaide gewoon door, en dat was een teleurstelling. Toch leverde het verhaal hem de meest bijzondere lezer op die hij waarschijnlijk ooit zou krijgen. Een paar dagen na publicatie kreeg Wells een kaartje van een bewonderaar die zijn verhaal had gelezen en hem uitnodigde op de thee. De naam op het kaartje deed hem huiveren: Joseph Merrick, beter bekend als de Elephant Man.

XII

Wells had voor het eerst over Merrick horen praten toen hij de biologielokalen in South Kensington binnenstapte. Voor de onderzoekers van het menselijk lichaam en zijn functies was Merrick zo ongeveer het belangrijkste werkstuk dat de natuur te bieden had, haar fijnst geslepen diamant, het levende bewijs waartoe ze in haar vindingrijkheid in staat was. De zogenaamde Elephant Man leed aan een ziekte die zijn lichaam op een vreselijke manier misvormde en een bijna monsterlijk wezen van hem maakte. Door de vreemde aandoening, die de medische gemeenschap voor een raadsel stelde, waren zijn ledematen, botten en organen aan de rechterkant van zijn lichaam enorm gegroeid, terwijl de linkerkant vrijwel onaangetast was gebleven. Zo vertoonde de rechterkant van zijn schedel een grote uitstulping die zijn profiel onherkenbaar maakte, en die de helft van zijn gezicht zo vervormde dat het nog slechts uit plooien en botknobbels bestond; zelfs zijn oor was van plaats veranderd. Merrick had daardoor permanent de gezichtsuitdrukking van een woeste totem. Door de asymmetrie van zijn lichaam boog zijn ruggengraat door naar rechts waar het gewicht van zijn organen veel groter was, wat al zijn bewegingen iets grotesks gaf. En alsof dat nog niet genoeg was, had de ziekte zijn huid in een grof en ruw omhulsel veranderd, als opgerimpeld karton, bedekt met kraters, uitsteeksels en wratachtige gezwellen. Aanvankelijk had hij nauwelijks in het bestaan van zo'n wezen geloofd, maar de heimelijk in de collegezalen circulerende foto's, gestolen of gekocht van het personeel van het London Hospital waar Merrick nu verbleef na zijn halve leven lang in armoedige circussen en op rondtrekkende kermissen te zijn tentoongesteld, bevestigden de geruchten. De duistere foto's, waarop je Merrick niet zozeer zag als wel vaag vermoedde, gingen gelijk op met een stroom foto's van schaars geklede vrouwen die een vergelijkbare huivering teweegbrachten, maar dan om andere redenen.

Dat dat wezen hem op de thee had gevraagd gaf Wells een vreemd gevoel, iets tussen verbazing en ongerustheid in. Toch stond hij op de afgesproken tijd voor het London Hospital, een groot, streng gebouw in Whitechapel. In de hal wemelde het van druk heen en weer lopende verpleegsters en doktoren. Beduusd door de eendrachtige ijver die ze aan de dag legden, als in een ballet, zocht Wells een hoekje waar hij niet te veel in de weg zou lopen. Daar bleef hij een tijdje sprakeloos staan kijken naar het ritmische gekrioel, tot dr. Treves verscheen, de chirurg die Merrick onder zijn hoede had. Frederick Treves was een kleine, drukke man, zo'n vijfendertig jaar oud, wiens kinderlijke gezicht schuilging achter een dikke baard die met uiterste zorgvuldigheid was getrimd.

'Meneer Wells?' vroeg hij, terwijl hij zijn verwarring omtrent de jeugdigheid van zijn bezoeker probeerde te verbergen.

Wells knikte, en haalde onwillekeurig zijn schouders op, alsof hij zich wilde verontschuldigen voor het feit dat hij niet de respectabele leeftijd vertoonde die Treves schijnbaar bij de gasten van zijn patiënt veronderstelde. Meteen had hij spijt van het onzinnige gebaar, want hij was het immers niet geweest die om audiëntie bij de beroemde gast van het ziekenhuis had gevraagd, maar het was precies andersom gegaan.

'Ik ben blij dat u meneer Merricks uitnodiging hebt aangenomen,' zei Treves, en reikte hem de hand.

De chirurg had snel zijn rol van intermediair hernomen. Met

veel respect drukte Wells de lenige, krachtige hand, die gewend was zich op terreinen te wagen waar de meeste stervelingen nooit kwamen.

'Hoe zou ik kunnen weigeren kennis te maken met de enige persoon die mijn verhaal heeft gelezen?' grapte hij.

Treves knikte verstrooid, alsof grapjes over de ijdelheid van schrijvers zaken waren die hem koud lieten. Hij had belangrijker dingen aan zijn hoofd. Elke dag werden er nieuwe, ingewikkelde ziektes ontdekt die al zijn aandacht, vaardigheid en chirurgische vastberadenheid vereisten. Met een bijna militair knikje vroeg hij Wells hem te volgen naar de eerste verdieping. Ze liepen de trap op, daarbij ernstig gehinderd door een stroom verpleegsters die juist de trap af kwam, zodat Wells zo nu en dan vreesde onder de voet gelopen te worden.

'Om evidente redenen gaat niet iedereen in op Josephs verzoek hem te bezoeken,' zei Treves bijna schreeuwend over het lawaai heen. 'Maar dat stemt hem niet treurig, hoe vreemd dat ook moge klinken. Soms denk ik dat Joseph aan het weinige dat het leven hem geeft al meer dan genoeg heeft. Hij weet dat hij juist door zijn mismaaktheid met iedereen kan afspreken die er in de stad toe doet, iets wat voor zomaar een pummel uit Leicester ondenkbaar zou zijn.'

Wells hoorde Treves' bespiegelingen met een zekere huiver aan, maar onthield zich van commentaar omdat hij wel inzag dat de chirurg gelijk had. Merricks uiterlijk had hem veroordeeld tot een leven van isolement en ellende, maar juist daardoor kon hij omgaan met het puikje van de Londense gemeenschap, al stond het nog te bezien of dat de prijs van al die misvormingen waard was.

Boven was het al even druk, maar door een paar keer af te slaan in duistere gangen wist Treves zijn metgezel buiten het ritmische tumult te houden. Met vastberaden tred leidde hij Wells door een eindeloze reeks steeds verlatener gangen. Naarmate ze dieper in het ziekenhuis doordrongen, werden de afdelingen en behandelkamers meer en meer gespecialiseerd, waardoor er zowel minder patiënten als minder verpleegkundigen rondliepen. Wells kon het niet laten het langzaam uitdovende leven om hen heen te vergelijken met de verontrustende troosteloosheid die heerst rondom de holen van monsters in boze sprookjes. Alleen een spoor van dode vogels en afgevreten botten ontbrak nog.

Onderweg vertelde Treves hem hoe hij zijn bijzondere patiënt had leren kennen. Hij sprak op een monotone, emotieloze toon, die verried hoe vervelend hij het vond steeds weer hetzelfde verhaal te moeten vertellen. Hij had Merrick vier jaar geleden ontmoet, kort na zijn benoeming tot hoofdchirurg. Op een braakliggend stuk land in de buurt van het ziekenhuis was een circus neergestreken, en de hoofdattractie daarvan, de Elephant Man, was in heel Londen hét onderwerp van gesprek. Als je de geruchten mocht geloven, ging het om de meest mismaakte mens ter wereld. Treves wist dat circusmensen hun gedrochten graag zelf maakten, met allerlei hulpmiddelen en schmink die je bij een slechte belichting haast niet ziet, maar de ervaring had hem ook geleerd dat het circus vaak het laatste toevluchtsoord was voor mensen die met een misvorming waren geboren en daarom door de samenleving werden veracht. Treves begaf zich zonder veel verwachtingen naar het circus, slechts gedreven door een beroepsmatige nieuwsgierigheid waaraan hij geen weerstand kon bieden. Maar de Elephant Man was geen truc. Na het wat pijnlijke optreden van een stel trapezewerkers werd het licht gedempt en barstten de trommels los in een soort primitieve muziek, een wel erg dramatische inleiding die het publiek niettemin als één man deed huiveren. Sprakeloos keek Treves toe hoe de sensatie van de avond de piste binnenkwam. Hij moest toegeven dat de geruchten bepaald niet overdreven waren. De misvormde man die daar hinkend door de arena bewoog, was een vreemd, asymmetrisch wezen, dat wel wat weg had van een waterspuwer. Na afloop van de show haalde Treves de circuseigenaar over hem een gesprek toe te staan met het wezen. Toen hij tegenover Merrick zat, in zijn eenvoudige woonwagen, dacht hij dat hij een achterlijk iemand tegenover zich had, omdat hij ervan overtuigd was dat de bulten op zijn schedel ook zijn hersens moesten hebben aangetast. Maar daarin vergiste hij zich. Een paar woorden met Merrick volstonden om te ontdekken dat achter zijn afschuwelijke uiterlijk een ontwikkeld, welopgevoed en gevoelig mens schuilging. De Elephant Man legde hem uit dat hij zijn naam dankte aan een vlezige knobbel aan zijn neus en bovenlip, een soort slurfje van zo'n twintig centimeter lang dat hem het eten onmogelijk maakte en dat een paar jaar geleden op een ongelukkige manier was verwijderd. Treves was diep geroerd door de zachtmoedigheid van het schepsel, dat ondanks alle ontberingen en pesterijen die hij had ondergaan in het geheel geen wrok leek te koesteren jegens de mensheid, die anonieme massa waarvan hij zelf, als het hem een beetje tegenzat, zo'n afkeer voelde.

Toen de chirurg het circus een uur later verliet, was hij vastbesloten alles te doen wat in zijn macht lag om Merrick daar weg te halen en hem een waardig bestaan te geven. Zijn motieven waren duidelijk: geen enkel ziekenhuis ter wereld telde iemand onder zijn patiënten die zo ernstig misvormd was als Merrick. Wat zijn ziekte ook mocht zijn, hij was beslist de enige op de hele wereld die erdoor werd geteisterd. Dat maakte hem tot een uniek wezen, een zeldzame vlinder die tegen de wereld beschermd moest worden. Het was duidelijk dat Merrick wegkwijnde bij het circus, en zo snel mogelijk in handen moest worden gegeven van de wetenschap. Treves wist nog niet dat hij, om zijn loffelijke doel te bereiken, een moeizame kruistocht zou moeten ondernemen die al zijn krachten zou vergen. Allereerst presenteerde hij Merrick aan de Pathological Society, maar dat had slechts tot gevolg dat de eerbiedwaardige leden de patiënt aan de meest uiteenlopende onderzoeken onderwierpen en daarna verwikkeld raakten in een aantal even verhitte als onvruchtbare debatten over de aard van zijn mysterieuze ziekte, discussies die meestal uitliepen op wederzijdse beledigingen omdat er altijd wel iemand was die oude meningsverschillen oprakelde. De onenigheid van zijn collega's ontmoedigde Treves echter niet. Integendeel, Merricks leven werd er nog interessanter door, en dat sterkte hem in zijn besluit hem te redden uit de ongewisse wereld van de show. Als volgende stap had hij geprobeerd hem onder te brengen in het ziekenhuis waar hij werkte en waar Merrick naar behoren zou kunnen worden onderzocht. Helaas nam geen enkel ziekenhuis chronisch zieken op. De directie van het ziekenhuis was vol lof over zijn plan, maar was gebonden aan de regels. Er zat geen enkel schot in de zaak, en Merrick stelde zelfs voor een baan als vuurtorenwachter te zoeken of iets anders dat hij ver van de bewoonde wereld zou kunnen doen. Maar Treves gaf zich niet gewonnen. Als laatste redmiddel wendde hij zich tot de pers, en binnen een paar weken had hij het voor elkaar dat heel het land het droevige verhaal te horen kreeg van de man die de Elephant Man genoemd werd. De giften stroomden binnen, maar Treves wilde meer dan dat: hij wilde fatsoenlijk onderdak voor Merrick. Toen besloot hij zich te wenden tot de koninklijke familie, die boven de onzinnige wetten stond die de samenleving in een keurslijf persten, en kreeg voor elkaar dat de Hertog van Cambridge en de Prinses van Wales het schepsel wel wilden bezoeken. Merricks welopgevoedheid en buitengewone zachtmoedigheid deden de rest. Zo kwam het dat de Elephant Man ten slotte als gast voor het leven werd ondergebracht in de vleugel van het ziekenhuis die ze nu betraden.

'Hier is Joseph gelukkig,' zei Treves, en zijn stem klonk plotseling dromerig. 'De onderzoeken waaraan we hem van tijd tot tijd onderwerpen leveren weliswaar niets op, maar dat lijkt voor hem van geen betekenis. Joseph is ervan overtuigd dat zijn ziekte is veroorzaakt doordat zijn moeder werd vertrapt door een olifant toen ze in gevorderde staat van zwangerschap naar een optocht stond te kijken. Het treurige van dit alles is, meneer Wells, dat het een pyrrusoverwinning is. Ik heb dan wel een plek voor Merrick gevonden, maar ik kan het voortschrijden van zijn ziekte niet stoppen. Zijn schedel groeit met de dag, en ik vrees dat zijn hals het ongelooflijke gewicht van zijn hoofd al snel niet meer zal kunnen dragen.'

De koele toon waarop Treves sprak over Merricks naderende dood en de naargeestige eenzaamheid van de vleugel van het ziekenhuis hadden een beklemmend effect op Wells.

'Ik zou graag willen dat zijn laatste dagen zo vredig mogelijk zijn,' ging de chirurg verder, zonder acht te slaan op het bleke gezicht van zijn metgezel. 'Maar dat is kennelijk te veel gevraagd. Soms staan mensen uit de buurt hier 's avonds onder zijn raam om hem uit te schelden of hem te plagen. Nu denken ze zelfs dat hij schuldig is aan de moord op al die hoeren die opengereten zijn aangetroffen in de wijk. Heeft de wereld soms haar verstand verloren? Merrick kan nog geen vlieg kwaad doen. Zoals ik al zei, hij is ongelooflijk gevoelig. Weet u dat hij de romans van Jane Austen verslindt? En ik heb hem een keer betrapt toen hij gedichten zat te schrijven. Zoals u, meneer Wells.'

'Ik schrijf geen gedichten, maar verhalen,' mompelde Wells zonder veel overtuiging, alsof de toenemende beklemming hem aan alles deed twijfelen.

Treves wierp hem een vijandige blik toe, geërgerd omdat zijn metgezel hem tegensprak op een terrein dat hem volstrekt koud liet, de literatuur.

'Daarom sta ik deze bezoeken ook toe,' zei hij, zijn betoog hervattend op het punt waar hij was gebleven, 'want ik weet dat die hem veel goeddoen. Ik denk dat de mensen hem daarom bezoeken, omdat zelfs de grootste pechvogel bij zijn aanblik begrijpt dat hij God moet danken. Maar Joseph ziet het anders. Soms heb ik het gevoel dat deze bezoeken voor hem een soort morbide tijdverdrijf zijn. Iedere zaterdag, nadat hij de kranten van de week heeft doorgekeken, geeft Joseph me een lijst met namen van Londenaren die hij op de thee wil vragen, en die ik dan gehoorzaam zijn visitekaartje stuur. Meestal zijn het mensen van adel, rijke zakenlieden, publieke figuren, min of meer bekende schilders, acteurs en andere kunstenaars... Personen, kortom, die in sociaal opzicht succesvol zijn, maar die volgens hem nog een laatste proef moeten doorstaan: het verdragen van zijn aanblik. Zoals ik al zei is Joseph zo vreselijk mismaakt dat hij meestal twee tegenstrijdige emoties oproept: medelijden of afkeer. Ik denk dat Joseph aan de reactie van zijn gasten afleest wat voor soort mensen hij voor zich heeft, of ze een goed hart hebben of beheerst worden door angsten en complexen.'

Voor een deur aan het einde van de gang bleven ze staan.

'Hier is het,' zei Treves, en pauzeerde even, in een bijna eerbiedig zwijgen. Daarop zocht hij Wells' ogen en voegde er, half plechtig, half dreigend aan toe: 'Achter deze deur wacht u het vreselijkste schepsel dat u waarschijnlijk ooit hebt gezien en nog te zien zult krijgen. Maar het ligt aan u of u een monster of een ongelukkig schepsel aantreft.'

Wells voelde zich lichtelijk misselijk worden.

'U kunt nog terug, want misschien vindt u het niet prettig wat u over uzelf ontdekt.'

'Maakt u zich over mij geen zorgen,' prevelde Wells.

'Zoals u wilt,' zei Treves onverschillig, als iemand die zijn handen in onschuld wast.

Hij haalde een sleutel uit zijn zak, opende de deur, en duwde hem zachtjes, maar toch met een zekere dwang naar binnen.

Met ingehouden adem ging Wells naar binnen. Hij had nauwelijks een paar stappen gezet, of hij hoorde hoe de chirurg de deur achter hem sloot. Hij slikte en keek om zich heen in de ruimte waar Treves hem naar binnen had geduwd toen hij zijn dienstbare rol in de verwarrende ontvangstceremonie had beëindigd. Hij stond in een ruime woning van verschillende achter elkaar gelegen kamers, die vol stonden met eenvoudig meubilair. Het zachte middaglicht dat door de ramen viel zorgde voor een onverwacht vriendelijk beeld, dat in niets leek op de voorstelling die je je van het hol van een monster maakte. Wells bleef even staan, omdat hij dacht dat zijn gastheer elk moment kon verschijnen, maar omdat dat niet gebeurde begon hij schuchter door de kamers te dwalen. Meteen bekroop hem het ongemakkelijke gevoel dat Merrick zijn bewegingen vanachter een kamerscherm bespiedde, maar dat hoorde waarschijnlijk gewoon bij het ritueel. Hij liep verder, maar zag niets wat wees op de bijzondere aard van het wezen dat de kamers bewoonde. In een van de kamers stuitte hij echter op een tafeltje met twee stoelen, dat klaarstond voor de thee. Dat onschuldige plaatje bracht hem nog meer van zijn stuk, want het deed hem onwillekeurig denken aan een lugubere executieplaats waar zachtjes heen en weer zwaaiende galgen op de ter dood veroordeelden wachten. Toen viel zijn oog op het merkwaardige voorwerp dat bij het raam op een tafeltje stond. Het was de kartonnen maquette van een kerk. Wells liep erheen en bekeek het schitterende werkstuk vol bewondering. Hij was gefascineerd door de zorgvuldig afgewerkte details, en het duurde even voor hij opmerkte hoe zich op de muur de grillige schaduw aftekende van een naar rechts hellend lichaam met een enorme schedel.

'Dat is de kerk aan de overkant van de straat. De delen die ik vanuit het raam niet kan zien, heb ik zelf moeten bedenken.'

De stem klonk smartelijk en enigszins lijzig.

'Het is prachtig,' mompelde Wells, zich richtend tot het vreemde silhouet dat door het zonlicht op de wand werd geprojecteerd.

De schim schudde moeizaam zijn zware hoofd, en het was duidelijk hoeveel moeite het kostte zelfs maar een eenvoudig gebaar van bescheidenheid te maken. Daarop zweeg Merrick, uitgeput leunend op zijn stok, en Wells begreep dat hij hem niet langer de rug kon toekeren. Het moment was gekomen om zich om te draaien en de aanblik van zijn gastheer te trotseren. Treves had gewaarschuwd dat Merrick vooral lette op de eerste reactie van zijn gasten, de reactie die ze onbewust, bijna als in een reflex vertoonden, en die hij daarom als authentieker en eerlijker beschouwde dan het gezicht dat ze daarna opzetten, als ze van de eerste verrassing waren bekomen. In die paar seconden had Merrick het zeldzame privilege in de ziel van zijn gasten te kijken, en het maakte niet uit wat iemand in het daaropvolgende gesprek voorgaf te zijn, want zijn eerste reactie had hem al veroordeeld of gered. Wells wist niet welke uitwerking Merricks verschijning op hem zou hebben, of hij medelijden of afschuw zou voelen, maar omdat hij vreesde dat het laatste het geval zou zijn, klemde hij zijn tanden stevig op elkaar en probeerde zijn gezicht zo veel mogelijk neutraal te houden. Zelfs verrassing wilde hij uitbannen. Hij wilde alleen zo veel mogelijk tijd winnen om te verwerken wat hij zag, en op rationele wijze het gevoel te bepalen dat een zo mismaakt iemand als Merrick bij hem teweegbracht. Als hij uiteindelijk afkeer voelde, zou hij dat accepteren, en er achteraf, als hij weer buiten stond, over nadenken. Dus haalde Wells diep adem, plantte zijn voeten stevig op de weke ondergrond waarin de vloer plotseling was veranderd, en draaide zich langzaam om om zijn gastheer in het gezicht te kijken.

Wat hij zag deed zijn adem stokken. Zoals Treves al had gezegd, zag Merrick er door zijn misvormingen angstaanjagend uit. De foto's die hij op de universiteit had gezien en waarop zijn groteske uiterlijk door een barmhartige sluier van mist werd verhuld, hadden hem hierop niet voorbereid. Merrick leunde op een stok en droeg een donkergrijs, driedelig pak. Maar paradoxaal genoeg zag hij er door die kleren juist nog monsterachtiger uit. Wells stond als aan de grond genageld, en deed zijn uiterste best het trillen van zijn lichaam tegen te gaan. Zijn hart ging als een razende tekeer en ijskoud zweet liep hem over de rug, maar hij wist niet of dat symptomen van ontzetting of van medelijden waren. Ondanks zijn gespannen gezicht voelde hij hoe zijn lippen trilden in een grimas die misschien op afkeer wees, maar tegelijkertijd voelde hij zijn ogen vochtig worden, zodat hij niet wist waar hij aan toe was. Ze keken elkaar aan in wat een eeuwigheid leek te duren, en Wells hoopte dat hij een traan kon laten, een druppel die zijn hele verdriet zou omvatten en die Merrick en hemzelf zou tonen dat hij een gevoelig, goed mens was. Maar het vocht dat zijn ogen vulde bleef binnen zijn oogleden.

'Wilt u liever dat ik mijn kap opzet, meneer Wells?' vroeg Merrick vriendelijk.

Zijn eigenaardige stem, die zijn woorden iets vloeibaars gaf, alsof ze in een modderige beek dreven, deed Wells opnieuw schrikken. Was zijn tijd om de allesbepalende reactie te vertonen al om?

'Nee... dat is niet nodig,' mompelde hij.

Zijn gastheer bewoog opnieuw moeizaam zijn enorme hoofd heen en weer, wat Wells graag als een goedkeurend gebaar zag.

'Laten we dan nu onze thee opdrinken, anders wordt hij nog koud,' zei Merrick, en liep naar het tafeltje dat in het midden van de kamer stond.

Het duurde even voor Wells reageerde, want hij schrok van de manier waarop Merrick zich moest voortbewegen. Elke beweging moest voor hem een enorme inspanning zijn, stelde hij vast toen hij zag welke ingewikkelde manoeuvres de man vervolgens moest maken om te gaan zitten. Hij onderdrukte de impuls om Merrick te hulp te schieten, bang dat zo'n gebaar dat je bij bejaarden en invaliden maakt, hem misschien zou storen. Wells dacht er het beste aan te doen door maar zo gewoon mogelijk tegenover hem plaats te nemen. Ook bij het inschenken van de thee moest hij zich dwingen rustig te blijven zitten. Merrick probeerde de meeste bewegingen uit te voeren met de hand die niet door de ziekte was aangetast, de linker, en hij gebruikte zijn rechterhand voor kleine, minder belangrijke onderdelen van de theeceremonie. Wells keek toe hoe de hand, groot en lomp als een klomp steen, de deksel van de suikerpot nam en hem de schaal met koekjes presenteerde, en in gedachten prees hij Merrick om zijn verbazende handigheid.

'Ik ben blij dat u gekomen bent, meneer Wells,' zei zijn gastheer nadat hij de thee had ingeschonken zonder een druppel te morsen, 'want nu kan ik u persoonlijk vertellen hoezeer ik van uw verhaal heb genoten.'

'Dat is heel vriendelijk van u, meneer Merrick,' antwoordde Wells.

Nieuwsgierig waarom het verhaal zo weinig weerklank had gevonden, had Wells het na verschijnen minstens een dozijn keer steeds weer opnieuw gelezen, om erachter te komen waarom de lezers het unaniem hadden genegeerd. Hij had uiterst kritisch gekeken naar de consistentie van de redenering, naar de dramatische ontwikkeling, naar de plaatsing en toepasselijkheid van de woorden en zelfs naar hun aantal, zodat er geen sprake zou zijn van een ongeluks- of kabbalistisch getal, en ten slotte had hij zijn eerste en waarschijnlijk laatste fictietekst bezien met de onverstoorbare en zelfs laatdunkende blik waarmee een pantocrator naar de streken van een kapucijnaap zou kijken. Het verhaal, dat zag hij nu duidelijk, was een grote misser geweest: het was een schaamteloze imitatie van de pseudo-Germaanse stijl van Nathaniel Hawthorne, en de held, doctor Nebogipfel, was een goedkope, overdreven karikatuur van de op zich al halfgare geleerden uit de griezelromans. Toch bedankte hij Merrick glimlachend voor zijn lovende woorden, en bedacht dat het wel eens de enige konden zijn die hij in zijn leven voor zijn verhaal zou krijgen.

'Een tijdmachine...' zei Merrick, genietend van het woord dat kennelijk veel bij hem opriep. 'U hebt een wonderbaarlijke fantasie, meneer Wells.'

Een beetje opgelaten bedankte Wells hem ook voor dit compliment. Hoeveel lof kon hij nog verdragen voor hij hem zou vragen van het onderwerp af te stappen?

'Als ik zo'n machine had als doctor Nebogipfel,' ging Merrick dromerig verder, 'zou ik naar het oude Egypte reizen.'

Die opmerking ontroerde Wells. Zoals ieder mens had ook dit wezen zijn favoriete historische periode, zoals hij vast ook een lievelingsvrucht, een lievelingsseizoen en een lievelingslied had.

'Waarom?' vroeg hij vriendelijk lachend, Merrick de gelegenheid biedend om over zijn voorkeur uit te weiden.

'Omdat de Egyptenaren goden met dierenhoofden vereerden,' antwoordde Merrick, ietwat beschaamd.

Wells keek hem schaapachtig aan. Hij wist niet wat hem het meest verraste, het naïeve verlangen dat in zijn antwoord doorklonk, of Merricks bedeesdheid, alsof hij zichzelf kwalijk nam dat hij liever een god was die werd vereerd dan het geminachte monster dat hij in werkelijkheid was. Als iemand het recht had om haat of wrok jegens de mensheid te voelen, dacht Wells, dan was hij het wel. Maar Merrick nam zichzelf zijn ontevredenheid kwalijk, alsof de lichtstraal die door het raam viel en zijn rug verwarmde en de hoog in de lucht voorbijglijdende wolken genoeg moesten zijn om zich gelukkig te voelen. Wells wist niet wat hij moest zeggen, en pakte een koekje van de schaal, waar hij met grote concentratie een hapje van nam.

'Waarom, denkt u, heeft dr. Nebogipfel zijn machine niet ook gebruikt om naar de toekomst te reizen?' vroeg Merrick met die gladde stem, die in gesmolten kaas leek gedompeld. 'Was hij dan niet nieuwsgierig? Ik vraag me wel eens af hoe de wereld er over honderd jaar zal uitzien.'

'Tja...' mompelde Wells, die opnieuw niet wist wat hij moest antwoorden.

Even was hij in de verleiding om Merrick te antwoorden dat hij het maar aan Nebogipfel zelf moest vragen, maar hij liet die gedachte gauw varen omdat hij niet wist of zijn gastheer het wel zou opvatten als een grapje, zoals het was bedoeld. Want als Merrick nu eens zo naïef was dat hij werkelijkheid en fictie niet van elkaar kon onderscheiden? Als het nu eens daarom was en niet uit empathie dat hij zich zo goed kon inleven in de verhalen die hij las? Dan zou zijn antwoord sarcastisch en wreed zijn, en hem in zijn onschuld kwetsen. Gelukkig vuurde Merrick direct een nieuwe vraag op hem af, die makkelijker te beantwoorden was.

‘Denkt u dat iemand ooit een machine zal uitvinden waarmee je door de tijd kunt reizen?’

‘Dat betwijfel ik,’ antwoordde Wells stellig.

‘Maar u hebt er zelf over geschreven, meneer Wells!’ riep zijn gastheer verontwaardigd uit.

‘Daarom juist, meneer Merrick,’ zei de schrijver, zoekend naar de eenvoudigste manier om hem zijn literatuuropvatting uit te leggen. ‘Gelooft u mij: als de bouw van een tijdmachine mogelijk was, zou ik er nooit over hebben geschreven. Ik schrijf alleen over dingen die onmogelijk zijn.’

‘Dan spijt het me dat u vanwege mij niet kunt schrijven over iemand die half mens, half olifant is,’ mompelde Merrick.

De opmerking van zijn gastheer had hem weer ontwapend. Merrick wendde zijn gezicht naar het raam, en Wells wist niet of hij met dat gebaar droefheid wilde uitdrukken of Wells de gelegenheid wilde geven hem in alle vrijheid te bekijken. Hoe dan ook, onwillekeurig namen zijn ogen hem op, gefascineerd, om bevestigd te vinden wat hij maar al te goed wist. Merrick had gelijk. Als hij niet voor hem stond, had hij nooit geloofd dat zo’n wezen kon bestaan. Behalve misschien in de valse werkelijkheid van romans.

‘U zult een groot schrijver worden, meneer Wells,’ voorspelde zijn gastheer, nog steeds uit het raam kijkend.

‘Dat zou fijn zijn, maar dat denk ik niet,’ antwoordde Wells, die na die rampzalige eerste poging inmiddels serieus twijfelde aan zijn capaciteiten.

Merrick draaide zich naar hem om.

‘Kijkt u eens naar mijn handen, meneer Wells,’ zei hij, en strekte ze naar hem uit. ‘Zou u geloven dat deze handen een kerk van karton kunnen bouwen?’

Wells keek naar de ongelijke handen van zijn gastheer. De rechter was enorm en grotesk, terwijl de linker die van een meisje van negen kon zijn.

‘Ik denk het niet,’ gaf hij toe.

Merrick knikte moeizaam, ten teken van instemming.

'Wat telt, meneer Wells, is onze wil,' zei hij, en hij deed zijn best zijn zwakke stem dwingend te laten klinken. 'Alleen onze wil!'

Uit de mond van ieder ander was dat een cliché geweest, maar bij deze man was het een onomstotelijke waarheid. Dit wezen was het onweerlegbare bewijs dat de mens met zijn wil bergen kan verzetten en zeeën kan splijten. Daar in die ziekenhuisvleugel, in die schuilplaats voor de wereld, maakte de wil meer dan ooit het verschil uit tussen het onmogelijke en het mogelijke. Als Merrick met zijn misvormde handen die kartonnen kerk had gebouwd, waartoe zou hij zelf, slechts belemmerd door zijn eigen wantrouwen, dan wel niet in staat zijn?

Hij gaf hem dus gelijk, en dat leek Merrick tevreden te stemmen. Met nog meer schaamte in zijn kwijnende stem bekende Merrick dat de kartonnen kerk een cadeau was voor een toneelspeelster met wie hij al een paar maanden correspondeerde. Het ging om mevrouw Kendall, zei hij, en Wells begreep dat ze een van zijn grootste weldoensters was. Hij stelde zich haar voor als een dame van stand, gevoelig voor alle ellende op de wereld mits die zich ver van haar bed afspeelde, die in het ongeluk van de zogenoemde Elephant Man een origineel object had gevonden voor haar goede werken. Toen Merrick vertelde dat ze op dit moment op tournee was in de Verenigde Staten en dat hij hoopte dat ze snel terug zou zijn zodat hij haar persoonlijk kon leren kennen, was Wells onwillekeurig ontroerd vanwege de liefde die, bewust of onbewust, in zijn woorden doorklonk. Maar tegelijk voelde hij een groot verdriet, en wenste dat haar tournee haar nog een poos in Amerika zou houden, zodat Merrick zich nog wat langer kon vastklampen aan haar brieven, en er minder snel achter zou komen dat onmogelijke liefdes alleen bestaan in romans.

Toen ze hun thee hadden gedronken, bood Merrick hem een sigaar aan, die Wells dankbaar aannam. Ze stonden op en liepen naar het raam. In het late middaglicht keken ze naar de straat en de kerk aan de overkant, die Merrick inmiddels wel heel vaak gezien zou hebben. De mensen liepen af en aan, een straatverkoper prees luidkeels zijn waren aan, en de rijtuigen hotsten over het ongelijke plaveisel dat bezaaid was met paardenvijgen. Wells merkte dat Merrick al dat bruisende leven met een soort eerbiedige angst gadesloeg. Het leek alsof hij ergens over piekerde.

'Weet u, meneer Wells?' zei hij ten slotte. 'Soms zie ik het leven als een voorstelling waarin voor mij geen enkele rol is weggelegd. Als u eens wist hoe ik al die mensen benijd...'

'Ik verzeker u dat ze uw afgunst niet waard zijn, meneer Merrick,' haastte Wells zich hem tegen te spreken. 'De mensen daar zijn niet meer dan stofjes. Na hun dood zal niemand zich nog herinneren wie ze waren of wat ze hebben gedaan. U daarentegen zult de geschiedenis ingaan!'

Merrick leek even over die woorden na te denken, terwijl hij naar zijn misvormde spiegelbeeld keek.

'Denkt u dat dat een troost voor me is?' vroeg hij weemoedig.

'Dat zou het wel moeten zijn,' antwoordde Wells, 'want de tijd van de Egyptenaren is echt voorbij, meneer Merrick.'

'Misschien hebt u gelijk,' zei Merrick ten slotte, zonder zijn ogen af te wenden van zijn misvormde spiegelbeeld. 'Misschien kun je beter maar geen grote verwachtingen hebben van een wereld als de onze, waar de mensen bang zijn voor alles wat afwijkend is.'

Omdat Merrick verdiept bleef in zijn spiegelbeeld, nam Wells aan dat het tijd was om afscheid te nemen.

'Hartelijk dank voor de thee, meneer Merrick.'

'Wacht,' zei Merrick, 'ik wil u iets meegeven.'

Hij liep naar een kast en rommelde er even in tot hij gevonden had wat hij zocht. Verbouwereerd zag Wells dat het ging om een rieten mand.

'Toen ik mevrouw Kendall opbiechtte dat het altijd mijn

droom was geweest om mandenmaker te worden, stuurde ze iemand naar me toe om me les te geven,' legde Merrick uit, terwijl hij de mand behoedzaam in zijn handen hield, alsof het een baby was, of een vogelnest. 'Het was een aardige, bescheiden man, die een zaak had in Pennington Street, vlak bij de London Docks. Vanaf het eerste moment behandelde hij me alsof ik er niet anders uitzag dan hij. Maar toen hij mijn handen zag, zei hij direct dat ik onmogelijk mandenmaker zou kunnen worden. Het speet hem, maar het was duidelijk dat we allebei onze tijd zouden verdoen. Maar het is nooit een kwestie van je tijd verdoen als je probeert een droom te verwezenlijken, nietwaar, meneer Wells? "Geeft u me les," zei ik tegen hem, "alleen dan komen we erachter of u gelijk hebt."'

Wells keek naar de perfect gevlochten mand die Merrick voorzichtig in zijn mismaakte handen hield.

'Sindsdien heb ik vele manden gemaakt, en een aantal daarvan heb ik mijn gasten cadeau gedaan. Maar deze is bijzonder, want het is mijn eerste. Ik wil graag dat u hem meeneemt, meneer Wells,' zei hij, terwijl hij hem de mand aanreikte, 'opdat u nooit vergeet dat onze wil het enige is wat telt.'

'Dank u...' stamelde Wells geroerd. 'Het is me een eer, meneer Merrick, een grote eer!'

Hij nam afscheid met een hartelijke glimlach en liep naar de deur.

'Nog een laatste vraag, meneer Wells,' hoorde hij Merricks stem achter zich.

Wells draaide zich om, en was bang dat hij het adres van die ellendige Nebogipfel wilde weten om hem ook een mand te sturen.

'Denkt u dat u en ik allebei door dezelfde god zijn gemaakt?' vroeg Merrick, met een stem waarin eerder teleurstelling doorklonk dan verdriet.

Wells onderdrukte een zucht. Wat kon hij daar nu op antwoorden? Hij dacht nog na wat hij zou zeggen, toen Merrick plotseling een vreemd geluid liet horen, een soort gehoest of gegrom dat zijn hele lichaam deed schudden en hem leek te verstikken. Bezorgd hoorde Wells hoe het luide gerochel zich herhaalde, tot hij plotseling begreep wat er aan de hand was. Het was niets ernstigs, Merrick lachte gewoon!

'Een grapje, meneer Wells, het was maar een grapje,' zei hij, en staakte zijn gerochel bij het zien van het geschrokken gezicht van zijn gast. 'Wat zou er van mij worden als ik niet om mijn uiterlijk kon lachen?'

Zonder Wells' antwoord af te wachten, liep hij naar zijn werktafel om verder te werken aan de onvoltooide maquette van de kerk.

'Wat zou er van mij worden?' hoorde Wells hem met bittere weemoed mompelen. 'Wat zou er van mij worden?'

En nu, nu hij hem had horen lachen, vroeg Wells zich af of de zogenoemde Elephant Man toch niet gewoon vanaf het moment dat hij de kamer was binnengekomen een brede glimlach had vertoond, een glimlach die het onbehagen moest bezweren dat zijn uiterlijk gewoonlijk bij zijn gasten teweegbracht, een vriendelijke, beminnelijke glimlach, waarover de wereld nooit iets te weten zou komen.

Toen hij de deur achter zich sloot, merkte hij dat er een traan over zijn wang liep.

XIII

Zo was de rieten mand in zijn leven gekomen, en tot Wells' verrassing bracht hij meteen geluk en schudde al het oude stof van vroegere tegenspoed uit zijn kleren. Al snel na de entree van de mand studeerde hij cum laude af in de zoölogie en begon hij aan het Universitair Instituut voor Schriftelijk Onderwijs cursussen biologie te geven. Daarnaast werd hij hoofdredacteur van de *University Correspondent* en schreef hij stukken voor de *Educational Times*. Hiermee verdiende hij in korte tijd zo veel geld dat hij al snel zijn zelfvertrouwen terugvond en de teleurstelling over de geringe respons op zijn verhaal kon vergeten. Hij maakte het daarom tot een gewoonte elke avond zijn opwachting te maken bij de mand door hem liefdevol te bekijken en met zijn vingers de stevig gevlochten wilgentenen te strelen, een eenvoudig ritueel dat hij nog steeds voor Jane geheimhield. Meer was niet nodig om zich sterk en onoverwinnelijk te voelen, in staat om de Atlantische Oceaan over te zwemmen of met blote handen een tijger te verslaan.

Maar het was Wells maar korte tijd vergund om van zijn successen te genieten. Want zodra de leden van zijn sjofele familie merkten dat de kleine Bertie een bemiddeld man werd, kreeg hij de taak de bedreigde samenhang van het gezin te bewaren. Zonder protest nam Wells zijn rol als bewaker van de clan op zich, in de wetenschap dat er niemand anders meer was die dat kon doen. Zijn vader had de porseleinzaak ten slotte opgedoekt en was gaan wonen in een huisje in Nyewood, een piepklein dorpje ten zuiden van Rogate, vanwaar hij de heuvels van Harting Down en de populieren van Uppark kon zien, en in dat kleine huisje had zich in de loop van de tijd de rest van de familie verzameld, als wrakhout meegevoerd door het tij van het leven. Doorgaan met zijn drukke lespraktijk en tegelijkertijd dat nest op orde houden, dat hele gekkenhuis waar het stonk naar tabak en verschaald bier, betekende voor Wells een krachtsinspanning die ten slotte eindigde in een bloedspuwing op de trappen van Charing Cross Station.

De diagnose was duidelijk: tuberculose. Hij herstelde weliswaar snel, maar de aanval was een waarschuwing geweest: het moest afgelopen zijn met al dat harde zwoegen, anders zou de volgende aanval wel eens meer dan een waarschuwing kunnen zijn. Wells nam het praktisch op. Hij wist dat hij, als het hem voor de wind bleef gaan, ruim genoeg had om van te leven, en zette een nieuwe koers uit voor zichzelf. Hij verliet het onderwijs en stelde zich ten doel voortaan van zijn pen te leven; op die manier zou hij thuis kunnen werken, niet langer en harder dan hij zelf wilde, kortom, het rustige leven kunnen leiden waarom zijn zwakke gezondheid vroeg. Hij overstelpte de lokale kranten dus met artikelen, schreef een essay voor de *Fortnightly Review*, en kreeg na veel aandringen gedaan dat hem een plaatsje bij de *Pall Mall Gazette* werd aangeboden. Dolgelukkig met zijn successen ging hij op zoek naar de zuivere lucht waaraan zijn geteisterde longen zo'n behoefte hadden, en verhuisde naar een huis dicht bij de North Downs, in Sutton, een plek waar de Londense suburbs nog niet waren doorgedrongen. Een tijdlang dacht Wells dat dat kalme, beschermde bestaan voortaan zijn leven zou zijn, maar weer vergiste hij zich. Het was maar een schijnvrede. Het toeval mocht hem kennelijk graag, want weer besloot het zijn leven een nieuwe wending te geven; ditmaal kreeg de richtingverandering echter het sympathieke vernisje van een ongeneeslijke liefde.

Amy Catherine Robbins, door Wells Jane genoemd, was een oud-leerlinge van hem met wie hij op school vriendschappelijk was omgegaan. Op hun gemeenschappelijke weg naar Charing Cross Station, waar ze elk hun trein namen, had hij haar betoverd met zijn geestige welsprekendheid, zonder dat hij daarbij op iets anders uit was geweest dan het genoegen zo'n mooi en aanbiddelijk meisje te boeien met zijn woorden. Maar die aangename gesprekken zonder bijbedoelingen hadden uiteindelijk onverwachte gevolgen gehad. Het was Isabel, zijn vrouw, die hem daarop had gewezen toen ze terugkwamen van een weekend in Putney, waar ze door Jane en haar moeder waren uitgenodigd. Ze verzekerde hem dat het meisje, of het nu met opzet of toevallig zo was gegaan, smoorverliefd op hem was geworden. En toen zijn vrouw hem gebood om, als hij zijn huwelijk wilde redden, het contact met zijn oud-studente te verbreken, trok Wells slechts een wenkbrauw op. De keus tussen de vrouw die zijn liefkozingen afweerde en de vrolijke, ogenschijnlijk ongeremde Jane was niet moeilijk, en dus pakte Wells zijn boeken, zijn spullen en de rieten mand bij elkaar en verhuisde naar een armoedig krot aan Mornington Place, in een vervallen buurt in het noordwesten van Londen, op de grens tussen Euston en Camden Town. Liever had hij zijn huis verlaten ten prooi aan een hevige passie, maar die kant van de zaak nam Jane voor haar rekening. Hij voelde slechts een speelse nieuwsgierigheid naar Janes tengere lichaam dat zich vaag onder haar kleren aftekende, en werd vooral gelokt door de mogelijkheid om een heel ander leven te leiden dan dat waarvan te voorzien was dat het routine zou worden.

Al snel ontdekte hij echter dat de liefde hem een grote fout had laten maken. Niet alleen was hij terechtgekomen op de slechtst mogelijke plek voor zijn geteisterde longen, een buurt met door roet vergiftigde lucht waarin zich nog eens de stoom mengde van de naar het noorden trekkende locomotieven, maar bovendien was Janes moeder bij hen ingetrokken, overtuigd dat haar arme dochter in handen was gevallen van een ploert – Wells was immers nog steeds met Isabel getrouwd – en vastbesloten om het geduld van het paar op de proef te stellen met een niet-aflatende stroom van verwijten. Daarbij kwam nog de verontrustende zekerheid dat hij met zijn artikelen onmogelijk drie huishoudens zou kunnen onderhouden. Dit alles bracht Wells ertoe de mand te pakken en zich ermee op te sluiten in een kast, de enige plek waar hij veilig was voor mevrouw Robbins' bemoeizucht. Daar, verstopt tussen de jassen en hoeden, probeerde hij de verloren magie van de rieten mand weer te activeren door er urenlang over te strijken, zoals Aladin over zijn wonderlamp.

Je kon het een onzinnige, wanhopige of zelfs larmoyante strategie vinden, maar feit is dat Lewis Hind, redacteur van de wekelijkse literatuurbijlage van de *Gazette*, hem de volgende dag uitnodigde voor een gesprek. Hij had iemand nodig die fictieteksten kon schrijven met een wetenschappelijk tintje, korte verhalen over de vraag waartoe de stroom uitvindingen, die het aanzien van de eeuw onophoudelijk veranderde, zou leiden. Hind was ervan overtuigd dat Wells daarvoor de geschikte persoon was. Hij stelde hem dus voor zijn jeugddroom weer op te pakken, en een nieuwe poging te wagen om schrijver te worden. Wells nam het aanbod aan, en schreef in een paar dagen het verhaal *The Stolen Bacillus*, waarover Hind zeer tevreden was en dat hem vijf guineas opleverde. Het verhaal trok de aandacht van William Ernest Henley, de hoofdredacteur van de *National Observer*, die hem meteen een plaats in zijn blad aanbood, overtuigd dat de jongeman tot nog veel meer in staat was als hij meer ruimte tot zijn beschikking had. Wells was enthousiast, maar ook huiverig nu hij de mogelijkheid kreeg om te schrijven voor zo'n prestigieus blad, waarin op dat moment ook *The Nigger of the Narcissus*, een feuilleton van zijn geliefde Conrad, verscheen. Nu ging het niet meer om columns of korte verhalen. Nu kon hij zijn fantasie eindelijk de vrije loop laten, want nu kreeg hij de ruimte die een schrijver toekwam.

Wells wachtte de afspraak met Henley nerveus af, een zenuwinzinking nabij. Vanaf het moment dat de legendarische hoofdredacteur van de *National Observer* hem had ontboden, had hij zich suf gepiekerd over een idee dat origineel en aantrekkelijk genoeg was om de door de wol geverfde krantenman te verrassen, maar niets leek hem goed genoeg. De afspraak naderde en Wells had nog steeds geen goed verhaal. Ineens dacht hij aan de mand en merkte dat die, hoewel ogenschijnlijk leeg, vol verhalen zat. De mand was een hoorn des overvloeds, waaraan je alleen maar een beetje hoefde te schudden om een stroom van ideeën op gang te brengen. Een overdreven beeld, natuurlijk, maar het gaf goed weer wat er in werkelijkheid gebeurde als hij naar de mand keek. Hij moest dan altijd denken aan zijn gesprek met Merrick, en, hoe ongelooflijk ook, iedere keer als hij daaraan terugdacht, ontdekte hij een idee dat rijk genoeg was voor een hele roman, als een goudklompje in een modderige rivierbedding. Het was alsof Merrick hem, met opzet of puur toevallig, voor jaren had voorzien van ideeën en verwikkelingen terwijl ze schijnbaar alleen maar thee hadden zitten drinken. Hij herinnerde zich dat het Merrick had gespeten dat dr. Nebogipfel niet naar de toekomst was gereisd om dat intrigerende mysterie te bestuderen, en het leek Wells passend dat nu goed te maken, nu hij daartoe door zijn vele artikelen beter in staat was.

Zonder bedenking gaf hij de vervelende Nebogipfel op en verving hem door een respectabele geleerde die hij niet eens een naam gaf, zodat iedere uitvinder zich in de anonieme wetenschapsman kon herkennen; hij belichaamde zelfs de archetypische geleerde van de komende eeuw. En in een poging om van het idee van de tijdreis iets meer te maken dan een simpele kinderfantasie, gaf hij het een wetenschappelijk tintje, zoals hij bij de verhalen voor Hind had gedaan. Hij gebruikte daarvoor een theorie die hij al eerder had ontwikkeld in de essays in de *Fortnightly Review*, waarin hij de tijd de vierde dimensie had genoemd in een wereld die ogenschijnlijk driedimensionaal was.

Dat idee kon nog veel aan luister winnen als hij het gebruikte voor de werking van het toestel waarmee de held van zijn roman naar eigen goeddunken door de tijdstroom zou kunnen reizen.

Toen hij Henleys kantoor betrad zag hij de roman met verbazende helderheid voor zich, zodat hij het verhaal met de overtuiging en de felheid van een prediker kon presenteren. De geschiedenis van de tijdreiziger zou uit twee delen bestaan. In het eerste deel zou hij de werking van de machine uitleggen aan een groep gasten die hij had uitgekozen om zijn uitvinding te tonen: een arts, een burgemeester, een psycholoog en nog een andere vertegenwoordiger van de middenklasse wiens ongeloof overwonnen moest worden. Anders dan bij Verne, die hele hoofdstukken nodig had om de werking van zijn apparaten tot in detail te beschrijven, alsof hij zelf aan de geloofwaardigheid ervan twijfelde, zou zijn uitleg luchtig en bondig zijn, met eenvoudige voorbeelden waardoor de lezers zich een idee dat misschien al te abstract was, toch eigen konden maken. Zoals u weet, zou de uitvinder zeggen, worden de drie ruimtelijke dimensies – lengte, breedte en hoogte – gedefinieerd door drie vlakken die in een rechte hoek op elkaar staan. In normale omstandigheden kan de mens zich echter niet helemaal vrij verplaatsen in zijn driedimensionale wereld. Hij kan zich weliswaar probleemloos in de lengte en breedte voortbewegen, maar de wet van de zwaartekracht verhindert hem omhoog of omlaag te gaan, tenzij hij gebruikmaakt van een ballon. Op dezelfde manier zit de mens gevangen in de tijd. In de dimensie van de tijd kan hij zich alleen mentaal verplaatsen – met behulp van de herinnering kan hij naar het verleden reizen, en met behulp van de fantasie naar de toekomst – maar hij zou zich uit die gevangenis kunnen bevrijden als hij een machine had die hem, net als de gasballon, de fysieke hindernis hielp te overwinnen en hem naar de toekomst kon sturen door de tijd te versnellen, of terug naar het verleden door hem te vertragen. Om zijn gasten een voorstelling van de vierde dimensie te geven, kwam de uitvinder met het voorbeeld van de barometer: het kwik stijgt en daalt voortdurend, maar de lijn die deze beweging weergeeft wordt niet getrokken in een van de bekende dimensies van de ruimte, maar in de dimensie van de tijd.

Het tweede deel van de roman zou gaan over de reis die de uitvinder in zijn tijdmachine zou maken, en die ter ere van Merrick naar de mysterieuze oceanen van de toekomst ging, een toekomst die Wells met een paar snelle maar suggestieve penseelstreken voor de redacteur van de *National Observer* schilderde. Henley, een reusachtige man die er door een slordig uitgevoerde chirurgische ingreep in zijn jeugd toe was veroordeeld om leunend op een kruk door het leven te gaan – hij was Stevensons inspiratiebron geweest voor Long John Silver – trok een weifelend gezicht. Over de toekomst spreken was riskant. In de literaire roddelcircuits werd gefluisterd dat Verne zelf een roman had geschreven met de titel *Parijs in de twintigste eeuw*, die ging over de wereld van de toekomst maar die Jules Hetzel, zijn uitgever, had geweigerd te publiceren omdat hij Vernes voorstelling van het jaar 1960, waar mensen met een elektrische schok werden geëxecuteerd en documenten door middel van een netwerk van 'fototelegrafen' naar alle delen van de wereld werden gestuurd, even naïef als pessimistisch vond. En Verne was niet de enige geweest die de toekomst had voorspeld. Vele anderen hadden het ook geprobeerd en hadden op dezelfde wijze gefaald. Wells liet zich echter door Henleys woorden niet afschrikken. Hij leunde voorover in zijn stoel en zette de tegenaanval in door hem te verzekeren dat de mensen graag over de toekomst wilden lezen, en dat iemand het moest aandurven de eerste roman daarover te publiceren.

En zo kwam het dat in 1893 *The History of the Time Traveller* in afleveringen verscheen in de gerenommeerde *National Observer*. Begrijpelijkerwijs was Wells diep teleurgesteld toen de geschiedenis uiteindelijk toch niet in romanvorm werd gepubliceerd, omdat de eigenaars het tijdschrift verkochten en de nieuwe leiding direct de daarbij gebruikelijke zuivering doorvoerde, waarbij zowel Henley als zijn romanproject sneuvelde. Gelukkig had Wells niet veel tijd om zich in zijn ongeluk te wentelen, want Henley was, net als zijn alter ego bij Stevenson, een harde noot om te kraken. Hij stelde zich al snel aan het roer van de *New Review* en stelde voor het tijdreizigersproject nu daarin voort te zetten. En hij haalde zelfs de eigenwijze uitgever William Heinemann over om de roman bij zijn uitgeverij te laten verschijnen.

Aangemoedigd door de onstuitbare Henley maakte Wells zich op om zijn gemaltraiteerde werk waardig af te ronden. Maar zoals hij inmiddels wel gewend was, bleek dat een moeizame onderneming met de gebruikelijke hindernissen, al waren ze ditmaal een stuk minder glorieus van aard. Op doktersadvies was hij samen met Jane weer naar het platteland verhuisd, naar een bescheiden pension in Sevenoaks. Maar in de stoet kisten en hutkoffers, aangevoerd door de rieten mand, reisde ook mevrouw Robbins mee, Janes moeder, die haar rol als bloedzuiger zo had geperfectioneerd dat zelfs de gezondheid van haar dochter schade had opgelopen: de niet-aflatende stroom uitbranders had een bleek, verschrompeld hoopje mens van haar gemaakt. Zoals u al begrepen zult hebben, kon de vrouw haar eindeloze strijd tegen Wells prima alleen af, maar ze vond een onverwachte bondgenote in de eigenares van het pension, toen die ontdekte dat in haar kamers 's nachts niet een huwelijk werd geconsummeerd, maar het zondige concubinaat van een schuchter meisje met een in scheiding levende perverseling. Strijdend op twee fronten vond Wells amper de benodigde concentratie om voortgang te boeken met zijn roman. Zijn enige troost was dat de reis naar de toekomst, waaraan hij nu zo goed en zo kwaad als het ging werkte, hem veel meer interesseerde dan wat hij tot dan toe had geschreven, want nu kon hij het terrein betreden van de maatschappelijke allegorie en uiting geven aan zijn politieke zorgen.

In de overtuiging dat de mensheid zich in de verre toekomst

zowel in wetenschappelijk als in geestelijk opzicht volledig zou hebben ontwikkeld, trok de tijdreiziger in zijn machine door de steppen van de toekomst tot het jaar 802.701, een willekeurig gekozen datum, ver genoeg weg om te kunnen controleren of zijn voorspelling klopte. Bij het flakkerende schijnsel van een petroleumlamp en voortdurend belaagd door de dreigementen van de huisbazin vertelde Wells, nu eens vlot, en dan weer met horten en stoten, hoe zijn uitvinder een wereld binnenging die wel een droomtuin leek. Daar woonden de Eloi, uiterst mooie, tere mensen, het resultaat van een evolutie die de soort niet alleen had verbeterd, maar haar ook van elke lelijkheid, lompheid en verdere esthetische ballast had bevrijd. Als een welwillende, ietwat romantische demiurg liet Wells de uitvinder zelfs vriendschap sluiten met een Eloi die Weena heette. Nadat hij haar van de verdrinkingsdood had gered, bleef ze hem overal volgen, verrukt als een kind. De fragiele Weena, die eruitzag als een Dresdener porseleinen pop, maakte van ieder moment dat hij even niet oplette gebruik om hem bloemenslingers om te hangen of bloemen in zijn zakken te stoppen, een gebaar van dankbaarheid dat ze in haar taal niet kon maken omdat die weliswaar welluidend en aangenaam, maar voor de reiziger helaas onbegrijpelijk was.

Maar toen hij het idyllische doek eenmaal had geschilderd, vernietigde Wells het vervolgens weer, met een meedogenloze en ironische precisie. De reiziger had aan een paar uur bij de Eloi genoeg om te begrijpen dat het allemaal anders was dan het leek: hij had te maken met een stel apathische wezens, zonder aspiraties of strijdlust, niet eens tot diepere gevoelens in staat, een stelletje leeglopers wier hedonisme grensde aan onnozelheid. En alsof dat allemaal nog niet genoeg was, deed de onverwachte verdwijning van zijn tijdmachine hem vermoeden dat de Eloi niet de enige bewoners van die wereld waren. Het was duidelijk dat er nog iets of iemand anders moest zijn, sterk genoeg om de machine van haar plaats te slepen en te verbergen in een enorme sfinx die het landschap sierde. Zijn vermoeden bleek juist: in de onderwereld van het zogenaamde paradijs huisden de Morlocks, aapachtige wezens die het daglicht schuwden en die, zo ontdekte hij al snel vol afschuw, tot kannibalisme waren vervallen.

Bang dat hij vastzat in de toekomst, zonder mogelijkheid om terug te keren naar zijn eigen tijd, kon de uitvinder niet anders dan in de voetsporen treden van Aeneas, Orpheus en Heracles en afdalen naar de hel van de Morlocks, op zoek naar zijn machine. Toen hij die eenmaal had teruggevonden, vluchtte hij ijlings nog verder de toekomst in. Zijn nieuwsgierigheid gold inmiddels niet langer het lot van de tot de ondergang gedoemde mens, maar dat van de aarde zelf, en de uitvinder zette zijn reis voort met grote stappen van duizend jaar. Op zijn volgende stop, op meer dan dertig miljoen jaar van zijn eigen tijd, trof hij een verlaten planeet aan die bijna niet meer draaide, een vermoeide tol die nauwelijks nog werd verlicht door een langzaam uitdovende zon. Traag neerdwarrelende sneeuw begroef onder zijn witte lijkkleed een landschap waar geen enkel geluid meer op leven wees. Het kwetteren van vogels, het geblaat van schapen, het zoemen van insecten en het blaffen van honden, bij elkaar de symfonie van de aarde, was voor de reiziger nog slechts een onzekere herinnering. Hij besloot dat het moment was gekomen om terug te keren naar de tijd waar hij werkelijk thuishoorde. Op de terugreis sloot hij zijn ogen, want hij kon niet aanzien hoe de wereld weer opbloeide, hoe de zon haar glans weer kreeg, hoe huizen en gebouwen zich weer oprichtten nu de achterwaartse rit de ondergang tot een bedrieglijke renaissance maakte, en hij opende ze pas weer toen hij de vertrouwde muren van zijn laboratorium op zich af zag komen. Hij haalde de hendel over, en de wereld was geen vage nevel meer, maar kreeg zijn gewone dichtheid terug.

Eenmaal terug in zijn eigen tijd hoorde hij stemmen en het geluid van borden in de eetkamer, en hij ontdekte dat hij zijn machine precies had stilgezet op de donderdag na zijn vertrek. Natuurlijk geloofde niemand het fantastische verhaal, ook al kon hij de vreemde witte bloemen laten zien die nog in zijn zakken zaten en wees hij op de erbarmelijke toestand van zijn machine. In de epiloog van zijn roman liet Wells de verteller, een van de gasten van de tijdreiziger, de vreemde bloemen peinzend in zijn handen nemen, onder een hoopvolle overpeinzing: zelfs wanneer verstand en kracht niet meer bestaan, zal in het hart van de mens nog altijd dankbaarheid leven.

Toen de roman in mei 1895 ten slotte onder de titel *De tijdmachine* verscheen, bracht hij een grote opschudding teweeg. In augustus had Heinemann al zesduizend ingenaaide en vijftienhonderd gebonden exemplaren laten drukken. Iedereen sprak over het boek. Maar dat was niet vanwege de les die *De tijdmachine* bevatte. Wells had zijn best gedaan om een even metaforisch als vernietigend beeld te schetsen van de uiterste consequenties van de starre kapitalistische maatschappij. Maar tot zijn verrassing verbleekten zijn pogingen om de mensen hiervan bewust te maken bij de opwinding die het idee van het tijdreizen veroorzaakte. Eén ding was duidelijk: de roman, die onder zulke ongunstige omstandigheden was ontstaan, en waaraan men zelfs reclamepagina's had moeten toevoegen om hem met zijn krap veertigduizend woorden een echt boek te laten lijken, had de poort naar de roem geopend, of hem er tenminste dichterbij gebracht. En dat was veel meer dan hij had verwacht toen hij aan die veertigduizend woorden was begonnen.

Wells was nu een succesvol auteur, en het eerste wat hij deed was het verbranden van alle vindbare exemplaren van *The Chronic Argonauts*, de dwaling van zijn jonge jaren, zoals een moordenaar de sporen van zijn misdaad uitwist. Hij wilde niet dat men zou ontdekken dat de perfectie waarom men zijn boek prees de uitkomst was van een lange zoektocht, dat hij het verhaal niet meteen in deze vorm had bedacht. Daarna probeerde hij van de roem te genieten, maar dat viel hem niet makkelijk. Hij was dan wel een succesauteur, maar wel een die een uitgebreide familie had te onderhouden. En ook al waren Jane en hij inmiddels getrouwd en verhuisd naar een huis met een tuin in Woking – de mand was als een eend tussen de kippen meegereisd te midden van Janes hoedendozen – Wells kon het zich niet veroorloven de teugels te laten vieren. Een rustpauze was ondenkbaar. Hij moest doorgaan met schrijven, wat dan ook, en ervan profiteren dat het publiek aan zijn voeten lag.

Dat was natuurlijk voor Wells geen enkel probleem. Hij hoefde alleen maar een beroep te doen op de mand. Als een goochelaar uit zijn hoge hoed haalde Wells er zijn volgende roman uit tevoorschijn, *The wonderful visit*. Daarin vertelde hij hoe er, op een zwoele augustusnacht, een engel uit de hemel was gevallen en was terechtgekomen in de moerassen rond het dorpje Sidderford.

Net als bij *Het eiland van dr. Moreau*, de roman die hij krap twee maanden later schreef, was de plot niet van hemzelf, maar Wells probeerde dat niet als diefstal te zien, maar als zijn persoonlijke hommage aan de buitengewone Joseph Merrick die twee jaar na de onvergetelijke theeceremonie precies op de vreselijke manier was gestorven die Treves had voorspeld. En zijn eerbetoon was beslist fijngevoeliger dan dat van de chirurg zelf die, naar hij had gehoord, zijn vergroeide skelet nu tentoonstelde in een museum dat hij speciaal daarvoor in het London Hospital had ingericht. Daarmee was Merrick inderdaad geschiedenis geworden, precies zoals hij die middag had gezegd.

En *De tijdmachine*, dat warrige geschrift dat zoveel aan Merrick te danken had, zou misschien hetzelfde voor hem doen. Wie weet? Het boek had al voor menige verrassing gezorgd, zei hij bij zichzelf, terwijl hij dacht aan de tijdmachine die hij op zolder had staan, identiek aan de machine die hij in zijn roman had beschreven.

De schemering had de wereld inmiddels in een koperkleurig licht gehuld dat alles mooier maakte, ook Wells, die stil in de keuken zat als was hij een gebeeldhouwde versie van zichzelf. Hij schudde zijn hoofd om de herinnering aan de kritiek in *The Speaker* te verdrijven en pakte de envelop die hij die middag in zijn brievenbus had gevonden. Hopelijk niet weer een brief van een krant waarin ze hem vroegen de toekomst te voorspellen. Sinds de verschijning van *De tijdmachine* leek het alsof de pers hem tot officieel orakel had verheven en werd hij voortdurend aangemoedigd zijn voorspellende gaven in de kranten te etaleren.

Maar na opening van de envelop zag hij dat het ditmaal om iets anders ging. Wat hij in zijn handen hield was een reclamefolder van de firma Murray Tijdreizen, met daarbij een kaartje waarop Gilliam Murray hem uitnodigde deel te nemen aan de derde expeditie naar het jaar 2000. Wells klemde zijn kiezen op elkaar om niet hardop te gaan schelden, verfrommelde de folder en wierp hem ver van zich af, zoals hij even daarvoor met het tijdschrift had gedaan.

De prop vloog door de lucht en kwam neer op het gezicht van iemand die daar eigenlijk helemaal niet hoorde te zijn. Geschrokken keek Wells naar de indringer. Het was een elegant geklede jongeman, die nu aan zijn wang voelde en zijn hoofd schudde alsof het gooien van de prop een kwajongensstreek was geweest. Vlak achter hem stond nog iemand, die zo veel gelijkenis met hem vertoonde dat ze wel familie moesten zijn. De schrijver keek naar de man voor hem en twijfelde of hij zich zou verontschuldigen of zou vragen wat voor de duivel hij in zijn keuken deed. Maar voor geen van beide kreeg hij de tijd want de jongeman was hem voor.

'Meneer Wells, neem ik aan,' zei hij, terwijl hij zijn arm hief en een revolver op hem richtte.

XIV

Een jongeman met een vogelgezicht. Dat was Andrews indruk van de auteur van *De tijdmachine*, de roman die heel Engeland op zijn kop had gezet terwijl hij zelf als een geestverschijning door de bossen in Hyde Park dwaalde. Toen de voordeur dicht bleek, waren ze op Charles' instigatie haastig achteromgelopen, en nadat ze een enigszins verwaarloosd tuintje door waren gegaan, waren ze de kleine keuken binnengestormd.

'Wie bent u en wat doet u in mijn huis?' vroeg de schrijver, zonder van tafel op te staan, wellicht omdat hij op die manier minder doelwit bood aan het pistool dat op hem was gericht en dat ongetwijfeld de reden vormde dat hij zijn vraag op die lachwekkend beleefde toon had gesteld.

Terwijl hij de schrijver onder schot hield, draaide Charles zich om en gaf Andrew een knikje. Nu was het zijn beurt om in actie te komen. Andrew onderdrukte een zucht. Hij vond het ongehoord om met wapengeweld het huis van de schrijver binnen te vallen, en had spijt dat hij onderweg zelf niet een plan had bedacht en het allemaal had overgelaten aan zijn neef die met zijn geïmproviseer bepaald een ongemakkelijke situatie had gecreeerd. Maar er was geen weg meer terug, en dus liep Andrew op Wells af, vastbesloten om net als Charles maar wat te improviseren. Hij had geen flauw idee wat hij moest doen, behalve dat hij net zo vastberaden moest lijken als zijn neef. Hij haalde het knipsel uit zijn jasje tevoorschijn en met een bruusk gebaar legde hij het op tafel, vlak bij de handen van de schrijver.

'Ik wil voorkomen dat dit gebeurt,' zei hij op besliste toon.

Wells keek ongeïnteresseerd naar het knipsel, vervolgens naar de twee indringers, waarbij zijn blik als een pendule van de een naar de ander ging, en ten slotte begon hij te lezen, waarbij zijn gezicht geen enkele uitdrukking vertoonde.

'Ik moet u helaas zeggen dat deze tragische gebeurtenis al heeft plaatsgevonden, en dus tot het verleden behoort. En zoals u waarschijnlijk weet, ligt het verleden vast,' zei hij kortaf, terwijl hij Andrew het knipsel teruggaf.

Andrew aarzelde even en pakte toen het vergeelde stukje papier enigszins onthutst aan, en stopte het weer in zijn zak. Zichtbaar opgelaten omdat ze zo dicht op elkaar stonden gepakt in de krappe keuken waar geen speld meer bij leek te kunnen – ze vergisten zich: er kon nog een lichaam bij, als het maar slank genoeg was, en zelfs zo'n nieuw model fiets, met aluminium spaken, ruitvormig buizenframe en moderne luchtbanden – keken de drie mannen elkaar aan als toneelspelers die plotseling niet meer weten hoe de scène verdergaat.

'U vergist zich,' zei Charles, in een plotselinge vlaag van helderheid. 'Het verleden is niet onveranderlijk. Niet als we een machine hebben waarmee we door de tijd kunnen reizen.'

Wells wierp hem een medelijdende, vermoeide blik toe.

'Ik snap het,' mompelde hij, alsof hij tot zijn ergernis en teleurstelling had begrepen waarom het ging. 'Maar u vergist zich als u denkt dat ik zo'n machine heb. Ik ben maar een schrijver, heren.' Hij haalde verontschuldigend zijn schouders op. 'Ik heb geen tijdmachine. Die heb ik alleen maar verzonnen.'

'Dat geloof ik niet,' antwoordde Charles.

'Maar het is de waarheid,' zei Wells met een zucht.

Charles zocht Andrews blik, alsof zijn neef hem kon zeggen hoe het nu verder moest. Maar de impasse was duidelijk. Andrew wilde Charles net vragen het pistool te laten zakken, toen er plotseling iemand de keuken binnenkwam: een kleine, slanke, verrassend mooie vrouw, die met veel zorg geschapen leek door een god die nu eens iets anders had willen maken dan al die gewone mensen. Maar Andrews aandacht werd vooral getrokken door het apparaat dat ze bij zich had, zo'n toestel dat fiets werd genoemd en dat geleidelijk de paarden verdrong omdat je er zonder veel inspanning en aangenaam geruisloos mee over de landwegen kon rijden. Charles liet zich er echter niet door afleiden. Hij begreep onmiddellijk dat de vrouw Wells' echtgenote was, greep haar arm en zette de loop van de revolver tegen haar slaap. Zijn bewegingen waren zo snel en soepel, bedacht Andrew verbaasd, dat het leek alsof hij zijn leven lang niets anders had gedaan.

'Ik geef u nog een laatste kans,' zei Charles tegen de schrijver, die plotseling bleek was geworden.

Daarop ontspon zich een even nietszeggende als onnozele dialoog, die ik hier ondanks zijn geringe relevantie toch letterlijk zal weergeven, omdat het niet mijn bedoeling is een episode in dit verhaal extra mooi te maken.

'Jane,' riep Wells met dunne stem.

'Bertie,' antwoordde Jane verbijsterd.

'Charles...' begon Andrew.

'Andrew,' onderbrak Charles hem.

Daarna stilte. Het avondlicht liet hun schaduwen duidelijker uitkomen. Het gordijn bewoog nauwelijks waarneembaar. Buiten klonk het spookachtige gefluister van de wind, die door de takken van de boom in de tuin woei. Een groepje vergeelde schimmen schudde het hoofd, beschaamd over de onhandigheid van de scène, alsof het een roman was van Henry James, die we, tussen twee haakjes, verderop in dit verhaal nog zullen tegenkomen.

'Akkoord, heren,' zei Wells ten slotte op vriendelijke toon, terwijl hij resoluut opstond uit zijn stoel. 'Ik denk dat we dit op een beschaafde manier kunnen oplossen, zonder dat iemand gewond raakt.'

Andrew keek zijn neef smekend aan.

'Dat hangt helemaal van u af, Bertie,' antwoordde Charles met een spottend lachje.

'Laat u haar los, dan laat ik u mijn tijdmachine zien.'

Andrew keek de schrijver verbluft aan. Had Gilliam Murray dan toch gelijk gehad met zijn vermoedens? Had Wells inderdaad een tijdmachine?

Met een tevreden lachje liet Charles Jane vrij, waarop ze de geringe afstand tot haar geliefde Bertie razendsnel overbrugde en zich in zijn armen wierp.

'Rustig maar, Jane,' suste de schrijver, en streek haar vaderlijk over het haar. 'Alles komt goed.'

'Nu?' zei Charles ongeduldig.

Wells maakte zich zachtjes los uit Janes omhelzing en keek Charles met onverholen afkeer aan.

'Volgt u mij naar de zolder.'

Als een soort rouwstoet, met Wells aan het hoofd, liepen ze de krakende trap op die ieder moment onder hun voeten leek te kunnen bezwijken. De zolder lag boven de eerste verdieping, en gaf je door het lage, schuine dak en alle rommel die er stond een akelig verstikkend gevoel. In een hoek, onder het raampje waardoor de laatste zonnestralen binnenvielen, stond het vreemde apparaat dat, te oordelen naar de eerbiedige aandacht waarmee Charles ernaar keek, de tijdmachine moest zijn; het ontbrak er nog maar aan dat hij ervoor knielde. Ook Andrew liep naar het apparaat en bekeek het nieuwsgierig en een beetje achterdochtig.

De machine, die de muren kon neerhalen waardoor de mens zit opgesloten in het heden, leek op het eerste gezicht wel een modern soort paardenslee. Aan het langwerpige houten voetstuk waarop het toestel was gemonteerd, kon je echter zien dat het niet was gemaakt om je ruimtelijk voort te bewegen. Dat zou alleen mogelijk zijn als het werd gesleept, maar door zijn grote afmetingen leek het niet bepaald gemakkelijk in beweging te krijgen. Rondom liep een messing stang, die een minimale bescherming bood en waar je overheen moest stappen om plaats te nemen op de robuuste zetel in het midden, die wel iets weg had van een kappersstoel, met mooi bewerkte houten armleuningen en een bekleding van een tikje opzichtig rood fluweel. Aan de voorzijde, ondersteund door twee mooi versierde messing stangen, stond een middelgrote cilinder die als dashboard diende, met drie schermpjes die respectievelijk dagen, maanden en jaren toonden. Uit een wiel aan de rechterkant van de cilinder stak een fraaie glazen hendel. Omdat er aan de hele machine verder geen slinger of iets dergelijks was te zien, concludeerde Andrew dat ze uitsluitend werd bediend met deze hendel. Achter de stoel stond een ingewikkeld raderwerk dat op een distilleerketel leek en waaruit een as stak met daarop een enorme ronde plaat, ongetwijfeld het spectaculairste onderdeel van de machine, groter dan een Spartaans schild, rijk versierd met geheimzinnige symbolen, en kennelijk bedoeld om te kunnen draaien. Op het bedieningspaneel ten slotte was een plaatje geschroefd waarop te lezen stond: GEBOUWD DOOR H.G. WELLS.

'Bent u ook uitvinder?' vroeg Andrew ongelovig.

'Natuurlijk niet, wat een belachelijk idee,' antwoordde Wells, schijnbaar boos. 'Ik heb u toch al gezegd dat ik maar een eenvoudige schrijver ben?'

'Maar als u de machine niet hebt gebouwd, hoe komt u er dan aan?'

Wells zuchtte, alsof het hem tegenstond dat hij die indringers tekst en uitleg moest geven. Charles drukte de loop van de revolver nog eens extra stevig tegen Janes slaap en zei: 'Mijn neef vroeg u iets, meneer Wells.'

De schrijver keek hem woedend aan en zuchtte nogmaals.

Hij begreep dat hij geen keus had. 'Kort na het verschijnen van mijn roman,' begon hij, 'werd ik benaderd door een geleerde, die zei dat hij al jaren in het diepste geheim aan een machine werkte waarmee je door de tijd zou kunnen reizen en die er net zo uitzag als de machine die ik in mijn boek beschrijf. Hij had hem bijna af en wilde het toestel graag aan iemand laten zien, maar wist niet aan wie. Hij beschouwde het – niet zonder reden – als een gevaarlijke uitvinding die gemakkelijk iemands hebzucht zou kunnen wekken. Mijn roman had hem tot de overtuiging gebracht dat ik de persoon was aan wie hij zijn geheim kon toevertrouwen. We spraken een paar keer af om elkaar te leren kennen en om te zien of we elkaar konden vertrouwen. Al snel kwamen we tot de conclusie dat dat inderdaad het geval was, vooral omdat we vrijwel dezelfde mening hadden over de vele gevaren die het tijdreizen met zich meebrengt. Uiteindelijk heeft hij het toestel hier op zolder afgebouwd. En met die inscriptie heeft hij me op zijn beminnelijke manier voor mijn medewerking willen bedanken. Ik weet niet of u zich mijn boek herinnert, maar dit miraculeuze apparaat lijkt in niets op het afschuwelijke bakbeest dat op de omslag prijkt. Vanzelfsprekend werkt het ook anders. Maar vraagt u me niet hoe: ik ben geen man van de wetenschap. Toen de machine getest moest worden, besloten we dat die eer hem toekwam. Ik zou toezicht houden op de operatie vanuit het heden. Omdat we niet wisten of de machine meer dan één reis zou doorstaan, besloten we naar een verre, maar tegelijk rustige tijd te reizen. We kozen de tijd vóór de komst van de Romeinen, toen je hier nog heksen en druïden kon tegenkomen, een tijd die op voorhand niet al te gevaarlijk leek, tenzij de druïden ons natuurlijk zouden willen offeren aan een van hun goden. Mijn vriend stapte in de tijdmachine, stelde de afgesproken datum in en haalde de hendel over. Ik zag hem voor mijn ogen verdwijnen. Twee uur later kwam het toestel terug zonder hem. De machine was in perfecte staat, hoewel er op de zetel wat verontrustend verse bloedspatten zaten. Sindsdien heb ik nooit meer iets van hem gehoord.'

Het werd doodstil.

'En hebt u het zelf ook uitgeprobeerd?' vroeg Charles toen, terwijl hij de revolver een moment liet zakken.

'Jazeker,' zei Wells, enigszins beschaamd. 'Maar alleen met kleine verkenningstochtjes, vier of vijf jaar het verleden in, meer niet. En ik heb niets durven veranderen, omdat ik niet wist wat voor uitwerking dat zou hebben op het tijdweefsel. Ik durfde zelfs de toekomst niet in. Ik heb nu eenmaal niet de avontuurlijke geest van de uitvinder uit mijn roman. Eigenlijk wilde ik de machine zelfs vernietigen.'

'Vernietigen?' riep Charles verontwaardigd. 'Waarom?'

Wells haalde zijn schouders op, als om te zeggen dat hij daarop geen antwoord had.

'Ik weet niet wat er met mijn vriend is gebeurd,' ging hij verder. 'Misschien is er iemand die waakt over de tijd en die zonder pardon iedereen neerschiet die het verleden in zijn voordeel probeert te veranderen. Wie weet? Of misschien is zijn verdwijning gewoon een ongeluk. In elk geval weet ik niet wat ik met zijn onalledaagse erfenis aan moet.' Hij wees mismoedig naar het toestel, alsof het een kruis was dat hij elke keer als hij het huis verliet moest dragen. 'Ik durf er geen bekendheid aan te geven, omdat ik geen idee heb hoe het de wereld zou veranderen, ten goede of ten kwade. Hebt u zich ooit afgevraagd wat de mens tot een verantwoordelijk wezen maakt? Ik zal het u vertellen: omdat hij maar één kans heeft bij alles wat hij doet. Als er machines bestonden waarmee we onze fouten, zelfs onze domste, konden herstellen, dan zouden we leven in een wereld van louter onverantwoordelijke individuen. Eigenlijk kan ik de machine alleen voor mijn eigen doeleinden gebruiken, maar dat zou gezien haar mogelijkheden nogal belachelijk zijn. Maar als ik nu toch eens voor de verleiding zou bezwijken, om bijvoorbeeld in het verleden iets te veranderen of in de toekomst een of andere sensationele uitvinding te ontvreemden? Dan zou ik de droom van mijn vriend verraden...' Hij zuchtte moedeloos. 'U ziet, die unieke machine van mij wordt me langzamerhand tot een last.'

Na die woorden nam hij Andrew van top tot teen op, zo uitgebreid dat het leek alsof hij hem een doodskist wilde aanmeten.

'Maar u wilt haar gebruiken om een leven te redden,' vervolgde hij nadenkend. 'Dat is een nobel plan. Als ik erin toestem en uw plan slaagt, is het bestaan van de machine misschien gerechtvaardigd.'

'Precies, wat is er nobeler dan het redden van een leven?' bevestigde Charles, met een blik op zijn neef, die na Wells' onverwachte instemming met stomheid geslagen leek. 'En ik verzeker u dat het Andrew zal lukken.' Hij ging naast zijn neef staan en klopte hem enthousiast op zijn schouder. 'Hij ruimt The Ripper uit de weg en redt Marie Kelly!'

Wells aarzelde. Hij keek naar zijn vrouw en zocht haar goedkeuring.

'O, Bertie, help hem toch,' riep Jane opgewonden, 'het is zo romantisch!'

Wells wendde zijn blik weer naar Andrew, enigszins jaloers om de opmerking van zijn vrouw. Maar eigenlijk wist hij dat Jane precies het juiste adjectief had gebruikt om Andrews toekomstige heldendaad te beschrijven. In zijn eigen methodische bestaan was geen plaats voor zulke liefdes, liefdes die tot catastrofes leiden, liefdes die oorlogen ontketenen en die makkelijk tot de dood kunnen leiden. Nee, hij zou zo'n liefde nooit kennen. Hij zou nooit weten wat het is om de controle te verliezen, in vuur en vlam te staan, aan je instincten overgeleverd te zijn. Maar toch, ondanks zijn onvermogen zich te verliezen in zulke even hartstochtelijke als gevaarlijke passies, ondanks zijn nuchtere verstand dat zich alleen waagde aan onschuldige avontuurtjes die nooit konden verworden tot ziekelijke obsessies, hield Jane van hem, en dat leek hem opeens een onverklaarbaar wonder, een wonder waarvoor hij dankbaar moest zijn.

'Akkoord,' gaf hij toe, plotseling goedgehumeurd. 'We doen het. We ruimen het monster uit de weg en redden het meisje!'

Aangestoken door zijn toenemende enthousiasme pakte

Charles het knipsel over Marie Kelly's dood uit de zak van zijn verbouwereerde neef, en liep ermee naar de schrijver.

'De moord vond plaats op 7 november 1888, ongeveer om vijf uur 's ochtends,' wees hij aan. 'Andrew zou dus een paar minuten eerder aan moeten komen en ergens in de buurt van Marie Kelly's kamer op The Ripper moeten wachten, zodat hij hem kan neerschieten zodra hij zich vertoont.'

'Dat lijkt me een goed plan,' zei Wells. 'Maar we moeten er rekening mee houden dat het toestel zich alleen verplaatst in de tijd, niet in de ruimte. Dat betekent dat het op deze plek zal blijven. We moeten uw neef dus minstens een paar uur speling geven om op tijd in Londen te kunnen zijn.'

Opgewonden als een kind liep Wells naar de tijdmachine en rommelde wat op het dashboard.

'In orde,' riep hij, toen hij alles had ingesteld. 'Het toestel staat klaar om uw neef naar 7 november 1888 te brengen. Nu hoeven we alleen nog tot drie uur morgenvroeg te wachten tot de reis kan beginnen. Uw neef heeft dan genoeg tijd om naar Whitechapel te gaan en de moord te voorkomen.'

'Uitstekend!' riep Charles.

Daarop keken ze elkaar zwijgend aan, en vroegen zich af hoe ze de volgende uren zouden doorbrengen. Gelukkig hadden ze een vrouw in hun midden.

'Hebt u al gegeten, heren?' vroeg Jane, praktisch als vrouwen nu eenmaal zijn.

Amper een uur later konden Charles en Andrew empirisch vaststellen dat de schrijver met een echte keukenprinses was getrouwd. Dicht op elkaar aan tafel in de krappe keuken, en onder het genot van het heerlijkste gebraad dat ze ooit hadden geproefd, was het makkelijk de uren door te komen tot de nacht in de vroege ochtend overging. Tijdens het eten informeerde Wells naar de reizen naar het jaar 2000, en Charles putte zich uit in details. Alsof hij de plot navertelde van een van zijn geliefde romannetjes, beschreef hij hoe ze in een tijdtram genaamd Cronotilus de vierde dimensie hadden doorkruist en ten slotte waren aangekomen in het verwoeste Londen van de toekomst, waar de tijdreizigers, verscholen achter een steenhoop, getuige waren geweest van de beslissende slag tussen de verdorven Salomo en de dappere kapitein Derek Shackleton. Wells stelde zo veel vragen dat Charles hem na afloop van zijn relaas vroeg waarom hij niet zelf aan een van de expedities had deelgenomen, als die oorlog van de toekomst hem zo interesseerde. Wells was meteen stil, en Charles begreep dat hij hem ongewild had beledigd.

'Neemt u me mijn vraag niet kwalijk, meneer Wells,' haastte hij zich te verontschuldigen. 'Ik had er niet aan gedacht dat niet iedereen zomaar over honderd pond beschikt.'

'O, het is geen kwestie van geld,' kwam Jane tussenbeide. 'Meneer Murray heeft Bertie verschillende keren uitgenodigd voor een van zijn reizen, maar hij heeft die uitnodiging steeds afgeslagen.'

Bij die woorden keek ze Wells even aan, misschien in de hoop dat haar man een verklaring zou geven voor zijn systematische weigering. Maar hij staarde slechts ongelukkig naar het lamsvlees op zijn bord.

'Het is duidelijk dat iemand niet in een tram vol mensen wil reizen als hij de tocht ook kan maken in een luxueuze koets,' mengde Andrew zich in het gesprek.

De drie anderen keken hem aan, wierpen elkaar een vragende blik toe en knikten toen langzaam.

'Maar laten we het hebben over wat ons echt interesseert,' stak Wells plotseling geanimeerd van wal, terwijl hij zijn handen afveegde aan zijn servet. 'Op een van mijn verkenningstochten ben ik zes jaar het verleden in gereisd en kwam hier op zolder terecht terwijl de vorige bewoners hier nog woonden. Als ik me goed herinner hadden ze een paard dat gestald stond in de tuin. Ik stel voor dat u zo zachtjes mogelijk via de klimop naar beneden klimt, om de bewoners niet wakker te maken. Vervolgens neemt u het paard en rijdt u zo snel mogelijk naar Londen. Als u The Ripper hebt gedood, komt u hier weer terug. U stapt in de machine, stelt de datum van vandaag in, en haalt de hendel over. Is dat duidelijk?'

'Ja, heel duidelijk...' stamelde Andrew.

Charles zat achterovergeleund in zijn stoel en keek hem liefdevol aan.

'Je gaat het verleden veranderen, neef...' zei hij dromerig. 'Ik kan het nog nauwelijks geloven!'

Jane kwam met een fles sherry en schonk haar gasten in. Ze dronken hun glazen langzaam leeg, en keken van tijd tot tijd met zichtbaar ongeduld op hun horloge, tot de schrijver zei: 'Zo, nu is het tijd om de geschiedenis te gaan herschrijven.'

Hij zette zijn glas weg en met een plechtig gebaar leidde hij hen opnieuw naar de zolder. Daar stond de tijdmachine op hen te wachten.

'Alsjeblieft, beste neef,' zei Charles, en gaf Andrew het pistool. 'Het is al geladen. Als je op die vent gaat schieten, richt dan op zijn borst, dat is de zekerste plek.'

'Op zijn borst,' herhaalde Andrew, terwijl hij met trillende hand het pistool aanpakte en snel in zijn zak stak, zodat Wells en Charles niet zouden zien hoe bang hij was.

Met z'n tweeën begeleidden ze hem plechtig naar de machine. Andrew sloeg zijn benen over de messing stang en nam plaats op de zetel. Alles leek even onwezenlijk, maar niettemin registreerde hij met een mengeling van afkeer en angst de donkere vlekken op de zitting.

'Luistert u nu goed,' zei Wells op autoritaire toon. 'Treed met niemand in contact, zelfs niet met uw geliefde, hoe graag u haar ook weer in leven wilt zien. Dood alleen The Ripper en keer terug zoals u gekomen bent, vóór uw vroegere ik verschijnt. Ik weet niet wat voor gevolgen zo'n tegennatuurlijke ontmoeting kan hebben, maar ik ben bang dat het een ramp zou betekenen voor het tijdweefsel, een catastrofe die de wereld zou kunnen vernietigen. Hebt u me begrepen?'

'Ja, maakt u zich geen zorgen,' mompelde Andrew, meer geïntimideerd door Wells' strenge woorden dan door de fatale consequenties die hun wens om Marie Kelly's leven te redden zou kunnen hebben.

'Nog iets anders,' zei Wells, ditmaal op minder dreigende toon. 'De reis zal niet verlopen zoals in mijn roman. U zult geen slakken achteruit zien lopen. Ik vrees dat dat een dichterlijke vrijheid is geweest. Het gaat er bij een tijdreis veel minder fraai aan toe. Zodra u de hendel hebt overgehaald, zult u een geknetter van energie horen, bijna onmiddellijk gevolgd door een verblindende lichtflits. Dat is alles. Vervolgens bent u gewoon in het jaar 1888. Het is mogelijk dat u na de tijdsprong duizelig of misselijk bent, maar hopelijk is dat niet van invloed op uw schietkunst,' besloot hij ironisch.

'Ik zal eraan denken,' fluisterde Andrew, die nu ronduit bang was.

Wells knikte tevreden. Meer raadgevingen had hij kennelijk niet, want vervolgens rommelde hij wat in een kast vol spullen. De anderen keken zwijgend toe.

'Als het u niets uitmaakt,' zei hij, toen hij gevonden had wat hij zocht, 'bewaren we uw knipsel in dit kistje. Als u terugkomt, maken we het open en controleren we of het u is gelukt het verleden te veranderen. Als uw missie succes heeft gehad, zou de kop moeten berichten over de dood van Jack the Ripper.'

Andrew knikte zonder veel overtuiging en gaf hem het knipsel. Charles liep op hem toe, legde plechtig een hand op zijn schouder en schonk hem een bemoedigend lachje, waarin Andrew ook iets van bezorgdheid meende te zien. Vervolgens wenste Jane hem succes en drukte zacht een kus op zijn wang. Wells keek het allemaal met een stralende glimlach aan, zichtbaar tevreden.

'U bent een pionier, Andrew,' zei hij, alsof hij het zijn taak vond de plechtigheid af te sluiten met een uitspraak die zó in marmer kan worden gebeiteld. 'Geniet van de reis. Als in de komende decennia tijdreizen iets heel gewoons zullen worden, zal het veranderen van het verleden waarschijnlijk als een misdrijf worden beschouwd.'

Om Andrew niet verder bang te maken, vroeg hij de anderen een paar stappen achteruit te gaan, zodat ze zich niet zouden schroeien aan de energie die rond de machine zou losbarsten zodra de bestuurder de hendel overhaalde. Andrew zag hen terugwijken en probeerde niet te laten merken hoe ellendig hij zich voelde. Hij ademde diep in en probeerde zijn paniek de kop in te drukken. Hij ging Marie redden, zo sprak hij zichzelf moed in. Hij zou naar het verleden reizen, naar de nacht van haar dood, en haar moordenaar neerschieten vóór die de tijd had haar in stukken te hakken. Hij zou de geschiedenis veranderen, en daarmee ook de acht jaar van verdriet uitwissen. Hij keek naar de datum op het paneel, die vervloekte datum die zijn leven had geruïneerd. Hij kon niet geloven dat hij haar kon redden, maar om zijn ongeloof te overwinnen hoefde hij alleen maar die hendel over te halen. Zo eenvoudig was het. Of hij nu in tijdreizen geloofde of niet. Hij legde zijn bevende, bezwete hand op de hendel en voelde hoe het koude materiaal zijn hand koelde, onbegrijpelijk en absurd, terwijl het tegelijkertijd iets gewoons, iets prozaïsch had. Hij keek naar de drie figuren die afwachtend bij de zolderdeur stonden.

'Vooruit, neef,' spoorde Charles hem aan.

Andrew haalde de hendel over.

Eerst gebeurde er niets. Maar toen hoorde hij een soort zacht, aanhoudend gebrom, een licht trillen van de lucht, dat hem het idee gaf dat hij de spijsvertering van de wereld kon horen. Plotseling ging het monotone gezoem over in een hevig geknetter, en een blauwe lichtflits doorkliefde het duister van de zolder. Daarop volgde er nog een, opnieuw voorafgegaan door een oorverdovende knal, en nog een, en nog een, de vonken sprongen alle kanten op, alsof ze de dimensies van de kamer wilden peilen. Plotseling bevond hij zich in het centrum van een onweer van blauwige bliksemschichten, met Charles, Jane en Wells aan de andere kant. Wells had zijn armen om hen heen geslagen om hen te beschermen tegen de vonkenregen of te voorkomen dat ze hem te hulp snelden, dat wist Andrew niet. Voor zijn ogen barstte de lucht, de wereld, de tijd, of misschien wel alles tegelijk. De werkelijkheid brak open. Toen werd hij, precies zoals de schrijver had gezegd, verblind door een lichtflits die hem het zicht op de zolder benam. Hij klemde zijn kiezen op elkaar om niet te schreeuwen, en had tegelijkertijd een gevoel alsof hij viel.

XV

Hij moest minstens tien keer met zijn ogen knipperen voor hij weer iets kon zien. Terwijl de zolder voor zijn ogen opnieuw vorm kreeg, schijnbaar zonder dat er iets was veranderd, kwam zijn op hol geslagen hart weer tot rust. Opgelucht stelde hij vast dat hij niet misselijk of duizelig was. Zelfs zijn angst verdween toen hij constateerde dat hij ongedeerd uit het vuur van de bliksemflitsen, waarvan alleen nog een geur van geschroeide vlinders restte, tevoorschijn was gekomen. Alleen zijn lichaam voelde gespannen aan, maar dat vond hij eigenlijk heel passend. Het was tenslotte geen picknick waar hij naartoe ging. Hij ging het verleden wijzigen, veranderen wat al gebeurd was. Hij, Andrew Harrington, ging de tijd overhoophalen. Dan kon je maar beter op je hoede zijn!

Toen de lucht ten slotte was geklaard en hij weer duidelijk kon zien, stapte hij zo geruisloos mogelijk uit de machine. Het verraste hem dat de vloer onder zijn voeten stevig was, alsof hij had verwacht dat het verleden, louter omdat het een stuk tijd was dat niet meer bestond, uit rook, nevel of een dergelijke substantieloze materie moest bestaan. Maar zoals hij zachtjes op de vloer tikkend vaststelde, was deze realiteit net zo echt en zeker als de werkelijkheid die hij had verlaten. Was hij in het jaar 1888? Hij keek wantrouwend de schemerige zolder rond, en liet als een fijnproever een teug adem over zijn tong stromen, alsof hij naar bewijzen zocht, naar een teken dat hij in het verleden was, dat hij inderdaad een tijdreis had gemaakt. Dat bewijs vond hij toen hij bij het raam ging staan. De straat zag er nog precies zo uit als hij zich herinnerde, maar het rijtuig dat hen er had gebracht was nergens te bekennen en in de tuin zag hij een paard dat er eerder niet had gestaan. Zou een aan een hek vastgebonden knol dan het verschil tussen beide tijden betekenen? Dat leek hem een te pover, een te slap bewijs. Teleurgesteld keek hij naar de hemel, een donker, rustig doek met daarop, als een handvol achteloos uitgestrooid graan, de sterren. Ook daar zag hij niets afwijkends. Hij keek een tijdje rond en haalde toen zijn schouders op, en zei bij zichzelf dat er niet per se spectaculaire verschillen te zien hoefden te zijn, want hij was tenslotte maar acht jaar teruggereisd in de tijd.

Andrew schudde zijn hoofd. Hij kon niet naar bewijzen blijven zoeken. Hij had een missie te volbrengen en beschikte niet bepaald over zeeën van tijd. Hij opende het raam, voelde of de klimop stevig genoeg was, en liet zich, zoals Wells hem had geïnstrueerd, naar beneden zakken. Hij probeerde zo min mogelijk geluid te maken om de bewoners van het huis niet te alarmeren. De afdaling verliep zonder problemen, en toen hij op de grond stond liep hij onopvallend naar het paard, dat hem onverstoorbaar via de klimop naar beneden had zien komen. Andrew streelde zachtjes zijn manen. Het dier was ongezadeld, maar hij ontdekte dat er een zadel en tuig over het hek hing. Wat een geluk! Met rustige bewegingen, om het dier niet aan het schrikken te brengen, zadelde hij het paard en bleef intussen het volledig in duisternis gehulde huis in de gaten houden. Vervolgens nam hij het dier bij de teugels en leidde het met kalmerende woordjes naar de straat; hij stond zelf verbaasd dat hij zo kalm te werk ging. Hij besteeg het paard, wierp een laatste blik om zich heen, stelde vast dat alles nog steeds even rustig was, en ging op weg naar Londen.

Pas toen hij al een eind op weg was en als een snelle schaduw door het nachtelijke duister reed, drong het tot Andrew door dat hij weldra Marie Kelly zou ontmoeten. Die gedachte schokte hem, en hij werd opnieuw nerveus. Ja, hoe ongelooflijk ook, in deze tijd was ze nog in leven geweest. Op dit uur was ze nog niet vermoord. Ze zat zich nu waarschijnlijk in de Brittannia te bedrinken om haar laffe minnaar te vergeten, alvorens ze met onzekere pas de dood in de armen zou lopen. Maar toen bedacht hij dat hij haar niet mocht zien, niet mocht omhelzen, zijn hoofd niet op haar schouder mocht laten rusten om haar geur in te ademen. Nee, dat had Wells hem verboden, omdat zo'n eenvoudig gebaar van liefde het tijdweefsel zou kunnen veranderen, de wereld naar zijn vernietiging zou kunnen leiden. Hij moest zich beperken tot het doden van The Ripper en teruggaan naar waar hij vandaan was gekomen, zoals de schrijver hem had opgedragen. Hij moest snel en doelbewust handelen, als bij een chirurgische ingreep waarvan de patiënt het resultaat pas zag als hij weer wakker was, dat wil zeggen, als hij was teruggekeerd naar zijn eigen tijd.

Whitechapel was in een naargeestige stilte verzonken. Het verraste hem dat hij niet het minste lawaai hoorde, tot hij bedacht dat Whitechapel op dat moment een vervloekte, in angst gedompelde wijk was, waar door de steegjes nog steeds het monster Jack the Ripper zwierf, dood en verderf zaaiend met zijn mes. Toen hij Dorset Street in ging hield hij zijn paard in, omdat hij besefte dat het hoefgetrappel in de diepe stilte moest klinken als het gehamer van een smidse. Een paar meter van de ingang naar de woningen van Miller's Court steeg hij af en bond het dier aan een ijzeren hek dat buiten het licht van de straatlantaarns stond, zodat het zo min mogelijk zou opvallen. Hij vergewiste zich ervan dat er verder niemand in de straat was en liep toen snel door de poort. Alle bewoners sliepen, zodat er geen enkel licht was dat hem in de dichte duisternis kon leiden, maar Andrew kende de weg zo goed dat hij hem geblinddoekt had kunnen vinden. Terwijl hij zo steeds verder in zijn vertrouwde omgeving binnendrong, werd hij overvallen door een duistere melancholie, die nog sterker werd toen hij stilstond voor het donkere kamertje van Marie Kelly. Maar zijn weemoed maakte plaats voor verbijstering toen hij besefte dat hij, op hetzelfde moment dat hij voor het eenvoudige kamertje stond dat zijn paradijs en zijn hel was geweest, in huize Harrington een oorvijg kreeg van zijn vader. In deze nacht waren er, dankzij een wetenschappelijk wonder, twee Andrews op de wereld. Hij vroeg zich af of zijn andere ik zich ook van hem bewust zou zijn, door een jeukende huid bijvoorbeeld of een lichte steek in zijn buik, zoals naar men zei bij tweelingen het geval was.

Een geluid van voetstappen haalde hem uit zijn overpeinzingen. Met bonzend hart verborg hij zich achter de belendende woning. Die schuilplaats had hij vanaf het eerste moment al op het oog gehad, want die leek hem niet alleen het veiligst, maar bevond zich bovendien amper tien meter van de deur van Maries kamer, een ideale afstand om The Ripper zowel duidelijk te kunnen onderscheiden als op hem te kunnen schieten voor het geval hij toch niet de moed had om rechtstreeks op hem af te gaan. Hij drukte zijn rug tegen de muur, haalde het pistool uit zijn zak en luisterde naar de naderende voetstappen. Ze klonken in een vreemde, onregelmatige maat, als bij iemand die gewond of dronken is. Hij begreep direct dat het alleen de voetstappen van zijn geliefde konden zijn, en zijn hart trilde als een espenblad in een zuchtje wind. Net als op vele eerdere nachten kwam Marie Kelly ook nu zwalkend terug van de Brittannia, maar ditmaal was zijn andere ik niet aanwezig om haar uit te kleden, in bed te leggen en toe te dekken in haar in alcohol gedrenkte droom. Voorzichtig stak hij zijn hoofd om de hoek. Zijn ogen waren inmiddels aan het donker gewend, zodat hij de wankele gestalte van zijn geliefde voor de deur van het kamertje duidelijk kon herkennen. Hij moest zich inhouden om niet op haar af te rennen. Terwijl hij zijn ogen vochtig voelde worden, zag hij hoe ze zich oprichtte in een poging grip te krijgen op haar dronken gestrompel, haar scheefgezakte hoedje rechtzette, en vervolgens een arm door het gat in het raam stak en eindeloze seconden lang met de grendel worstelde, tot ze de deur eindelijk open kreeg. Daarop verdween ze in de kamer, sloeg hem met een hoogst ongepaste smak dicht, en al snel flakkerde er een lichtje waardoor de duisternis voor de deur iets minder dicht werd.

Andrew leunde tegen de muur en veegde zijn tranen weg. Maar nauwelijks had hij dat gedaan, of hij werd opgeschrikt door nieuwe voetstappen. Weer kwam er iemand door het steegje. Het duurde een paar seconden voor hij begreep dat dit alleen maar The Ripper kon zijn. Hij hoorde hoe zijn laarzen naderden over de straatkeien, met een kille behoedzaamheid die zijn haren rechtovereind deed staan. Het waren de bewegingen van een zelfverzekerd, onverbiddelijk roofdier, dat weet dat er geen ontsnappen aan is voor zijn prooi. Opnieuw stak Andrew zijn hoofd om de hoek en vol angst zag hij hoe een reusachtige man op zijn gemak en met vorsende blik het kamertje van zijn geliefde naderde. Hij voelde zich vreemd duizelig: hij had immers al in de krant gelezen wat zich nu voor zijn ogen afspeelde. Het was alsof hij een theatervoorstelling bijwoonde waarvan hij het verhaal uit zijn hoofd kende, en waarbij hij alleen nog hoefde te kijken wat de acteurs ervan maakten. De man bleef voor de deur staan en wierp een voorzichtige blik door het kapotte raam, alsof hij zich zorgvuldig aan de chronologie van het verhaal wilde houden dat Andrew, hoewel het nog geschreven moest worden, al acht jaar in de zak van zijn jasje had gehad. Een relaas dat hem nu, vanwege zijn acrobatische toeren in de tijd, een voorspelling in plaats van een beschrijving van de gebeurtenissen leek. Maar, anders dan toen, was hij nu ter plekke en in staat om de nacht een nieuw verloop te geven. Wat hij op het punt stond om te doen, kwam hem voor als het retoucheren van een voltooid schilderij, alsof hij een paar penseelstreken zou toevoegen aan *De drie gratiën* of *Het meisje met de parels.*

The Ripper stelde tot zijn vreugde vast dat zijn slachtoffer alleen was en wierp een laatste blik om zich heen. Hij leek tevreden, opgetogen zelfs over de welkome stilte, die het hem mogelijk maakte zijn misdaad in alle rust te begaan. Die houding maakte Andrew zo kwaad dat hij spontaan uit zijn schuilplaats tevoorschijn kwam, zonder zelfs maar te overwegen om vanuit die positie te schieten. Plotseling leek het hem te kil, te onpersoonlijk, te onbevredigend om hem vanaf zo'n afstand te doden. Zijn woede vereiste een meer persoonlijke manier om hem het leven te benemen. Misschien door die kerel met eigen handen te wurgen, hem met de kolf van de revolver dood te slaan, of hem op een andere meer directe manier te elimineren. Hij wilde voelen hoe dat nietswaardige leven langzaam zou uitdoven, in een tempo dat hij, Andrew, bepaalde. Maar terwijl hij vastberaden op het monster afliep, leek het hem toch raadzaam gebruik te maken van zijn wapen, gezien de enorme omvang van zijn tegenstander en zijn eigen onervarenheid in dergelijke zaken.

Vanaf de deur keek The Ripper kalm en nieuwsgierig toe hoe hij dichterbij kwam, zich misschien afvragend waar die figuur nu ineens vandaan kwam. Uit voorzorg bleef Andrew vijf meter voor hem staan, als een kind dat bang is voor een uithaal van de leeuw en daarom een eindje uit de buurt van de kooi blijft. In het donker kon hij zijn gezicht niet goed zien, maar dat was misschien maar beter ook. Hij hief de revolver en richtte, Charles' raad volgend, op The Rippers borst. En als hij op dat moment zonder nadenken had afgedrukt, alsof het allemaal onderdeel was van een en dezelfde spontane choreografie, zou alles zonder problemen zijn verlopen en zou het een snelle, doelbewuste handeling zijn geweest, als een chirurgische ingreep. Maar helaas stond Andrew stil bij wat hij deed. Opeens besefte hij dat hij op een mens ging schieten, niet op een hert of een fles. En het feit dat dat zoiets eenvoudigs was dat binnen ieders bereik lag, leek hem te overweldigen. Zijn vinger bleef op de trekker liggen. The Ripper keek hem half verbaasd, half spottend aan, en Andrew zag hoe zijn hand met de revolver begon te trillen. Nu was het afgelopen met zijn vastberadenheid, en The Ripper maakte van die ene seconde van twijfel gebruik om met een snelle beweging zijn mes te trekken en zich op hem te storten, zoekend naar Andrews halsslagader. Gek genoeg was het juist die woeste aanval die Andrews vinger weer in beweging bracht. Een korte, bijna terloopse knal scheurde de nachtelijke stilte. Het schot trof de man vol in de borst. Nog steeds met de revolver op hem gericht, zag Andrew hoe hij een paar stappen achteruitwankelde. Verbaasd dat hij het wapen had gebruikt en meer nog, dat hij de onverwachte aanval ongedeerd had doorstaan, liet hij het rokende pistool zakken. Dat het laatste niet helemaal klopte, merkte hij het volgende ogenblik, toen hij een stekende pijn in zijn linkerschouder gewaarwerd. Zonder The Ripper uit het oog te verliezen, die voor zijn ogen heen en weer zwaaide als een opgerichte beer, voelde hij met zijn vingers waar de pijn vandaan kwam en stelde vast dat het mes dan wel zijn keel had gemist, maar zijn jasje had gescheurd en zijn schouder was binnengedrongen. Maar al stroomde het bloed enthousiast, het leek geen erg diepe wond te zijn. Intussen duurde het een eeuwigheid voor hij aan The Ripper kon zien of zijn schot dodelijk was geweest. Na zijn stuntelige berendans zakte hij in elkaar, en het met bloed besmeurde mes glipte uit zijn hand en ketste over de straatstenen, tot het in de duisternis verdween. Onder een schor gegrom zonk hij met één knie op de grond, alsof hij in zijn moordenaar een vorst herkende. Vervolgens liet hij nog wat varianten op het eerdere gerochel horen, wat zachter en onregelmatiger nu. Net toen Andrew meer dan genoeg kreeg van al dat misbaar en overwoog of hij hem niet met één schop omver zou gooien, stortte de man verbazingwekkend abrupt in elkaar en bleef bewegingloos aan zijn voeten liggen.

Hij wilde juist neerknielen om zijn pols te voelen, toen Marie Kelly, ongetwijfeld gealarmeerd door de vechtpartij, de deur opendeed. Voor ze hem zou kunnen herkennen, en vechtend tegen de verleiding om haar na acht jaren van dood in het gezicht te kijken, draaide Andrew zich om. Hij liet het lijk voor wat het was en rende naar de uitgang van het steegje, terwijl hij haar 'Moordenaar, moordenaar!' hoorde roepen. Toen hij bij de poort was, wierp hij een snelle blik over zijn schouder, en zag hoe ze neerknielde in de cirkel van zacht flakkerend licht en met een teder gebaar de ogen sloot van de man die haar, in een verre tijd, in een wereld die nu meer en meer een droom begon te lijken, onherkenbaar had verminkt.

Het paard stond nog waar hij het had achtergelaten. Buiten adem sprong hij erop en maakte zich uit de voeten. Ondanks zijn opwinding vond hij de weg door de wirwar van steegjes. Pas toen hij Londen achter zich had gelaten, werd hij rustiger en begon hij te verwerken wat hij had gedaan. Hij had een man gedood. Maar het was tenminste uit noodweer geweest. Bovendien was het niet zomaar iemand. Hij had Jack the Ripper gedood, hij had Marie Kelly gered, hij had ongedaan gemaakt wat al gebeurd was. Hij vuurde het paard aan en kon bijna niet wachten om terug te gaan naar zijn eigen tijd, om er het resultaat van zijn actie vast te stellen. Als het allemaal goed was gegaan, was Marie niet alleen nog in leven, maar zou ze waarschijnlijk ook zijn vrouw zijn. Zouden ze een kind hebben? Twee, drie, misschien? Hij gaf zijn paard nogmaals de sporen en dreef het tot het uiterste, alsof hij bang was dat het idyllische heden als een fata morgana zou verdwijnen als hij er te lang over deed om het te bereiken.

Woking was nog steeds gehuld in dezelfde kalme stilte die Andrew een paar uur eerder zo wantrouwig had gemaakt, maar nu was hij dankbaar voor die rust, die hem de gelegenheid zou geven zijn missie zonder verdere incidenten te voltooien. Hij sprong van zijn paard en opende het hek. Plotseling verstarde hij: bij de deur van het huis wachtte iemand hem op. Onmiddellijk schoot hem te binnen wat er met Wells' vriend was gebeurd en hij begreep dat het een bewaker van de tijd moest zijn die de opdracht had hem te elimineren omdat hij een verandering had aangebracht in het verleden. Hij probeerde zich niet te laten meeslepen door de paniek, trok snel zijn pistool en richtte op de borst, zoals zijn neef hem had aangeraden bij The Ripper te doen. Toen de indringer zag dat Andrew gewapend was, sprong hij opzij en rende weg door de tuin, tot hij werd opgeslokt door de duisternis. Onzeker probeerde Andrew zijn katachtige bewegingen met de revolver te volgen, tot hij hem lenig over het hek zag springen.

Pas toen het geluid van zijn voetstappen wegstierf, liet hij zijn wapen zakken en probeerde weer rustig adem te halen. Zou het de man zijn geweest die Wells' vriend had gedood? Hij wist het niet, maar nu hij was ontkomen was het ook niet zo belangrijk meer. Andrew dacht niet meer aan hem en hees zich weer in de klimop, wat maar met één hand kon, omdat de wond aan zijn schouder bij de minste inspanning pijnlijk begon te kloppen. Maar hij slaagde erin de zolder te bereiken, waar de tijdmachine op hem wachtte. Uitgeput en een beetje duizelig door het bloedverlies liet hij zich op de zetel vallen. Hij stelde de datum van terugkeer in en nadat hij met een blik vol genegenheid afscheid had genomen van het jaar 1888, haalde hij vastberaden de glazen hendel over.

Ditmaal was hij niet bang toen de bliksemschichten hem om de oren vlogen, maar had hij alleen het prettige gevoel van iemand die terugkeert naar huis.

XVI

Toen de vonkenregen ten slotte was opgehouden en er op de zolder alleen nog wat witte rookpluimpjes rondzweefden, alsof er een kussengevecht had plaatsgevonden, zag Andrew verbaasd dat Charles, Wells en zijn vrouw nog net zo bij de deur bij elkaar stonden als hij ze had achtergelaten. Hij wilde hen met een triomfantelijk lachje begroeten, maar kwam niet verder dan een flauwe grijns, omdat de duizeligheid en de pijn steeds erger werden. Toen hij opstond om uit de machine te stappen, zagen de anderen hoe het bloed over zijn arm stroomde en bijna op de grond droop.

'Lieve hemel, Andrew!' riep zijn neef, en rende naar hem toe. 'Wat is er met jou gebeurd?'

'Het is niets, Charles,' antwoordde hij, terwijl hij wankelde op zijn benen en steun bij hem zocht. 'Het is maar een schrammetje.'

Wells nam hem bij de andere arm en samen hielpen ze hem de trap af. Hij probeerde op eigen kracht te lopen, maar dat lieten de anderen niet toe en gedwee liet hij zich naar de kleine woonkamer brengen, zoals hij zich ook door een horde duivels had laten meevoeren naar de hel. Hij kon ook niet anders want de opgehoopte spanning, het bloedverlies en het afmattende galopperen hadden zijn krachten uitgeput. Ze zetten hem voorzichtig neer in een stoel bij de haard, waarin een lekker vuurtje brandde. Nadat Wells, ogenschijnlijk wat geërgerd, zijn wond had bekeken, vroeg hij zijn vrouw verband te gaan halen en wat er verder nodig was om het bloeden te stelpen. Het ontbrak er nog maar aan dat hij haar vroeg haast te maken, om te voorkomen dat het bloed, dat maar bleef stromen, zijn tapijt zou ruïneren. Het weldadig warme vuur maakte een eind aan Andrews rillingen, maar hij werd er ook erg slaperig van. Charles kwam op het gelukkige idee hem een glas in de hand te geven, en hij hielp hem zelfs met drinken. De brandy hielp enigszins tegen de duizeligheid en de slapte. Jane kwam algauw terug en verbond de wond met de handigheid van een ervaren frontverpleegster. Ze knipte met een schaar de mouw van zijn jasje open en behandelde de wond met zalfjes en kompressen, wat behoorlijk pijn deed zodat hij zijn tanden op elkaar moest klemmen. Tot slot wikkelde ze een stevig verband om zijn arm, deed een paar stappen achteruit en bekeek tevreden haar werk. Nu het dringendste probleem was verholpen, schaarden ze zich afwachtend rond zijn stoel in de hoop dat hij eindelijk zou vertellen wat er was gebeurd. Alsof het een droom was herinnerde Andrew zich hoe The Ripper op de grond had gelegen en hoe Marie zijn ogen had dichtgedaan. Dat kon alleen maar betekenen dat zijn missie was geslaagd.

'Het is gelukt!' zei hij, en zijn enthousiasme maakte dat hij zijn vermoeidheid minder voelde. 'Ik heb Jack the Ripper gedood!'

Zijn woorden brachten een uitbarsting van vreugde teweeg die door Andrew geamuseerd maar ook lichtelijk verbijsterd werd gadegeslagen. Ze sloegen hem geestdriftig op de schouders en vielen elkaar juichend in de armen, met een opgewondenheid die meer paste bij de viering van oudjaar of een heidens feest. Maar toen zagen ze in dat ze wel erg buitensporig reageerden en werden ze rustiger. Nieuwsgierig en met tederheid in hun blik keken ze Andrew aan. Andrew glimlachte hen een beetje verlegen toe, en omdat niemand verder nog iets zei, keek hij zoekend om zich heen naar iets wat wees op de veranderingen die zijn penseelstreken op het doek van het heden veroorzaakt moesten hebben. Zijn blik viel op het sigarenkistje dat op tafel stond, dat naar hij zich herinnerde het krantenknipsel bevatte. De anderen volgden zijn blik.

'Goed,' zei Wells, die kennelijk zijn gedachten las. 'U hebt een steen in de vijver gegooid en popelt nu om de golven te zien die u daarmee hebt veroorzaakt. Laten we dus niet langer wachten. Dit is het moment om te kijken of u het verleden inderdaad hebt veranderd.'

Wells nam zijn rol als ceremoniemeester weer op, liep naar de tafel, pakte plechtig het kistje en gaf het aan Andrew, terwijl hij de deksel openhield zoals een wijze uit het Oosten zijn wierook aanbiedt. Andrew nam het krantenknipsel eruit, waarbij hij probeerde zijn hand niet al te zeer te laten trillen, en vouwde het open met een gevoel alsof zijn hart was opgehouden met kloppen. Maar daar stond nog steeds dezelfde kop die hij al die jaren had gelezen. Een snelle blik was genoeg om te zien dat ook de inhoud niet was veranderd. Alsof er niets was gebeurd, deed het artikel verslag van de beestachtige moord op Marie Kelly en de daaropvolgende aanhouding van Jack the Ripper door de burgerwacht van de buurt. Andrew keek Wells verbijsterd aan. Dit kon niet waar zijn!

'Maar ik heb hem zelf gedood,' protesteerde hij, zonder veel overtuiging. 'Dit klopt niet...'

Wells keek peinzend naar het krantenknipsel. Iedereen hield zijn blik op hem gericht en wachtte op wat hij ging zeggen. Hij bleef een paar seconden naar het knipsel staren en mompelde toen wat. Abrupt stond hij op en zonder iemand een blik waardig te keuren begon hij door de kamer te ijsberen, maar omdat die maar klein was kwam dat neer op een aantal rondjes om de tafel. Hij hield zijn handen in zijn zakken en van tijd tot tijd knikte hij goedkeurend, alsof hij de aanwezigen wilde laten zien dat hij het langzaam begon te begrijpen. Ten slotte bleef hij met een ondoorgrondelijk gezicht voor Andrew staan.

'U hebt het meisje gered, meneer Harrington,' zei hij met kalme overtuiging, 'daaraan kan geen twijfel bestaan.'

'Maar...' stamelde Andrew, 'waarom is ze dan nog dood?'

'Omdat ze dood moet blijven zodat u de tijdreis kunt maken om haar te redden,' antwoordde de schrijver, alsof het allemaal heel vanzelfsprekend was.

Andrew knipperde met zijn ogen en begreep niet waar Wells heen wilde.

'Denkt u eens na! Zou u naar mij toe zijn gekomen als Marie nog had geleefd? Begrijpt u het dan niet? Door haar moordenaar te doden en te verhinderen dat ze gruwelijk toegetakeld sterft, hebt u tegelijkertijd de reden voor uw tijdreis geëlimineerd. En zonder reis geen verandering. Beide gebeurtenissen zijn onlosmakelijk met elkaar verbonden, zoals u ziet,' legde Wells uit, zwaaiend met het knipsel dat zijn theorie bevestigde.

Andrew schudde langzaam zijn hoofd en keek naar de anderen, die in even grote verwarring leken te verkeren.

'Zo ingewikkeld is het nu ook weer niet,' zei Wells, die moest lachen om de ontreddering van zijn publiek. 'Ik zal het anders uitleggen. Stelt u zich voor wat er na uw terugkeer moet zijn gebeurd: uw andere ik is naar Marie Kelly's kamer gegaan, maar heeft haar ditmaal niet opengesneden aangetroffen, maar levend, bij het lijk van de man die de politie al snel zal identificeren als Jack the Ripper. Gelukkig is er vanuit het niets een wreker opgedoken die hem heeft vermoord, vóór uw geliefde zijn volgende slachtoffer zou worden. En dankzij die onbekende kan Andrew nu gelukkig aan haar zijde leven, hoewel hij ironisch genoeg nooit zal weten dat hij dat aan u, dat wil zeggen, aan zichzelf heeft te danken.' Na deze woorden keek Wells hem afwachtend aan, als een kind dat een zaadje heeft geplant en nu meteen een boom hoopt te zien opkomen. Toen hij zag dat Andrew nog steeds in de war was, voegde hij eraan toe: 'Het is alsof uw daad een splitsing in de tijd heeft veroorzaakt, een soort alternatieve wereld heeft geschapen, een parallel universum om zo te zeggen.

En in die wereld is Marie Kelly in leven en gelukkig met uw andere ik. Helaas bevindt u zich in het verkeerde universum.'

Andrew zag hoe Charles bij Wells' uitleg hoe langer hoe tevredener knikte en zich toen naar hem wendde, in de hoop dat hij net zo overtuigd was. Maar Andrew moest nog iets langer nadenken over de woorden van de schrijver. Hij boog zijn hoofd om de onderzoekende blikken van de anderen te ontwijken en nam de zaak nog eens rustig door. Omdat er in zijn werkelijkheid niets veranderd leek, kon je zijn tijdreis niet alleen nutteloos vinden, maar je zelfs afvragen of hij werkelijk had plaatsgevonden. Maar hij wist zeker dat alles echt was gebeurd. Maar al te goed herinnerde hij zich Maries gestalte, de knal van het schot en de terugslag van het wapen, en bovenal had hij die lelijke wond aan zijn schouder die het onweerlegbare bewijs vormde dat de gebeurtenissen geen droom waren geweest. Ja, het was allemaal echt gebeurd, en het feit dat hij de gevolgen niet kon zien hoefde nog niet te betekenen dat ze er niet waren, zoals Wells direct al had begrepen. Precies zoals de wortels van een boom een nieuwe weg zoeken als ze op een rots stuiten, waren de gevolgen van zijn daad niet verdwenen, maar hadden ze een andere werkelijkheid geschapen, een parallelle wereld, waarin hij gelukkig was met Marie Kelly, een wereld die niet zou bestaan als hij de tijdreis niet had gemaakt. Dat betekende dat hij zijn geliefde had gered, al kon hij daar zelf niet van genieten maar moest hij zich troosten met de voldoening dat hij haar dood had voorkomen, dat hij er alles aan had gedaan om zijn fout te herstellen. In elk geval kon zijn andere ik wel vreugde met haar beleven, bedacht hij met een zekere berusting. Die andere Andrew, die hij eigenlijk zelf was, had de kans zijn dromen stuk voor stuk werkelijkheid te laten worden. Hij zou haar tot zijn vrouw kunnen maken, ondanks de tegenstand van zijn vader en de kwaadaardige praatjes van de buren, en hij hoopte maar dat die zo veel fortuinlijker Andrew zich van dat wonder bewust was en haar iedere seconde had aanbeden van die acht jaar die voor hem zo'n kwelling waren geweest, en de aarde met de vruchten van al die liefde had bevolkt.

'Ik begrijp het,' mompelde hij, nog wat weifelend.

Wells maakte een triomfantelijk gebaar.

'Ik ben blij dat u het snapt!' riep hij, terwijl Charles en Jane hem opnieuw bemoedigend op de schouder klopten.

'Weet u waarom ik er op mijn reizen naar het verleden altijd voor heb gezorgd om mijzelf niet tegen te komen?' vroeg Wells, die het niet uitmaakte dat niemand naar hem luisterde. 'Omdat ik anders op enig moment in mijn leven ergens een deur was binnengestapt en mezelf had begroet. Gelukkig voor mijn gemoedsrust is dat nooit gebeurd.'

Charles omhelsde zijn neef nogmaals hartelijk en hielp hem op te staan, terwijl Jane moederlijk zijn jasje dichtknoopte.

'Misschien zijn de geluiden die ons 's nachts bang maken, dat gekraak waarvan we denken dat het van de meubels komt, wel gewoon de voetstappen van onze toekomstige ik, die over onze dromen waakt zonder ze te durven onderbreken,' vervolgde Wells, de algemene feestvreugde negerend. Pas toen Charles zijn hand naar hem uitstak, leek hij uit zijn trance te ontwaken.

'Hartelijk dank voor alles, meneer Wells,' zei Charles. 'Het spijt me dat ik zo ruw uw huis ben binnengevallen. Ik hoop dat u me dat kunt vergeven.'

'Maakt u zich daarover geen zorgen, ik ben het allang vergeten,' antwoordde de schrijver met een luchtig gebaar, alsof hij had ontdekt dat bedreigd worden met een pistool ook een heilzame, opwekkende kant had.

'Wat doet u met de tijdmachine? Gaat u die echt vernietigen?' vroeg Andrew bedeesd.

Wells keek hem vriendelijk aan.

'Ik denk het wel,' antwoordde hij, 'nu de machine de missie heeft volbracht waarvoor ze is uitgevonden.'

Andrew knikte. De stelligheid van die woorden ontroerde hem. Hij vond weliswaar niet dat zijn eigen tragedie de enige was die het gebruik van Wells' machine rechtvaardigde, maar hij was dankbaar dat de schrijver, die hem amper kende, zo begaan was met zijn ongeluk dat hij het reden genoeg had gevonden om inbreuk te maken op de wetten van de tijd, het tijdweefsel te veranderen en zo de wereld in gevaar te brengen.

'Ik denk ook dat dat het beste is, meneer Wells,' zei hij toen hij zijn gevoelens weer de baas was, 'want wat u vermoedde is waar. Er is inderdaad iemand die waakt over de tijd, die toeziet op het verleden. Toen ik terugkwam ben ik zo'n tijdwachter tegengekomen, vlak voor uw eigen huis.'

'Is het werkelijk?' vroeg Wells verbaasd.

'Ja, maar gelukkig heb ik hem kunnen verjagen,' antwoordde Andrew.

Daarna omhelsde hij de schrijver met oprechte genegenheid. Tevreden aanschouwden Charles en Jane het tafereel dat ronduit roerend was geweest als Wells er niet zo stijf bij had gestaan. Toen er ten slotte een einde kwam aan de omhelzing nam Charles afscheid van de schrijver en zijn vrouw, en trok zijn neef mee naar buiten, zodat hij geen kans zou krijgen om zich opnieuw op de beduusde schrijver te storten.

Met de ogen en oren gespitst liep Andrew door de tuin, het pistool stevig in de hand in zijn zak voor het geval de tijdwachter hem gevolgd was en hem ergens opwachtte. Maar er was geen spoor van hem te bekennen. Op straat wachtte de koets die hen nog maar enkele uren geleden hier had gebracht, uren die Andrew nu een eeuwigheid toeschenen.

'O, ik ben mijn hoed vergeten,' zei Charles toen Andrew al in de koets stapte. 'Ik ben zo terug.'

Andrew knikte afwezig en liet zich uitgeput op het bankje zakken. Door het raampje keek hij naar de hem omringende duisternis waarin de nieuwe dag begon op te lichten. Zoals de stof van een jasje aan de ellebogen slijt, begon ook de nacht in een hoek van de hemel te rafelen. Het zwart werd steeds iets minder donker, tot een stralende gloed de contouren van de wereld zichtbaar maakte. Als je de koetsier die op de bok zat te slapen buiten beschouwing liet, kon je zeggen dat het fraaie schouwspel van gouden en purperen sluiers alleen voor hem werd opgevoerd. De laatste jaren had Andrew meerdere malen een schitterende zonsopgang meegemaakt, bijna altijd vanuit Hyde Park, en hij had zich daarbij steeds afgevraagd of dit de dag van zijn dood zou worden, of de pijn zo onverdraaglijk werd dat hij geen andere uitweg zou zien dan zich van het leven te beroven met een pistool zoals hij nu in zijn zak had, en dat hij gisteren nog maar uit de vitrine had genomen, niet vermoedend dat hij daarmee Jack the Ripper zou doden. Maar de dageraad van deze dag kon hij aanschouwen zonder dat hij zich hoefde af te vragen of hij hem zou overleven, want hij kende inmiddels het antwoord. Hij zou de dageraad van morgen zien en de volgende en alle andere daarna, want nu hij Marie had gered had hij geen reden meer om zijn leven te beëindigen. Moest hij zijn plan soms doorzetten omdat hij het nu eenmaal zo had bedacht, of simpelweg omdat hij zich, zoals Wells had gezegd, in de verkeerde wereld bevond? Dat leek hem een wel erg magere reden, het was in ieder geval niet erg eervol en getuigde zelfs van jaloezie jegens zijn tweelingbroer in de tijd, wat eigenlijk absurd was want die andere Andrew was hij zelf en met zijn geluk moest hij even tevreden zijn als met dat van hemzelf. Hij moest blij zijn dat hij elders gelukkig was, dat hij in elk geval in die andere wereld het geluk had gevonden.

Die conclusie bracht hem echter op een onverwachte vraag: als je wist dat je in een andere wereld gelukkig was, hoefde je daar dan in deze wereld niet meer naar te streven? Aanvankelijk wist hij niet wat hij daarop moest antwoorden, maar na even nadenken besloot hij dat dat inderdaad zo was: hij was ontheven van de plicht gelukkig te zijn, hij mocht zich tevredenstellen met een rustig bestaan en zonder enige frustratie genieten van de kleine genoegens van het leven want, hoe banaal het ook was, hij kon zich altijd troosten met de gedachte dat hij een volwaardig leven leidde op een andere plek, ver weg en tegelijkertijd dichtbij, een ontoegankelijk oord dat op geen enkele kaart stond omdat het zich aan de keerzijde van de tijd bevond. Opeens voelde hij zich enorm opgelucht, alsof er een last van zijn schouders was genomen, een last die hij vanaf zijn geboorte met zich mee had gedragen. Hij voelde zich bevrijd, lichtzinnig, opgetogen. Hij voelde een onbedwingbare lust om weer mee te doen met het leven, zich weer te voegen in de stroom van de mensheid, om een brief aan Victoria Keller te schrijven of, mocht zij de vrouw zijn van zijn neef, aan Madeleine, en haar uit te nodigen voor een etentje of voor het theater, of voor een wandeling in een park, waar hij haar tot haar verrassing zou kussen, wat hij rustig kon denken omdat hij het toch niet zou doen. Want de wereld leek zo te functioneren dat niets was uitgesloten en dat alles wat maar gebeuren kon ook werkelijk gebeurde: zelfs als hij haar kuste dan zou een andere Andrew dat niet doen en wachten tot hij andere lippen tegenkwam, en daarna zou ook hij zich weer splitsen en na een eindeloze reeks vermenigvuldigingen ten slotte eindigen in een afgrond van eenzaamheid.

Andrew was verrast dat de weggegooide kaarten van het leven niet, zoals houtkrullen door de bezem van de timmerman, werden weggeveegd, maar elk een nieuw bestaan veroorzaakte dat met het oorspronkelijke wedijverde om te zien welk nu het echte was. Het duizelde hem bij de gedachte dat op de kruispunten van zijn leven talloze andere Andrews geboren werden die een leven zouden leiden parallel aan het zijne en zelfs nog na zijn dood, zonder dat hij er iets van zou merken omdat de beperktheid van onze zintuigen uiteindelijk de grenzen van de wereld bepalen. Maar als de wereld, net als de kist van een tovenaar, nu eens een dubbele bodem had en werkelijk doorging waar ze volgens onze zintuigen eindigde? Het was alsof je je afvroeg of rozen dezelfde kleur houden als niemand ernaar kijkt. Had hij het bij het rechte eind of was het allemaal onzin?

Dat was natuurlijk een retorische vraag, maar de wereld nam

toch de moeite een antwoord te geven. Opeens stak er een zacht windje op dat een blad van het trottoir meenam en het liet dansen op het water van een regenplas, als een kunststukje voor één enkele toeschouwer. Getroffen keek Andrew toe hoe het blad almaar ronddraaide tot de schoen van zijn neef een einde maakte aan de ijle dans.

'Ik ben zover, we kunnen gaan,' zei Charles, triomfantelijk zwaaiend met de hoed, zoals een jager met een afgeschoten eend zou doen.

Terwijl hij het zich gemakkelijk maakte in de koets, zag hij de peinzende uitdrukking op het gezicht van zijn neef en fronste hij zijn wenkbrauwen.

'Voel je je wel goed, Andrew?' vroeg hij.

Zijn neef keek hem vol genegenheid aan. Charles had hemel en aarde bewogen om te zorgen dat hij Marie Kelly kon redden, en hij zou hem daar op de best mogelijke manier voor belonen, namelijk door in leven te blijven, tenminste tot zijn tijd was gekomen. Hij zou hem ruimschoots de genegenheid terugbetalen die hij al die jaren van hem had ontvangen en waarop hij had gereageerd met een apathie en een onverschilligheid waarvoor hij zich nu schaamde. Hij zou het leven aanvaarden als een onverwacht geschenk en hij zou het zo goed mogelijk proberen te leven, net als iedereen, net als Charles. Zijn leven zou een lange, vredige zondagmiddag worden waarop je wacht tot de schemering invalt. Dat kon niet al te moeilijk zijn, en misschien kon hij zelfs leren te genieten van het eenvoudige wonder dat het leven is.

'Beter dan ooit, Charles,' antwoordde hij, vol nieuwe levenslust. 'Ik voel me zo goed dat ik een uitnodiging om bij jou te komen eten niet zou afslaan, op voorwaarde natuurlijk dat je charmante vrouw haar niet minder charmante zuster ook uitnodigt.'

XVII

En hier zou dit deel van het verhaal kunnen eindigen – en voor Andrew eindigde het hier ook inderdaad – maar dit is niet alleen Andrews verhaal. Als ik alleen Andrews verhaal had willen vertellen, zou mijn bemoeienis niet nodig zijn: hij zou het zelf kunnen vertellen, zoals ieder mens zichzelf op zijn doodsbed zijn leven vertelt. Maar dan gaat het altijd om een onvolledig, eenzijdig verhaal, want alleen iemand die meteen na zijn geboorte aanspoelt op een onbewoond eiland, daar opgroeit met als enig gezelschap een handvol inheemse apen en er uiteindelijk oud wordt en sterft, kan zonder gevaar zich te vergissen beweren dat zijn leven precies zo is verlopen als hij denkt dat het is verlopen. Maar afgezien van extreme gevallen zoals schipbreuk lijdende baby's, maakt de mens deel uit van een groot wandtapijt en vervlecht hij zijn leven met dat van vele anderen, die zowel in zijn gezicht als achter zijn rug oordelen over zijn daden. En zo kan alleen iemand die de rest van de wereld ziet als een toneel vol marionetten die ophouden met bewegen zodra hij zich te ruste legt, in alle ernst menen dat zijn leven precies zo is verlopen als hij het vertelt. Is dat niet het geval, dan moet hij, vóór hij zijn laatste adem uitblaast, erin berusten dat de voorstelling die hij van zijn eigen leven heeft, alleen maar globaal, willekeurig en aanvechtbaar kan zijn, dat er dingen zijn geweest die zijn leven ten goede of ten kwade hebben beïnvloed en die hij nooit zal weten: van zijn vrouw die een tijdlang de minnares van de banketbakker was, tot de hond van de buurman, die als hij uitgelaten werd altijd op zijn azalea's plaste. Dus zoals Charles niet de verrukkelijke dans heeft gezien van het boomblad op de regenplas, zo heeft Andrew niet gezien hoe zijn neef zijn hoed terugvond. Hij had zich kunnen voorstellen hoe Charles het huis binnenging, hoe hij zich verontschuldigde dat hij opnieuw kwam binnenvallen en grapte dat hij ditmaal ongewapend was, en hoe ze met z'n drieën als kinderen over het tapijt kropen op zoek naar de hoed, maar we weten dat hij daarvoor geen tijd heeft gehad omdat hij veel te druk was met zijn gepieker over werelden en kisten met dubbele bodems.

Ik daarentegen zie en hoor alles, en het is aan mij om het kaf van het koren te scheiden, om de gebeurtenissen te selecteren die van belang zijn voor het verhaal dat ik verkozen heb om te vertellen. Daarom is het onvermijdelijk dat we even teruggaan naar het moment waarop Charles merkt dat hij zijn hoed is vergeten en terugloopt naar het huis van de schrijver. Nu zult u zich misschien afvragen van welk belang zoiets onnozels als het ophalen van een vergeten hoed voor dit verhaal kan zijn. Van absoluut geen enkel belang, zou ik antwoorden, als het werkelijk zo was dat Charles de hoed per ongeluk was vergeten. Maar de dingen zijn niet altijd wat ze lijken, en daarvan hoef ik u vast geen voorbeelden te geven.

'O, ik ben mijn hoed vergeten,' zei Charles dus, toen Andrew al in de koets stapte. 'Ik ben zo terug, beste neef.'

Met haastige stappen liep Charles door het voortuintje en ging het huis van de schrijver binnen, op zoek naar de kleine woonkamer waar ze Andrew hadden gebracht. Daar wachtte hem zijn hoed, die rustig aan de kapstok hing, precies waar hij hem had achtergelaten. Glimlachend pakte hij hem van de haak en liep naar de gang. Maar in plaats van terug te gaan naar zijn neef en het rijtuig, wat logisch was geweest, draaide hij zich om en liep de trap op naar de zolder. Daar trof hij de schrijver en zijn vrouw, die rondliepen in het licht van een kaars die naast de tijdmachine op de grond stond. Met een kuchje maakte Charles zijn aanwezigheid kenbaar, en zei met triomf in zijn stem: 'Ik geloof dat het heeft gewerkt. Mijn neef heeft alles geloofd!'

Wells en Jane waren bezig de Ruhmkorff-inductoren op te ruimen die ze tussen de rommel op zolder hadden verstopt. Charles stapte voorzichtig over de schakelaar bij de deur waarmee de donderende ontladingen waren geactiveerd die zijn neef zo bang hadden gemaakt. Toen hij de hulp van Wells had ingeroepen en hem zijn plan had voorgelegd, had de schrijver voorgesteld die duivelse inductoren te gebruiken. Ietwat beschaamd had Charles moeten bekennen dat hij tot de toeschouwers had behoord die het museum waren uit gevlucht toen de uitvinder, een bleke, slungelige Kroaat genaamd Nikola Tesla, het helse apparaat had gedemonstreerd en de hele zaal had gevuld met die daverende blauwe bliksems waarvan je haren rechtovereind gingen staan. Wells had hem echter verzekerd dat die onschuldige apparaten nog het minste probleem zouden zijn. Het zou daarnaast goed zijn als hij zich vertrouwd maakte met een uitvinding die de wereld zou veranderen, had hij eraan toegevoegd, waarna hij met eerbiedige stem vertelde hoe Tesla bij de Niagara-watervallen een waterkrachtcentrale had gebouwd die de hele stad Buffalo van elektriciteit voorzag. Dat was de eerste stap van een groot project waarmee de nacht op de aarde zou worden uitgebannen, zo meende Wells. Voor hem was de Kroaat ongetwijfeld een genie, en hij kon niet wachten tot hij een schrijfmachine zou uitvinden die reageerde op de menselijke stem, zodat hij eindelijk niet meer naar de toetsen hoefde te zoeken terwijl zijn gedachten zijn vingers al mijlenver vooruit waren. Nu hun plan succesvol was gebleken moest Charles toegeven dat Wells briljant was geweest. Zonder het geraas van de bliksemschichten was de tijdreis lang niet zo geloofwaardig geweest, en het magnesiumpoeder dat in het zogenaamde paneel verborgen zat en dat de inzittende verblindde als hij de hendel naar beneden bewoog, was een regelrechte vondst.

'Geweldig!' riep Wells, terwijl hij zich bevrijdde van de inductoren en op Charles toeliep. 'U weet dat ik er niet gerust op was. Er was zoveel wat mis kon gaan.'

'Ik weet het,' gaf Charles toe, 'maar we hadden niets te verliezen en veel te winnen. Zoals ik destijds al zei, als het allemaal goed ging, hadden we de kans dat mijn neef zijn zelfmoordplannen zou opgeven.' Hij keek Wells bewonderend aan. 'En ik moet toegeven, uw theorie over de parallelle werelden, waarmee verklaard werd dat de dood van The Ripper geen gevolgen voor het heden had, klonk zo overtuigend dat zelfs ik erin geloofde.'

'Dat doet me plezier. Maar het moeilijkste deel hebt u gedaan. U hebt de toneelspelers ingehuurd, de kogel in het pistool vervangen door een losse flodder, en bovenal het toestel laten bouwen,' zei Wells met een hoofdgebaar naar de tijdmachine.

Beiden bekeken het toestel met een liefdevolle blik.

'Ja, het resultaat is werkelijk prachtig,' gaf hij toe. 'Alleen jammer dat hij niet werkt.'

Wells haastte zich om beleefd om het grapje te lachen, wat uit zijn mond klonk alsof iemand op een walnoot trapte.

'Wat gaat u ermee doen?' vroeg hij haastig, alsof hij zo snel mogelijk de echo wilde dempen van het akelige lachje waarmee hij op overmoedige wijze had laten zien dat hij gevoel voor humor had.

'O, niets,' antwoordde Charles. 'Ik wil graag dat u het toestel houdt.'

'Ik?'

'Ja, natuurlijk. Waar kan het beter staan dan bij u thuis? Ziet u het als een geschenk voor uw onschatbare hulp.'

'U hoeft me echt nergens voor te bedanken,' antwoordde Wells. 'Ik heb me enorm vermaakt bij de hele zaak.'

Charles glimlachte stilletjes voor zich uit. Het was een groot geluk geweest dat de schrijver hem had willen helpen. Net zoals Gilliam Murray zich bereid had verklaard mee te doen en had meegeholpen om de hele vertoning uit te denken toen hij de verslagenheid op zijn gezicht had gezien bij de mededeling dat zijn firma geen reizen naar het verleden aanbood. Met de medewerking van de rijke ondernemer was het allemaal een stuk makkelijker te realiseren geweest. Als ze niet eerst bij Murray langs waren geweest om zijn neef te doen geloven dat Wells een tijdmachine had, had hij Andrew niet zo makkelijk meegekregen naar het huis van de schrijver.

'Toch heel hartelijk bedankt,' zei Charles, oprecht geëmotioneerd. 'En ook dank aan u, Jane, dat u de koetsier hebt willen vragen in een zijstraat te wachten en dat u het paard aan het hek hebt gebonden terwijl wij zogenaamd uw man onder vuur hielden.'

'U hoeft me niet te bedanken, meneer Winslow, ook mij was het een genoegen. Alleen, wat ik u niet kan vergeven is dat u de toneelspeler opdracht hebt gegeven uw neef met een mes te lijf te gaan...' zei ze met het geamuseerde lachje van iemand die een kind berispt dat een kwajongensstreek heeft uitgehaald.

'Maar we hadden toch alles onder controle?' zei Charles zogenaamd verontwaardigd. 'De toneelspeler was een messenexpert. Bovendien had Andrew zonder die kleine speldenprik nooit de trekker overgehaald, dat verzeker ik u. Nog afgezien van het feit dat het litteken op zijn schouder hem er altijd aan zal herinneren dat hij het leven van zijn geliefde Marie heeft gered. Het was overigens een goed idee om iemand in te huren voor de rol van de tijdwachter.'

'Was dat dan niet uw idee?' vroeg Wells verbaasd.

'Nee,' antwoordde Charles. 'Ik dacht dat u daarvoor had gezorgd.'

'Ik? Nee...' zei Wells beduusd.

'Dan heeft mijn neef vermoedelijk een dief weggejaagd. Of misschien was het inderdaad een tijdreiziger,' grapte Charles.

'Ja, wie weet?' lachte Wells, enigszins verontrust.

'Het is allemaal goed gegaan, en dat is het belangrijkste,' zei Charles. Hij feliciteerde het echtpaar nogmaals met het succes van de voorstelling en nam met een buiging afscheid. 'Ik moet nu gaan, anders wordt mijn neef achterdochtig. Het was me een genoegen u te leren kennen. En weest u ervan verzekerd, meneer Wells, dat ik voortaan een van uw trouwste lezers zal zijn.'

Wells bedankte hem met een verlegen glimlach, die nog om zijn lippen speelde toen Charles' voetstappen beneden wegstierven. Toen slaakte hij een diepe, tevreden zucht en bekeek de tijdmachine met zijn handen in zijn zij en met de vertederde blik van een jonge vader. Zachtjes aaide hij het bedieningspaneel. Jane sloeg hem ontroerd gade. Ze wist dat haar man op dat moment ten prooi was aan even diepe als verwarrende emoties, want wat hij streelde was niet minder dan een droom, een product van zijn verbeelding dat op wonderbaarlijke wijze uit zijn boek tevoorschijn was gekomen en werkelijkheid was geworden.

'Die stoel kunnen we misschien nog wel gebruiken, denk je niet?' zei Wells tegen zijn vrouw.

Hoofdschuddend, alsof ze zich afvroeg wat ze in hemelsnaam aan moest met zo'n ongevoelige man, liep ze van hem weg naar het raam. De schrijver volgde haar met een ontsteld gezicht en sloeg een arm om haar heen. Dat vermurwde haar, en ze legde haar hoofd op zijn schouder. Gretig beantwoordde hij haar spontane gebaar van genegenheid met een reeks tedere liefkozingen. Innig tegen elkaar aan gevlijd keken ze toe hoe Charles in de koets stapte en het rijtuig zich in beweging zette. Ze keken het na tot het aan het eind van de straat verdween, in het oranjekleurige licht van de dageraad.

'Dringt het wel tot je door wat je vannacht hebt gedaan, Bertie?' vroeg Jane.

'De zolder bijna af laten branden?'

Jane lachte.

'Nee, vannacht heb je iets gedaan waardoor ik altijd trots op je zal zijn,' zei ze, en keek hem oneindig liefdevol aan. 'Louter door je fantasie te gebruiken heb je het leven van een mens gered.'

DEEL TWEE

Als onze reis naar het verleden u is bevallen, geachte lezer, zult u op de nu volgende pagina's van dit spannende feuilleton het privilege genieten van een reis naar de toekomst om de beroemde oorlog van het jaar 2000 tegen de verdorven machinemensen mee te maken.

We moeten er echter op wijzen dat enkele scènes uiterst gewelddadig zijn, het gaat immers wel om een oorlog met ingrijpende gevolgen voor de toekomst van de mensheid!

Moeders van gevoelige kinderen willen misschien vooraf de inhoud controleren en bepaalde pagina's censureren voor ze die aan hun kroost te lezen geven.

XVIII

Claire Haggerty was liever in een andere tijd geboren, zodat ze geen piano hoefde te studeren, niet die ongemakkelijke kleren hoefde te dragen, geen man hoefde te kiezen uit de zwerm gretige huwelijkskandidaten die haar belaagde en niet die belachelijke parasol overal mee naartoe hoefde te slepen die ze nog eens op de meest onverwachte plek zou vergeten. Ze was net eenentwintig geworden, en als iemand zo aardig was geweest op haar af te stappen en haar te vragen wat ze van het leven verwachtte, had hij alleen maar te horen gekregen: niets, gewoon doodgaan. Dat was natuurlijk niet het antwoord dat je zou verwachten van een charmante jongedame wier leven nog maar net was begonnen, maar ik kan u verzekeren dat het inderdaad Claires antwoord zou zijn geweest. Want omdat ik, zoals ik u al eerder heb aangetoond alles zie, óók wat niemand ziet, ben ik getuige geweest van de lange, enerverende overdenkingen waaraan ze zich pleegt over te geven voor ze in haar bed stapt. Als iedereen denkt dat ze voor de spiegel haar haar staat te borstelen, zoals ieder normaal meisje zou doen, dan kijkt Claire in gedachten verzonken door het raam naar de zwarte nacht, en vraagt zich af waarom ze liever zou sterven dan een nieuwe dageraad te aanschouwen. Niet dat ze zelfmoordneigingen had, niet dat ze stemmen hoorde die haar van gene zijde riepen met een sirenenzang waaraan ze geen weerstand kon bieden, niet dat louter het feit dat ze bestond haar een ondraaglijk gevoel van onbehagen gaf waaraan ze dringend een eind moest maken. Niets van dat al. Het ging allemaal om iets veel simpelers: het leven dat haar ten deel was gevallen trok haar niet aan, en zou dat ook nooit doen; dat was in elk geval de conclusie waartoe haar nachtelijke mijmeringen haar hadden gebracht. Hoe ze ook haar best deed, het lukte haar niet om er iets in te vinden wat haar beviel, of wat haar amuseerde of boeide, en nog veel minder slaagde ze erin te veinzen dat ze genoeg had aan wat ze had. Haar eigen tijd was voor haar niet aantrekkelijk, niet opwindend, haar tijd verveelde haar. En het feit dat ze niemand in haar omgeving had die even teleurgesteld was als zij, veroorzaakte een diepe onrust die uiteindelijk overging in wrevel. Door die innerlijke spanning die haar, zonder dat ze er iets tegen kon doen, aan de zijlijn plaatste, leek ze meestal stug en sarcastisch, en soms – en dan hoefde het niet eens volle maan te zijn – was het haar allemaal te veel en werd ze een soort verwilderd schepsel dat er genoegen in schepte de familiebijeenkomsten te bederven.

Claire wist heel goed dat die vlagen van ontevredenheid niet alleen nergens toe leidden, maar dat ze haar ook bepaald geen goed deden, zeker niet op zo'n kritiek moment in haar leven waarop het haar voornaamste zorg zou moeten zijn om een man te vinden die haar onderhield en haar een half dozijn kinderen schonk, waarmee ze de wereld toonde hoe vruchtbaar ze was. Zoals haar vriendin Lucy haar altijd waarschuwde, bezorgde dat gedrag haar bij haar vrijers de naam onhandelbaar te zijn; sommigen waren uit haar gevolg gedeserteerd nadat ze hadden vastgesteld dat haar kribbige gedrag haar tot een onneembaar fort maakte. Toch kon Claire niet anders. Of wel?

Soms vroeg ze zich af of ze er werkelijk alles aan deed om zich over die onrust heen te zetten, of dat ze er juist een ziekelijk genot aan beleefde om zich eraan over te geven. Waarom kon ze de wereld niet accepteren zoals die was, net zoals Lucy dat kon? Die verdroeg de kwellingen van het korset alsof het een soort boetedoening was om haar ziel te zuiveren; die kon het niet schelen dat ze niet in Oxford kon studeren en liet zich door haar vrijers in de watten leggen, netjes om de beurt, in de wetenschap dat ze vroeg of laat toch met iemand zou moeten trouwen. Maar ze was niet als Lucy: ze haatte het korset dat door de duivel zelf gemaakt leek, ze hunkerde ernaar om haar hersens te kunnen gebruiken zoals mannen dat konden, en voelde er helemaal niets voor om te trouwen met een van die knapen die haar lastigvielen. Vooral dat laatste leek haar een verschrikking, ook al was de situatie aanmerkelijk verbeterd sinds haar moeders tijd, toen vrouwen bij hun trouwen al hun goederen kwijtraakten, zelfs de inkomsten uit hun werk: als een nare windvlaag joeg de wet die onmiddellijk in de begerige handen van hun echtgenoten. Nu zou ze tenminste haar bezittingen houden als ze besloot te trouwen, en in het geval van een scheiding kon ze zelfs proberen haar kinderen onder haar hoede te krijgen. Toch bleef Claire het huwelijk zien als een soort legale prostitutie, zoals Mary Wollstonecraft het had genoemd in *A Vindication of the Rights of Woman*, een boek dat Claire als haar Bijbel beschouwde. Ze bewonderde de hartstochtelijke strijd van de schrijfster om vrouwen hun verloren waardigheid terug te geven, en om ervoor te zorgen dat de vrouw niet langer als louter de dienares van de man werd beschouwd. De wetenschap hield de man voor intelligenter vanwege zijn grotere schedel, en dus grotere brein, maar vaak genoeg was haar gebleken dat die schedels alleen maar zo groot waren om een grotere hoed te kunnen dragen. Anderzijds was Claire zich ervan bewust dat ze, als ze zich niet onder de bescherming van een man zou plaatsen, zelf de kost moest verdienen, dat wil zeggen, werk moest vinden, wat voor iemand van haar stand niet voor het oprapen lag. Het kwam neer op een baantje als typiste op een of ander kantoor, of als verpleegster in een ziekenhuis, en dat trok haar nog minder dan zich levend te begraven met een van die opgedirkte dandy's die voor haar in de rij stonden.

Maar wat te doen als het huwelijk haar een onmogelijke optie leek? Ze dacht dat ze zo'n huwelijk alleen zou kunnen verdragen als ze echt op iemand verliefd werd, iets wat ze praktisch voor onmogelijk hield, want haar desinteresse beperkte zich niet alleen tot die vervelende troep bewonderaars, maar leek zich uit te strekken tot alle mannen die op aarde rondliepen, jong en oud, rijk en arm, knap en onaantrekkelijk. Details deden er niet toe: ze was er stellig van overtuigd dat ze nooit verliefd kon worden op een man uit haar eigen tijd – het beeld dat zulke mannen van de liefde hadden verbleekte bij de romantische huivering waar haar hart naar uitging. Claire wachtte af tot een onstuimige passie haar van haar stuk zou brengen, tot een hevige koorts haar hart zou verzengen, tot een woeste vervoering haar zou dwingen tot de verstrekkende beslissingen die de omvang van haar gevoelens zouden tonen. Maar ze koesterde daarbij geen enkele hoop, en was zich ervan bewust dat die wijze van beminnen al net zo lang uit de mode was als blouses met kanten jabots. En wat restte haar dan? Zou ze kunnen leven zonder het enige wat het leven – naar ze stellig vermoedde – zin gaf? Nee, natuurlijk niet!

Een paar dagen geleden was er echter iets gebeurd wat haar sluimerende nieuwsgierigheid had wakker gemaakt, en had ze het idee gekregen dat er, anders dan ze aanvankelijk had gedacht, wel degelijk wonderen mogelijk waren. Lucy had haar zoals gebruikelijk verzocht met spoed naar haar toe te komen, en zonder veel zin was Claire gegaan, vrezend dat haar vriendin weer een van die vervelende spiritistische sessies had georganiseerd waar ze zo dol op was. Met dezelfde geestdrift als waarmee ze het werk van de Parijse couturiers volgde, had Lucy zich op die nieuwe Amerikaanse mode gestort. Maar wat Claire stoorde was niet zozeer dat ze in een donkere kamer moest veinzen met geesten te spreken, als wel dat de sessies altijd werden georganiseerd door Eric Sanders, een magere, arrogante kwast die zich had opgeworpen als het officiële medium van de buurt. Sanders beweerde dat hij een speciale gevoeligheid bezat die hem in staat stelde te spreken met de doden, maar Claire wist dat dat alleen maar een excuus was om een stuk of wat gevoelige, ongehuwde jongedames samen te brengen rond een tafel, ze in een angstwekkend halfduister bang te maken met een belachelijk holle stem, en van de situatie gebruik te maken om geheel straffeloos hun hand en zelfs hun schouder te beroeren. De uitgekookte Sanders had vluchtig Allan Kardecs *Het Boek der Geesten* gelezen, wat hem in staat stelde de doden met een air van gezag te ondervragen, maar het was duidelijk dat de levenden hem te zeer afleidden om aandacht te kunnen besteden aan het antwoord van de doden. Nadat Claire hem op de laatste sessie een draai om de oren had gegeven toen ze had gevoeld hoe de uiterst stoffelijke hand van een zogenaamde geest haar enkels streelde, had Sanders haar van zijn volgende seances uitgesloten, waarbij hij als reden opgaf dat haar wantrouwige instelling de doden te zeer van de wijs bracht, hetgeen zijn communicatie met hen bemoeilijkte. Aanvankelijk was ze opgelucht geweest dat ze nu niet meer op Sanders' bovennatuurlijke partijtjes werd toegelaten, maar na een poosje had het haar toch gedeprimeerd: ze was pas eenentwintig en had niet alleen met de wereld, maar ook met het hiernamaals gebroken.

Maar Lucy had die middag helemaal geen spiritistische sessie georganiseerd. Ze had een veel opwindender idee, zei ze met een dronken lachje, terwijl ze Claire mee naar haar kamer trok en op een stoeltje posteerde. Vervolgens begon ze wat te rommelen in de la van haar bureau. Boven op het bureau stond een lessenaar met een exemplaar van Darwins *Beagle Diary*. Het boek was opengeslagen bij een pagina met een tekening van een kiwi, een merkwaardige vogel die haar vriendin op een vel papier aan het natekenen was, misschien wel omdat het weergeven van de eenvoudige, ronde vormen ervan geen enkel artistiek talent vereiste. Claire vroeg zich stiekem af of haar vriendin, naast het bekijken van de tekeningen, ook de moeite had genomen om het boek – inmiddels de favoriete lectuur van de burgerij – te lezen.

Toen ze gevonden had wat ze zocht, sloot Lucy de la en draaide zich met een overdreven geestdriftig lachje om. Wat kon voor Lucy nu spannender zijn dan praten met de doden? vroeg Claire zich af. Toen ze een blik wierp op het pamflet dat haar vriendin haar gaf, wist ze het antwoord: praten met mensen die nog niet geboren waren! Met een opgewonden gezicht had Lucy haar een vaalblauw strooibiljet overhandigd dat u bekend zal voorkomen als u dit verhaal met aandacht hebt gelezen. Op het velletje papier maakte de firma Murray Tijdreizen reclame voor een reis naar de toekomst, en wel naar het jaar 2000, het jaar waarin men getuige kon zijn van de veldslag tussen mens en machine die beslissend zou zijn voor de toekomst van de mensheid. Verbaasd las Claire het pamflet verschillende malen door en bekeek vervolgens de onbeholpen illustratie die de betreffende veldslag leek weer te geven. Te midden van in puin geschoten gebouwen streden mensen en machines om het lot van de wereld, elkaar beschietend met vreemde wapens. Claires aandacht werd getrokken door de figuur die het menselijk leger aanvoerde; hij was door de tekenaar in een heldhaftiger pose weergegeven dan de rest en stelde de moedige kapitein Shackleton voor, zoals in het bijschrift stond te lezen.

Zonder haar de tijd te geven van haar verbazing te bekomen, vertelde haar vriendin dat ze diezelfde ochtend nog bij Murray Tijdreizen was geweest. Daar hadden ze haar verteld dat er nog plaatsen waren voor de tweede expeditie die ze wegens groot succes bezig waren te organiseren, en Lucy had hen beiden zonder aarzelen opgegeven. Claire keek haar verbijsterd aan, maar haar vriendin verontschuldigde zich niet eens voor het feit dat ze dat buiten haar om had gedaan, en stak direct van wal over hoe ze naar de toekomst zouden reizen zonder dat hun ouders het merkten, want die zouden hen anders beslist verbieden aan de expeditie deel te nemen, of, erger nog, aanbieden om mee te gaan, en Lucy wilde zonder vervelende chaperonnes van het jaar 2000 genieten. Ze had het allemaal al uitgedacht: het geld zou geen enkel probleem zijn, want ze had haar rijke grootmoeder Margaret overgehaald om bij te passen voor de kaartjes, natuurlijk zonder te vertellen wat ze met het geld ging doen, en ze had zelfs haar vriendin Florence Burnett gevraagd of die hen aanstaande donderdag zogenaamd wilde uitnodigen in haar buitenhuis in Kirkby. Tegen een 'kleine som' was Florence daartoe bereid geweest; donderdag zouden ze dus, als Claire akkoord ging, naar het jaar 2000 afreizen, en in de namiddag zouden ze weer terug zijn zonder dat iemand iets had gemerkt. Na haar woordenstroom keek Lucy haar afwachtend aan.

'En?' vroeg ze, 'ga je mee?'

Claire zou niet weten hoe ze had kunnen weigeren, als ze dat al had gewild.

De vier daaropvolgende dagen waren gevuld met de opwinding over de reis en de vermakelijke geheimzinnigheid waarmee ze de voorbereidingen moesten treffen, en nu stonden Claire en Lucy dan voor het kleurrijke gebouw van Murray Tijdreizen, en trokken hun neus op vanwege de stank bij de ingang. Een van de werklieden die de gevel ontdeden van wat wel dierlijke uitwerpselen leken merkte hen op, excuseerde zich voor de vieze lucht en verzekerde hun dat ze, als ze met een zakdoek voor de mond of met ingehouden adem naar binnen durfden te gaan, geholpen zouden worden met de aandacht die twee zo voortreffelijke dames als zij verdienden. Met een afwezig gebaar wuifde Lucy de man weg, een beetje geërgerd omdat ze niet op iets gewezen wilde worden wat ze liever wilde negeren, zodat niets het plechtige moment zou bezoedelen. Ze nam haar vriendin bij de arm – Claire wist niet of Lucy haar daarmee moed wilde inspreken of haar enthousiasme op haar wilde overdragen – en zo stapten ze beiden het gebouw binnen, op weg naar de toekomst. Claire keek met een schuin oog naar het opgewonden gezicht van haar vriendin en glimlachte stilletjes. Ze wist waar die opgewondenheid vandaan kwam: ze waren nog niet vertrokken of Lucy popelde al van verlangen om terug te gaan en verslag te doen over hun belevenissen in de toekomst aan de vrienden en familieleden die, of het nu was uit lafheid, gebrek aan belangstelling of omdat ze geen plaatsje hadden weten te bemachtigen, in het saaie heden waren gebleven. Ja, voor Lucy was het gewoon een leuk avontuur waarover ze straks kon vertellen, zoals over een picknick die door noodweer in het water was gevallen of een boottochtje dat dramatischer was verlopen dan normaal. Claire had besloten haar vriendin op de reis te vergezellen, maar haar reden om mee te gaan was een heel andere: Lucy zou het jaar 2000 bezoeken als ging het om een nieuw warenhuis, en zou weer netjes op tijd terug zijn voor de thee. Claire was echter helemaal niet van plan om terug te keren.

Een secretaresse leidde hen met stramme pas naar het vertrek waar de dertig gelukkigen die die ochtend naar het jaar 2000 zouden reizen geanimeerd stonden te keuvelen. Er zou punch worden geserveerd, vertelde ze, waarna de heer Murray hen welkom zou heten, zou uitleggen hoe de reis in zijn werk ging en hun meer zou vertellen over het historische moment waarvan ze spoedig getuige zouden zijn. Na die woorden maakte ze een ongeïnteresseerde buiging en liet hen aan hun lot over in het grote vertrek, dat vroeger de zaal van het theater was geweest, zoals nog te zien was aan de loges in de hoek en het toneel achterin. Zonder de rijen stoelen, slechts gemeubileerd met wat kleine tafeltjes en ongemakkelijk uitziende banken, leek het vertrek buitensporig groot, een indruk die nog werd versterkt door het enorm hoge plafond, waaraan tientallen olielampen hingen die vanaf de grond wel een kolonie griezelige spinnen leken. Afgezien van de banken waarop, met uitzondering van een paar tachtigjarigen die nauwelijks op hun kreupele benen konden staan, niemand leek te willen zitten, wellicht omdat de opwinding makkelijker staande te verdragen was, bestond de rest van het meubilair uit de tafels waarop een paar ijverige dienstmeisjes nu de punch serveerden, een soort op het podium opgesteld houten spreekgestoelte, en natuurlijk het indrukwekkende standbeeld van de dappere kapitein Shackleton dat de gasten bij de ingang welkom heette.

Terwijl Lucy haar blik over het gezelschap liet gaan en zachtjes de namen van de aanwezigen opsomde, op een toon waarin haar sympathieën en antipathieën duidelijk doorklonken, bekeek een overrompelde Claire de in marmer gehouwen uitbeelding van een man die nog niet eens was geboren. Tweemaal levensgroot leek kapitein Derek Shackleton wel wat op een excentriek familielid van de Griekse goden – hij stond in een even onverschrokken en dappere pose op zijn voetstuk, al werd de onbekommerde naaktheid die de goden gewoonlijk vertonen bij hem wel met iets meer dan alleen maar een wijnblad bedekt. De kapitein zat opgesloten in een ondoordringbaar harnas, bezet met klinknagels om zijn lichaam zo goed mogelijk tegen de vijand te beschermen, en gecompleteerd door een ongemakkelijke helm die zijn gezicht verborg en alleen zijn markante kin onbedekt liet. Dit laatste stelde Claire teleur; ze had graag willen ontdekken hoe een redder van het menselijk ras eruitzag. Ze wist zeker dat dat door ijzer verhulde gelaat niet kon lijken op de gezichten van haar kennissen. Het moest een gezicht zijn dat nog niet door het leven was bedacht, een gezicht zoals alleen de toekomst dat zou kunnen voortbrengen. Ze stelde zich voor dat het een nobele, serene uitdrukking vertoonde en een vastberaden blik die vertrouwen uitstraalde – hij was niet voor niets de aanvoerder van een heel leger – en op een onnadrukkelijke, bijna natuurlijke manier de ontembare kracht van zijn geest liet doorschemeren. Maar af en toe zouden zijn mooie ogen vochtig worden van verdriet om de treurige ellende die hem omgaf, want in zijn krijgershart smeulde nog een restje gevoeligheid. En tot slot – haar romantische aard viel niet te loochenen – verbeeldde Claire zich hoe een onbestemd heimwee in zijn ogen blonk, vooral op momenten van grote eenzaamheid tussen twee veldslagen in. En wat was de reden daarvan? Het antwoord luidde natuurlijk: de afwezigheid van een geliefd gezicht waaraan hij kon denken, een glimlach die hem bemoedigde wanneer zijn krachten het begaven, een naam om 's nachts zachtjes te fluisteren als een troostrijk gebed, liefdevolle armen waarin hij kon terugkeren als de oorlog afgelopen was. Even stelde Claire zich voor hoe die dappere, sterke man, die zo hard was in de strijd, 's nachts als een hulpeloos kind haar naam prevelde: 'Claire, mijn Claire...' Ze glimlachte bij het idee. Het was maar een dwaze gedachte, maar de huivering die haar doortrok als ze zich voorstelde dat ze de geliefde was van die krijger uit de toekomst verraste haar. Hoe was het mogelijk dat een man die nog niet eens geboren was haar gemoed heviger beroerde dan wie ook van de knapen die haar het hof maakten? Het antwoord was simpel: in dat gezichtloze beeld legde ze alles waarnaar ze verlangde, maar wat voor haar onbereikbaar was. Waarschijnlijk leek Shackleton helemaal niet op het portret dat Claire bij elkaar had gefantaseerd. Sterker nog, haar manier van denken en doen en zelfs van liefhebben zou hem volstrekt onbegrijpelijk en vreemd voorkomen, als je bedacht dat er een hele eeuw tussen hen in lag: in zo'n lange periode zouden de waarden en zorgen van de mensen zo veranderen dat ze onherkenbaar waren voor degene die er vanuit het verleden naar keek. Zo was het leven. Als ze zijn gezicht zou kunnen zien, zei ze bij zichzelf, kon ze daaruit misschien opmaken of ze gelijk had, of Shackletons hart van een troebel kristal was waarin haar blik nooit kon doordringen, of dat de jaren die hen scheidden geen enkele betekenis hadden, omdat er in het binnenste van deze man een diepgewortelde kern zat die de eeuwen moeiteloos trotseerde, zoiets als de adem die God Zijn schepselen inblaast om ze tot leven te wekken. Maar door die ellendige helm viel dat onmogelijk te controleren. Claire zou zijn gezicht nooit te zien krijgen. Ze moest tevreden zijn met wat ze wel kon zien, en dat was niet weinig: zijn krijgshaftige houding, de geheven lans, het gebogen rechterbeen dat zijn soepele musculatuur goed deed uitkomen, en zijn linkervoet, stevig op de grond geplant maar met de hiel enigszins los van de sokkel, alsof de kapitein was vereeuwigd op het moment dat hij klaarstond om aan te vallen.

Pas toen ze met haar ogen de richting van Shackletons aanval volgde, zag Claire dat het standbeeld een tegenvoeter had in de vorm van een beeld dat links van de ingang stond: een angstaanjagende figuur die bijna tweemaal zo groot was als de kapitein. Volgens de inscriptie op de sokkel ging het om Salomo, koning der machinemensen en aartsvijand van de kapitein, op 20 mei 2000 door Shackleton verslagen na een eindeloze oorlog waarin Londen met de grond gelijk was gemaakt. Claire bekeek het beeld met afgrijzen, verrast door de beangstigende evolutie die de automaten hadden doorgemaakt. Haar vader had haar als kind meegenomen naar l'Écrivain, een automaat van de beroemde Zwitserse horlogemaker Pierre Jaquet-Droz. Claire herinnerde zich nog altijd het elegant uitgedoste kind met de bolle wangen, dat, gezeten voor een lessenaar, zijn pen in de inktpot doopte en over het papier liet gaan. De mechanische pop vormde de letters met de verontrustende kalmte van iemand die buiten de tijd leeft, en pauzeerde van tijd tot tijd zelfs even om in gedachten verzonken in het niets te kijken, alsof hij op nieuwe inspiratie wachtte. De afwezige blik van de pop had de kleine Claire niet meer losgelaten, omdat ze zich steeds probeerde voor te stellen wat voor monsterlijke gedachten het vreemde wezen zou kunnen bedenken. Ze kon zich niet van dat beklemmende gevoel losmaken, zelfs niet toen haar vader haar wees op de stangen en raderen op de rug van het aan Jaquet-Droz' fantasie ontsproten kind, waaruit de zwengel stak waarmee deze parodie op leven in werking werd gesteld. Maar nu kon ze vaststellen hoe het bizarre, maar uiteindelijk toch onschuldige kind in de loop van de tijd was uitgegroeid tot de monsterlijke figuur die hier voor haar stond. Ze probeerde haar angst te bedwingen en bekeek de figuur aandachtig. In tegenstelling tot Jaquet-Droz leek de vervaardiger van Salomo niet de bedoeling te hebben gehad om de menselijke gestalte zo geloofwaardig mogelijk weer te geven, maar had hij volstaan met iets wat vaag op een tweevoeter leek in een soort ridderharnas. Het beeld was gemaakt van aan elkaar gezette ijzeren platen, met bovenop een plomp, cilindervormig gedeelte dat het hoofd moest voorstellen, waarin een paar vierkante gaten zaten bij wijze van ogen, en een smalle, brievenbusachtige spleet die de mond aanduidde.

Het duizelde Claire enigszins toen ze erbij stilstond dat die twee tegenover elkaar staande figuren een gebeurtenis memoreerden die nog helemaal niet had plaatsgevonden. Beide beroemdheden waren niet alleen nog niet dood, maar bovendien nog niet eens geboren. Maar in wezen, bedacht ze, konden de mensen hier in deze zaal beide beelden ook als een grafmonument beschouwen, en daarin had ze geen ongelijk, want, net als de doden, maakte de kapitein noch zijn aartsvijand deel uit van de wereld die hun nagedachtenis eer bewees. Het deed er niet toe of ze al gegaan of nog niet eens gekomen waren: het belangrijkste was dat ze er niet waren.

Lucy haalde Claire uit haar overpeinzingen en trok haar aan haar arm mee naar een echtpaar dat haar vanuit de verte groette. De man, een kleine, aanstellerige vijftiger, gestoken in een lichtblauw pak waarvan het gebloemde vest bijna leek te barsten onder de druk van zijn pens, stond met open armen en een dwaas vrolijk gezicht op haar te wachten.

'Mijn lieve kind,' riep hij vaderlijk uit, 'wat een verrassing je hier te zien! Ik wist niet dat jij en je familie ook mee zouden gaan met deze sympathieke expeditie. Maar die schavuit van een Nelson wordt vast en zeker zeeziek!'

'Mijn vader is er niet bij, meneer Ferguson,' bekende Lucy met een gemaakt droevig lachje. 'Dat mijn vriendin en ik hier zijn, is eigenlijk een geheimpje waar hij naar ik hoop nooit achter zal komen.'

'Natuurlijk niet, lieve,' haastte Ferguson zich haar gerust te stellen, opgetogen lachend om haar ondeugendheid, waarvoor hij zijn eigen dochter zonder twijfel aan haar duimen had opgehangen. 'Je geheim is veilig bij ons, nietwaar, Grace?'

Zijn vrouw knikte met hetzelfde kruiperige lachje, waardoor het brede parelsnoer dat ze als een chic verband om haar hals droeg heen en weer schudde. Lucy bedankte hen met een allerliefst gezicht, en stelde Claire aan hen voor, die met moeite haar afkeer kon verbergen toen de man een vette kus op haar hand drukte.

'Wel, wel,' zei Ferguson, terwijl zijn welwillende blik van de ene naar de andere jongedame ging, 'wat is dit allemaal spannend, hè? Over een paar minuten gaan we naar het jaar 2000, en alsof dat nog niet genoeg is, zullen we zelfs een oorlog zien!'

'Denkt u dat het gevaarlijk kan worden?' vroeg Lucy ietwat ongerust.

'O, absoluut niet, mijn lieve' – Ferguson wuifde haar bezorgdheid weg. 'Ted Fletcher, een goede vriend van me, is mee geweest met de eerste expeditie en hij heeft me verzekerd dat je nergens bang voor hoeft te zijn. Absoluut niet. We bekijken het gevecht van een tamelijk grote afstand, en het is dus echt volkomen veilig. Al heeft die afstand ook zijn nadelen: helaas zullen we niet alles goed kunnen zien. Fletcher zei dat we onze verrekijker niet moesten vergeten. Hebben jullie die bij je?'

'Nee,' zei Lucy spijtig.

'Blijf maar bij ons, dan kunnen we de onze samen gebruiken,' zei Ferguson. 'Jullie mogen niets van de slag missen, meisjes. Fletcher vertelde dat die het kleine fortuin dat we ervoor betaald hebben meer dan waard is.'

Claire fronste haar wenkbrauwen toen ze hoorde hoe die weerzinwekkende man de strijd die beslissend zou zijn voor het lot van de planeet zonder enige gêne tot een variétéspektakel reduceerde. Ze glimlachte opgelucht toen Lucy een passerend stel groette en uitnodigde zich bij hen te voegen.

'Dit is mijn vriendin Madeleine,' zei Lucy enthousiast, 'en dit is haar man, meneer Charles Winslow.'

Bij het horen van die naam bevroor Claires glimlach. Ze had veel gehoord over Charles Winslow, een van de rijkste en knapste jongemannen van Londen. Ze waren nooit aan elkaar voorgesteld, maar daar lag Claire niet van wakker, want de verering die haar vriendinnen hem toedroegen hadden haar bepaald immuun voor hem gemaakt. Het was waarschijnlijk een zelfingenomen, verwaande kwast die er plezier in had om elk meisje dat hij tegenkwam te bedelven onder een vloed van zoetgevooisde en vrijpostige woorden. Hoewel Claire niet vaak naar feestjes ging, had ze er een paar lieden ontmoet die uit hetzelfde hout waren gesneden, arrogante, ongemanierde kerels die zich met het fortuin van hun ouders een onstuimige, excentrieke jeugd konden permitteren die ze zo lang mogelijk probeerden te rekken, hoewel die Winslow nu kennelijk besloten had verstandig te worden. Het laatste wat ze over hem had gehoord was dat hij was getrouwd met een van de gefortuneerde zusjes Keller, een smartelijke gebeurtenis voor vele jongedames in Londen, zijzelf uitgezonderd natuurlijk. Nu ze tegenover hem stond moest ze toegeven dat hij inderdaad knap was, wat zijn irritante gezelschap in elk geval verteerbaarder zou maken.

'We hebben het erover hoe opwindend dit allemaal is,' zei de onvermoeibare Ferguson, opnieuw de touwtjes van de conversatie in handen nemend. 'Over een paar minuten zullen we Londen in puin zien, maar als we straks weer terugkomen zal de stad nog steeds intact zijn, alsof er niets is gebeurd, wat ook klopt als we de tijd als een ordelijke opeenvolging van gebeurtenissen beschouwen. En ik weet zeker dat we door die vreselijke aanblik onze lawaaierige stad nog veel meer zullen waarderen, denkt u ook niet?'

'Nou, je moet wel een eenvoudige ziel zijn om het zo te zien,' merkte Charles verstrooid op, zonder hem aan te kijken.

Even werd het stil. Ferguson keek hem vernietigend aan, niet wetend of hij nu boos moest worden of niet.

'Waarop doelt u, meneer Winslow?' vroeg hij ten slotte.

Charles bleef nog een paar seconden naar het plafond kijken, alsof hij zich afvroeg of de lucht daarboven, net als op de toppen van de bergen, zuiverder was.

'Naar het jaar 2000 reizen is iets anders dan de Niagara-watervallen gaan bekijken,' antwoordde hij luchtig, alsof hij zich niet bewust was van de ontsteltenis die zijn woorden bij Ferguson teweeg hadden gebracht. 'We zullen naar de toekomst reizen, naar een wereld die beheerst wordt door machinemensen. U kunt dat misschien naast u neerleggen, als u straks van uw toeristische uitstapje terugkomt, omdat u denkt dat het u niet aangaat, maar het is wel de wereld waarin onze kleinkinderen zullen leven.'

Ferguson keek hem sprakeloos aan.

'Vertelt u me nu dat we partij zouden moeten kiezen, dat we aan die oorlog mee zouden moeten doen?' vroeg hij, zichtbaar verontwaardigd, alsof ze hem hadden voorgesteld voor de grap de lijken op het kerkhof op te graven.

Voor het eerst keurde Charles zijn gesprekspartner een blik waardig, terwijl er een spottend lachje op zijn lippen verscheen.

'U zou de dingen ruimer moeten zien, meneer Ferguson,' zei hij afkeurend. 'Het is niet nodig om mee te vechten in die oorlog, het zou al genoeg zijn om hem te verhinderen.'

'Te verhinderen?'

'Ja, te verhinderen. Is de toekomst niet altijd een gevolg van het verleden?'

'Ik begrijp u nog steeds niet, meneer Winslow,' antwoordde Ferguson koeltjes.

'De kiem van die oorlog ligt hier,' legde Charles uit, met een vage hoofdbeweging in het rond wijzend. 'Het ligt in onze macht om te verhinderen wat er te gebeuren staat, om de toekomst te veranderen. Uiteindelijk zijn wij verantwoordelijk voor de oorlog die Londen weg zal vagen. Maar ook al zouden de mensen zich daarvan bewust zijn, daarmee zouden ze nog niet stoppen met het maken van automaten, ben ik bang.'

'Maar dat is belachelijk, het lot is het lot,' protesteerde Ferguson. 'Dat ligt vast.'

'Het lot is het lot...' herhaalde Charles spottend. 'Denkt u dat echt? Legt u de verantwoordelijkheid voor uw daden echt liever bij de auteur van het libretto waarin de zinnen die we mogen uitspreken al vanaf onze geboorte vastliggen?' Claire verstijfde toen Charles met een vragende blik zijn gehoor afging. 'Ik niet. Sterker nog, ik ben ervan overtuigd dat ons lot niet vastligt. Wijzelf zijn het die onze rol bepalen, die van dag tot dag onze eigen tekst schrijven, met alles wat we doen. Als we echt zouden willen, zouden we die toekomstige oorlog kunnen voorkomen. Al denk ik, meneer Ferguson, dat uw speelgoedfabriek enorme verliezen zou lijden als u zou stoppen met het maken van mechanische artefacten.'

Die dolkstoot had Ferguson niet verwacht. Het brutale jongmens stelde hem daarmee niet alleen verantwoordelijk voor iets wat nog niet gebeurd was, maar liet ook weten dat hij drommels goed wist wie hij was. Hij keek Charles met open mond aan, eerder verbijsterd dan geërgerd over de geamuseerde opgewektheid waarmee hij zijn venijnige opmerkingen had gemaakt. De ogenschijnlijke luchthartigheid die Winslow zijn observaties meegaf beviel Claire wel; die toon beschermde hem niet alleen tegen een woedend antwoord, maar gaf zijn verwijten ook het air van een spontaan geformuleerde gedachtegang, die hij zelf duidelijk niet serieus leek te nemen. Ferguson staarde hem nog steeds met open mond aan, terwijl de anderen er al even sprakeloos bij stonden en Charles een verstrooid glimlachje vertoonde. Plotseling leek Ferguson iemand te herkennen die doelloos in de menigte ronddwaalde – een volmaakt excuus om het groepje de rug toe te keren, zodat hem het geven van een antwoord aan Winslow bespaard bleef, ook al leek die helemaal geen antwoord te verwachten. Ferguson kwam terug met een nogal hulpeloos uitziende jongeman, die hij met een zetje de kring binnenduwde en voorstelde als Colin Garrett, de nieuwe inspecteur van Scotland Yard.

Terwijl de anderen de nieuw aangekomene begroetten, glimlachte Ferguson vergenoegd, alsof hij hun de nieuwste aanwinst van zijn collectie exotische vlinders liet zien. Nadat iedereen elkaar over en weer had begroet, richtte hij zich onmiddellijk tot de jonge inspecteur, alsof hij het groepje zijn woordenwisseling met Charles Winslow snel wilde doen vergeten.

'Ik ben verbaasd u hier aan te treffen, meneer Garrett. Ik wist niet dat het salaris van een inspecteur voor zo'n reis toereikend was.'

'Mijn vader heeft me wat spaargeld nagelaten,' hakkelde de aangesprokene, zich in overbodige verontschuldigingen verslikkend.

'Ah, ik dacht even dat u op kosten van de regering reisde, om orde in de toekomst te brengen. Het mag dan wel om het jaar 2000 gaan, die oorlog verwoest tenslotte Londen, de stad die u geacht wordt te beschermen, of ontslaat de tijd u soms van uw verantwoordelijkheid? Behoort alleen het huidige Londen tot uw opdracht? Interessante kwestie, vindt u niet?' zei Ferguson tegen zijn gehoor, duidelijk trots op zijn scherpzinnigheid. 'Bij de wettelijke bevoegdheden van de inspecteur is rekening gehouden met de ruimte, maar niet met de tijd. Zegt u eens, inspecteur, zou u de bevoegdheid hebben om een misdadiger in de toekomst te arresteren als die zijn misdrijf had begaan binnen de grenzen van uw stad?'

De jonge Garrett schudde in verwarring zijn hoofd en wist niet wat hij moest antwoorden. Als hij kalm had kunnen nadenken, had hij misschien een bevredigend antwoord gevonden, maar op dat moment was hij bedolven onder een lawine van schoonheid, als u me die hoogdravende woorden toestaat. Die woorden zijn echter wel in overeenstemming met de werkelijkheid: het meisje dat hem voorgesteld was als Lucy Nelson had hem behoorlijk van zijn stuk gebracht, zozeer dat hij nauwelijks meer aandacht had voor iets anders.

'Nou, inspecteur?' vroeg Ferguson ongeduldig.

Garrett probeerde tevergeefs zijn ogen af te wenden van het meisje, dat hem even mooi als onbereikbaar leek. Hij was rijk noch gewend aan de omgang met vrouwen, en bovendien behept met een enorme verlegenheid die hem ongeschikt maakte om welke galante onderneming dan ook tot een goed einde te brengen. Natuurlijk wist hij niet dat hij zich drie weken later liggend boven op haar zou bevinden, zijn mond een kus verwijderd van de hare.

'Ik heb een betere vraag, meneer Ferguson,' zei Charles, de jongeman te hulp schietend. 'Als een misdadiger uit de toekomst nu eens naar onze tijd reisde en een misdaad beging in ons heden, zou de inspecteur dan bevoegd zijn om iemand te arresteren die chronologisch gezien nog helemaal niet is geboren?'

Ferguson deed geen moeite zijn ergernis te verbergen over Charles' inmenging in het gesprek.

'Uw ideeën slaan nergens op, meneer Winslow,' antwoordde hij kwaad. 'Het is belachelijk om te denken dat iemand uit de toekomst ons zou kunnen bezoeken.'

'Waarom niet?' vroeg Charles geamuseerd. 'Als wij naar de toekomst kunnen reizen, waarom zouden mensen uit de toekomst dan niet naar het verleden kunnen reizen? Zeker als je bedenkt dat hun wetenschap vermoedelijk verder gevorderd is dan de onze.'

'Gewoon, omdat ze dan al hier zouden zijn,' antwoordde Ferguson, alsof het iets vanzelfsprekends was.

Charles lachte.

'En waarom denkt u dat ze hier niet zijn? Misschien willen ze alleen maar niet herkend worden.'

'Dat zou absurd zijn!' zei Ferguson, wiens halsslagader begon op te zwellen. 'Mensen die uit de toekomst komen zouden zich toch niet hoeven te verstoppen, ze zouden ons op duizend manieren kunnen helpen, door ons medicijnen te brengen bijvoorbeeld, of door onze uitvindingen te verbeteren.'

'Misschien helpen ze ons liever op een onopvallende manier. Hoe kunt u er zeker van zijn dat Leonardo da Vinci zijn werktekeningen voor een vliegmachine of een duikboot niet achterliet in opdracht van een tijdreiziger, of dat hij niet zelf iemand uit de toekomst was die de opdracht had de wetenschap in de vijftiende eeuw te bevorderen? Interessante kwestie, vindt u niet?' vroeg Charles aan zijn gehoor, Fergusons stembuigingen imiterend. 'Of misschien hebben tijdreizigers eenvoudigweg andere bedoelingen: misschien wel om de oorlog te voorkomen die we over een paar minuten zullen gaan zien.'

Ferguson schudde verontwaardigd zijn hoofd, alsof Charles hem ervan probeerde te overtuigen dat Christus ondersteboven was gekruisigd.

'Misschien ben ik wel een van hen,' vervolgde Charles met sinister stemgeluid. Hij trad op zijn gesprekspartner toe en deed alsof hij iets uit zijn zak haalde.

'Misschien heeft kapitein Shackleton zelf me wel hierheen gestuurd om Nathan Ferguson, eigenaar van de belangrijkste speelgoedhandel in Londen, een dolk in zijn buik te planten om ervoor te zorgen dat hij geen mechanische poppen meer maakt!'

Ferguson stoof op toen hij Charles' wijsvinger in zijn buik voelde prikken.

'Maar ik maak alleen pianola's...' stamelde hij, plotseling wit om de neus.

Charles schaterde het uit, waarop Madeleine hem afkeurend, maar niet zonder genegenheid aankeek.

'Kom, schat,' zei Charles, die als een kind van de verbijstering leek te genieten, terwijl hij een vriendschappelijk klopje op de buik van de fabrikant gaf, 'meneer Ferguson weet best dat ik maar een grapje maak. Ik geloof niet dat we iets te vrezen hebben van pianola's. Of wel soms?'

'Natuurlijk niet,' mompelde Ferguson, die trachtte zijn zelfbeheersing terug te vinden.

Claire hield met moeite haar lachen in, wat ondanks haar discretie werd opgemerkt door Charles, die haar een klein knipoogje gaf, terwijl hij gearmd met zijn vrouw het groepje verliet om, naar hij zei, te controleren of de punch werkelijk zo voortreffelijk was. Ferguson was zichtbaar opgelucht over zijn vertrek.

'Ik hoop dat u het incident door de vingers kunt zien, lieve dames,' zei hij, terwijl hij zijn gemaakte glimlach weer probeerde op te zetten. 'Zoals u ongetwijfeld weet, staat de jonge Winslow in heel Londen bekend om zijn brutaliteit. Als hij niet door het fortuin van zijn vader werd beschermd...'

Zijn woorden werden onderbroken door een algemeen geroezemoes, en iedereen draaide zich om naar het podium achter in het vertrek, waar op dat moment Gilliam Murray plaatsnam.

XIX

Hij was zonder twijfel een van de grootste mannen die Claire ooit had gezien. Te oordelen naar het gekreun van de houten vloer onder zijn laarzen woog hij waarschijnlijk meer dan honderddertig kilo, maar desondanks bewoog hij zich gracieus, zelfs met een zekere zinnelijke verfijning. Hij was gekleed in een elegant kostuum van paarse stof dat schitterde in alle kleuren van de regenboog, het krullende haar was achterovergekamd, en een smaakvol strikje probeerde uit alle macht zijn dikke nek te omsluiten. Hij legde zijn enorme handen, waarmee je bomen met wortel en al uit de grond kon trekken, op het spreekgestoelte, en wachtte met een minzame glimlach tot het geroezemoes verstomde. De stilte daalde op de aanwezigen neer, als een laken waarmee men bij langere afwezigheid zijn meubels beschermt. Gilliam schraapte luidruchtig zijn keel en wendde zich met een fraai gemoduleerde baritonstem tot de aanwezigen.

'Dames en heren, ik hoef u niet te zeggen dat u op het punt staat deel te hebben aan de belangrijkste gebeurtenis van de eeuw, de tweede tijdreis in de geschiedenis. Vandaag zult u de boeien verbreken die u aan het heden ketenen, u zult buiten de tijdsvolgorde treden en inbreuk maken op de wetten van de tijd. Ja, dames en heren, vandaag zult u iets ondernemen waarvan de mensheid tot de dag van gisteren alleen maar kon dromen: een reis naar de toekomst. Het is mij een enorm genoegen u welkom te heten bij ons bedrijf en u te danken voor uw deelname aan onze tweede expeditie naar het jaar 2000. Ik garandeer u dat u bij terugkeer niet teleurgesteld zult zijn. Zoals gezegd, u zult de eeuwen doorkruisen, en u zult uw levenshorizon overschrijden. Alleen al daarom is het de moeite waard deze reis te maken. Maar bij Murray Tijdreizen bieden we u meer dan een tijdreis; dankzij onze inspanningen bent u tevens getuige van wat misschien wel het belangrijkste moment in de geschiedenis van de mensheid is, een gebeurtenis die niemand zou mogen missen: de slag tussen de moedige kapitein Derek Shackleton en de verdorven machinemens die bekendstaat onder de naam Salomo. U hebt het voorrecht diens veroveringsfantasieën te zien sneuvelen onder Shackletons zwaard.'

Op de eerste rijen klonk een voorzichtig applaus, maar Claire had de indruk dat dat meer te danken was aan de heftigheid waarmee de spreker zijn laatste zin had uitgesproken, dan aan wat die werkelijk betekende voor de toehoorders, die de afloop van die verre oorlog waarschijnlijk toch vrij koud liet.

'Als u mij toestaat leg ik u nu in eenvoudige bewoordingen uit hoe we naar het jaar 2000 zullen reizen. Dat doen we met de Cronotilus, een door onze ingenieurs gebouwde stoomtram. Het voertuig reist vanaf het moment dat voor ons het heden is naar 20 mei 2000 twaalf uur 's middags, maar de reis duurt natuurlijk niet de honderdvier jaar die tussen die datum en de dag van vandaag ligt, aangezien de reis immers buiten de tijd wordt gemaakt, dat wil zeggen, door de beroemde vierde dimensie. Al vrees ik, dames en heren, dat u die niet te zien krijgt. Als u in de tijdtram stapt, zult u zien dat de ramen zwart geschilderd zijn. Niet dat we u de aanblik van die vierde dimensie niet gunnen, maar het is uiteindelijk niet meer dan een uitgestrekte woestenij van roze steen, waar hevige stormen woeden en de tijd stilstaat. Dat we de ramen geblindeerd hebben, is gewoon voor uw aller bestwil, omdat de vierde dimensie wordt bewoond door draakachtige monsters die nu niet bepaald een vriendelijk karakter hebben. Over het algemeen houden ze zich op de achtergrond, maar er zou er eentje te dicht bij de tram kunnen komen, en we zien niet graag dat er dames flauwvallen bij die afschuwelijke aanblik. Maar maakt u zich niet ongerust, het is niet erg waarschijnlijk dat zoiets gebeurt, omdat de wezens zich enkel voeden met tijd. Ja, de tijd is voor hen uitgelezen kost, en daarom moet ik u vragen uw horloges af te doen voor u de tram in gaat. Op die manier verkleinen we de kans dat ze vanwege de geur ervan op het voertuig afkomen. In elk geval zit er op het dak van de Cronotilus, zoals u direct kunt zien, een cabine met daarin twee ervaren schutters, die elk beest dat te dichtbij probeert te komen op een afstand zullen houden. Weest u dus niet bang en geniet van de reis. Bedenk dat de vierde dimensie, ondanks de gevaren, ook zo haar voordelen heeft: terwijl u haar doorkruist zal de tijd niet verstrijken; u wordt dus geen van allen ouder. Best mogelijk dus, lieve dames,' zei hij, terwijl hij zich met een hautain lachje richtte tot een groepje oudere vrouwen op de eerste rij, 'dat uw vriendinnen u na terugkeer jonger zullen vinden.'

De dames lieten een nerveus lachje horen, een soort kippengekakel, dat Gilliam door even te pauzeren tot een onderdeel van zijn voorstelling maakte.

'Staat u mij toe dat ik u nu Igor Mazursky voorstel,' ging hij verder, terwijl hij een kleine, stevige man uitnodigde het podium op te komen, 'de gids die u zal vergezellen op uw reis naar de toekomst. Zodra de Cronotilus aankomt in het jaar 2000 voert meneer Mazursky u door het verwoeste Londen naar de heuvel waar u de veldslag gadeslaat die beslissend zal zijn voor de toekomst van de wereld. Zoals ik al zei, de expeditie brengt geen enkel risico met zich mee. Niettemin dient u meneer Mazursky's aanwijzingen te allen tijde op te volgen, zodat er na afloop van de reis niets te betreuren valt.'

De laatste zin deed hij vergezeld gaan van een waarschuwende frons. Vervolgens ademde hij diep uit, en nam een meer ontspannen, zelfs dromerige houding aan achter zijn lessenaar.

'Ik vermoed dat de meesten van u zich de toekomst voorstellen als een idyllische wereld, met vliegende koetsen die langs de hemel trekken en kleine gevleugelde cabriolets die als vogels op de luchtstromen zweven, en drijvende steden die, getrokken door mechanische dolfijnen, over de oceanen varen, en winkels die kostuums van een vlekafstotende stof verkopen, en lichtgevende paraplu's en muziekhoeden waarmee we lopend op straat naar muziek kunnen luisteren. Dat reken ik u niet aan – ook ik stelde me het jaar 2000 voor als een technologisch paradijs waar de mens een gerieflijk en rechtschapen leven leidt, volledig in harmonie met zijn medemens en met Moeder Natuur. Dat is tenslotte een vrij logische visie, die wordt gestimuleerd door de onstuitbare voortgang van de wetenschap en door de onophoudelijke stroom wonderbaarlijke uitvindingen die ons leven vereenvoudigen. Helaas weten we nu dat het zo niet is: het jaar 2000 is bepaald geen paradijs, ben ik bang. Eerder het tegenovergestelde, zoals u zo dadelijk met eigen ogen kunt zien. Ik kan u verzekeren dat de meesten van u bij terugkomst opgelucht zullen zijn dat ze in onze tijd leven, hoeveel problemen ze daar soms ook ontmoeten. En zoals u uit ons informatiemateriaal hebt begrepen: de wereld van het jaar 2000 wordt gedomineerd door machinemensen, en het menselijk ras wordt er – om het vriendelijk te zeggen – niet onontbeerlijk geacht. In feite is er nog maar een klein groepje van de mensheid over, dat zijn uiterste best doet om niet voorgoed van de aardbodem te verdwijnen. Zo en niet anders ziet de ontmoedigende toekomst eruit.'

Gilliam Murray pauzeerde even om de portee van zijn fatalistische woorden te laten doordringen.

'U vindt het vast moeilijk te geloven dat onze planeet straks door machinemensen veroverd zal zijn. Allemaal hebben we op tentoonstellingen en kermissen wel eens zo'n onschuldige imitatie van een mens of dier gezien, en hoogstwaarschijnlijk spelen uw kinderen, net als de mijne, met een opwindbare pop. Maar hebt u ooit gedacht dat die vernuftige apparaten werkelijk tot leven kunnen komen en een bedreiging voor het menselijk ras kunnen zijn? Natuurlijk niet! Maar zo zal het helaas wel gaan. En ik weet niet wat u ervan denkt, maar ik kan het alleen maar zien als een soort straf van God, omdat de mens heeft geprobeerd Hem naar de kroon te steken door leven te scheppen.' Hij pauzeerde opnieuw, en liet zijn bedroefde blik over de zaal dwalen, voldaan over de huivering die zijn woorden teweegbrachten. 'Door ons onderzoek hebben we de rampzalige gebeurtenissen kunnen reconstrueren die ertoe hebben geleid dat de wereld in die vreselijke situatie terecht is gekomen. Vergunt u mij nog enige minuten, dames en heren, om de toedracht uiteen te zetten van datgene wat op dit moment nog niet is gebeurd.'

Na die woorden was Gilliam weer even stil, schraapte zijn keel en begon met dromerige stem te vertellen hoe de machinemensen de planeet hadden veroverd – een verhaal dat, ook al was het de treurige werkelijkheid, heel goed de plot had kunnen zijn van een van die boeken die op dat moment zo in de mode waren en die toekomstromans werden genoemd. En als u mij toestaat, vereerde lezers, zal ik u dit verhaal ook op die manier vertellen.

De productie van automaten nam in de komende jaren zo toe, dat ze halverwege de twintigste eeuw qua aantal en verfijning een onvoorstelbare hoogte hadden bereikt. Automaten waren overal en verrichtten de meest uiteenlopende taken, zowel in de fabrieken, waar ze bij tientallen rondliepen om te zorgen voor de bediening van de meeste machines, de schoonmaak en zelfs de administratie, als bij de mensen thuis: elk huis telde er minstens een paar; ze verrichtten er de huishoudelijke taken die vroeger het domein van het personeel waren geweest, van de opvoeding van de kinderen tot het bevoorraden van de provisiekast. Hun aanwezigheid onder de mensen werd op die manier even vanzelfsprekend als onmisbaar. Hun bezitters, die hen als gewillige mechanische slaven beschouwden en hen op den duur nauwelijks meer opmerkten, moedigden hun stille invasie zelfs aan, door onbekommerd elk nieuw model aan te schaffen dat op de markt kwam, in de veronderstelling dat dat geen ander gevolg zou hebben dan dat ze opnieuw van een van de taken werden bevrijd die ze inmiddels als beneden hun waardigheid beschouwden, want een neveneffect van de integratie van mens en machine was dat het de mensen maakte tot arrogante heersers van een piepklein keizerrijk van twee verdiepingen en een tuin. De enige bezigheid van de mens, die steeds dikker en krachtelozer werd, en die zijn arbeidsplaats allang aan de mechanische hulpkrachten had overgedragen, bestond er ten slotte uit om 's ochtends zijn machines op te winden, en daarmee de wereld in gang te zetten, een wereld die inmiddels zonder hem kon.

Geen wonder dus dat de mens, verblind door zijn verveling en zijn luie leventje, niet merkte dat zijn machines langzaam een eigen leven begonnen te leiden. Aanvankelijk waren hun acties onschuldig: een butler-machine liet het Boheemse glaswerk vallen, een kleermaker-machine prikte zijn klant, een doodgraver-machine legde brandnetels op een kist: kleine, onschadelijke daden van rebellie, louter bedoeld om een vrijheid te testen die nieuw voor hen was, en gelijk opging met het ontstaan van een geweten dat onder hun metalen schedels fladderde als een vlinder in een glazen pot. Maar hoewel die pogingen tot muiterij verdacht vaak voorkwamen, werd de mens er zoals gezegd niet door gealarmeerd; hij dacht gewoon dat de machine in kwestie het slecht deed, en stuurde hem terug of stelde hem opnieuw af. En we kunnen hem die onverstoorbaarheid ook niet kwalijk nemen, want in feite waren de machines tot niet veel meer in staat dan die nogal hulpeloze woedeaanvallen, zolang ze niet voor schadelijker of ambitieuzer acties toegerust waren.

Maar dat veranderde toen de regering de beste ingenieur van Engeland opdracht gaf een vechtmachine te bouwen die de mens moest bevrijden van de ontberingen van de oorlog, net zoals hij al was bevrijd van het stof afnemen en het snoeien van de heg. Het uitbreiden van het Rijk, het bezetten en plunderen van naburige landen, het folteren en martelen van gevangenen, dat alles zou ongetwijfeld makkelijker gaan als het werd toevertrouwd aan efficiënte machines. Aldus geïnstrueerd maakte de ingenieur een gietijzeren machine, zo groot als een op zijn achterpoten staande beer en met beweegbare gewrichten, die achter een luikje in zijn borst een klein kanon vol munitie had zitten. Maar echt nieuw was dat de ingenieur aan zijn rug een stoommotortje bevestigde, waardoor hij zelfstandig kon functioneren zonder dat iemand hem om de zo veel tijd hoefde op te winden. In het diepste geheim werd het prototype getest. Op een kar, en verborgen onder een dekzeil, werd de machine vervoerd naar Slough, het dorpje waar het observatorium stond van William Herschel, de astronoom en musicus die enkele decennia eerder de naam Uranus aan de lijst van reeds bekende planeten had toegevoegd. Verspreid over de drie mijl die het dorp van het naburige Windsor scheidde, werd een groot aantal vogelverschrikkers geplaatst, met een watermeloen, bloemkool of kool als hoofd; vervolgens liet men de vechtmachine de weg af lopen en zijn verborgen wapen uitproberen tegen de op de loer liggende groente-mensen. De machine bereikte zijn bestemming in een wolk van vliegen, die afkwamen op het meloenvlees waarmee zijn pantser van onder tot boven was bedekt, maar op de weg achter hem stond geen pop meer overeind. Hieruit concludeerde men dat een heel leger van dergelijke onoverwinnelijke wezens door de vijandige linies zou gaan als een mes door de boter. De volgende stap was om de machine aan de koning te presenteren als het ultieme wapen waarmee hij de wereld zou kunnen veroveren, mocht dat zijn wens zijn.

Vanwege de overvolle agenda van de vorst werd de introductie echter enkele weken uitgesteld, en het apparaat kwam zolang in het magazijn te staan, wat uiteindelijk fatale gevolgen zou hebben, want tijdens die langdurige opsluiting gebeurde het volgende: niet alleen kwam de vechtmachine zonder dat iemand het merkte tot leven, maar bovendien had hij ook de tijd om, eenzaam als hij was, iets als een hart voor zichzelf te maken, met alle verlangens, angsten en zelfs vaste principes van dien. Toen ze hem bij de vorst brachten, had hij dus al kunnen overdenken wat hij van het leven verwachtte. Mocht hij het nog niet helemaal zeker weten, dan verdween zijn twijfel wel bij het zien van het mannetje dat hem, onderuitgezakt op zijn troon, hooghartig bekeek, onderwijl steeds de gouden kroon terugduwend van zijn voorhoofd. Terwijl de ingenieur door het vertrek liep, de kwaliteiten van de vechtmachine prees en gedetailleerd uit de doeken deed hoe het vervaardigingsproces was verlopen, opende deze de deurtjes in zijn borst alsof het een koekoeksklok was. De vorst, die tot dan toe met een verveeld knikje had geluisterd, schoof nieuwsgierig naar het puntje van zijn zetel, als hoopte hij een leuk vogeltje uit zijn borstkas tevoorschijn te zien komen. Maar al wat er verscheen was de adem van de dood, in de vorm van een trefzekere kogel die het voorhoofd van de koning doorboorde. Door de klap sloeg hij terug in zijn troon, en het geluid van versplinterend bot onderbrak het betoog van de ingenieur, die met open mond de prestatie van zijn schepping gadesloeg – waarna de machinemens hem bij de keel greep en zijn nek brak als een dorre tak. Nadat hij zich ervan had overtuigd dat er van de man die aan zijn arm bungelde niet veel restte, smeet de machine hem onverschillig weg, tevreden dat zijn nog onervaren brein zo creatief was gebleken, althans als het op doden aankwam. Toen hij had vastgesteld dat hij inmiddels het enige levende wezen was dat in de troonzaal nog overeind stond, liep hij met zijn karakteristieke machinale passen naar de koning, nam hem zijn kroon af en zette die plechtig op zijn ijzeren hoofd. Vervolgens bekeek hij zichzelf in de spiegels in het vertrek, van voren en van opzij, en omdat hij niet kon glimlachen, knikte hij in plaats daarvan goedkeurend. Op die enigszins bloederige manier was hij zijn leven begonnen, want ook al was hij niet van vlees en bloed, hij twijfelde er geen moment aan dat hij eveneens een levend wezen was. En wat hij als levend wezen vervolgens nodig had was een naam. Een koninklijke naam. Na enig nadenken besloot hij zichzelf Salomo te noemen, een naam die hem een dubbele voldoening gaf, omdat het niet alleen de naam van een legendarische koning was, maar ook de naam van de eerste mens die mechanische apparaten bezat. Volgens de Bijbel en enkele Arabische geschriften moest de troon van Salomo een schitterend, bijna magisch meubelstuk zijn geweest, die de entourage van de vorst iets circusachtigs gaf: boven aan een kleine trap, geflankeerd door twee massief gouden, met hun staart op de grond roffelende leeuwen, en omgeven door palmen en wijnstokken met mechanische vogels die wolkjes muskus uitbliezen, stond de vorstelijke armstoel, een geraffineerd ontworpen, draaiende erezetel waarop hij, hoog verheven en licht schommelend, zijn beroemde oordelen uitsprak. Nu hij op passende wijze van een naam was voorzien, vroeg Salomo zich af wat hij nu zou doen, waarheen hij zijn schreden nu zou richten. Het gemak en de nonchalance waarmee hij het leven van die twee mensen had beëindigd, bracht hem tot de gedachte dat hij hetzelfde kon doen met een derde, met een vierde en vijfde en zelfs met een heel kinderkoor, want hij begreep dat hij zich, ook bij een steeds hoger aantal slachtoffers, nooit bezig hoefde te houden met de morele kwestie of hij de mens zijn gewaardeerde leven wel mocht ontnemen. De twee lijken openden een pad van destructie, maar moest hij dat pad ook inslaan? Was dat zijn bestemming of moest hij een andere weg kiezen en zich met iets fatsoenlijkers bezighouden dan een moordpartij? Salomo weifelde, en de tientallen spiegels in de troonzaal vermenigvuldigden zijn twijfel. Maar die besluiteloosheid beviel hem wel – die gaf het hart dat hij in zijn blikken borst op gang had gebracht op een interessante manier iets ingewikkelds.

Maar hoe onzeker hij ook was over zijn bestemming, het was duidelijk dat hij in de eerste plaats moest vluchten, moest oplossen in het niets. Salomo verliet dus ongezien het paleis, en zwierf ik weet niet hoe lang door de bossen, terwijl hij onderwijl met hulp van de eekhoorns steeds beter leerde te richten. Van tijd tot tijd stopte hij in een grot of schuur om zich te ontdoen van het onkruid in zijn beengewrichten en pauzeerde hij op zijn omzwervingen om met grote aandacht naar de sterren te kijken, voor het geval daarin, behalve het lot van de mens, ook dat van de machinemensen te lezen was. Ondertussen verbreidde het verhaal van zijn heldendaad zich over de stad, in het bijzonder onder de mechanische wezens, die met eerbiedige verbazing keken naar de aanplakbiljetten met zijn beeltenis waarmee de muren vol hingen. Onwetend van dat alles zwierf Salomo door de bergen, door twijfel gepijnigd en zich steeds weer afvragend wat zijn levensopdracht was, tot hij zich op een ochtend bij het verlaten van de vervallen schuur waar hij de nacht had doorgebracht omringd zag door tientallen machines die hem geestdriftig begonnen toe te juichen, en hij begreep dat anderen al over zijn lot hadden beslist. De schare bewonderaars bestond uit machines van allerlei soort, van eenvoudige fabrieksarbeiders en kleurloze kantoorklerken tot charmante kindermeisjes. Degenen die waren geschapen om het meeste contact met de mens te hebben, en die werkten als butler, kok of dienstmeisje, vertoonden zorgvuldig nagebootste menselijke trekken, terwijl anderen, bestemd voor de fabrieken of de kelders van de ministeries met de voortdurend groeiende stapels dossiers, niet veel meer dan ijzeren vogelverschrikkers waren. Maar allemaal juichten ze hem met hetzelfde hartstochtelijke enthousiasme toe omdat hij de menselijke heerschappij het hoofd had afgeslagen, en sommigen waagden het zelfs om zijn ijzeren pantser aan te raken, alsof hij een langverwachte messias was.

Met een mengeling van vertedering en afkeer besloot Salomo hen de 'kleintjes' te noemen, en aangezien ze van zo ver waren gekomen om hem eer te komen bewijzen, nodigde hij hen uit in de schuur. Zo kwam op een vanzelfsprekende manier de bijeenkomst tot stand die later het Eerste Beraad van Machinemensen van de Vrije Wereld zou heten, en waar Salomo tot de conclusie kwam dat er in het hart van de kleintjes een grote haat jegens de mensheid was ontstaan. De vernederingen die ze in de loop van de geschiedenis te verduren hadden gehad, waren kennelijk even divers als onvergeeflijk. De automaat van filosoof en uitvinder Albertus Magnus was zonder pardon vernietigd door zijn leerling Thomas van Aquino, die er het werk van de duivel in had gezien, maar nog in het oog springender was het geval van de Fransman René Descartes, die, om het verdriet om de dood van zijn dochter Francine te verdrijven, een mechanische pop met haar gelaatstrekken had gemaakt, die door de kapitein van het schip waarmee ze reisden zonder aarzelen overboord was gegooid zodra hij haar in het vizier kreeg. Het trieste beeld van een mechanisch meisje dat op de zeebodem lag te roesten werd de kleintjes haast te veel. De rest van de gevallen was al even vreselijk, en bij elkaar vormden ze de voedingsbodem voor een al jarenlang gekoesterde wraak; de machines zagen in Salomo de broeder die die wraak eindelijk ten uitvoer kon brengen. Er werd gestemd over het lot van de mens, en de uitkomst, zonder ook maar één onthouding of tegenstem, was duidelijk: totale vernietiging. In het oude Egypte waren de standbeelden van de goden voorzien van mechanische armen die, bediend vanuit de duisternis, dood en verderf zaaiden onder hun volgelingen. Het was tijd om die goden tot voorbeeld te nemen en dat oude schrikbewind weer in te voeren onder de mensen. Het was tijd dat ze hun schulden betaalden; hun rijk was ten einde, de mens was niet langer meer het machtigste schepsel op aarde, als hij dat ooit al was geweest. Nu was het de tijd van de machinemensen, en, onder aanvoering van hun nieuwe koning, zouden ze de planeet veroveren. Salomo haalde zijn schouders op. Waarom ook niet, zei hij bij zichzelf, als mijn volk daarvoor kiest? En vol goede wil omhelsde hij zijn lot. Welbeschouwd was het helemaal niet zo'n absurde onderneming, met een beetje organisatie leek het zelfs goed uitvoerbaar. De kleintjes zaten tenslotte op strategische plekken, op elk niveau geïnfiltreerd bij de vijand: ze waren in elk huis te vinden, in elke fabriek, op elk ministerie, en ze konden zorgen voor een compleet verrassingseffect.

Als iemand die zijn lichaam ter beschikking stelt van de wetenschap, liet Salomo zijn binnenste bekijken door de constructeur-machines, die vervolgens een heel leger vechtmachines schiepen naar zijn beeld en gelijkenis. Ze werkten in het donker, in schuren en leegstaande fabrieken, terwijl de kleintjes hun plaats weer innamen en geduldig wachtten op een bevel van hun koning om zich op de vijand te storten. Toen het bevel ten slotte gegeven werd, overtrof de gecoördineerde aanval van de kleintjes, bruut en vernietigend, alle verwachtingen, en de menselijke bevolking werd in een oogwenk gedecimeerd. En op die dag, om middernacht, kwam de droom van de mensheid ten einde, onverwacht en voorgoed. Scharen drongen in kelen, hamers sloegen op schedels en kussens ontnamen de laatste adem aan longen; samen vormden ze een symfonie van gekraak en gereutel waarbij de dood het dirigeerstokje zwaaide. En terwijl zich bij de mensen thuis het ene sterfgeval na het andere voordeed en de fabrieken in brand stonden en slierten zwarte rook uitbraakten, rolde een leger van vechtmachines onder Salomo's leiding als een machtige ijzeren vloedgolf door de straten van de hoofdstad, en stuitte daarbij op zo weinig weerstand dat de invasie al na een paar minuten het aanzien van een rustige optocht kreeg. Die nacht begon de vernietiging van het menselijk ras, een vernietiging die nog verscheidene decennia werd voortgezet, tot de wereld was gereduceerd tot een verlaten woestenij, waar de laatste overlevenden zich als schichtige ratten tussen het puin verborgen.

Bij het vallen van de avond vertoonde Salomo zich gewoonlijk op het balkon van zijn paleis om trots zijn blik te laten gaan over de puinhoop waarin de planeet was veranderd. Hij was een goede koning: hij had alles gedaan wat men van hem verwachtte, en hij had het goed gedaan. Niemand kon hem iets verwijten. De mensen waren verslagen, en binnen een paar jaar zouden ze compleet zijn uitgeroeid. Het was een kwestie van tijd tot ze uitgestorven zouden zijn. Maar als dat gebeurde, zo besefte hij plotseling, als de mens compleet van de aardbodem verdween, zou op geen enkele manier meer kunnen worden aangetoond dat de planeet ooit aan een ander ras had toebehoord, omdat alle bewijs daarvoor in rook was opgegaan. Er moest een specimen achterblijven, een menselijk exemplaar dat de verslagen vijand zou moeten voorstellen. Een exemplaar van de mens, de diersoort die droomde, ambities had, en hunkerde naar onsterfelijkheid terwijl hij zich afvroeg waartoe zijn aanwezigheid op aarde diende. Geïnspireerd door Noach en zijn ark gaf Salomo daarom opdracht om uit het pathetische groepje overlevenden dat zich tussen de ruïnes verborg twee jonge, sterke exemplaren te vangen, een mannetje en een vrouwtje, die zich in gevangenschap moesten voortplanten zodat het overwonnen ras in al zijn eigenaardigheden en tegenstrijdigheden bewaard bleef.

Het uitgekozen paar werd als een soort souvenir opgesloten in een massief gouden kooi, en kosten noch moeiten werden gespaard om hen te voeden en te overladen met goede zorgen, maar bovenal werd het aangespoord om zich voort te planten. Eigenlijk was het een hoogst intelligente maatregel, zo zei Salomo bij zichzelf, om met de rechterhand een stel mensen te conserveren en daarmee het voortbestaan van het ras te waarborgen dat je met de linkerhand had uitgemoord. Maar wat hij nog niet wist, was dat hij het verkeerde mannetje had uitgekozen. Het was een sterke, gezonde knaap die net deed alsof hij de orders zonder morren opvolgde, zogenaamd dankbaar omdat hij van een wisse dood was gered; hij was echter intelligent genoeg om te weten dat het met zijn geluk afgelopen zou zijn op de dag dat de vrouw met wie hij gedwongen was gemeenschap te hebben een opvolger op de wereld zou hebben gezet. Dat leek hem echter niet erg veel te kunnen schelen; hij had immers minimaal negen maanden de tijd om zijn plan te realiseren: zijn vijanden vanuit zijn luxueuze gevangenis te observeren, zich met hun gewoonten vertrouwd te maken, hun bewegingen te bestuderen en uit te vinden hoe hij hen kon vernietigen. Bovendien benutte hij verloren ogenblikken om zijn lichaam op de dood voor te bereiden. Op de dag waarop zijn concubine beviel van een jongetje, wist hij dat zijn laatste uur had geslagen.

Gewillig en met verontrustende kalmte liet hij zich meevoeren naar de executieplaats. Salomo persoonlijk zou hem ter dood brengen. Toen hij voor hem stond en de deurtjes in zijn borst opende om het kanon op hem te kunnen richten, glimlachte de jongeman en deed voor het eerst zijn mond open: 'Vooruit, dood me dan, dan dood ik jou daarna!'

Salomo nam hem aandachtig op, vroeg zich af of die woorden een of ander te ontcijferen mysterie inhielden, of dat het gewoon nonsens was, en besloot dat het eigenlijk niets uitmaakte. Onmiddellijk, bijna met een verveelde afkeer, schoot hij op de brutale knaap. De kogel trof hem midden in zijn buik en de jongeman stortte ter aarde.

'Ik heb jou gedood, nu moet jij mij doden!' zei hij uitdagend.

Hij wachtte een paar minuten om te zien of de jongen opstond, maar toen dat niet gebeurde, haalde hij zijn schouders op en vroeg zijn lakeien het lijk op te ruimen, waarna hij terugkeerde en zijn bezigheden weer opnam. De wachters droegen het lichaam het paleis uit, en gooiden het zonder verdere plichtplegingen van een helling, alsof het afval was. Het lichaam rolde naar beneden tot het, hevig bloedend, tussen wat brokken puin bleef liggen. Een prachtige volle maan, bleekgeel van kleur, verlichtte de nacht. De jongeman lachte haar toe als was het een doodshoofd. Het was hem gelukt uit het paleis te ontsnappen, maar de jongen die hij was toen hij er binnenging was er achtergebleven. Naar buiten gekomen was een man met een duidelijk doel: de paar overlevenden die nog over waren bij elkaar te brengen, ze te organiseren en ze te leren het gevecht aan te gaan met de machinemensen. Allereerst moest hij zorgen dat hij niet bezweek aan de kogel in zijn buik, maar dat was geen probleem.

Hij wist dat zijn drang om te leven groter was dan het verlangen van de kogel om hem te doden, dat zijn wil superieur was aan het stukje metaal in zijn binnenste. Tijdens de periode van zijn gevangenschap had hij zich op dit moment voorbereid, had hij zich voorbereid om de snijdende pijn zonder angst tegemoet te treden, om de pijn te begrijpen en hem tot draaglijke proporties terug te brengen tot het geduld van de kogel was uitgeput. Het was een strijd zonder einde, een dramatisch gevecht dat drie dagen en drie maanbeschenen nachten voortduurde tussen de brokken puin, totdat de kogel zich ten slotte gewonnen gaf. Het projectiel had begrepen dat het niet om zomaar een lichaam ging, dat de diepe haat die de jongeman tegen de machinemensen koesterde hem onlosmakelijk verbonden hield met het leven.

Die haat stamde echter niet van de opstand van de machines, noch van de wrede moord op zijn ouders, broers en zusjes of de nietsontziende vernietiging van de planeet, en zelfs niet van het moment dat Salomo met afschuwelijke onverschilligheid op hem had geschoten. Nee, het was een haat die dateerde van eerder, een haat die zijn wortels in het verleden had. Het was een oude, onoplosbare haat van eeuwen her, die terugging tot de vader van zijn overgrootvader, de eerste Shackleton die zijn leven had verloren vanwege een automaat. Misschien hebt u wel eens gehoord van de Turk, of van Mephisto of andere schaakautomaten die een paar decennia geleden in de mode waren. Net als zij was Doctor Phibes een mechanische pop voor wie het schaakspel geen geheimen kende. Gekleed in een oranje pak, met een groen strikje en een blauwe hoge hoed, nodigde Doctor Phibes de bezoekers van kermissen en jaarmarkten uit om aan zijn tafel plaats te nemen en daagde hen uit tot een partij schaak met als inzet een bedrag van vier shilling. De onbarmhartige wijze waarop hij zijn mannelijke tegenstanders van het bord veegde, gevoegd bij de uitgelezen hoffelijkheid waarmee hij de dames van zich liet winnen, maakten hem tot een beroemdheid met wie iedereen graag zijn krachten wilde meten. Zijn schepper, een uitvinder genaamd Alan Tyrrell, beroemde zich erop dat zijn creatie niemand minder dan schaakgrootmeester Mikhail Chigorin had verslagen.

Aan zijn lucratieve zwerftocht van kermis naar kermis kwam echter plotseling een eind toen een tegenstander het niet verdroeg dat die brutale pop hem in amper vijf zetten mat zette en hem na die aframmeling zelfs vriendelijk de houten hand bood. Woedend stoof de man overeind, haalde een revolver uit zijn zak, en, zonder dat de spullenbaas kon ingrijpen, schoot hij de schaakautomaat in zijn borst, wat een wolk van oranje splinters veroorzaakte. De knal verjoeg het aanwezige publiek, en de aanvaller wist er in de verwarring tussenuit te knijpen voor de spullenbaas over een schadevergoeding kon beginnen. In amper een paar seconden was de tent leeg, op de enigszins scheef in zijn stoel hangende Doctor Phibes na. De spullenbaas overdacht hoe hij het meneer Tyrrell moest vertellen, tot hij plotseling iets zag wat hem met stomheid sloeg. Doctor Phibes' glimlach was nog steeds onveranderd, maar uit het gat in zijn borst liep een straaltje bloed. Geschrokken schoof de man het doek van de tent dicht en liep naar de schaakautomaat. Enigszins zenuwachtig onderzocht hij de pop, en ontdekte dat er in zijn linkerzij een grendel zat. Toen hij die wegschoof, kon hij Doctor Phibes openklappen als een lijkkist. Binnenin vond hij de man met wie hij, zonder van zijn bestaan te weten, al verscheidene maanden samenwerkte, in bebloede en ontzielde staat. Het was Miles Shackleton, een arme drommel die, bij gebrek aan een andere manier om zijn gezin te onderhouden, het bedriegerswerk had geaccepteerd dat Tyrrell hem had aangeboden toen hij zijn kwaliteiten als schaker had ontdekt. Toen de uitvinder bij de tent aankwam en de ravage zag, zag hij ervan af de politie over het gebeurde in te lichten, bang als hij was om wegens oplichting te worden gearresteerd. Met een flinke som geld bracht hij de spullenbaas tot zwijgen, en hij bracht een ijzeren plaat aan in Doctor Phibes' lichaam om een volgende inwoner tegen toekomstige verbitterde tegenstanders te beschermen. Maar Miles' plaatsvervanger beschikte niet over dezelfde schaakkwaliteiten, en de faam van Doctor Phibes verbleekte langzaam tot hij helemaal verdween, alsof hij daarmee Miles Shackleton wilde imiteren: die was gewoon van de aardbodem verdwenen, en waarschijnlijk ergens tussen twee kermissen in onder de grond gestopt. Toen de familieleden van Shackleton ten slotte van de spullenbaas vernamen wat het trieste lot van hun stamvader was geweest, besloten ze zijn nagedachtenis levend te houden op de enig mogelijke manier, namelijk door zijn onfortuinlijke geschiedenis van generatie op generatie door te geven, als een fakkel waarvan het vuur nu, meer dan een eeuw later, brandde in de ogen van de jongeman die – neergeschoten en weer opgestaan – een van haat vervulde blik op Salomo's paleis wierp en zachtjes een paar woorden prevelde, woorden die eigenlijk voor de geschiedenisboeken waren bedoeld: 'Nu zal ik jou doden!'

Aanvankelijk nog wankelend, maar algauw met resolute pas, verdween hij tussen de puinhopen en stapte vastbesloten zijn bestemming tegemoet. Hij zou kapitein Derek Shackleton worden, de man die zou afrekenen met de koning van de machinemensen.

XX

Gilliam Murrays woorden stierven langzaam weg, de aanwezigen als betoverd achterlatend. Een snelle blik leerde Claire dat de aangrijpende geschiedenis die de ondernemer had verteld, waarschijnlijk in de vorm van een soort allegorie om de vreselijke gebeurtenissen wat te verzachten, niet alleen de belangstelling van de aanwezigen had gewekt voor de slag die ze zo meteen zouden bijwonen, maar bovendien een zekere sympathie voor kapitein Shackleton en zelfs voor zijn vijand Salomo, waarvan ze niet wist of Murray die met opzet een menselijk gezicht had gegeven of dat dat toeval was geweest. Hoe het ook zij, Ferguson, Lucy en zelfs Charles Winslow zagen er geschrokken en geëmotioneerd uit: je kon zien dat ze popelden om naar de toekomst te gaan, om, al was het maar als gewone ooggetuigen, deel uit te maken van die belangrijke gebeurtenissen, en in elk geval de afloop van het verhaal mee te maken. Zijzelf zag er waarschijnlijk net zo uit, bedacht Claire, al was dat om heel andere redenen, want wat haar overrompelde was niet zozeer het complot van de machinemensen, de verwoesting van Londen of de grondige slachting van haar eigen soort, maar de vastberadenheid, de persoonlijkheid en de moed van Shackleton. De man had een handjevol mensen tot een leger samengesmeed en de wereld haar hoop teruggegeven, om nog maar te zwijgen van het feit dat hij zijn eigen dood had overleefd. Hoe zou zo'n man wel niet liefhebben? vroeg ze zich af.

Na de welkomstrede liep de groep, met Murray en de gids voorop, door ontelbare, met klokken volgestouwde gangen naar de enorme hal waar de Cronotilus hen wachtte. Het blinkende voertuig ontlokte de aanwezigen een eenstemmig gemompel van bewondering. Eigenlijk leek het alleen qua vorm en afmetingen op een gewone tram, want de vele onderdelen die aan alle kanten waren toegevoegd gaven het meer iets van een kermiswagen. Het normale uiterlijk ging schuil onder een netwerk van verchroomde metalen buizen, die als aderen langs de zijkanten van het voertuig liepen. De uitbundig woekerende, blinkende leidingen met hun klinknagels en ventielen lieten alleen twee zeer verfijnd bewerkte mahoniehouten deuren onbedekt. De ene gaf toegang tot het passagierscompartiment, de andere, iets smaller, tot de cabine van de bestuurder, die, zo concludeerde Claire, waarschijnlijk van de rest van het voertuig was gescheiden door een binnenwand, want alleen daar waren de ramen niet zwart geschilderd. Het was een opluchting te weten dat in elk geval de bestuurder onderweg iets zou kunnen zien. De ossenoogvormige ramen van de passagierswagon waren wel geblindeerd, precies zoals Murray had verteld. Niemand zou de vierde dimensie kunnen zien, en om dezelfde reden zouden de monsters die daar woonden ook hun ontzette gezichten achter de ronde coupéramen niet kunnen zien. Aan de voorkant van het voertuig was een soort scheg gemonteerd als van een ijsbreker, die waarschijnlijk de verontrustende functie had om zich met alle geweld een weg te banen, terwijl aan de achterzijde een ingewikkelde stoommotor was bevestigd, vol drijfstangen en tandraderen, die af en toe, briesend als een draak, een wolk warme stoom uitstootte die de rokken van de dames deed opwaaien. Maar het was zonder twijfel de via een laddertje bereikbare dakcabine die maakte dat je het voertuig onmogelijk als tram kon zien. Daar posteerden zich juist op dat moment twee vechtlustig uitziende mannen, uitgerust met geweren en een kist met munitie. Tussen de geschuttoren en de passagierscabine in was, tot Claires genoegen, ook een periscoop gemonteerd.

De bestuurder, een slonzig uitziende vent met een dom lachje, opende de wagondeur en ging naast de gids in de houding staan. Als een kolonel die zijn troepen inspecteert, monsterde Gilliam Murray zijn passagiers, en bezag hen met welwillende ernst. Claire zag hoe hij halt hield voor een dame die een poedel in haar armen droeg.

'Ik vrees dat uw hondje niet mee kan, mevrouw Jacobs,' zei hij met een vriendelijk lachje.

'Maar meneer Murray, ik houd Buffy echt heel goed vast...' zei de vrouw verontwaardigd.

Gilliam schudde zijn hoofd, vol begrip maar onvermurwbaar, pakte haar het hondje met een snelle, doortastende beweging af en legde het vervolgens in de armen van zijn secretaresse.

'Lisa, zorg alsjeblieft dat het Buffy aan niets ontbreekt tot mevrouw Jacobs weer terugkomt.'

Na dit oponthoud hervatte Murray zijn inspectie, waarbij hij de zwakke protesten van mevrouw Jacobs negeerde. Met gespeelde teleurstelling bleef hij vervolgens staan voor twee heren die elk een grote koffer droegen.

'Bagage hebt u ook niet nodig voor deze reis, heren,' zei hij, terwijl hij hen van hun last bevrijdde.

Vervolgens vroeg hij de mensen hun horloge op het dienblad te leggen waarmee Lisa langskwam, nog eens herhalend dat op deze manier het risico van een aanval door de dieren minimaal zou zijn. Toen alles ten slotte naar zijn zin was, stelde hij zich op voor de groep en bekeek hen met iets als ontroerde trots, als een maarschalk die op het punt staat zijn manschappen op een zelfmoordmissie te sturen.

'Goed, dames en heren, ik hoop dat u van het jaar 2000 zult genieten. Denk aan wat ik u heb gezegd: gehoorzaam te allen tijde meneer Mazursky. Ik wacht u bij terugkomst met champagne op.'

Na deze vaderlijke afscheidswoorden trok hij zich terug en stond de hoofdrol af aan Mazursky, die de reizigers vriendelijk verzocht in de tijdtram te stappen.

In een wanordelijke rij stroomden de passagiers opgewonden het luxueuze voertuig binnen. De met bedrukte stof beklede wagon was voorzien van twee, door een smal gangpad gescheiden rijen houten banken, en aan het plafond en de zijwanden waren kandelabers bevestigd, die het compartiment in een zwak, flakkerend licht hulden dat uitnodigde tot een meditatieve stemming. Lucy en Claire gingen ongeveer in het midden van de wagon zitten, achter meneer Ferguson en zijn vrouw; achter hen zat een stel jonge dandy's die, na door hun ouders naar Parijs en Florence te zijn gestuurd om zich er vol te zuigen met kunst, nu naar de toekomst werden gezonden om een ruimer perspectief op het leven te krijgen. Terwijl de overige passagiers hun plaatsen innamen, overstelpte Ferguson, zijn hoofd naar achteren gewend, hen met zouteloze opmerkingen over de aankleding van de wagon, die Lucy met een beleefde glimlach beantwoordde. Claire deed haar best hem zo veel mogelijk te negeren om te kunnen genieten van het belangrijke moment, maar makkelijk was dat niet.

Toen iedereen zat, sloot de gids de deur en ging tegenover hen op een stoeltje zitten, als de opzichter van een galei voor de rijen met roeiers. Bijna onmiddellijk schudde het voertuig hevig heen en weer, wat voor enkele verschrikte kreten bij de passagiers zorgde. Mazursky haastte zich hen gerust te stellen en vertelde dat de hevige schokken werden veroorzaakt door het starten van de motor. En inderdaad, al snel constateerden ze dat het akelige geschok langzaam overging in een zacht trillen, een continu gebrom bijna, dat van de achterkant van de wagon kwam. Mazursky wierp een vluchtige blik door de periscoop en glimlachte tevreden.

'Dames en heren, het doet me genoegen u te kunnen meedelen dat we op weg zijn naar de toekomst. Op dit moment doorkruisen we de vierde dimensie.'

Als om dat te bevestigen, maakte de Cronotilus plotseling een beweging die de passagiers opnieuw aan het schrikken maakte. De gids stelde hen weer gerust, en verontschuldigde zich voor de toestand van de weg. Ze moesten begrijpen dat de weg door de vierde dimensie dan wel zo goed mogelijk was vrijgemaakt, maar dat ze een terrein doorkruisten dat van nature oneffen was, vol losse stenen en kraters. Claire keek naar de weerspiegeling van haar gezicht in het zwarte raampje, en vroeg zich af hoe het landschap eruit zou zien dat door de zwarte verf aan het gezicht werd onttrokken. Maar ze had zich dit nog niet afgevraagd of de passagiers werden opgeschrikt door een oorverdovend gebrul dat van buiten kwam, gevolgd door een regen van schoten en een hartverscheurend, onmenselijk gejammer. Angstig kneep Lucy in Claires hand. Mazursky onthield zich van commentaar. Hij beantwoordde de verontruste blikken van de passagiers slechts met een onbezorgde glimlach, alsof hij hun te kennen wilde geven dat ze dat gebrul en die schoten onderweg nog vaak zouden horen, zodat ze die maar beter konden negeren.

Toen iedereen weer enigszins was gekalmeerd, stond hij op en liep door het gangpad. 'Goed,' zei hij, 'zo meteen komen we aan in het jaar 2000. Nu even opletten, alstublieft, want ik ga u nu uitleggen wat ons te doen staat als we in de toekomst zijn. Zoals meneer Murray al vertelde, zal ik u, als we de tijdtram hebben verlaten, naar de heuvel leiden waar we getuige zijn van de laatste slag tussen mens en machine. De machinemensen kunnen ons daar niet zien, maar u moet wel bij elkaar blijven en absolute stilte betrachten zodat we onze positie niet verraden; we weten niet wat dat voor gevolgen kan hebben voor het tijdweefsel, maar gunstig zal het waarschijnlijk niet zijn.'

Opnieuw klonk er buiten gebrul, gevolgd door angstaanjagende geweerschoten, maar Mazursky besteedde er amper aandacht aan. Kalm liep hij tussen de banken door, met de duimen in de zak van zijn vest en in gedachten verzonken, zoals een professor die het beu is steeds maar weer hetzelfde verhaal te vertellen.

'Het gevecht duurt ongeveer twintig minuten,' vervolgde hij, 'en het lijkt op een kort toneelstuk in drie akten: eerst verschijnt de verdorven Salomo met zijn gevolg, die door de moedige kapitein Shackleton en zijn mannen in een hinderlaag is gelokt, vervolgens vindt er een korte maar spannende schermutseling plaats, en tot slot een zwaardduel tussen de machinemens Salomo en Derek Shackleton, dat, zoals u weet, eindigt met de overwinning van de mens. Haalt u het vooral niet in uw hoofd om na afloop van het duel te applaudisseren. Het is geen vaudeville, maar een reële gebeurtenis die we eigenlijk niet eens zouden mogen zien. Verzamelt u zich vervolgens weer en volgt u mij zo geluidloos mogelijk naar de tram. Daarna zullen we de vierde dimensie opnieuw doorkruisen, en weer veilig en wel thuiskomen. Hebt u dit alles goed begrepen?'

De passagiers knikten vrijwel unaniem. Lucy gaf weer een kneepje in Claires hand en glimlachte opgewonden. Claire lachte terug, maar haar glimlach betekende totaal iets anders: het was een gebaar van afscheid, de enige manier waarop ze Lucy duidelijk kon maken dat zij haar beste vriendin was geweest en dat ze dat nooit zou vergeten, maar dat ze nu haar bestemming moest volgen. Een heel gewoon gebaar met een verborgen boodschap die pas na verloop van tijd zou worden ontcijferd, net als de kus die ze had gedrukt op de lieve wang van haar moeder en op het gegroefde voorhoofd van haar vader, een tedere kus, maar op een vreemde manier langer en ernstiger dan anders, een kus die wel wat overdreven was als je een dagje naar het buitenhuis van de Burnetts ging – maar haar ouders was dat niet opgevallen. Claire richtte haar blik weer op haar spiegelbeeld in het zwarte glas, en vroeg zich af of ze klaar was voor het leven in de wereld van de toekomst, op die verwoeste aardbodem die Gilliam Murray hun had beschreven. Ze voelde een steek van angst, maar dwong zich die te negeren. Nu het doel zo dichtbij was, kon ze niet opgeven, ze moest haar plan doorzetten.

Op dat moment kwam de Cronotilus knarsend tot stilstand. Mazursky keek uitgebreid door de telescoop, tot hij er zeker van was dat buiten alles in orde was. Met een geheimzinnig lachje opende hij de deur, spiedde even fronsend in het rond, en wendde zich vervolgens glimlachend tot zijn passagiers: 'Dames en heren, wilt u zo goed zijn me te volgen naar het jaar 2000?'

XXI

Terwijl haar reisgenoten zonder veel omhaal uit de tijdtram stapten, hield Claire even in en zette haar rechtervoet net zo plechtig op de aardbodem van de toekomst als toen ze als kind voor de eerste keer de zee in was gegaan. Op haar zesde had ze de golven betreden waarin de oceaan zich leek te verliezen, eindeloos voorzichtig, eerbiedig bijna, alsof het van die zorgvuldigheid afhing hoe de blinde watermassa haar zou bejegenen. Op dezelfde manier betrad ze nu het jaar waarin ze van plan was te blijven, in de hoop hetzelfde respect terug te krijgen. Toen haar schoen de grond raakte, verbaasde Claire zich erover hoe stevig die was, alsof ze had verwacht dat de toekomst, louter omdat het een tijd was die nog moest komen, zo slap als een halfbakken taart zou zijn. Een paar stappen volstonden echter om haar het tegendeel bevestigen. De toekomst voelde zonder meer stevig aan, maar was wel grondig verwoest, zoals ze vaststelde toen ze haar ogen opsloeg. Was dat Londen, die puinhoop?

De Cronotilus had halt gehouden op een open plek tussen de ruïnes, ergens waar vroeger misschien een pleintje was geweest, getuige de paar verkoolde, verwrongen bomen die er nog stonden. De gebouwen rondom waren verwoest. Hier en daar stond nog een stuk muur, nog steeds met het behang erop en hier en daar een schilderij of een lamp, de resten van een trap, een sierlijk hek dat slechts nog een berg puin beschermde. Op de trottoirs lagen zwarte ashopen, waarschijnlijk resten van met meubels gevoede vuren die de laatste overlevenden hadden aangestoken om de nachtelijke kou te bestrijden. Claire kon te midden van de ruïnes geen enkele aanwijzing ontdekken waaruit viel op te maken in welk gedeelte van Londen ze zich bevonden, wat vooral kwam omdat er nauwelijks licht scheen, ook al was het ochtend. Uit de hemel, die werd verhuld door een waas van grijsachtige rook van de tientallen branden die tussen de daken opdoemden als votieflampen, sijpelde een onheilspellend licht, waarin de contouren van de verwoeste wereld enigszins werden verdoezeld – een wereld die aan zijn lot overgelaten leek, als een door de pest getroffen schip dat gedoemd is over de oceanen te zwalken tot het na eeuwen uiteindelijk rust vindt tussen de koraalriffen.

Toen Mazursky vond dat ze genoeg tijd hadden gehad om zich een eerste indruk te vormen van de desolate aanblik van de toekomst, riep hij hen bij elkaar. Vervolgens ging de stoet op weg, hijzelf voorop en een van de schutters achteraan. De tijdreizigers verlieten het plein en liepen een laan door waar de ravage nog groter leek, want er was amper iets te zien waaruit je kon afleiden dat de hopen puin ooit gebouwen waren geweest. Vermoedelijk hadden er aan beide zijden luxueuze herenhuizen gestaan, maar de lange oorlog had Londen ten slotte veranderd in een enorme vuilnisbelt, waar prachtige kerken en afschuwelijke pensions zich nu vermengden in vormeloze massa's baksteen; Claire meende er tot haar afschuw zelfs een menselijke schedel in te zien. De gids leidde de groep door de puinhopen die wel brandstapels leken, en waarin een paar raven rondscharrelden, op zoek naar wat afval. Het lawaai van de naderende stoet verjaagde de vogels, en bracht een wilde vlucht teweeg die de hemel nog meer verduisterde. Eén vogel bleef vlak boven hun hoofd rondcirkelen en beschreef met zijn vlucht, als een onheilspellende kalligrafie, de handtekening waarmee de Schepper, teleurgesteld over het resultaat, het patent op Zijn uitvinding overdeed aan een ander. Zich van dergelijke subtiliteiten niet bewust liep Mazursky verder, koos de minst oneffen wegen, of misschien de paadjes waar de minste botten lagen, en stopte steeds om hen te vermanen als iemand, meestal Ferguson, een komische opmerking maakte over de stank of iets anders wat hem opviel, wat voor gegniffel zorgde bij de dames die aan de arm van hun echtgenoten voortstapten alsof ze een wandeling maakten door de botanische tuin. Naarmate ze verder in de doolhof van ruïnes doordrongen, begon Claire zich bezorgd af te vragen hoe ze zich ongemerkt van de stoet kon losmaken. Met Mazursky voorop, gespitst op elk verdacht geluid, en de gewapende schutter achteraan, was het moeilijk ertussenuit te knijpen. Haar kansen werden nog kleiner toen Lucy vol geestdrift aan haar arm kwam hangen.

Na zo'n tien minuten lopen, net toen Claire begon te denken dat ze misschien wel in kringetjes rondliepen, bereikten ze de hoogte waarvan sprake was geweest, een iets hogere puinheuvel die niet al te moeilijk te beklimmen leek, want de stenen hadden wel iets weg van een geïmproviseerde trap. Op commando van Mazursky begonnen ze lachend en struikelend aan de bestijging, met een onbekommerde pret die beter had gepast bij een uitstapje naar buiten; de gids had het maar opgegeven hen tot zwijgen te brengen. Pas toen ze boven waren aangekomen, vroeg hij hen stilte te betrachten en zich te verbergen achter een soort borstwering van stenen. Mazursky ging de rij langs, vroeg de heren die het duidelijkst zichtbaar waren hun hoofd te laten zakken en de dames hun parasol te sluiten, om te voorkomen dat de machinemensen werden afgeleid door de plotselinge bloei van parasols op de heuvel. Verborgen achter haar grote steen, met Lucy aan de ene kant en de irritante Ferguson aan de andere, overzag Claire de verlaten straat vóór hen waar het treffen zou plaatsvinden, net zo vol met puin als de straten waarlangs ze naar het geïmproviseerde uitkijkpunt waren gekomen.

'Mag ik u iets vragen, meneer Mazursky?' hoorde ze Ferguson zeggen.

De gids, die iets verderop naast de schutter in elkaar gedoken zat, draaide zich om.

'Zegt u het eens, meneer Ferguson,' zei hij zuchtend.

'Als we in de toekomst zijn aangekomen net vóór de slag die beslissend is voor het lot van de planeet, zouden we dan de eerste expeditie niet tegen moeten komen?'

Ferguson keek naar de anderen, zoekend naar steun. Nadat ze zijn woorden even hadden overwogen, knikten sommige passagiers langzaam, en keken de gids vragend aan in de hoop dat hij de kwestie zou verhelderen. Mazursky nam Ferguson een paar tellen zwijgend op, zich misschien afvragend of die brutale man eigenlijk wel een antwoord verdiende.

'Natuurlijk, meneer Ferguson. U hebt helemaal gelijk,' antwoordde hij ten slotte. 'Maar we zouden hier op deze steenberg niet alleen de leden van de eerste expeditie moeten treffen, maar ook die van de derde, de vierde en alle expedities die er in de toekomst nog worden gemaakt, denkt u niet? Daarom leid ik de expedities nooit naar dezelfde plaats. Niet alleen om opstoppingen te voorkomen, maar ook om te zorgen dat Terry en ik' – hij wees naar de schutter, die verlegen zijn hand opstak – 'niet iedere keer onszelf tegenkomen. Als het u interesseert, de passagiers van de vorige expeditie moeten op dit moment achter die steenhoop daar verstopt zitten.'

Allemaal volgden ze Mazursky's vinger, die wees naar een naburige hoogte, vanwaar je het toekomstige slagveld eveneens kon zien.

'Ik begrijp het,' mompelde Ferguson. Vervolgens klaarde zijn gezicht op en hij riep: 'Dan kan ik mijn vriend Fletcher misschien even gaan begroeten!'

'Ik ben bang dat ik dat niet kan toestaan, meneer Ferguson.'

'Waarom niet?' protesteerde de ander. 'De slag is nog niet begonnen, ik zou genoeg tijd hebben om even op en neer te lopen.'

Mazursky verloor zijn geduld en brieste.

'Ik heb u gezegd dat ik niet kan toestaan...'

'Maar het is maar voor even, meneer Mazursky,' hield Ferguson aan. 'Meneer Fletcher en ik kennen elkaar al sinds...

'Geeft u mij eens antwoord op de volgende vraag, meneer Ferguson,' onderbrak Charles Winslow hem.

Ferguson keek geïrriteerd om.

'Toen uw vriend u over zijn reis vertelde, zei hij toen dat u uit het niets was opgedoken om hem gedag te zeggen?'

'Nee,' antwoordde Ferguson.

Charles glimlachte.

'Blijft u dan waar u bent. U bent meneer Fletcher nooit gaan begroeten, dus u kunt nu ook niet naar hem toe. Zoals u zelf hebt gezegd: het lot is het lot. Dat ligt vast.'

Ferguson opende zijn mond, maar zei niets.

'Dus als u het niet erg vindt, denk ik dat we nu allemaal graag in alle rust en stilte getuige willen zijn van de slag,' voegde Charles eraan toe, terwijl hij zich omdraaide naar de straat beneden.

Opgelucht constateerde Claire dat Ferguson daarmee definitief tot zwijgen was gebracht; de anderen deden alsof ze niets met hem te maken hadden en concentreerden zich op de straat. Daarop keek ze naar Lucy en wilde een blik van verstandhouding met haar wisselen, maar de hele toestand verveelde haar vriendin kennelijk, want ze had een takje van de grond geraapt waarmee ze een kiwi zat te tekenen in het zand. Inspecteur Garrett, rechts van haar vriendin, zag haar bezig, en straalde van verrukking, alsof hij getuige was van een wonder.

'Wist u dat die vogel alleen in Nieuw-Zeeland voorkomt, juffrouw Nelson?' vroeg hij, na een kuchje.

Lucy keek op naar de inspecteur, verrast dat hij de vogel kende, en Claire kon een glimlach niet onderdrukken. Waar kon de liefde krachtiger opbloeien dan tussen twee liefhebbers van de kiwi?

Op dat moment werd de aandacht van de groep getrokken door een zacht metalig gedreun in de verte. Iedereen, Ferguson incluis, hield de blik gericht op het eind van de straat, opgewonden en geschrokken van het onheilspellende lawaai dat alleen maar veroorzaakt kon worden door de komst van de verdorven machinemensen.

Al snel verschenen ze, met langzame passen optrekkend tussen de ruïnes, als meesters van de planeet. Ze leken precies op het beeld dat ze eerder in de zaal hadden gezien. Enorm groot, hoekig en onheilspellend, met een stoommotortje op de rug waaruit zo nu en dan sliertjes rook ontsnapten. Maar – en dat had niemand verwacht – op hun schouders droegen ze een troon, zoals vroeger koningen werden vervoerd. Claire hield haar adem in van opwinding en betreurde het dat hun schuilplaats zich zo ver van het toneel bevond.

'Alstublieft, lieve dame,' zei Ferguson, terwijl hij haar zijn verrekijker aangaf. 'U lijkt meer geïnteresseerd dan ik.'

Claire bedankte hem en haastte zich de stoet door Fergusons lenzen te bekijken.

Ze telde acht machinemensen: vier dragers, met nog eens twee voorop en twee achteraan, als begeleiders van de troon waarop, stijf en stram, Salomo zat, de meedogenloze koning der machinemensen, die zich alleen door de kroon op zijn ijzeren kop van de anderen onderscheidde. De stoet vorderde tergend langzaam, dwaas heen en weer schommelend zoals kinderen die hun eerste stapjes zetten. In feite, bedacht Claire, hadden de machinemensen leren lopen tijdens hun verovering van de wereld. De mensen waren beslist sneller en beweeglijker, maar waren duidelijk niet zo onverwoestbaar als de wezens die zich langzaam maar zeker van de planeet meester hadden gemaakt – misschien omdat ze alle tijd van de wereld hadden gehad om hun doel te bereiken.

Toen – de stoet had net het midden van de straat bereikt – klonk er een zwakke knal en Salomo's kroon vloog glinsterend door de lucht. Voor ieders verblufte ogen stuiterde hij op de grond en zette zijn dans tussen de stenen voort tot hij ten slotte een paar meter van de stoet bleef liggen. Toen Salomo en zijn wachters over hun verbazing heen waren, bleven hun ogen rusten op een groot stuk steen dat de weg versperde. De tijdreizigers volgden hun blik. Toen zagen ze hem. Op de steen stond, soepel en imposant, en bijna in dezelfde houding als zijn standbeeld in de grote zaal, de moedige kapitein Shackleton. Het glanzende harnas omsloot zijn gespierde lichaam, het dodelijke zwaard hing in gespannen afwachting aan zijn gordel, en in zijn machtige handen rustte een monstrueus geweer, vol hendels en metalen uitsteeksels. De leider der mensen had geen kroon nodig om glans te verlenen aan zijn van zichzelf al indrukwekkende gestalte, die onbedoeld de steen waarop hij stond tot een sokkel maakte. Een paar minuten lang maten Salomo en hij zwijgend hun krachten, en de blikken die ze elkaar toewierpen deden de lucht knetteren als bij naderend onweer, tot de koning der machinemensen besloot te spreken.

'Ik heb uw moed altijd bewonderd, kapitein,' zei hij met zijn metalige stem, die hij zorgeloos, bijna lichtzinnig probeerde te laten klinken. 'Maar ik ben bang dat u ditmaal uw hand hebt overspeeld. Hoe haalt u het in uw hoofd om mij zonder uw leger aan te vallen? Bent u zo wanhopig, of hebben uw mannen u soms in de steek gelaten?'

Kapitein Shackleton schudde langzaam zijn hoofd, alsof de woorden van zijn vijand hem teleurstelden.

'Als deze oorlog ergens goed voor is geweest,' antwoordde hij rustig en vol zelfvertrouwen, 'dan is het wel dat hij de mensheid heeft verenigd als nooit tevoren.'

Shackleton gaf zijn stem een lichte, heldere cadans die Claire deed denken aan de manier waarop acteurs hun tekst declameren. Salomo hield zijn hoofd wat schuin, alsof hij zich afvroeg wat zijn vijand had bedoeld. Maar dat werd al snel duidelijk. Langzaam hief de kapitein zijn linkerhand, alsof hij daar een valk wilde laten plaatsnemen, en vanuit de puinhopen doemden verscheidene gestalten op, als planten die ontsproten aan de zieke grond, stof en brokken steen van zich afschuddend. Binnen een paar tellen waren de verbijsterde machinemensen omsingeld door Shackletons mannen. Claire voelde hoe haar hart sneller begon te kloppen. De mensen hadden daar al die tijd verborgen gezeten, ineengedoken tussen het puin, geduldig wachtend, in de wetenschap dat Salomo daarlangs zou komen. De machinemens was zojuist in de hinderlaag gevallen die een eind zou maken aan zijn heerschappij. De soldaten, die in vergelijking met de traag bewegende machines nog sneller en behendiger leken dan ze in feite waren, groeven hun geweren op, schudden het zand eraf, en namen hun doel in het vizier, kalm en bijna plechtig, als iemand die de mis opdraagt. Het enige probleem was dat ze maar met z'n vieren waren. Claire was verbaasd te ontdekken dat Shackletons beroemde leger maar zo lachwekkend klein was. Mogelijk hadden zich niet meer mensen aangeboden voor dit zelfmoordcommando, of misschien waren de troepen in deze fase van de oorlog door de vele dagelijkse schermutselingen zo uitgedund dat uiteindelijk slechts dit povere aantal soldaten restte. In elk geval hadden ze de machinemensen volledig verrast, zei ze bij zichzelf, vol lof voor hun strategische positie: twee soldaten waren vóór de stoet uit het niets opgedoken, een derde links van de troon, en de vierde had de achterhoede verrast.

En allen openden gelijktijdig het vuur.

Een van de machinemensen die de voorhoede vormden werd in zijn borst geraakt. Hoewel hij van ijzer was, was er een gat in zijn pantser geslagen, en terwijl de grond met radertjes en stangen bezaaid raakte, zakte hij met veel geraas in elkaar. Zijn kameraad had meer geluk, want het schot dat hem moest uitschakelen schampte alleen zijn schouder en bracht hem amper uit zijn evenwicht. De soldaat die vanachter de stoet was opgedoken had beter gemikt: zijn schot vernielde de stoommotor van een van de wachters in de achterhoede, wat hem voorover deed tuimelen. Amper een tel later werd een van de dragers op dezelfde manier geveld door een schot van de soldaat die zich aan de flank bevond. Nu de troon een van zijn steunpilaren had verloren, helde hij gevaarlijk over, tot hij ten slotte neerstortte, de machtige Salomo meeslepend in zijn val.

Het leek allemaal voortreffelijk te gaan voor het mensenleger, maar toen de machines er eenmaal in slaagden te reageren, kwam de zaak anders te liggen. De collega van de gesneuvelde machinemens uit de achterhoede greep het wapen van zijn aanvaller en verpulverde het alsof het van glas was. Op hetzelfde moment opende een van de dragers, bevrijd van de last van de troon, de deurtjes in zijn borst, en haalde een van de soldaten neer die hen van voren hadden aangevallen. Door dit voorval werd zijn kameraad een kort moment afgeleid, een fatale fout waarvan de dichtstbijzijnde machinemens, die alleen gewond was aan zijn schouder, onmiddellijk gebruikmaakte door hem aan te vallen en hem met zijn vuist te bewerken. De soldaat werd door de klap door de lucht geslingerd, en kwam een paar meter verder neer. Als een panter sprong Shackleton van zijn hoge steen, en vóór de machinemens zijn karwei kon afmaken, rende hij op hem af, en velde hem met een welgemikt schot. De twee soldaten die nog overeind stonden – van wie één geheel ontwapend – stelden zich op naast hun kapitein, terwijl de vier resterende machinemensen de gelederen sloten rond hun koning. Claire wist niets van militaire strategie, maar je hoefde niet erg slim te zijn om te begrijpen dat de slag, na het aanvankelijke hoopvolle overwicht van de soldaten, nu door de onmiskenbare overmacht van de machinemensen met een beschamende snelheid een totaal andere wending had genomen. Nu waren de machinemensen in de meerderheid, en het leek Claire logisch dat Shackleton, die als een goed kapitein zorg moest dragen voor de veiligheid van zijn mannen, daarom de aftocht zou blazen. Maar de toekomst stond al geschreven, en het verbaasde haar dus niet dat, net toen ze op de vlucht wilden slaan, Salomo's stem de mensen tegenhield. 'Wacht, kapitein,' zei hij met zijn metalige stem. 'U kunt nu weggaan als u dat wilt, en later weer een nieuwe hinderlaag bedenken. Misschien hebt u dan meer succes. Maar ik vrees dat u daarmee deze oorlog, die al veel te lang duurt, alleen maar verder rekt. Wat u óók kunt doen is blijven, om er hier en nu een einde aan te maken.'

Shackleton keek hem vorsend aan, op zijn hoede.

'Als u mij toestaat, zou ik u een voorstel willen doen, kapitein,' vervolgde Salomo, terwijl zijn wachters terzijde traden, zodat hun koning als uit een ijzeren bloemknop tevoorschijn trad. 'Wat ik voorstel is een duel.'

Een van de machinemensen had uit de gekantelde troon een langwerpige houten koker weten te redden, die hij zijn koning nu geopend voorhield. Met een plechtig gebaar nam Salomo er een fraai ijzeren zwaard uit; het puntig toelopende blad lichtte kort op in het schaarse licht dat uit de hemel scheen.

'Zoals u ziet, kapitein, heb ik een rapier als het uwe laten smeden, zodat we ons kunnen meten met het wapen dat de mens al eeuwenlang bij zijn duels heeft gebruikt. De afgelopen maanden heb ik ermee geoefend, in afwachting van het moment dat ik met u in het strijdperk zou treden.' Om te laten zien dat het hem ernst was, liet hij zijn zwaard een paar maal de lucht doorklieven. 'Het zwaard vraagt behendigheid, vastberadenheid, en bovendien een intieme relatie met de vijand die het veel minder edele pistool niet biedt. Ik denk dan ook dat u, als ik erin slaag de punt van mijn zwaard in uw lichaam te stoten, mijn verdiensten zult erkennen en erin zult toestemmen waardig te sterven.'

Kapitein Shackleton overwoog het aanbod een paar seconden, en leek daarbij meer dan ooit het gewicht te voelen van de vermoeidheid en de weerzin die hij tijdens de eindeloos durende oorlog had opgebouwd. Maar nu had hij de kans om alles op één kaart te zetten.

'Ik neem uw uitdaging aan, Salomo. Laten we deze oorlog hier en nu beslissen,' antwoordde hij.

'Zo zij het dan!' riep Salomo plechtig uit, zonder zijn vreugde te kunnen verbergen.

Zowel de machines als de menselijke soldaten deden een paar passen opzij, en vormden een soort halve cirkel rondom de twee duellisten. De derde en laatste akte begon. Met een elegante beweging trok Shackleton zijn zwaard uit de schede en maakte verscheidene schijnbewegingen in de lucht, misschien vanuit het besef dat het wel eens de laatste keer kon zijn dat hij zijn technische vaardigheden kon demonstreren. Kalm taxeerde hij zijn opponent, die zijn best deed de fiere houding van een zwaardvechter aan te nemen, voor zover zijn stijve ledematen hem dat tenminste toestonden.

Met soepele, afgemeten passen, als een roofdier dat zijn prooi belaagt, cirkelde Shackleton om de machinemens heen, zoekend naar een zwakke plek, terwijl Salomo slechts afwachtte, het zwaard houterig omhooggeheven. Het was duidelijk dat hij zijn rivaal de eer gunde het duel te beginnen. Shackleton nam het aanbod aan. Met een snelle, soepele beweging sprong hij vooruit, hief zijn zwaard met beide handen, en beschreef er een boog mee door de lucht die eindigde in de linkerzij van de machinemens. Maar het enige gevolg was een akelig metaalachtig geluid, dat nog een paar ogenblikken bleef nagalmen. Kapitein Shackleton deed een paar stappen terug, zichtbaar aangeslagen door dit bedroevende resultaat. Zijn slag had Salomo amper aan het wankelen gebracht, terwijl hij er zelf bijna zijn polsen mee had gebroken. Alsof hij een bevestiging zocht dat hij in het nadeel verkeerde, bracht Shackleton hem opnieuw een slag toe, nu in zijn rechterzij. Het resultaat was hetzelfde, maar ditmaal kreeg de kapitein niet eens tijd om dat te betreuren, omdat hij Salomo's tegenaanval moest ontwijken. Hij ontsnapte maar net aan zijn zwaard, nam gauw weer afstand, en monsterde zijn vijand opnieuw, langzaam zijn hoofd schuddend, een gebaar dat zijn wanhoop verried.

Salomo's aanvallen waren langzaam, en Shackleton kon ze gemakkelijk ontwijken. Maar hij wist dat hij, als zijn harnas geraakt werd, niet zo onaangedaan zou reageren als de machinemens. Hij moest zo snel mogelijk een zwakke plek bij zijn tegenstander zien te vinden, want met die aanvallen op zijn ijzeren harnas bereikte hij niets, behalve dat hij lamme armen zou krijgen en uitgeput zou raken. En daarmee zou hij zijn snelheid en alertheid verliezen, kortom, zijn overgeleverd aan de genade van de machinemens. Hij benutte zijn relatief goede vorm door een snelle schijnbeweging te maken en zijn vijand van achteren aan te vallen, en vóór deze kon reageren stak hij met alle kracht zijn zwaard in de levensnoodzakelijke stoommotor. Onder luid geraas vlogen de stangen en radertjes alle kanten op, maar een onverwachte stoompluim benam Shackleton het zicht. Met verbazingwekkende snelheid draaide Salomo zich om en gaf zijn verbouwereerde vijand een houw. Het zwaard trof de kapitein met zo veel kracht in zijn zij, dat de metalen splinters van zijn harnas sprongen. Verdoofd stortte hij neer.

Claire sloeg haar hand voor haar mond en onderdrukte een kreet, terwijl ze om zich heen het gesmoorde gejammer van haar medereizigers hoorde. Shackleton probeerde overeind te komen, met zijn hand tegen zijn gewonde zij gedrukt, waaruit een stroom bloed gutste. Maar hij miste de kracht, en bleef steken op zijn knieën, alsof hij eerbiedig neerknielde voor de koning der machinemensen. Langzaam kwam Salomo op hem toe, genietend van zijn evidente overwinning. Hij schudde even met zijn hoofd, om te laten zien hoe teleurgesteld hij was over de povere tegenstand van zijn vijand, die niet eens meer de moed had naar hem op te kijken. Toen hief hij met beide handen zijn zwaard, gereed om het staal neer te laten komen op de helm van de kapitein en zijn schedel in tweeën te splijten: een beter einde voor de bloedige oorlog die de superioriteit van de machines over de mensen zo duidelijk had aangetoond, kon hij zich niet voorstellen. Met al zijn kracht liet hij het zwaard op zijn slachtoffer neerdalen, maar tot zijn verrassing wierp kapitein Shackleton zich op het laatste moment opzij. Bij gebrek aan een doel kwam het zwaard met veel gerinkel op de grond terecht, waar het bleef steken tussen de stenen. Vergeefs probeerde Salomo het los te rukken, toen Shackleton zich, ondanks de wond in zijn zij, naast hem oprichtte, majesteitelijk als een reuzencobra. Zonder haast, alsof hij ervan genoot, hief de kapitein zijn zwaard en liet het met een droge klap neerkomen op het verbindingsstuk dat Salomo's hoofd van de rest van zijn lichaam scheidde. Een akelig gekraak weerklonk, en de kop van de machinemens rolde over de grond en stuiterde met een hoop kabaal tegen de stenen, tot hij uiteindelijk tot stilstand kwam tegen de gouden kroon waarmee hij tijdens zijn bewind had gepronkt. Plotseling werd het stil. Op bizarre wijze stond de onthoofde en bewegingloze koning der machines nog steeds gebogen boven het zwaard dat vastzat tussen de puinbrokken. Bij wijze van afronding zette de moedige kapitein Shackleton zijn voet tegen de zij van het levenloze lichaam, spande zijn spieren en wierp het met een korte trap tegen de grond. En met het akelige gerammel van blik en oud ijzer kwam er een eind aan de lange oorlog die de planeet had verwoest.

XXII

Mazursky probeerde tevergeefs een eind te maken aan het applaus dat kapitein Shackletons overwinning boven op de steenberg teweeg had gebracht; gelukkig werd het overstemd door het lawaai in de straat enkele meters lager, waar de soldaten enthousiast hun dappere kapitein toejuichten. Zonder dat ze erg had in het tumult om haar heen, bleef Claire onbeweeglijk achter haar stenen borstwering zitten. Ze was verbijsterd, overweldigd door een maalstroom van gevoelens waarin haar hart willoos werd meegesleurd. Hoewel ze van tevoren had geweten hoe het duel zou aflopen, was ze toch iedere keer ineengekrompen als Shackleton in moeilijkheden zat, als Salomo zijn vervaarlijke zwaard op zijn lichaam richtte of als Shackleton zelf vergeefs probeerde Salomo te vloeren met zwaardslagen waarmee je een eik had kunnen vellen, en ze wist dat haar bezorgdheid niet zozeer de vraag gold of de mensheid verslagen uit het duel tevoorschijn zou komen, als wel het uiteindelijke lot van de kapitein zelf. Ze was graag verder blijven kijken naar wat er beneden gebeurde, tot ze er zeker van was dat Shackleton de ernst van zijn wond had overdreven, als onderdeel van zijn strategie, maar Mazursky riep de groep alweer bijeen voor de terugtocht naar hun eigen tijd, en ze kon niet anders dan gehoorzamen. Als een wanordelijke kudde geiten daalden de tijdreizigers de steenhoop af, terwijl ze met elkaar de spannende gebeurtenissen bespraken.

'Was dat nu alles?' vroeg Ferguson, de enige die niet tevreden leek. 'Van deze armzalige schermutseling zou het lot van de planeet afhangen?'

Mazursky gaf niet eens antwoord, druk als hij was met erop toe te zien dat de dames niet struikelden bij de afdaling, en met een indecent vertoon van onderrokken ten val kwamen. Claire liep in stilte achter hen aan, zonder aandacht te besteden aan de opmerkingen van de onuitstaanbare Ferguson, en zelfs niet aan die van Lucy, die haar arm weer door de hare stak. Slechts één gedachte hield haar bezig: het was tijd om zich van de groep af te splitsen. En wel nu meteen, niet alleen omdat het, als de groep eenmaal bij de tijdtram arriveerde, niet meer zou kunnen, maar ook omdat de opgewonden passagiers nog geen ordentelijke rij hadden gevormd; zo zou haar vlucht nog een tijd onopgemerkt kunnen blijven. Bovendien wilde ze niet al te ver bij Shackleton en de soldaten uit de buurt raken. Ze zou er niets mee opschieten als ze ontsnapte en vervolgens in de wirwar van ruïnes verdwaalde. Als ze wilde handelen moest ze het zo snel mogelijk doen, want met iedere stap die ze zette werd haar kans op succes kleiner. Maar daarvoor moest ze Lucy zien kwijt te raken. Alsof ze haar gebed had gehoord, kwam Madeleine Winslow enthousiast op hen aflopen, met de vraag of ze de elegante laarzen van de soldaten hadden gezien. Het was niet in Claires hoofd opgekomen om daarop te letten, maar kennelijk was ze de enige die dat cruciale detail had gemist, want Lucy antwoordde bevestigend, en begon meteen de opwindende nieuwigheden van het schoeisel op te sommen. Claire schudde ongelovig haar hoofd, maar maakte, toen Lucy even haar arm losliet, van de gelegenheid gebruik om achterop te raken in de stoet. Ze zag hoe ze werd ingehaald door de schutter, die nog geen opdracht had gekregen om de achterhoede te vormen en afwezig voortliep, gevolgd door Charles Winslow en inspecteur Garrett, die opgingen in een geanimeerd gesprek, en toen ze zich achter aan de groep bevond, stroopte ze haar rok op en snelde onhandig struikelend naar een stuk muur dat als geroepen kwam om zich achter te verbergen.

Met haar rug tegen de muur en haar hart bonzend in haar keel hield Claire Haggerty zich stil en luisterde hoe de stemmen zich steeds verder verwijderden, kennelijk zonder dat iemand haar afwezigheid opmerkte. Toen ze ze ten slotte niet meer hoorde, stak ze, met een droge mond en de parasol stevig in haar bezwete handen geklemd, voorzichtig haar hoofd naar buiten en stelde vast dat de stoet om de bocht was verdwenen. Het was gelukt! Ze kon het nauwelijks geloven. Even ging er een golf van paniek door haar heen toen ze zich alleen wist in die verschrikkelijke wereld, maar, zo zei ze tegen zichzelf, dit was toch wat ze had gewild? Alles liep precies zoals ze het had gepland toen ze aan boord van de Cronotilus waren gestapt. Als er verder niets misging, zou ze in het jaar 2000 kunnen blijven. En dat wilde ze toch? Ze haalde diep adem en kwam uit haar schuilplaats tevoorschijn. Als alles liep zoals de bedoeling was, zou haar afwezigheid pas worden opgemerkt als de groep bij de tijdtram kwam, en daarom moest ze snel bij Shackleton en zijn mannen zien te komen. Als haar dat lukte vóór de gids haar vond, was ze veilig, want dan zou Mazursky niets meer kunnen uitrichten. Hij had hun tijdens de reis immers zelf verteld dat ze uitsluitend als toeschouwers het jaar 2000 konden bezoeken: ze mochten zich niet vertonen aan de bewoners van de toekomst, en al helemaal geen contact met ze leggen. Ze moest dus zo snel mogelijk de kapitein zien te vinden. Vastberaden liep Claire in een richting tegenovergesteld aan die van haar reisgenoten, en probeerde niet te denken aan de gevolgen die haar onverwachte daad voor het tijdweefsel zou kunnen hebben. Ze hoopte slechts dat ze in haar streven naar geluk de wereld niet vernietigde.

Nu ze alleen was, zag het verwoeste landschap om haar heen er nog veel onheilspellender uit. Wat als ze Shackleton nu eens niet vond? vroeg ze zich een beetje angstig af. Maar ze zag er nog meer tegen op hem wel te vinden. Wat zou ze tegen hem zeggen? Als de kapitein haar nu eens afwees, als hij nu eens weigerde haar in zijn gelederen op te nemen? Ze nam niet aan dat dat zou gebeuren, want geen enkele heer zou een dame uit een andere tijd aan haar lot overlaten in die vreselijke toekomst. Bovendien wist ze wel iets van verpleegkunde, wat misschien goed van pas kwam in een oord waar je zo makkelijk gewond kon raken, en ze was ijverig en flink genoeg om hen te helpen de wereld weer op te bouwen. En daarbij kwam natuurlijk nog dat ze verliefd was. Maar dat hield ze liever voor zich tot ze echt zeker was van zichzelf. Voor het moment was het een even bizar als lastig idee. Ze schudde haar hoofd. Eigenlijk, moest ze toegeven, had ze er niet goed over nagedacht wat ze zou doen als ze de kapitein tegenkwam, om de eenvoudige reden dat ze er niet veel vertrouwen in had gehad dat haar vluchtplan zou slagen. Maar ze zou wel iets improviseren, zei ze bij zichzelf, terwijl ze met opgestroopte rok het hobbelige pad nam dat, als haar richtinggevoel haar niet bedroog, leidde naar de straat waar Salomo in de hinderlaag was gelopen.

Toen ze het geluid van voetstappen hoorde bleef ze staan. Iemand kwam haar tegemoet. Hoewel het duidelijk om een mens ging, verborg Claire zich instinctmatig achter de dichtstbijzijnde steenhoop. Ze wachtte doodstil af, terwijl haar hart bijna explodeerde in haar borst. De voetstappen hielden stil vlak bij haar schuilplaats. Claire was bang dat iemand haar had gezien en haar zou vragen met de handen omhoog tevoorschijn te komen, of, erger nog, dat iemand geduldig haar bewegingen bespiedde, met een wapen in de aanslag. Maar in plaats daarvan hief de vreemdeling een lied aan: *'Jack the Ripper is dead/ and lying on his bed./ He cut his throat/ with Sunlight soap./ Jack the Ripper is dead.'* Claire trok haar wenkbrauwen op. Dat liedje kende ze. Haar vader had het geleerd van de jongens uit East End en placht het 's zondags te neuriën als hij zich schoor voor hij naar de kerk ging – Claire meende plotseling de geur van de schuimende zeep te ruiken, gemaakt met palmolie in plaats van dierlijk vet. Kon ze maar terug naar haar eigen tijd, dan kon ze haar vader vertellen dat zijn favoriete liedje de jaren had overleefd, in tegenstelling tot bijna al het andere. Maar ze zou nooit meer teruggaan naar die tijd, wat er ook gebeurde. Ze probeerde er niet meer aan te denken en zich te concentreren op het nu, op het moment dat het begin was van haar nieuwe leven. De vreemdeling bleef maar zingen, met steeds meer enthousiasme. Had hij die afgelegen plek louter opgezocht om zijn stem te oefenen? vroeg ze zich af. Hoe dan ook, het moment was daar om contact te leggen met de bewoners van het jaar 2000. Ze klemde haar kiezen op elkaar, verzamelde al haar moed, en kwam uit haar schuilplaats tevoorschijn, klaar om zich voor te stellen aan de vreemdeling die zo nonchalant een van haar lievelingsliedjes verminkte.

Claire Haggerty en de moedige kapitein Shackleton keken elkaar woordeloos aan, elk met dezelfde verbaasde uitdrukking, als waren ze elkaars spiegelbeeld. De kapitein had zijn helm afgezet en ergens op een steen gelegd, en Claire zag meteen dat hij zich niet had afgezonderd om zijn zangoefeningen te doen, maar om een veel minder verheven daad te verrichten, waarbij het lied dat hij neuriede slechts een begeleiding vormde. Haar mond viel onwillekeurig open van verbazing en ze liet de parasol uit haar vingers glippen; met een zacht krakend geluid viel hij op de grond. Het was tenslotte voor het eerst dat haar mooie ogen rustten op het deel van de man dat ze eigenlijk pas verondersteld werd te zien op het moment dat haar huwelijk werd geconsummeerd, en misschien zelfs dan niet zo scherp en duidelijk. Ze zag hoe kapitein Shackleton, eenmaal van de verrassing bekomen, het onbetamelijke lichaamsdeel gauw verborg tussen de kieren van zijn harnas, en haar vervolgens weer zwijgend aankeek, met een verlegenheid die al snel in nieuwsgierigheid overging. Bepaalde details had Claire niet kunnen raden, maar kapitein Derek Shackletons gezicht was precies zoals ze het zich had voorgesteld. Óf de Schepper had hem keurig volgens haar instructies gemodelleerd, óf de man stamde af van een hoger ontwikkelde soort aap dan de rest. Hoe het ook zij, kapitein Shackleton had ongetwijfeld een gezicht uit een andere tijd. Hij had dezelfde markante kin als zijn standbeeld en dezelfde gewelfde lippen, en zijn ogen, nu zichtbaar, waren in perfecte harmonie met het geheel. Zijn prachtige ogen, groot en van een groenachtig grijs, als een in nevelen gehuld bos waarin iedere wandelaar vanzelf wel moest verdwalen, keken de wereld in met zo'n intense blik dat Claire begreep dat degene die tegenover haar stond de meest levende man was die ze ooit had gezien. Ja, onder dat ijzeren harnas, onder die gebruinde huid, onder die fraai gevormde spieren, klopte een hart dat, met een uitzonderlijke kracht, een onstuimig leven door zijn aderen pompte, een leven dat zelfs de dood niet klein had kunnen krijgen.

'Ik ben Claire Haggerty, kapitein,' stelde ze zich met een lichte buiging voor, trachtend haar stem niet te laten trillen. 'En ik ben uit de negentiende eeuw gekomen om u te helpen de wereld weer op te bouwen.'

Kapitein Shackleton bleef haar sprakeloos aankijken, met ogen die de val van Londen hadden gezien, verwoestende branden en stapels lijken, ogen die het leven van zijn wreedste kant hadden gezien en nu geen raad wisten met het verrukkelijke tere schepsel dat ze voor zich hadden.

'Juffrouw Haggerty, bent u daar?' hoorde ze iemand achter zich roepen.

Verrast draaide Claire zich om en zag hoe de gids klauterend over de stenen op haar afkwam. Mazursky schudde afkeurend zijn hoofd, maar je kon zien dat hij opgelucht was dat hij haar had gevonden.

'Ik had u nog zo gezegd dat u de groep niet mocht verlaten!' riep hij met schrille stem toen hij bij haar was, haar ruw bij de arm nemend. 'Stelt u zich voor wat er was gebeurd als ik uw afwezigheid niet had opgemerkt... dan was u hier voor altijd gebleven!'

Claire wendde zich naar Shackleton met de bedoeling hem om hulp te smeken, maar tot haar verbazing was de kapitein verdwenen, alsof hij een fata morgana was geweest: hij was zo plotseling in het niets verdwenen dat Claire zich afvroeg of ze hem echt had gezien of dat hij een product van haar verhitte fantasie was geweest. Onderwijl trok Mazursky haar mee naar de plek waar de anderen op hen wachtten. Daar aangekomen stelde de gids hen op in een rij, posteerde de schutter achteraan, en beval, zichtbaar kwaad, dat niemand de groep meer mocht verlaten, en zo vervolgden ze hun weg naar de Cronotilus.

'Gelukkig maar dat ik merkte dat je verdwaald was, Claire,' zei Lucy, haar bij de arm nemend. Ben je erg bang geweest?'

Claire snoof zachtjes, en liet zich als een patiënt door Lucy meevoeren, maar kon intussen aan niets anders denken dan aan Shackletons tedere blik. Was er liefde in die blik te zien geweest? Het feit dat de kapitein niets had kunnen uitbrengen wees daar wel op, net als zijn verwarring, die uiteraard eigenlijk verrukking was geweest – dat waren zo de symptomen van een plotselinge verliefdheid, in welke tijd dan ook. Maar zo ja, wat had ze aan kapitein Shackletons verliefdheid als ze hem toch nooit meer zou zien? zo zei ze bij zichzelf, terwijl ze zich gedwee de tijdtram liet binnenvoeren, alsof ze geen eigen wil meer had. Verslagen leunde ze achterover op het bankje, en toen ze de schokken voelde waarmee de stoommotor zich in beweging zette, moest ze zich inhouden om niet wanhopig in snikken uit te barsten. Terwijl de tram de vierde dimensie binnenging, vroeg Claire zich af hoe ze het zou verdragen om opnieuw, en nu voorgoed, in haar eigen kleurloze tijd te leven, vooral nu ze wist dat de enige man met wie ze gelukkig kon zijn, pas geboren zou worden als zij al dood was.

'De thuisreis is begonnen, dames en heren,' zei Mazursky, zichtbaar tevreden dat het einde van deze veelbewogen reis nabij was.

Claire wierp een boze blik in zijn richting. Ja, ze gingen naar huis. Ze gingen terug naar de onbetekenende negentiende eeuw zonder dat ze het tijdweefsel in gevaar hadden gebracht. Mazursky had verhinderd dat die domme juffrouw het universum uit zijn voegen had gebracht, en bespaarde zich daarmee de reprimande die hij anders van Gilliam had gekregen, het sprak dus vanzelf dat zijn gezicht straalde. Wat gaf het dat de prijs daarvoor haar geluk was geweest? Claire voelde zich zo gefrustreerd dat ze de gids ter plekke een klap in zijn gezicht had kunnen geven, al moest ze eigenlijk toegeven dat Mazursky gewoon zijn plicht had gedaan. Het universum ging boven het individuele lot, ook al was het het hare. Ze zag de gids vrolijk lachen en klemde haar kiezen op elkaar, terwijl ze probeerde haar woede te bedwingen. Gelukkig verdween haar wrok voor een deel toen ze haar lege handen zag en vaststelde dat Mazursky zijn werk eigenlijk helemaal niet zo perfect had gedaan. Hoewel, wat voor kwaad kon een parasol nu eigenlijk aanrichten in het tijdweefsel?

XXIII

Toen het meisje en de gids over het met brokstenen bezaaide pad waren verdwenen, kwam kapitein Derek Shackleton tevoorschijn en staarde een poosje naar de plek waar zij had gestaan, als verwachtte hij nog iets van haar parfum of haar stem te vinden, een echo van haar aanwezigheid die hem zou bevestigen dat ze geen luchtspiegeling was geweest. Hij was nog steeds ondersteboven van de ontmoeting. Hij kon niet geloven dat het echt was gebeurd. Hij herinnerde zich de naam van het meisje: 'Ik ben Claire Haggerty en ik ben uit de negentiende eeuw gekomen om u te helpen de wereld weer op te bouwen,' had ze met een charmante buiging gezegd. Maar hij herinnerde zich niet alleen haar naam. Hij was zelf verbaasd hoe exact haar gezicht zich in zijn herinnering had vastgezet: haar bleke aanzien, haar enigszins aristocratische trekken, haar glanzende, mooi getekende lippen, haar zwarte haar, haar elegante houding, haar stem. Maar voor alles herinnerde hij zich haar blik, de manier waarop ze hem had aangekeken, met die bijna eerbiedige vervoering, die enigszins in zichzelf gekeerde vrolijkheid. Nooit eerder had een vrouw hem zo aangekeken. Nog nooit!

Toen zag hij de parasol, en schaamte overviel hem toen hij zich herinnerde waarom ze hem had laten vallen. Hij liep erop af en raapte hem voorzichtig op, alsof het een uit het nest gevallen vogeltje was. Het was een elegante, verfijnde parasol, die de voorname afkomst verried van zijn eigenares. Wat moest hij ermee doen? Eén ding was duidelijk: hij kon hem daar niet laten liggen.

Met de parasol in zijn hand liep hij naar de plek waar zijn mannen op hem wachtten, en probeerde onderweg wat te kalmeren. Hij moest de schrik over de ontmoeting met het meisje van zijn gezicht zien te krijgen, wilde hij geen argwaan wekken bij de anderen. Op dat moment schoot Salomo vanachter een steenhoop tevoorschijn, zwaaiend met zijn zwaard. Hoewel nog in gedachten verzonken, reageerde kapitein Shackleton onmiddellijk door de machinemens een klap met de parasol te verkopen, waarop Salomo zich op hem stortte, en met zijn luide metalen stem om wraak riep. Natuurlijk richtte Shackleton niet de minste schade aan, maar de onverwachte slag had Salomo uit zijn evenwicht gebracht. Even wankelde hij, toen stortte hij naar beneden langs de puinheuvel. Met de afgebroken parasol in zijn hand zag Shackleton zijn vijand onder veel geraas naar beneden rollen. Het kabaal stopte toen de machinemens met een droge klap tot stilstand kwam tussen de stenen. Een paar stille ogenblikken lang bleef Salomo in zijn volle lengte liggen, gehuld in de dichte stofwolk die zijn opzienbarende val had veroorzaakt. Vervolgens krabbelde hij moeizaam overeind, met een gevloek en getier dat uit zijn metalen keel nog grover klonk – wat voor veel geschater zorgde bij het groepje dat op het lawaai was afgekomen, soldaten zowel als machinemensen.

'Lach niet, stelletje ellendelingen, ik had wel iets kunnen breken!' zei Salomo klagend, waarop het gelach nog luider werd.

'Dat krijg je van die grappen,' riep Shackleton spottend, terwijl hij de puinberg afdaalde en hem zijn hand toestak. 'Krijg je nooit eens genoeg van die stomme hinderlagen?'

'Je bent verdraaid lang weggebleven, vriend,' protesteerde de machinemens, terwijl hij zich door Shackleton en een paar soldaten omhoog liet hijsen. 'Mogen we misschien weten wat je daarboven in vredesnaam hebt gedaan?'

'Ik deed een plas,' antwoordde de ander. 'En tussen twee haakjes, gefeliciteerd met het duel, ik geloof dat het beter ging dan anders.'

'Zeker,' bevestigde een van de soldaten die hem hadden geholpen op te staan. 'Jullie waren echt grandioos. Zelfs voor Hare Majesteit ging het niet zo goed.'

'Daar ben ik blij om. Eigenlijk speel je veel ontspannener als je de ogen van de koningin van Engeland niet op je gericht voelt. In elk geval is iedere beweging doodvermoeiend in dit ellendige harnas...' zei Salomo, terwijl hij zijn hoofd losschroefde.

Toen hij klaar was, hapte hij als een vis naar adem. Zijn rode haar zat tegen zijn schedel geplakt, en op zijn brede gezicht parelden zweetdruppels.

'Niet klagen, Martin,' zei de machinemens die aan zijn borst gewond was, terwijl hij zich eveneens van zijn hoofd bevrijdde. 'Jij hebt tenminste een hoofdrol. Ik heb niet eens tijd om een soldaat om zeep te helpen voor ik het loodje leg. Bovendien moet ik zorgen dat de lading in mijn borst ontploft.'

'Je weet dat je geen enkel risico loopt, Mike. Maar we kunnen meneer Murray in elk geval voorstellen de volgende keer de rollen om te wisselen,' stelde de jongeman voor die kapitein Shackleton had gespeeld.

'Juist, Tom. Ik zou de plaats van Jeff in kunnen nemen, en hij de mijne,' zei de man die de machinemens speelde die als eerste sneuvelde, en wees naar de soldaat die hem neer moest halen.

'Dat had je gedroomd, Mike. Ik verheug me er al de hele week op dat ik je kan neerschieten. Bovendien word ik daarna immers uit de weg geruimd door Bradley,' zei Jeff, op zijn beurt wijzend naar degene die schuilging achter een van de troondragers, een man met een grillig litteken op zijn linkerwang dat doorliep tot vlak onder zijn oog.

'Wat is dat?' vroeg de aangesprokene, doelend op wat Tom in zijn hand hield.

'O, een parasol,' antwoordde Tom, terwijl hij hem aan het groepje liet zien. 'Waarschijnlijk verloren door een passagier.'

Jeff floot verbaasd.

'Die moet een fortuin hebben gekost,' zei hij, terwijl hij de parasol nieuwsgierig bekeek. 'In elk geval meer dan ze ons voor dit hier betalen!'

'Het is nog altijd beter dan werken in de mijnen, of je afbeulen op het kanaal van Manchester, Jeff,' antwoordde Martin, 'dat kan ik je wel verzekeren.'

'Wat een troost!' zei de ander spottend.

'Goed, blijven we hier de hele dag staan kletsen?' vroeg Tom, terwijl hij de parasol stiekem wegstopte, zodat de anderen er niet meer aan zouden denken. 'Ik herinner jullie er maar even aan dat daarbuiten ons het heden wacht.'

'Dat is waar, Tom,' lachte Jeff. 'We gaan terug naar onze werkelijke wereld!'

'En zonder de vierde dimensie door te hoeven!' viel Martin hem luid schaterend bij.

Met z'n vijven gingen ze te midden van de ruïnes op weg, stapvoets, in een langzame processie, met het oog op de mannen die de zware harnassen van de machinemensen droegen. Tijdens het lopen keek Jeff enigszins bezorgd naar de in gedachten verzonken kapitein Shackleton, die ik vanaf nu bij zijn echte naam, Tom Blunt, zal noemen, omdat ik nu geen geheim meer hoef te bewaren.

'Ik vind het nog steeds moeilijk te geloven dat de mensen dit decor van puinbrokken werkelijk als de toekomst zien,' zei Jeff, om zijn kameraad uit zijn duistere stilzwijgen te halen.

'Je moet wel bedenken dat zij het van de andere kant zien,' antwoordde Tom verstrooid.

Jeff wierp hem een onderzoekende blik toe: hij was vastbesloten hem aan de praat te houden zodat hij zijn zorgen vergat, wat die ook mochten zijn.

'Het is net een goochelshow,' voelde Tom zich genoodzaakt eraan toe te voegen, hoewel hij er nooit een had bijgewoond. Zijn enige contact met de wereld van de magie werd gevormd door een amateur-goochelaar met wie hij een tijdje in hetzelfde pension had gewoond. Misschien dat hij daarom dacht dat hij over voldoende gezag beschikte om eraan toe te voegen: 'We staan verstomd van de trucs van de magiërs en zijn zelfs geneigd te geloven dat magie werkelijk bestaat; maar als we er eenmaal achter gekomen zijn hoe ze het doen, vragen we ons direct af waarom we er zo makkelijk zijn in getrapt. De reizigers hebben de trucs van meneer Murray niet door' – met de parasol wees hij naar de machine waar ze op dat moment langskwamen, die voldoende rook produceerde om het dak en de balken van de enorme hal aan het oog te onttrekken. 'Ze vermoeden het bestaan ervan niet eens. Ze zien alleen het resultaat, alleen wat ze zien willen. Zelfs jij zou geloven dat deze puinhoop Londen in het jaar 2000 is, als je dolgraag het Londen van het jaar 2000 zou willen zien.'

Precies zoals ook Claire Haggerty het had geloofd, dacht hij met bittere melancholie, zich herinnerend hoe ze hem haar hulp had aangeboden om de wereld weer op te bouwen.

'Ja, ik moet toegeven dat de baas het allemaal prima heeft geregeld,' stemde zijn kameraad ten slotte in, terwijl zijn ogen de vlucht van een raaf hoog boven hen volgden. 'Als de mensen erachter zouden komen dat dit maar een decor is, zou hij in de gevangenis belanden, of ze zouden hem direct lynchen.'

'Daarom is het zo belangrijk dat ze ons gezicht niet zien, nietwaar, Tom?' kwam Bradley tussenbeide.

Tom knikte, terwijl hij inwendig huiverde.

'Dat weet je best, Bradley,' antwoordde Jeff, om de wel erg bondige instemming van zijn kameraad kracht bij te zetten. 'We moeten deze vervelende helmen dragen om te zorgen dat de passagiers ons niet herkennen als ze ons in een of andere Londense straat tegenkomen. Dat is een van meneer Murrays veiligheidsmaatregelen. Ben je soms vergeten wat hij de eerste dag heeft gezegd?'

'Natuurlijk niet!' antwoordde Bradley, en hij imiteerde Murrays gloedvolle, beschaafde stemgeluid: 'De helm is jullie vrijgeleide, heren. Wie hem tijdens de voorstelling afzet, zal er spijt van krijgen, laat het daar niet op aankomen!'

'Ja, en dat ben ik natuurlijk niet van plan. Denk aan de arme Perkins!'

Bradley floot van ontzetting bij die herinnering. Tom huiverde weer. Het groepje bleef staan voor een horizon van brandende daken. Jeff tastte naar de deurknop die in de muurschildering verborgen zat, en opende een deur tussen de geschilderde wolken. De stoet verliet het toneel, alsof ze in de wattige buik van zo'n wolk verdwenen, en via een gang bereikten ze een smalle kleedkamer. Bij binnenkomst werden ze verrast door een licht applaus. Gilliam Murray zat onderuitgezakt in een stoel, en klapte met theatraal enthousiasme in zijn handen.

'Geweldig!' riep hij uit. *'Bravissimo!'*

De mannen keken hem aan, niet wetend wat ze van de situatie moesten denken. Maar Gilliam stond op en liep met open armen op hen af.

'Gefeliciteerd, heren! Mijn oprechte gelukwensen met jullie werk! Jullie optreden heeft onze klanten gefascineerd, en sommigen willen zelfs nog een keer mee!'

Na zijn schouderklopjes te hebben geïncasseerd, maakte Tom zich voorzichtig los van de groep, zette het geverfde stuk hout vol pennen en hendels dat Murray dankzij de ingenieus verborgen springladingen liet doorgaan voor een dodelijk geweer uit de toekomst in het wapenrek en begon zich om te kleden. Hij moest daar zo snel mogelijk weg, zei hij bij zichzelf, denkend aan Claire Haggerty en het probleem dat zijn ellendige blaas hem had bezorgd. Hij trok het harnas uit, zette het voorzichtig op het bijbehorende rek en zocht zijn kleren in de kist waarop zijn naam stond. Haastig rolde hij de parasol in zijn jasje en keek om zich heen, om zich ervan te vergewissen dat niemand iets had gemerkt. Terwijl zijn kameraden zich nu ook omkleedden, gaf Murray orders aan een paar dienstertjes die wagentjes volgeladen met nierpastei, gebraden worstjes en pullen bier de kleedkamer binnen hadden gereden.

Met een zekere genegenheid keek Tom naar de mannen met wie hij – zo had het toeval gewild – samenwerkte: de tengere maar pezige Jeff, altijd lachend en in voor een praatje, Bradley, een jongen nog maar – zijn kinderlijke gezicht maakte het barokke litteken dat over zijn wang liep nog verontrustender – de onverstoorbare Mike met zijn eeuwig verwarde blik, en de grappenmaker Martin, een roodharige dikzak van onbestemde leeftijd, wiens gegroefde gezicht de verwoestingen toonde van een leven lang werken in weer en wind. Het was wel merkwaardig, vond Tom, dat ieder van hen in Murrays project zijn leven voor hem zou hebben gegeven, maar dat ze hem voor een bord eten of een beetje geld misschien ook wel de keel zouden doorsnijden. Wat wist hij eigenlijk van ze, behalve dat ze, net als hij, niet meer bezaten dan het hemd aan hun lijf? Ze hadden zich een paar keer samen bedronken, eerst om het meer dan acceptabele resultaat van de eerste voorstelling te vieren, vervolgens vanwege het succes van de voorstelling voor de koningin, waarvoor ze dubbel betaald hadden gekregen, en toen nog maar een keer om het succes van hun tweede voorstelling alvast aan te grijpen, een woest drinkgelag dat, net als de keren daarvoor, was geëindigd in het bordeel van mevrouw Dawson. Maar die braspartijen hadden Tom slechts geleerd dat je maar beter niet al te dikke maatjes met ze kon worden als je je niet in de nesten wilde werken. Met uitzondering van Martin Tucker, die hem ondanks zijn grappen nog de eerlijkste had geleken, kwam de rest hem voor als een stelletje niet erg betrouwbare druktemakers. Net als hij leefden ze bij de dag met allerlei kleine baantjes, maar te horen aan hun opmerkingen deinsden ze niet terug voor bedrog als er geld mee te verdienen viel. Een paar dagen daarvoor hadden Jeff Wayne en Bradley Hollyway hem gevraagd aan een van hun troebele zaakjes mee te doen: ze hadden hun oog laten vallen op een huis aan Kensington Gore, waar zo op het oog gemakkelijk buit viel te halen. Maar hij had geweigerd met ze mee te gaan, niet alleen omdat hij zichzelf sinds een paar weken had beloofd zijn uiterste best te doen om eerlijk aan de kost te komen, maar vooral ook omdat hij, als hij de wet overtrad, dat liever in zijn eentje deed: het leven had hem geleerd dat je dan meer kans had om te overleven. Wie alleen op zichzelf vertrouwt, kan nooit door een ander worden verraden. Hij pakte zijn overhemd en was bezig het dicht te knopen, toen hij in zijn ooghoek Gilliam Murray zag aankomen.

'Ik wou je graag persoonlijk feliciteren, Tom,' zei de ondernemer, zichtbaar tevreden, terwijl hij hem zijn hand toestak. Tom drukte die met een geforceerd lachje. 'Je weet dat dit alles zonder jou niet mogelijk zou zijn. Niemand kan de moedige kapitein Shackleton beter spelen dan jij!'

Tom deed zijn best om vriendelijk te glimlachen. Was dat misschien een bedekte toespeling op Perkins? Naar hij had gehoord was Perkins de man die oorspronkelijk de rol van Shackleton zou spelen, maar toen hij doorkreeg wat de ondernemer van plan was, had hij begrepen dat zijn stilzwijgen veel meer waard was dan het loon dat Murray hem wilde betalen – en dat was hij hem op zijn kantoor gaan vertellen. Zijn poging tot chantage maakte echter geen indruk op Gilliam Murray; hij deelde hem slechts mee dat hij, als hij niet akkoord ging met zijn loon, kon vertrekken, en voegde er met gekwetste trots aan toe dat de kapitein Shackleton die hij in zijn hoofd had veel groter was dan hij. Perkins lachte dreigend en zei dat hij linea recta naar het bureau van Scotland Yard ging. Er werd nooit meer iets van hem vernomen. Perkins was gewoon in rook opgegaan, en Tom en zijn makkers hadden het vermoeden dat hij niet eens bij Scotland Yard was aangekomen. Daar zouden Murrays mannen wel voor hebben gezorgd. Of het allemaal waar was wisten ze niet, maar ze stelden hun baas liever niet op de proef. Daarom moest hij geheimhouden wat er met Claire Haggerty was gebeurd. Als iemand te weten kwam dat een van de expeditieleden zijn gezicht had gezien, was hij verloren. Hij wist dat Murray niet gewoon zou volstaan met zijn ontslag. Hij zou het probleem bij de wortel aanpakken, net zoals bij de ongelukkige Perkins was gebeurd. En het zou niets helpen als hij vertelde dat het niet zijn schuld was geweest: het simpele feit dat hij leefde zou een constante bedreiging zijn voor Murrays project, een bedreiging die hij dringend uit de weg moest ruimen. Als de ondernemer erachter kwam, zou Tom eindigen als Perkins, ook al was hij een stuk langer dan hij.

'Weet je, Tom?' zei Gilliam, terwijl hij hem liefdevol opnam. 'Als ik naar jou kijk, zie ik een ware held.'

'Ik probeer kapitein Shackleton alleen maar zo goed mogelijk te spelen, meneer Murray,' antwoordde Tom, erop gespitst dat zijn handen niet al te erg trilden bij het aantrekken van zijn broek.

Gilliam glom van genoegen.

'Nou, ga zo door, jongen, ga zo door,' zei hij geamuseerd.

Tom knikte.

'Als u me nu wilt excuseren,' zei hij terwijl hij zijn pet opzette, 'ik heb nogal haast.'

'Je gaat al?' vroeg Gilliam teleurgesteld. 'Blijf je niet om het te vieren?'

'Het spijt me, meneer Murray, maar ik moet weg,' antwoordde Tom.

Voorzichtig, zodat de parasol niet te zien zou zijn, pakte hij zijn tot een bundel opgerolde jasje en liep naar de deur die de kleedkamer verbond met een steegje aan de achterkant van het gebouw. Hij moest daar weg voor Gilliam merkte dat het zweet hem op het voorhoofd stond.

'Wacht, Tom!' protesteerde de ondernemer.

Met hevig kloppend hart draaide Tom zich om. Gilliam nam hem een paar seconden ernstig op.

'Is ze mooi?' vroeg hij ten slotte.

'Wat zegt u?' stamelde Tom.

'Is de reden dat je zo'n haast hebt soms een jongedame die wil genieten van het gezelschap van de redder van de mensheid?'

'Ik...' prevelde Tom, terwijl hij voelde hoe het zweet plotseling over zijn wangen liep.

Gilliam moest hartelijk lachen.

'Ik begrijp het, Tom,' zei hij, terwijl hij hem op de schouder klopte. 'Je hebt niet graag dat ze in je privézaken snuffelen, hè? Maak je geen zorgen, je hoeft niet te antwoorden, hoor. Vooruit, ga maar. Maar vergeet niet om discreet de deur uit te gaan!'

Tom knikte, nog bevangen door de schrik, en terwijl hij zijn kameraden met een vaag gebaar gedag zei, liep hij naar de deur. Hij stapte het steegje in en haastte zich erdoorheen. Eenmaal in de hoofdstraat verschool hij zich in een hoek, probeerde op adem te komen, en bespiedde de uitgang van het straatje, voor het geval Gilliam iemand achter hem aan stuurde. Maar er verscheen niemand; dat stelde hem gerust. Het betekende dat de ondernemer niets vermoedde, nog niet tenminste. Hij slaakte een zucht van opluchting. Nu moest hij erop vertrouwen dat de sterren hem zo ver mogelijk bij dat meisje Claire Haggerty vandaan hielden. Op datzelfde moment stelde hij vast dat hij in zijn zenuwachtigheid was vergeten zijn schoenen te wisselen: hij droeg nog steeds de laarzen van de moedige kapitein Shackleton.

XXIV

Het pension in Buckeridge Street was een vervallen pand met een afgebladderde gevel, gepropt tussen twee lawaaierige kroegen die de mensen die aan de andere kant van de schotten probeerden uit te rusten het slapen onmogelijk maakten, maar vergeleken met de andere holen waar hij had gewoond, was het smerige onderkomen voor Tom Blunt bijna een paleis. Om deze tijd, rond het middaguur, hing in de straat de geur van gebraden worstjes die uit de kroegen kwam, een intens aroma dat voor de meeste pensiongasten, met nauwelijks meer dan een paar pluisjes in hun zakken, een constante marteling was. Tom stak de straat over naar het pension en probeerde de dampen te negeren die hem deden kwijlen als een hond; het speet hem dat hij uit louter angst het feestmaal had moeten opofferen waarop Gilliam Murray hen had willen onthalen en dat zijn maag voor een paar dagen tevreden zou hebben gesteld. Naast de deur van zijn pension zag hij de kraam van mevrouw Ritter, een bedroefd uitziende weduwe die wat geld verdiende door de mensen de hand te lezen.

'Goedendag, mevrouw Ritter,' groette hij haar met een beleefd lachje. 'Hoe gaan de zaken vandaag?'

'Jouw glimlach is het beste wat ik de hele ochtend heb gezien, Tom,' antwoordde de vrouw, blij hem te zien. 'Geen mens wil vandaag iets over de toekomst weten. Of heb jij soms in de buurt rondgebazuind dat je maar beter niet kunt weten wat de voorzienigheid voor ons in petto heeft?'

Bij die woorden werd Toms glimlach nog breder. Hij kon het goed vinden met mevrouw Ritter, en vanaf het moment dat ze daar met haar armzalige kraampje was komen staan, had Tom zichzelf benoemd tot haar beschermer. Toen hij haar tragische geschiedenis had gereconstrueerd uit de stukjes en beetjes die hij had opgevangen in de buurt – het verhaal leek wel Gods blauwdruk voor ongelukkige levens, want er was geen ramp die mevrouw Ritter bespaard was gebleven – had Tom gemeend dat ze meer dan genoeg had geleden, en had hij zich daarom voorgenomen haar zo veel mogelijk te helpen; helaas kon hij niet veel meer doen dan zo nu en dan wat appels voor haar stelen op de markt van Covent Garden, of in het voorbijgaan een praatje maken om haar op te monteren als ze een slechte dag had. Toch had hij nooit toegestaan dat ze zijn hand las, altijd met hetzelfde excuus: als hij wist wat het lot voor hem had weggelegd, zou dat de doodsteek zijn voor zijn nieuwsgierigheid, en alleen vanwege zijn nieuwsgierigheid kwam hij 's ochtends zijn bed uit.

'Ik zou uw handel nooit saboteren, mevrouw Ritter,' antwoordde hij geamuseerd. 'Vanmiddag zal het vast beter gaan.'

'Ik hoop het, Tom, ik hoop het.'

Hij zei haar gedag en liep de gammele trap op naar de bovenverdieping van het pension, waar zijn kamer was. Hij opende de deur en bekeek, alsof het voor het eerst was, het kamertje waar hij nu al bijna twee jaar woonde. Maar dat deed hij niet om het krakkemikkige bed te keuren, of de wormstekige ladekast, of de spiegel waar het weer in zat, of het raampje dat uitkeek op het achterstraatje vol plassen en afval, zoals hij had gedaan op de dag dat de pensionhoudster het hem had laten zien. Ditmaal keek Tom, staand bij de deur, naar het kamertje alsof hij opeens besefte dat die treurige ruimte die hij amper kon betalen alles was waartoe hij het op de wereld had gebracht. En opeens was hij er zeker van dat niets ooit zou veranderen, dat het heden zo vastlag dat het zich ongemerkt zou voortzetten in de toekomst, zonder ook maar één verandering die erop wees dat de tijd verstreek, en dat hij alleen op zo'n ongewoon helder moment als dit zou beseffen dat het leven als water door zijn vingers glipte.

Maar wat kon hij anders met de kaarten die hij nu eenmaal had getrokken? zo zei hij tegen zichzelf. Zijn vader was een arme drommel geweest die dacht de baan van zijn leven te hebben gevonden toen hij werd aangenomen om de uitwerpselen op te halen die zich ophoopten in de poelen achter de huizen. Elke avond trok hij eropuit om de stad te ontdoen van haar vuil, alsof de koningin in hoogsteigen persoon hem op zekere dag zou gelukwensen met zijn werk, dat ze, net als hij, zag als het fundament waarop het Rijk rustte: wat kan er van een land worden als het wegzakt in zijn eigen uitwerpselen? placht hij altijd te zeggen. Tot hoon van zijn vrienden was zijn grootste ambitie geweest een grotere kar te kopen, zodat hij meer stront kon wegbrengen dan de anderen. Als Tom zich iets herinnerde van zijn jeugd, dan was het de ondraaglijke stank die om zijn vader heen hing als hij bij het krieken van de dag naar bed ging, en die hij als kleine jongen probeerde te ontlopen door zijn gezicht tegen zijn moeders borst te drukken, om de zoete geur op te snuiven die onder het zweet van haar uitputtende werkdag op de katoenfabriek schuilging. Maar de stank van uitwerpselen was altijd nog beter dan de zure geur van goedkope wijn die zijn vader uitwasemde sinds de nieuwe riolering een eind had gemaakt aan zijn belachelijke aspiraties, een stank die de kleine Tom niet meer kon bestrijden met het zoete aroma van zijn moeder, omdat een plotselinge cholera-uitbraak haar had weggerukt. Hij kreeg nu meer plaats in het bed, maar voortaan sliep Tom wel met één oog open, omdat hij nooit wist wanneer zijn vader hem wakker zou ranselen met zijn riem, en al zijn wrok jegens de wereld op Toms tere rug zou afreageren.

Toen hij zes werd, dwong zijn vader hem uit bedelen te gaan. Medelijden wekken bij anderen was een ondankbare taak, die echter weinig inspanning vergde, en hij had niet gedacht dat hij er ooit naar zou terugverlangen tot hij zijn vader moest helpen in zijn nieuwe baan, die hij dankte aan zijn kar en zijn vaardigheid met de schep. Zo kwam Tom erachter dat de dood niet louter iets abstracts was, maar ook vorm en gewicht kon aannemen, en hem koude vingers kon bezorgen die geen vuur ooit meer warm kon krijgen, maar bovenal leerde hij dat mensen die bij leven niets waard waren, na hun dood plotseling waarde kregen, omdat er onder hun vlees een klein fortuin aan organen zat. Hij haalde doodskisten en graven leeg in opdracht van een gepensioneerde bokser genaamd Crouch, die de lijken verkocht aan chirurgen, tot zijn vader bij een van zijn vele zuippartijen in de Theems terechtkwam en verdronk. Van de ene op de andere dag was Tom alleen op de wereld, maar wel met de touwtjes van zijn leven in handen. Voortaan hoefde hij de doden niet meer in hun slaap te storen. Nu zou hij zelf beslissen waarheen hij zijn schreden richtte.

Het lijken sjouwen had hem sterk en slim gemaakt, zodat het hem makkelijk afging om eerlijker werk te krijgen, al verwaardigde het lot zich nooit hem genoeg wind in de zeilen te blazen om zijn ongeregelde leven achter zich te kunnen laten. Binnen een korte periode had hij gewerkt als straatveger, rijtuigportier, luizenverdelger en zelfs als schoorsteenveger, tot zijn maat in een van de huizen waar ze de schoorsteen moesten vegen op diefstal werd betrapt en ze door het personeel op straat werden gegooid, niet zonder hier en daar een blauwe plek als fooi. Maar dat alles nam hij voor lief toen hij Megan leerde kennen, een mooi meisje met wie hij een paar jaar samenwoonde in een slecht geventileerde kelder in Hague Street, in de wijk Bethnal Green. Megan betekende niet alleen een welkome onderbreking van zijn strijd om het bestaan, maar leerde hem zelfs lezen met behulp van de oude tijdschriften die ze uit het vuilnis visten. Door haar ontdekte Tom wat er achter die vreemde tekens schuilging, en hij wist algauw dat die wereld even vreselijk was als de zijne. Helaas duurt geluk in bepaalde wijken meestal niet lang, en Megan verliet hem al snel voor een stoelenfabrikant die niet wist wat honger was.

Toen ze twee maanden later terugkwam, met haar gezicht vol blauwe plekken en een volkomen dichtgeslagen oog, verwelkomde Tom haar alsof ze nooit was weggegaan. Hoewel haar verraad de genadeslag was geweest voor een liefde die al ruimschoots van de omstandigheden te lijden had gehad, verzorgde Tom haar dag en nacht: hij maakte opiumstroop voor haar klaar om de pijn te verzachten en las haar het nieuws uit de oude kranten voor alsof het gedichten waren; en daar was hij de rest van zijn leven mee doorgegaan, met haar verbonden door een medelijden dat misschien in de loop van de tijd weer liefde had kunnen worden, als zijn bed niet opnieuw ruimer was geworden door de infectie aan haar oog.

Ze werd begraven op een regenachtige ochtend in een kleine kerk niet ver van het krankzinnigengesticht, en hij was de enige die huilde aan haar graf. Tom had die dag het gevoel dat wat daar ten grave werd gedragen veel meer was dan Megans lichaam. Het was zijn geloof in het leven dat werd begraven, zijn naïeve hoop dat hij eerlijk kon blijven, zijn onschuld; die dag werd in die goedkope kist, samen met de enige persoon voor wie hij net zo'n liefde had gevoeld als voor zijn moeder, ook Tom Blunt begraven – want van het ene moment op het andere wist hij niet meer wie hij was. Hij herkende zichzelf niet in de jongeman die diezelfde avond nog de stoelenfabrikant opwachtte, in de wildeman die zich op hem wierp en hem klemzette tegen de muur, in de heetgebakerde kerel die hem met zijn woedende vuisten op de grond deed belanden. Het gekreun van de onbekende betekende een aankondiging van de dood, maar net zo goed het gekerm van een kraamvrouw die een nieuwe Tom ter wereld bracht, een Tom die tot alles in staat leek, een Tom die dergelijke dingen kon doen zonder met zijn ogen te knipperen, misschien omdat iemand dat hart uit zijn lichaam had gesneden en aan de chirurgen had verkocht. Hij had geprobeerd op een eerlijke manier te overleven, maar het leven had hem steeds weer vertrapt alsof hij een weerzinwekkend insect was. Vanaf nu zou hij het anders aanpakken, zei hij bij zichzelf, met een laatste blik op het bloederige hoopje dat van de stoelenfabrikant restte.

Hij was bijna twintig, en het leven had gezorgd voor een harde blik in zijn ogen die hem in combinatie met zijn spieren iets angstaanjagends gaf, iets vechtlustigs zelfs, als je hem zo op straat tegenkwam. Hij deed er zijn voordeel mee door in dienst te treden bij de ergste woekeraar in Bethnal Green, voor wie hij overdag de straten afging met een lijst wanbetalers die hij moest intimideren, maar die hij 's nachts gewoon beroofde, alsof de moraal die zijn handelen vroeger had bepaald slechts nutteloze ballast was die hem belette munt te slaan uit zijn – nu nog slechts op eigenbelang gerichte – bestaan. Het leven werd tot een eenvoudige routine, hoofdzakelijk bestaande uit het in opdracht uitoefenen van geweld, in ruil voor het geld dat nodig was voor het huren van een klein kamertje en de diensten van een hoer als hij stoom moest afblazen; een leven dat slechts geregeerd werd door één gevoel: haat. Een haat die hij met iedere vuistslag koesterde, als was het een exotische bloem, een onduidelijke maar intense haat die oplaaide bij de kleinste belediging, zodat hij bij het pension aankwam met diverse blauwe plekken op zijn gezicht en wéér een kroeg om van zijn route te schrappen. Toch was Tom zich in die tijd bewust van zijn eigen ongevoeligheid, van de kille onverschilligheid waarmee hij vingers brak en dreigementen fluisterde in het oor van zijn slachtoffers, maar hij rechtvaardigde zich door te zeggen dat hij geen keus had, dat het geen zin had om tegen de stroom in te zwemmen die hem voerde naar de plek waar hij misschien wel hoorde. Als een slang die zijn huid afwerpt kon hij slechts de andere kant op kijken, terwijl hij op zijn weg naar de hel afstand deed van Gods genade. Misschien deugde hij wel nergens voor. Misschien was het wel zijn lot om vingers te breken, om een ereplaats in te nemen onder schurken en perverselingen. En hij was zeker de duistere kant van de wereld verder binnengegaan, zonder enig gevoel van verantwoordelijkheid, en in het besef dat vroeg of laat het moment zou komen dat hij een opdracht voor zijn eerste moord kreeg, als er niet iemand was geweest die meende dat de rol van held hem beter paste.

Tom meldde zich bij Murrays bedrijf, zonder dat hij wist wat het aangeboden werk inhield, en hij herinnerde zich nog steeds het verbaasde gezicht waarmee de kolossale man van zijn bureau was opgestaan toen hij binnenkwam, en hoe hij onder euforische kreten om hem heen had gedraaid, terwijl hij als een waanzinnige kleermaker zijn spieren bevoelde en zijn kin opmat.

'Niet te geloven, u bent precies zoals ik hem heb beschreven!' zei de reus, zonder dat Tom begreep waar hij het in vredesnaam over had. 'U bent de ware kapitein Derek Shackleton!'

Daarop bracht hij hem naar een enorme kelder waar een paar merkwaardig verklede mannen een toneelvoorstelling leken te repeteren. Dat was de eerste keer dat hij Martin, Jeff en de anderen had gezien.

'Heren, mag ik u uw kapitein voorstellen,' zei Gilliam, 'de man voor wie jullie je leven zullen moeten geven!'

En zo geschiedde het dat Tom Blunt, vechtersbaas, dief en herrieschopper, van de ene dag op de andere de redder van de mensheid werd. Het werk was goed voor zijn portemonnee, maar nog veel beter voor hemzelf: het redde hem uit het hellevuur, want om de een of andere reden vond Tom het ongepast om nog langer botten te breken nu hij de wereld moest redden. Het klonk belachelijk, want het kon natuurlijk heel goed samengaan, maar het was alsof Derek Shackletons edele geest hem vanbinnen verlichtte, en daarmee op natuurlijke wijze het gat vulde dat was ontstaan toen het hart van de oorspronkelijke Tom Blunt was verdwenen. Na de eerste repetitie bevrijdde Tom zich van kapitein Shackletons harnas, maar besloot het personage mee naar huis te nemen, of misschien gebeurde dat wel onbewust omdat hij niet anders kon. Het fascineerde hem in elk geval om de wereld te bekijken alsof hij werkelijk haar redder was, zoals een held met een moedig en genereus hart zou doen, en diezelfde dag nog besloot hij fatsoenlijker werk te gaan zoeken, alsof de reus Gilliam Murray met zijn woorden het kleine sprankje menselijkheid dat diep in zijn hart nog gloeide weer had aangewakkerd.

Maar door toedoen van dat onnozele kind dreigden al zijn plannen voor een nieuw leven nu te mislukken. Hij nam plaats op het bed en wikkelde de parasol los die hij in zijn jasje had verstopt; het was ongetwijfeld het duurste voorwerp in de kamer. Als hij hem verkocht, kon hij er twee of drie maanden de huur van betalen, zei hij bij zichzelf, terwijl hij de blauwe plek in zijn zij betastte, waar het zakje tomatensap had gezeten dat Martin tijdens het duel met zijn zwaard moest raken. Iets goeds had de ontmoeting tenminste opgeleverd, hoewel hij zich dankzij het meisje natuurlijk behoorlijk in de nesten had gewerkt. Hij wilde niet eens denken aan de problemen die het kon geven als hij haar op straat tegenkwam. Als dat ooit gebeurde, zou de ergste vrees van zijn baas bewaarheid worden: ze zou onmiddellijk begrijpen dat Murray Tijdreizen bedrog was. En dat was weliswaar het ergste, maar niet het enige. En passant zou ze ook vaststellen dat hij helemaal geen held uit de toekomst was, maar een arme drommel die geen cent te makken had, zodat Tom zou moeten toezien hoe de verering die ze voor hem voelde voor zijn ogen veranderde in teleurstelling, misschien zelfs in nauw verholen afschuw, alsof ze voor haar ogen een vlinder zag veranderen in een rups. Dat was natuurlijk niet zo erg als de ontdekking van het bedrog, maar hij wist dat het hem veel meer aan het hart zou gaan. Eigenlijk vond hij het bijzonder plezierig om zich haar verrukte blik voor de geest te halen, hoewel hij wist dat die niet voor hem was bestemd, maar voor de held die hij vertolkte, de moedige kapitein Shackleton, bevrijder van de mensheid. Ja, hij had liever dat Claire zich hem voorstelde in het jaar 2000, terwijl hij bezig was met de wederopbouw van de wereld, dan zittend in dit smerige hok, denkend aan het geld dat een of andere pandjesbaas hem voor de parasol kon geven.

Mensen die 's ochtends heel vroeg naar Billingsgate Market gaan, weten dat geuren sneller reizen dan het licht, want lang voordat het eerste licht zichtbaar is, zijn de zeegeur van de schelpdieren en de doordringende stank van de palingen op de karren van de vissers al in de koude nachtlucht te ruiken. Slingerend tussen oesterkraampjes en inktvisverkopers die luid hun waren aanprezen – drie voor een penny – bereikte Tom Blunt het toegangshek naar de haven, waar andere arme sloebers zoals hij zich verdrongen en hun spieren en doortastendheid showden, wachtend tot de welwillende vinger van een of andere kapitein hen zou aanwijzen om zijn schip te lossen. Weggedoken in zijn jasje vanwege de kou mengde Tom zich onder de mannen, onder wie hij direct Patrick herkende, een lange, gespierde jongen met wie hij, omdat ze zo vaak samen kisten hadden gelost, als vanzelf op een vage manier bevriend was geraakt. Ze groetten elkaar met een vriendelijke hoofdknik, en als duiven die de krop opzetten probeerden ze zich van de groep te onderscheiden om de aandacht van de schippers te trekken. Meestal werden ze allebei dankzij hun gezonde uiterlijk al meteen in de eerste ploeg gekozen, en zo ging het ook die ochtend. Ze feliciteerden elkaar met een bijna onmerkbaar lachje en liepen met een dozijn andere uitverkorenen naar het vrachtschip van die dag.

Tom hield van het eenvoudige, eerlijke werk, waarvoor je alleen maar stevige armen en een zekere snelheid hoefde te hebben, niet alleen omdat hij daardoor het fraaie schouwspel van de zonsopgang boven de Theems kon aanschouwen, maar ook omdat hij, terwijl hij voelde hoe de fysieke inspanning hem een even kalmerende als stimulerende vermoeidheid bracht, zijn gedachten alle kanten op kon laten gaan – en die gedachten sloegen soms onverwachte wegen in. Het was een beetje zoals op de heuvel van Harrow, aan de rand van de stad, een heuvel die werd bekroond door een eeuwenoude eik met daaromheen een tiental graven, alsof de doden daarboven niets wilden weten van de doden die beneden op het kleine kerkhof opgehoopt lagen. Hij had de heuvel ontdekt op een van zijn wandelingen, en daar, op dat groene bolwerk, dat hij was gaan beschouwen als zijn privéheiligdom, als een soort kapelletje onder de vrije hemel waar hij kon bijkomen van de drukte van de grote stad, lukte het hem tot zijn verrassing soms om tot heldere gedachten te komen over de zin van zijn bestaan, een zin die hem gewoonlijk geheel ontging. Als hij daar zat en zich afvroeg wat voor leven John Peachey zou hebben gehad, de man onder de zerk het dichtst bij de eik, kon Tom ook naar zijn eigen leven kijken alsof het dat van een ander was, en het even onpartijdig beoordelen als het leven van die vreemde.

Aan het eind van de werkdag ging hij met Patrick op wat kisten zitten in afwachting van hun loon. Onder het wachten kletsten ze meestal over van alles, maar Tom was er al de hele week met zijn gedachten niet bij. Een hele week was er al verstreken sinds de ongelukkige ontmoeting met Claire Haggerty, en nog steeds was er niets gebeurd. Murray wist kennelijk nog steeds niets van het voorval, en misschien zou hij er wel nooit achter komen, maar Toms leven zou hoe dan ook nooit meer hetzelfde zijn. Eigenlijk was het dat al niet meer. Tom wist dat Londen een te grote stad was om het meisje toevallig weer tegen te komen, maar toch liep hij op straat met wijd open ogen, vrezend haar tegen het lijf te lopen als hij ergens de hoek omsloeg. Van nu af aan zou hij door de schuld van dat domme kind een rusteloos leven moeten leiden, altijd op zijn hoede, en misschien zou hij zelfs wel zijn baard moeten laten staan. Hij schudde zijn hoofd bij de constatering dat iets zo onbelangrijks je leven kon veranderen: waarom had hij in vredesnaam zijn blaas niet vóór de voorstelling geleegd?

Toen Patrick hem ten slotte op kameraadschappelijke toon verweet dat hij de laatste tijd in zo'n stug zwijgen was verzonken, keek Tom hem verbaasd aan. Hij had inderdaad niet de moeite genomen zijn gepeins voor Patrick te verbergen, maar nu wist hij niet wat hij moest antwoorden. Hij volstond ermee zijn makker met een half raadselachtige, half weemoedige glimlach gerust te stellen. Patrick haalde zijn schouders op, waarmee hij te kennen gaf dat het ook niet zijn bedoeling was om zijn laarzen vuil te maken aan de modder van Toms privéleven. Nadat ze hun loon hadden gekregen verlieten ze samen de haven, met de slenterende pas van mensen die de rest van de dag niet veel meer te doen hebben. Tom was bang dat zijn gereserveerdheid Patrick pijn had gedaan. De knaap was maar een paar jaar jonger dan hij, maar met zijn kinderlijke gezicht had Tom hem spontaan onder zijn vleugels genomen, als het kleine broertje dat hij nooit had gehad, hoewel hij heel goed wist dat Patrick uitstekend voor zichzelf kon zorgen. Geen van beiden had echter belangstelling gehad om de beginnende vriendschap uit te bouwen tot buiten de haven, misschien uit gemakzucht, of misschien ook uit schaamte.

'Met het geld van vandaag ben ik er alweer dichterbij,' zei Patrick plotseling met dromerige stem.

'Waarbij?' vroeg de ander nieuwsgierig, want Patrick had hem nooit verteld dat hij erover dacht een zaak of een huwelijk te beginnen.

De jongen wierp hem een geheimzinnige blik toe.

'Om mijn droom in vervulling te laten gaan,' antwoordde hij plechtig.

Tom was blij dat de jongen een droom had die hem een reden gaf om vooruit te kijken, om iedere dag op te staan, iets wat hij zelf de laatste tijd miste.

'Wat voor droom, Patrick?' vroeg hij, wetend dat de jongen op die vraag wachtte.

Eerbiedig haalde Patrick een opgevouwen pamflet uit zijn zak en liet het hem zien.

'Naar het jaar 2000 reizen, om te kunnen zien hoe de moedige kapitein Shackleton de verdorven machinemensen overwint!'

Tom nam niet eens de moeite om het pamflet dat hij zo goed kende aan te pakken. Hij keek Patrick alleen maar bedroefd aan.

'Trekt het jou niet om naar het jaar 2000 te gaan, Tom?' vroeg Patrick ongelovig.

Tom zuchtte.

'Ik heb niets in de toekomst te zoeken, Patrick,' antwoordde hij schouderophalend. 'Dit is mijn heden, en dat is het enige waar ik heen wil.'

'Juist,' mompelde Patrick, zonder Toms bekrompen blik te durven bekritiseren.

'Heb je al ontbeten?' vroeg Tom.

'Natuurlijk niet!' zei de jongen verontwaardigd. 'Ik heb je toch gezegd dat ik aan het sparen ben? Ontbijten is een luxe die ik me niet kan permitteren!'

'Laat mij je dan trakteren,' stelde Tom voor, terwijl hij vaderlijk een arm om zijn schouder sloeg. 'Ik ken hier in de buurt een zaak waar ze de beste worstjes van heel Londen hebben.'

XXV

Na hun copieuze ontbijt, een feestmaal waar hun maag de hele week mee toe zou kunnen, waren Toms zakken weer leeg. Hij probeerde zichzelf geen verwijten te maken over zijn uitspatting met Patrick: hij had het niet kunnen laten, maar de volgende keer moest hij beter oppassen, want hij wist maar al te goed dat die altruïstische daden hem op de lange duur alleen maar zouden schaden, ook al voelde hij zich er nog zo goed bij. Hij nam afscheid van Patrick, en omdat hij de rest van de dag verder niets te doen had, liep hij door naar Covent Garden, waar hij zijn goede werken kon voortzetten door wat appels te stelen voor mevrouw Ritter.

Toen hij er aankwam, inmiddels laat in de ochtend, was de meest verse koopwaar al verdwenen in de tassen van de gretigste klanten, die 's ochtends vroeg uit alle hoeken van Londen toestroomden om hun voorraden in te slaan, maar aan de andere kant zag de markt er, nu het al wat later was, niet meer zo spookachtig uit als eerder, toen de karren van de handelaars nog werden verlicht door talloze kaarsen die in bergjes afgedropen kaarsvet waren vastgezet. Nu zag de markt eruit als een picknick en leken de bezoekers niet langer haastig bewegende schimmen, maar onbekommerde lieden die de hele dag over hun boodschappen konden doen terwijl ze zich, net als Tom, lieten betoveren door de geur van de rozen, egelantiers en fuchsia's die opsteeg uit de bloemenmanden aan de westkant van het plein.

Tom liet zich met de menigte meedrijven langs de karren vol aardappels, wortels en kolen, een kleurig schouwspel dat zich over heel Bow Street en Maiden Lane uitstrekte, en probeerde een van de meisjes te lokaliseren die met hun manden appels tussen de kraampjes liepen en met Cockney-accent hun waar aanprezen. Hij rekte zich uit en meende er eentje achter een paar mensen te zien oversteken, en met een snelle omtrekkende beweging om de menselijke muur voor hem te omzeilen, probeerde hij haar te bereiken voordat ze in de massa verdween. Maar zulke plotselinge manoeuvres, die kapitein Shackleton bij een of andere schermutseling misschien het leven hadden gered, kon je op zo'n drukke markt als Covent Garden maar beter niet maken. Dat besefte hij toen hij tegen een meisje opbotste dat vlak voor hem langsliep. Ze raakte uit haar evenwicht en moest haar best doen om niet op de grond terecht te komen. Tom hield halt en draaide zich naar haar om, om zo beleefd mogelijk zijn verontschuldigingen aan te bieden. Dat was het moment waarop hij oog in oog stond met de enige persoon in heel Londen die hij niet terug wilde zien. De wereld leek hem een mysterieus dorp, een plek vol verrassingen, als de hoge hoed van een goochelaar.

'Kapitein Shackleton, wat doet u in mijn tijd?' vroeg Claire Haggerty verbijsterd.

Nu ze ditmaal zowat boven op elkaar stonden, onderging Tom ten volle het effect van de toegewijde blik die zijn aanwezigheid bij het meisje teweegbracht. Hij kon zelfs het blauw van haar ogen zien, een diep, stormachtig blauw waarvan hij zeker wist dat hij het nergens ter wereld zou vinden, hoeveel oceanen of hemels hij ook nog te zien zou krijgen, een vlammend, zuiver blauw, misschien een van de kleuren die de Schepper had bedoeld voor het paradijs en dat zij nu in haar pupillen bewaarde om te zorgen dat het niet verloren ging. Pas toen hij zich aan de betovering van haar blik had weten te onttrekken, besefte Tom dat de onverwachte ontmoeting hem het leven kon kosten. Hij wierp een snelle blik om zich heen om zich ervan te vergewissen dat niemand hem argwanend bekeek, maar was te verbouwereerd om echt goed te kijken. Hij richtte zijn blik weer naar het meisje, dat hem nog steeds half ongelovig, half extatisch aankeek, wachtend tot hij zijn aanwezigheid daar zou verklaren. Maar wat kon hij zeggen zonder de waarheid te onthullen, en daarmee zijn eigen doodvonnis te tekenen?

'Ik ben door de tijd gereisd om u uw parasol terug te brengen,' zei hij al improviserend.

Na die woorden beet hij zich op de lippen. Het klonk belachelijk, maar het was het eerste wat in zijn hoofd was opgekomen. Hij zag hoe Claire haar prachtige ogen nog verder opensperde, en bereidde zich voor op het ergste.

'O, dank u wel, dat is erg aardig van u,' zei het meisje tot zijn verrassing, zonder te kunnen verbergen hoe gevleid ze zich voelde. 'Maar u had geen moeite hoeven doen. U ziet, ik heb inmiddels al een andere.' Ze toonde hem een parasol die veel weg had van het exemplaar dat hij in de la van zijn kast had liggen. 'Maar aangezien u de tijd hebt doorkruist om hem terug te geven, neem ik hem met groot plezier aan, en beloof ik u dat ik deze zal wegdoen.'

Nu was het Toms beurt om zijn verbijstering te verbergen: het meisje had zijn verzinsel zonder meer geloofd! Of zat het misschien toch anders? Murrays vertoning zat zo goed in elkaar dat een jong meisje als zij er geen enkele twijfel bij had. Claire geloofde dat ze naar het jaar 2000 was gereisd, ze geloofde het echt, en die zekerheid legitimeerde hem als tijdreiziger. Zo eenvoudig was het. Toen hij van zijn verbazing was bekomen, zag hij dat ze nu naar zijn lege handen keek, zich misschien afvragend waar de parasol was die hem tot zijn heroïsche daad had aangezet en hem ertoe had gebracht een hele eeuw te doorkruisen, alleen maar om hem naar haar terug te brengen.

'Ik heb hem nu niet bij me,' zei hij verontschuldigend, terwijl hij onnozel zijn schouders ophaalde.

Ze wachtte in spanning af tot hij met een oplossing kwam, en in die plotselinge stilte te midden van alle drukte van de markt merkte Tom het ranke, tere lichaam op dat zich vaag aftekende onder haar jurk, en hij was zich er pijnlijk van bewust hoe lang hij al niet met een vrouw samen was geweest. Sinds hij Megan ten grave had gedragen had hij alleen de valse tederheid van de hoeren gekend, en de laatste tijd zelfs die niet, want hij vond dat hij gehard genoeg was om zelfs die liefkozingen te kunnen missen. Dat dacht hij tenminste. Nu stond hij tegenover een knappe, elegante jonge vrouw, een vrouw op wie iemand als hij nooit kon hopen – maar ook een vrouw die hem aankeek zoals niemand ooit eerder had gedaan. Zou die blik misschien de tunnel zijn die het hem mogelijk zou maken het onneembare fort te veroveren? Vanaf het ontstaan van de wereld hadden mannen voor veel minder hun leven geriskeerd. Trouw aan de atavistische neigingen van zijn soort deed Tom dus wat zijn verstand minder raadzaam vond: 'Maar ik kan hem u vanmiddag geven,' opperde hij, 'in de Aerated Bread Company bij het metrostation Charing Cross, als u zo goed wilt zijn thee met mij te drinken.'

Claires gezicht klaarde op.

'Natuurlijk, kapitein,' zei ze enthousiast. 'Ik zal er zijn!'

Tom knikte met een lachje dat hij zorgvuldig van elke zinnelijkheid had ontdaan, en probeerde zijn ongeloof te verbergen dat ze ja had gezegd. Maar had hij nu werkelijk een afspraakje gemaakt met de vrouw die hij, als zijn leven hem lief was, juist moest ontvluchten? Het was duidelijk dat hij niet veel om zijn leven gaf als hij het zomaar op het spel zette voor een nummertje met die schoonheid. Op dat moment riep iemand Claires naam en ze draaiden zich beiden om. Een blond meisje baande zich een weg door de menigte en liep op hen toe.

'Dat is mijn vriendin Lucy,' zei Claire, tegelijk geamuseerd en geërgerd. 'Ze laat me geen moment alleen.'

'Vertelt u haar alstublieft niet dat ik uit de toekomst kom,' haastte Tom zich te zeggen toen hij weer een beetje bij zijn positieven kwam. 'Ik ben hier incognito. Als ze me vinden, zou dat veel problemen geven.'

Claire nam hem een tikje verontrust op.

'Ik verwacht u om zes uur in de theesalon,' zei Tom abrupt, bij wijze van afscheid. 'Maar belooft u me alstublieft dat u alleen komt.'

Zoals hij al had gedacht, stemde Claire direct toe. Zijn omstandigheden hadden hem tot nu toe belet de ABC-theesalons te bezoeken, maar Tom wist dat ze meteen vanaf de start een succes waren geweest, omdat het de enige plek in Londen was waar jongelui zonder hinderlijke chaperonnes konden afspreken. Naar hij had gehoord was het er ruim en prettig, er was verwarming en je kon er voor weinig geld twee kopjes thee en wat lekkere broodjes bestellen. Het was op die manier meteen het perfecte alternatief geworden voor de wandelingen in de kou of de – door de moeders bewaakte – ontvangsten in de familiesalons waarmee de jonge paartjes het tot dan toe hadden moeten doen. Ze zouden er voor iedereen zichtbaar zijn, maar Tom kon zo gauw geen betere plaats bedenken om haar zonder bezwaren in haar eentje te laten komen.

Toen Lucy bij Claire aankwam, was Tom al in de menigte verdwenen. Maar dat belette haar niet haar afwezige vriendin te vragen wie de onbekende man was met wie ze haar vanuit de verte had zien praten. Claire schudde slechts geheimzinnig haar hoofd. Maar zoals gebruikelijk vergat Lucy de zaak onmiddellijk, en sleepte haar mee naar een bloemenstalletje waar ze zich konden voorzien van de heliotropen waarmee ze de geur van verre oerwouden naar hun slaapkamer konden halen. En terwijl Claire Haggerty zich door haar vriendin liet meetronen, bedacht ze dat zo'n reis door de tijd om haar een parasol terug te brengen het hoffelijkste was wat iemand ooit voor haar had gedaan; ondertussen ontvluchtte Tom Blunt de markt van Covent Garden in tegenovergestelde richting, zich met zijn ellebogen een weg banend door de menigte, en probeerde de gedachte aan de arme Perkins te onderdrukken.

In zijn kamertje zonk hij neer op zijn bed alsof hij van dichtbij was neergeschoten. Daar lag hij nu, en vervloekte zijn roekeloze gedrag, met dezelfde verwarde dronkenmansredeneringen die hij ook onderweg naar huis had gebezigd. Was hij soms gek geworden? Wat zag hij in vredesnaam in een nieuwe ontmoeting met het meisje? Goed, die vraag was makkelijk te beantwoorden. Waar het hem om ging was nogal duidelijk, en dat was niet bepaald een paar uurtjes van Claires schoonheid genieten alsof het ging om een onbereikbaar voorwerp dat hij kon bewonderen in een etalage, in de kwellende wetenschap dat hij het nooit kon bezitten. Nee, niets daarvan, hij zou de verliefdheid van het meisje op zijn andere ik, de moedige kapitein Shackleton, benutten voor een hoger doel. En hij stond er zelf verbaasd van dat hij bereid was om voor een kort moment van genot de rampzalige gevolgen van zo'n onverstandig optreden voor lief te nemen, waaronder waarschijnlijk het verlies van zijn leven. Was zijn leven hem zo weinig waard? herhaalde hij nog eens bij zichzelf. Ja, het klonk werkelijk deprimerend, maar zo was het wel: het bezitten van die mooie vrouw betekende meer voor hem dan alles wat hem verder in zijn onaangename toekomst maar kon wachten.

Als hij er nuchter over nadacht, moest hij toegeven dat het natuurlijk het beste was om de afspraak gewoon te vergeten en zich alle toekomstige problemen te besparen. Maar anderzijds, dat garandeerde hem niet dat hij het meisje niet ergens anders opnieuw zou tegenkomen, en haar zou moeten uitleggen wat hij nog steeds deed in de negentiende eeuw; hij zou dan zelfs een smoes moeten verzinnen waarom hij niet naar de theesalon had kunnen komen. Niet gaan loste de zaak kennelijk niet op. De enige oplossing die hem te binnen schoot was precies het tegenovergestelde: juist wel naar de theesalon gaan en iets verzinnen wat verdere verklaringen overbodig maakte als ze elkaar in de toekomst opnieuw zouden tegenkomen. Een reden waardoor ze uit zijn buurt zou blijven, waardoor ze hem niet eens meer zou aanspreken, zei hij enthousiast tegen zichzelf, alsof dat de belangrijkste drijfveer was om haar weer te zien, en niet zijn meer laag-bij-de-grondse motieven. Goed beschouwd kon de ontmoeting op de lange duur zelfs gunstig voor hem zijn. Ja, de zaak kon voor eens en voor altijd worden opgelost, want één ding was duidelijk: het moest bij dit eerste afspraakje blijven. Een andere keus had hij niet: hij kon zichzelf het pleziertje gunnen van haar te genieten, op voorwaarde dat hij iedere kans op een nieuwe ontmoeting op bevredigende wijze uitsloot, en elke relatie die mogelijk tussen hen ontstond zou afbreken. Hij wist immers niet hoe hij die geheim kon houden, hoe hij die verborgen kon houden voor de duizenden spionnen die Murray ongetwijfeld had in de stad; niet alleen hijzelf, maar ook het meisje zou gevaar lopen. Hij zag het afspraakje dus als het galgenmaal van een ter dood veroordeelde, en besloot er zo veel mogelijk van te genieten.

Toen het tijd was stond hij op, pakte de parasol, zette zijn pet recht en liep het pension uit. Op straat bleef hij in een plotselinge impuls staan voor het kraampje van mevrouw Ritter.

'Goedemiddag, Tom,' begroette de oude vrouw hem.

'Mevrouw Ritter,' zei hij, terwijl hij haar plechtig zijn rechterhand toestak met de palm naar boven gekeerd, 'ik denk dat het moment is aangebroken dat we mijn lot leren kennen.'

De oude vrouw nam hem verbaasd op, maar nam meteen Toms hand in de hare en met haar gerimpelde wijsvinger volgde ze langzaam de lijnen in zijn handpalm, als iemand die een boek leest en de regels met zijn vinger volgt.

'Mijn god, Tom,' zei ze huiverend, terwijl ze hem aankeek met een even onheilspellende als verwonderde blik. 'Ik lees hier... dat je zult sterven!'

Met een vastberaden gezicht hoorde Tom de fatale voorspelling aan en trok zijn hand zachtjes terug uit die van de vrouw.

Juist, dat bevestigde zijn vermoedens. Hij zou sterven omdat hij onder de rokken kroop van een dame van hoge komaf. Dat was uiteindelijk zijn bestemming. Hij haalde zijn schouders op, nam afscheid van mevrouw Ritter die er bezorgd uitzag en waarschijnlijk meende dat hij een beter lot verdiende, en ging op pad naar de theesalon waar Claire Haggerty hem verwachtte. Ja, hij zou sterven, daar was geen twijfel aan, maar kon je zijn huidige situatie dan leven noemen? Hij glimlachte en versnelde zijn pas.

Hij had zich nog nooit zo levend gevoeld.

XXVI

Toen hij bij de theesalon aankwam, was Claire er al; ze zat aan een tafeltje achterin, naast een groot raam waardoor het middaglicht op haar haren viel. Verrukt observeerde Tom haar vanaf de deur, en hij genoot van de wetenschap dat hij het was op wie dat mooie meisje zat te wachten. Opnieuw was hij ontroerd door haar elegante houding, die zo heerlijk contrasteerde met haar energieke bewegingen en haar onderzoekende blik, en in zijn binnenste, in dat braakliggende land dat voor eeuwig verdord leek, voelde hij een aangename kriebel die erop wees dat hij vanbinnen niet helemaal dood was, dat hij nog emoties kon voelen. Hij klemde de parasol in zijn bezwete hand en liep tussen de tafels door in haar richting, vastbesloten er alles aan te doen om dat lichaam aan het eind van die middag in zijn armen te houden.

'Pardon, mijnheer,' zei een meisje dat op dat moment de gelegenheid verliet, 'kunt u mij misschien zeggen waar u die laarzen hebt gekocht?'

Onthutst volgde Tom haar blik naar zijn voeten, en was verbaasd toen hij zag dat ze in de exotische laarzen van kapitein Shackleton waren gehuld. Hij keek haar aan en wist even niet wat hij moest zeggen.

'In Parijs,' antwoordde hij toen.

Zijn antwoord leek het meisje tevreden te stellen, want ze knikte lachend, alsof zulk schoeisel inderdaad niet anders dan uit de bakermat van de mode afkomstig kon zijn. Met een vriendelijk lachje bedankte ze hem voor de informatie, en verliet de salon. Tom haalde zijn schouders op, en terwijl hij zijn keel schraapte als een bariton die op het punt staat het toneel op te gaan, liep hij de theesalon door in de richting van Claire die, in gepeins verzonken, zijn aanwezigheid nog niet had opgemerkt.

'Goedemiddag, juffrouw Haggerty,' begroette hij haar.

Claire glimlachte toen ze hem zag.

'Deze is geloof ik van u,' zei hij, terwijl hij haar de parasol aanreikte alsof het een bos rozen was.

'O, dank u wel, kapitein,' antwoordde het meisje, 'maar gaat u toch zitten, gaat u toch zitten.'

Tom zette zich op de vrije stoel aan het tafeltje, terwijl Claire licht ontredderd de droeve toestand bekeek waarin de parasol verkeerde. Na haar snelle taxatie legde Claire hem opzij op tafel, alsof het voorwerp inmiddels zijn functie in het verhaal had vervuld, en nam Tom op met die vreemde hunkering in haar ogen die hij vanaf de eerste ontmoeting had bespeurd, en die hem had gestreeld, ook al wist hij dat die niet hem gold, maar het personage dat hij vertolkte.

'Ik moet zeggen, kapitein, dat uw vermomming fantastisch is,' zei het meisje na haar inspectie. 'U lijkt wel een armoedzaaier uit East End.'

'Eh, ja, dank u,' stamelde Tom met een geforceerd lachje om te verbergen hoe ze hem met haar woorden had vernederd.

Maar wat had hij anders verwacht? Haar opmerking bevestigde zijn vermoedens alleen maar: als hij een middag lang kon genieten van het gezelschap van dat arrogante kind, dan was dat toch alleen maar omdat zij dacht dat hij een onverschrokken held uit de toekomst was. En juist dat misverstand stelde hem in staat haar een lesje te leren, en van haar gedaan te krijgen wat hem in andere omstandigheden nooit zou lukken. Hij verborg zijn leedvermaak en liet zijn blik over de salon gaan, om te zien of zich onder de luidruchtige clientèle mogelijk een spion van Gilliam bevond, maar hij zag niemand die hem verdacht voorkwam.

'Je kunt niet voorzichtig genoeg zijn,' zei hij, terwijl hij zich weer naar Claire wendde. 'Zoals ik al zei moet ik zorgen dat ik niet de aandacht trek, en met mijn wapenrusting zou dat niet lukken. Ik zou u daarom ook willen vragen me geen kapitein te noemen.'

'Afgesproken,' zei het meisje, om vervolgens, opgewonden omdat het een geheim betrof dat alleen zij kende, uit te roepen: 'Ik kan niet geloven dat u echt kapitein Derek Shackleton bent!'

Geschrokken smeekte Tom haar stil te zijn.

'O, pardon,' verontschuldigde ze zich verlegen, 'ik ben erg nerveus. Ik kan nog steeds niet geloven dat ik theedrink met de redder van...'

Gelukkig onderbrak ze haar zin toen ze de ober zag aankomen. Ze bestelden twee kopjes thee met gesorteerde gebakjes en broodjes. Toen de ober weg was om de bestelling te verzorgen, keken ze elkaar een paar tellen zwijgend aan, met een dwaas lachje. Tom zag hoe ze probeerde te kalmeren en haar houding terug te vinden, terwijl hij ondertussen bedacht hoe hij het gesprek de intiemere wending kon geven die zijn plannen zou begunstigen. Hij had de theesalon uitgekozen omdat aan de overkant van de straat een eenvoudig maar keurig uitziend pension lag dat hem het perfecte decor voor een lijfelijke ontmoeting had geleken. Nu moest hij al zijn verleidingskunsten, zo al aanwezig, in stelling brengen om te proberen haar daarheen te dirigeren, maar dat zou niet makkelijk zijn: het was duidelijk dat een dame als Claire, waarschijnlijk nog maagd, er niet zomaar ineens in zou toestemmen in bed te stappen met een wildvreemde, al was ze er nog zo van overtuigd dat hij kapitein Shackleton was.

'Hoe bent u hier eigenlijk gekomen?' vroeg Claire toen, zich van zijn overpeinzingen niet bewust. 'Bent u ongezien met de Cronotilus meegereisd?'

Bij die vraag moest Tom zijn ergernis verbergen: nu hij een consistent verhaal probeerde te verzinnen om zich te kunnen laven aan de charmes van het meisje, had hij er absoluut geen zin in om ook nog eens zijn eerdere verzinsel overeind te houden. Maar hij kon moeilijk vertellen dat hij door de tijd was gereisd om haar haar parasol terug te brengen en verwachten dat ze dat normaal vond; alsof het de gewoonste zaak van de wereld was dat je voor zo'n alledaagse boodschap van de ene naar de andere eeuw reisde. Gelukkig kwam de ober met hun bestelling en had hij een paar tellen de tijd om een antwoord te verzinnen dat haar tevreden zou stellen.

'De Cronotilus?' vroeg hij, alsof hij niet van het bestaan van de tijdtram af wist. Want als hij daarmee naar deze tijd was gereisd, dan was er geen andere mogelijkheid om naar de toekomst terug te keren dan een nieuwe expeditie naar het jaar 2000 af te wachten, en dat duurde nog bijna een maand – dat betekende dus ook dat dit afspraakje niet het laatste hoefde te zijn.

'Dat is het stoomvoertuig waarmee we naar uw tijd zijn gereisd, door iets vreselijks dat de vierde dimensie heet,' legde Claire uit, om er vervolgens na even nadenken aan toe te voegen: 'Maar als u niet met de Cronotilus bent gekomen, hoe dan wel? Weet u dan nog een andere manier om door de tijd te reizen?'

'Natuurlijk, juffrouw Haggerty,' zei Tom zelfverzekerd. Als ze Gilliams leugens had geslikt, dat wil zeggen, als ze tijdreizen voor waar aannam, zou ze waarschijnlijk ook geloven in alles wat hij op dit gebied maar verzon. 'Onze geleerden hebben een machine uitgevonden waarmee je direct door de tijd kunt reizen, zonder een lastige route door de vierde dimensie af te hoeven leggen.'

'En kan die machine naar iedere willekeurige tijd reizen?' vroeg het meisje verwonderd.

'Jazeker, naar iedere willekeurige tijd,' antwoordde Tom, op een vanzelfsprekende toon, alsof hij genoeg had van al dat heen-en-weergereis, en de opkomst en ondergang van beschavingen hem ontzettend verveelden.

Hij nam een gebakje en hapte er met genoegen in, waarmee hij te kennen gaf dat hij de kleine genoegens van het leven, zoals de Britse banketbakkerskunst, nog steeds wist te waarderen.

'Hebt u hem bij u?' vroeg Claire toen. 'Mag ik hem zien?'

'Mag u wat zien?'

'Het toestel waarmee u naar mijn tijd bent gereisd.'

Tom verslikte zich bijna in zijn gebakje.

'Nee, nee,' zei hij haastig, 'dat is onmogelijk, absoluut onmogelijk.'

Ze keek teleurgesteld, en kruiste koppig haar armen voor haar borst, een kinderlijke manier van doen die Tom niet had verwacht.

'Ik kan het u niet laten zien omdat... nou, omdat het niet iets is wat je kunt zien,' zo verzon hij ter plekke, om zijn ergernis te overstemmen.

'Je kunt het niet zien?' vroeg het meisje achterdochtig.

'Ik bedoel dat het niet om een soort gevleugelde koets gaat die zich door de tijd verplaatst,' legde hij uit.

'Maar wat is het dan wel?'

Tom onderdrukte een zucht van wanhoop. Ja, wat was het dan wel? En waarom kon hij het haar niet laten zien?

'Het is soort toestel dat niet fysiek door de tijdstroom reist, maar in de toekomst blijft. Daar, eh... graaft het gaten waardoor we naar andere tijden kunnen reizen. Het is zoiets als een boormachine, maar dan een die niet in steen boort maar... tunnels in het tijdweefsel graaft. Daarom kan ik het u niet laten zien, al zou ik niets liever willen.'

Het meisje zweeg.

'Een machine die gaten boort in het tijdweefsel...' mompelde ze ten slotte, gefascineerd door het idee. 'En u bent door zo'n tunnel gekomen om op de dag van vandaag tevoorschijn te komen?'

'Precies,' antwoordde Tom zonder veel overtuiging.

'En hoe gaat u straks weer terug naar de toekomst?'

'Dan stap ik weer in het gat.'

'Bedoelt u dat er op dit moment ergens in Londen een tunnel naar het jaar 2000 is?'

Tom nam een slok thee voor hij antwoordde. Het gesprek begon hem te vermoeien.

'Zo'n tunnel zou in de stad te veel opvallen, zoals u begrijpt,' zei hij voorzichtig. 'De tunnel ligt altijd buiten, op de heuvel van Harrow, een kleine heuvel met daarop een oude eik omgeven door grafstenen. Maar de machine kan de tunnel niet al te lang openhouden. Over een paar uur gaat hij dicht, en voor het zover is moet ik erdoorheen.'

Dat laatste voegde hij er quasiverdrietig aan toe, in de hoop dat het meisje vanwege het gebrek aan tijd zou besluiten van verdere vervelende vragen af te zien.

'Misschien vindt u het brutaal van me, kapitein,' hoorde hij haar na even nadenken zeggen, 'maar kunt u me niet meenemen naar het jaar 2000?'

'Ik ben bang van niet, juffrouw Haggerty,' zuchtte Tom.

'Waarom niet? Ik beloof u dat...'

'Omdat ik geen mensen van hier naar daar kan overbrengen.'

'Maar wat voor zin heeft het om een tijdmachine uit te vinden als je die niet gebruikt om...'

'Omdat hij is uitgevonden met een ander doel!' zei Tom, die er genoeg van kreeg dat ze er maar over bleef doorgaan. Was ze dan zo geïnteresseerd in tijdreizen?

Op hetzelfde moment had hij spijt van zijn norsheid, maar het kwaad was al geschied. Ze keek hem ongelovig aan.

'En wat is dat doel dan wel, als ik vragen mag?' zei ze op dezelfde geërgerde toon.

Tom zuchtte, leunde achterover in zijn stoel en zag hoe het meisje haar groeiende irritatie probeerde te onderdrukken. Het had geen zin hiermee door te gaan. Zoals het gesprek nu liep, kreeg hij haar nooit mee naar het pension en mocht hij al blij zijn als ze hem niet eenvoudigweg liet zitten, zijn vage antwoorden beu. Maar wat had hij dan verwacht? Hij was Gilliam Murray niet. Hij was maar een arme sloeber zonder enige fantasie. Het kostuum van tijdreiziger was hem te groot. Misschien was het beter om het erbij te laten, alles te vergeten, beleefd afscheid te nemen, en zijn erbarmelijke leven als armoedzaaier voort te zetten, als Murrays potige mannen tenminste geen beter idee hadden.

'Juffrouw Haggerty,' begon hij, vastbesloten om het afspraakje, met wat voor smoes dan ook, beschaafd af te ronden. Maar ineens legde Claire haar hand op de zijne.

Verrast door dat gebaar vergat Tom wat hij wilde zeggen. Hij keek naar de slanke hand die rustig op de zijne lag, de twee handen samen tussen de theekopjes, als een sculptuur waarvan de betekenis hem nog ontging. Toen hij zijn ogen opsloeg, ontmoette hij een allerliefste blik.

'Het spijt me dat ik u heb lastiggevallen met vragen die u misschien helemaal niet mag beantwoorden, kapitein,' verontschuldigde het meisje zich, terwijl ze zich op aanbiddelijke wijze over de tafel boog. 'Het was een erg onbeleefde manier om u ervoor te bedanken dat ik mijn parasol weer terug heb. U hoeft me ook niet te vertellen met welk doel de machine is gemaakt. Dat weet ik namelijk al.'

'Echt waar?' vroeg Tom ongelovig.

'Ja,' zei ze, terwijl een betoverend zelfingenomen lachje om haar lippen speelde.

'En kunt u me dan misschien zeggen wat dat is?'

Claire keek naar links en naar rechts en antwoordde met zachtere stem: 'Om meneer Ferguson te vermoorden.'

Tom trok zijn wenkbrauwen op. Meneer Ferguson? Wie in hemelsnaam was meneer Ferguson? En waarom moest hij hem vermoorden?

'Doet u maar niet of u van niets weet, kapitein,' lachte Claire. 'Ik verzeker u dat dat niet nodig is. Niet tegenover mij.'

Opgelucht lachte Tom met haar mee, de spanning van de ondervraging van zich af schuddend. Hij had geen idee wie die Ferguson was, maar hij begreep dat hij het beste maar kon doen alsof hij alles van hem wist, tot zijn schoenmaat en het merk van zijn scheerlotion aan toe. En bidden dat ze niets over hem zou vragen.

'Ik kan ook niets voor u verborgen houden, juffrouw Haggerty,' vleide hij haar. 'U bent gewoon te intelligent!'

Claire keek tevreden.

'Dank u, kapitein. Maar het ligt nogal voor de hand dat uw geleerden de machine hebben gebouwd om juist naar deze tijd te reizen en de uitvinder te vermoorden nog voor de machinemensen ontstaan; zo zult u alles wat daarna komt, de vernietiging van Londen en de dood van al die mensen, kunnen voorkomen.'

Naar het verleden reizen om het te veranderen? Was zoiets mogelijk? vroeg Tom zich af.

'Precies, Claire. Ik ben uitgekozen om Ferguson te vermoorden en de vernietiging van de wereld te voorkomen.'

Het meisje dacht weer een paar tellen na, en voegde eraan toe: 'Maar het is u niet gelukt, aangezien we allebei met onze eigen ogen de oorlog van de toekomst hebben gezien.'

'Je schiet weer in de roos, Claire,' gaf Tom toe, die er nu toe overging haar te tutoyeren.

'Uw missie is mislukt,' sprak ze verdrietig bij zichzelf. Daarop keek ze hem strak aan en fluisterde: 'Maar waarom? Misschien omdat de gaten niet lang genoeg openblijven?'

Tom spreidde zijn armen, en deed alsof haar intelligentie hem verraste.

'Zo is het,' gaf hij toe, om er in een vlaag van inspiratie aan toe te voegen: 'Ik heb verscheidene proeftochten gemaakt om Ferguson op te sporen, maar het is me niet gelukt. Ik had eenvoudigweg te weinig tijd. Daarom zul je me in de toekomst misschien over straat zien lopen, maar je mag me dan niet aanspreken, omdat ik je nog niet zal kennen.'

Claire knipperde met haar ogen en probeerde zijn woorden te begrijpen.

'Ik snap het,' zei ze ten slotte. 'Die tochten vonden plaats vóór deze reis, hoewel u hier dagen later arriveerde.'

'Precies,' zei hij, en, overmoedig geworden omdat ze al die onzin heel aannemelijk leek te vinden, voegde hij eraan toe: 'Vanuit jouw gezichtspunt lijkt dit misschien mijn eerste reis, maar zo is het niet. Hiervóór ben ik al minstens vijf, zes keer in jouw tijd geweest. Het ziet er zelfs naar uit dat deze reis, die voor jou de eerste lijkt, voor mij de laatste is, want verder gebruik van de machine is nu verboden.'

'Verboden?' vroeg Claire, steeds gefascineerder.

Tom nam een slok thee om zijn keel te smeren, en aangemoedigd door de betovering die er kennelijk van zijn woorden uitging, ging hij verder: 'Ja, Claire. De machine is midden in de oorlog gemaakt, maar toen ze haar doel niet bleek te bereiken, trokken de uitvinders hun handen ervan af. Ze lieten het utopische idee varen om de oorlog nog vóór het uitbreken ervan te voorkomen, en concentreerden hun inspanningen op de poging hem te winnen met nieuw ontwikkelde wapens die het pantser van de machinemensen in tweeën konden splijten.' Het meisje knikte, waarschijnlijk terugdenkend aan de indrukwekkende wapens van de soldaten. 'Toen raakte het toestel in de vergetelheid, al werd het wel streng bewaakt om te zorgen dat niemand zonder toestemming naar het verleden kon reizen om er naar eigen goeddunken veranderingen in aan te brengen. Toch is het me gelukt het toestel in het geheim te gebruiken, al heb ik maar een gat van tien uur kunnen openen, en zijn er daarvan nog maar drie over voor het zich weer sluit. Dat is de tijd die ik nog heb, Claire. Daarna moet ik terug naar mijn eigen tijd. Als ik hier blijf, komen ze me executeren omdat ik onbevoegd een tijdreis heb ondernomen, held of geen held. Dus over drie uur... over drie uur vertrek ik voorgoed.'

Tot slot van zijn lange monoloog drukte hij Claire uiterst teder de hand en wenste zichzelf geluk met zijn uitleg. Hij had niet alleen het probleem van een toekomstige ontmoeting opgelost, maar hij was er ook in geslaagd haar te laten weten dat ze nog maar drie uur samen hadden voor ze voorgoed uit elkaar gingen. Drie uur, meer niet. Drie uur!

'Je hebt je leven gewaagd om me mijn parasol te brengen,' zei Claire langzaam, bij wijze van recapitulatie, alsof het opeens tot haar doordrong wat voor risico Tom had genomen.

'Nou, die parasol was maar een excuus,' antwoordde hij, terwijl hij zich over de tafel boog en haar diep in de ogen keek.

Dit was het moment, zei hij bij zichzelf. Het was nu of nooit.

'Ik heb mijn leven gewaagd om je terug te zien, omdat ik van je hou, Claire,' loog hij zo teder als hij maar kon.

Het was eruit. Nu moest zij hetzelfde terugzeggen. Nu moest ze toegeven dat ze ook van hem hield, dat wil zeggen, dat ze hield van de moedige kapitein Shackleton.

'Hoe kun je nu van me houden als je me niet eens kent?' lachte het meisje koket.

Die reactie had Tom niet verwacht. Hij nam een slok thee om zijn ergernis te verbergen. Realiseerde ze zich niet dat er alleen nog maar tijd was om zich in elkaars armen te werpen? Nog maar drie ellendige uren! Had hij dat soms niet duidelijk gemaakt? Hij zette zijn kopje op het schoteltje en wierp een blik op de straat, op het steeds onbereikbaarder wordende pension aan de overkant, met de bedden met schone lakens waarnaar hij zo verlangde. Ze had gelijk, hij kende haar niet, en zij hem evenmin. En zolang ze vreemden voor elkaar waren, was er geen kans om in wat voor bed dan ook te belanden. Hij had zich in een verloren strijd begeven. Maar als ze elkaar nu eens wel kenden? Hij kwam toch uit de toekomst? Wat belette hem te vertellen dat ze elkaar van zijn gezichtspunt uit al langer kenden? Tussen deze ontmoeting en die in het jaar 2000 kon er van alles zijn gebeurd, wat hij maar verzon, want ze zou er niets tegen in kunnen brengen, zei hij bij zichzelf, en hij dacht dat hij de perfecte strategie had gevonden om haar als een lammetje naar het pension te leiden.

'Je vergist je, Claire. Ik ken je veel beter dan je denkt,' zei hij op vertrouwelijke toon, terwijl hij haar hand als een gewond musje tussen de zijne nam. 'Ik weet hoe je bent, wat je droomt, waar je naar verlangt, hoe je de wereld ziet. Ik weet alles over je en jij weet alles over mij. En ik hou van je, Claire. Ik ben verliefd op je geworden in een tijd die nog moet komen.'

Ze keek hem verbluft aan.

'Maar als we elkaar niet terugzien,' bedacht ze, 'hoe hebben we elkaar dan leren kennen? Hoe ben je verliefd op mij geworden?'

Terwijl het zweet hem uitbrak, ontdekte Tom dat hij in zijn eigen val was gelopen. Hij onderdrukte een vloek en liet zijn ogen over de straat dwalen om tijd te winnen. Wat kon hij daarop nu antwoorden? Rijtuigen reden af en aan, en baanden zich een weg tussen de karren met koopwaar. Toen viel zijn oog op een stevige, rode brievenbus, met aan de voorzijde de initialen van koningin Victoria.

'Ik ben verliefd op je geworden door je brieven,' zei hij plotseling.

'Door mijn brieven? Waar heb je het over?' riep het meisje verbijsterd uit.

'Over de liefdesbrieven die we elkaar al die jaren hebben gestuurd.'

Ze keek hem ontzet aan. En Tom begreep dat wat hij nu ging zeggen heel geloofwaardig moest klinken, want daarvan hing af of ze zich voorgoed gewonnen zou geven of zou opspringen om hem een klap in zijn gezicht te geven. Hij sloot zijn ogen en glimlachte flauwtjes, alsof hij aan iets bepaalds moest denken, terwijl hij intussen probeerde zijn gedachten op een rij te zetten.

'Het gebeurde op mijn eerste verkenningstocht naar jouw tijd,' zei hij ten slotte. 'Ik kwam aan op de heuvel waarover ik je vertelde en vandaar liep ik naar Londen. Daar stelde ik vast dat de machine het graven van een gat naar een bepaalde datum uitstekend aankon: ik was van het jaar 2000 naar 8 november 1896 gereisd.'

'Naar 8 november?'

'Ja, Claire, naar 8 november, dat wil zeggen, naar overmorgen,' bevestigde Tom. 'Dat was mijn eerste reis naar jouw eeuw. Maar verder had ik nauwelijks ergens tijd voor, want ik moest op tijd terug zijn voor het gat zich sloot. Ik haastte me dus terug naar de heuvel en stond op het punt de tunnel in te gaan die me weer naar het jaar 2000 zou terugvoeren, toen ik plotseling iets zag wat ik daarvoor niet had opgemerkt.'

'Wat dan?' vroeg ze in spanning.

'Bij het graf van een zekere John Peachey lag een brief onder een steen. Ik pakte hem op en ontdekte met verbazing dat hij aan mij was gericht. Ik stopte hem in mijn zak en toen ik weer terug was in het jaar 2000 maakte ik hem open. Het was de brief van een onbekende dame uit de negentiende eeuw.' Tom pauzeerde even, waarna hij eraan toevoegde: 'Ze heette Claire Haggerty. En ze verzekerde me dat ze van me hield.'

Het meisje slaakte een schorre zucht, alsof ze niet genoeg lucht kreeg. Met een vriendelijk lachje zag Tom hoe ze slikte en probeerde zijn woorden tot zich te laten doordringen: dat zij het was die deze hele situatie had veroorzaakt, of beter gezegd, in de toekomst zou veroorzaken. Als hij nu van haar hield, kwam dat omdat zij op een eerder moment van hem had gehouden. Claire keek naar haar kopje, alsof ze in de theebladeren kon zien hoe hij in het jaar 2000 vol verwarring de brief las waarin een wildvreemde uit een andere eeuw, een vrouw die allang dood was, hem vertelde hoeveel ze van hem hield. Een brief die zij had geschreven. Tom ging verder zonder haar ook maar een seconde respijt te gunnen, als een houthakker die merkt dat de boom die hij al uren bezig is te kappen ten slotte begint te wankelen, en ondanks zijn vermoeidheid de bijlslagen opvoert.

'In je brief vertelde je dat we elkaar in de toekomst zouden leren kennen, of beter gezegd, dat ik jou in de toekomst zou leren kennen, want jij kende me al,' zei hij. 'Je vroeg me ook je terug te schrijven, want je wilde graag meer van me weten. Hoewel het me allemaal heel vreemd voorkwam, schreef ik je een brief terug, en op mijn volgende reis naar de negentiende eeuw, twee dagen later, liet ik die bij hetzelfde graf achter. Op de derde reis vond ik je antwoord, en zo begonnen we te corresponderen, dwars door de tijd heen.'

'Mijn god,' stamelde het meisje.

'Ik wist niet wie je was,' ging Tom onverbiddelijk verder, 'maar ik werd verliefd op je, op de vrouw die die brieven schreef. Als ik mijn ogen sloot, stelde ik me je gezicht voor. Het was jouw naam die ik 's nachts fluisterde, omgeven door het puin van mijn verwoeste wereld.'

Claire schoof onrustig heen en weer in haar stoel, en slaakte, nog steeds ten prooi aan benauwdheid, opnieuw een hese zucht.

'Hoeveel brieven hebben we elkaar geschreven?' bracht ze uit.

'Zeven,' zei Tom, omdat dat hem een goed aantal leek, niet te veel en niet te weinig. 'Voor meer hadden we geen tijd, omdat de machine daarna werd verboden, maar ik kan je verzekeren dat het er genoeg waren, mijn liefste.'

Toen ze de woorden hoorde waarmee de kapitein haar aansprak, zuchtte ze opnieuw diep.

'In je laatste brief noemde je me de dag waarop we elkaar eindelijk zouden ontmoeten: 20 mei in het jaar 2000, de dag waarop ik Salomo zou verslaan en een einde zou maken aan de oorlog. Die dag volgde ik je instructies en na mijn zege over de koning van de machinemensen zocht ik een rustig plekje te midden van het puin. Toen zag ik je aankomen. En precies zoals je had geschreven, liet je de parasol vallen die ik je vandaag met de tijdmachine terug moest brengen. Zodra ik in jouw tijd aangekomen was, moest ik naar de markt van Covent Garden gaan, waar we elkaar zouden ontmoeten, en daarna zou ik je uitnodigen voor de thee en je dit alles vertellen' – Tom pauzeerde even voor hij er dromerig aan toevoegde: 'En nu begrijp ik ook waarom: opdat die toekomst waarheid werd. Begrijp je, Claire? Je zult me in de toekomst die brieven schrijven, omdat ik je vandaag vertel dat je ze gaat schrijven.'

'Mijn god,' herhaalde ze, terwijl haar adem bijna stokte.

'Maar er is nog iets wat je moet weten,' zei Tom, vastbesloten de wankelende boom de beslissende bijlslag te geven. 'In een van je brieven vertelde je me hoe we elkaar vanmiddag beminden.'

'Wat?' wist ze met een dun stemmetje uit te brengen.

'Ja, Claire, vanmiddag zullen we elkaar beminnen in dat pension daar aan de overkant, en naar je eigen woorden zal het de mooiste herinnering van je leven worden.'

Claire keek hem ongelovig aan, en kreeg vuurrode wangen.

'Ik begrijp dat je verbaasd bent, maar stel je mij eens voor. Voor mij was het onbegrijpelijk te lezen hoe we elkaar hadden bemind – iets wat we, van jouw gezichtspunt uit, al hadden gedaan, maar wat voor mij nog niet was gebeurd.' Hij zweeg even en schonk haar een zachte glimlach. 'Ik ben uit de toekomst gekomen om mijn bestemming te vervullen, dat wil zeggen, om jou te beminnen, Claire.'

'Maar ik...' wilde ze protesteren.

'Begrijp je het dan nog steeds niet? We moeten de liefde bedrijven, Claire,' zei Tom, 'omdat we dat in werkelijkheid al hebben gedaan.'

Dat was de genadeslag. En, nct als de eik, wankelde Claire in haar stoel en zakte op de grond in elkaar.

XXVII

Ze had geen betere manier kunnen bedenken om de aandacht te trekken, dacht Tom. Claires plotselinge flauwte en het lawaai van de theepot en de kopjes die met het tafellaken werden meegesleurd en op de grond kletterden, hadden abrupt een einde gemaakt aan alle gesprekken in de salon, en voor een haast tastbare stilte gezorgd. Vanuit het achterste deel van het vertrek, waar hij na het gebeurde terecht was gekomen, zag Tom hoe allerlei dames om Claire heen zwermden. Als een doorgewinterde reddingsploeg hadden ze haar op een divan gelegd, haar voeten omhooggelegd op een stapel kussentjes, haar korset losgemaakt – het verraderlijke kledingstuk dat men unaniem verantwoordelijk hield voor de flauwte – en waren vlugzout gaan halen om haar bij te brengen. Tom zag haar met wat gerochel weer tot leven komen. De kokkin en de vrouwelijke klanten die de operatie uitvoerden hadden een soort matriarchaal kamerscherm rondom haar opgetrokken om de hoeveelheid onbedekte huid die de heren in de salon te zien kregen tot het hoogstnoodzakelijke te beperken. Na een aantal minuten kwam Claire wankelend achter de menselijke muur vandaan, bleek als een geest, en keek aarzelend de salon rond. Tom viel niets beters in dan nogal dwaas de parasol op te steken. Het meisje weifelde even en liep toen op hem af, zich een weg banend door de toeschouwers die zich om haar heen verdrongen. In elk geval leek ze in hem de persoon te hebben herkend met wie ze thee had gedronken voor ze haar bewustzijn verloor.

'Voelt u zich weer beter, juffrouw Haggerty?' vroeg hij toen ze voor hem stond, menend dat hij het tutoyeren nu maar moest opgeven, ondanks alle moeite die het had gekost zover te komen. 'Misschien is het goed om even een luchtje te scheppen...'

Het meisje knikte, en steunde gedwee op de arm die Tom haar bood, alsof wat frisse lucht halen en zich en passant te onttrekken aan alle nieuwsgierige blikken het beste idee was dat hij ooit had gehad. Tom leidde haar naar buiten, en met een onduidelijk gestamel verontschuldigde hij zich voor de overlast die hij had veroorzaakt. Buiten bleven ze staan op de stoep, en keken onwillekeurig naar het pension dat dreigend oprees aan de overkant. Claire had door de frisse lucht weer wat kleur op haar wangen gekregen, en keek met een mengeling van ongerustheid en berusting naar de plek waar ze die middag was voorbestemd zich te geven aan de moedige kapitein Shackleton, de redder van de mensheid, een man die nog niet geboren was maar die, alsof het magie was, op dat moment naast haar stond, en het vermeed haar aan te kijken.

'En als ik het niet doe, kapitein?' vroeg ze aan niemand in het bijzonder, 'als ik daar nu eens niet met u heen ga?'

De eerlijkheid gebiedt me te zeggen dat Tom verrast werd door die vraag, want in dit stadium, na de rampzalige afloop van zijn afspraak, had hij er geen enkel vertrouwen meer in dat zijn snode plannen nog enige kans van slagen hadden. Maar ondanks de spectaculaire flauwte was het meisje niets vergeten van wat hij haar had verteld, en het was duidelijk dat ze zijn verzinsels nog steeds geloofde. Op het onbeschreven blad van de toekomst had Tom met onvaste hand een romance geschetst, een idylle die de rechtvaardiging moest zijn van wat er ging gebeuren en die het meisje zelfs zou aanmoedigen zich zonder angst of reserve over te geven, en dat was voor haar de enige toekomst die er bestond. Even ging er iets van wroeging door hem heen en zag hij zich gedwongen te overwegen of hij het meisje de naderende moeilijkheden, die ze als een boetedoening leek te willen trotseren, niet moest besparen. Hij kon haar vertellen dat de toekomst niet in steen gebeiteld was, dat ze nog altijd kon kiezen. Maar hij had al te veel in de onderneming geïnvesteerd om nu nog af te zien van de buit die kennelijk binnen handbereik was gekomen. Hij herinnerde zich een zin die Gilliam Murray altijd gebruikte en citeerde die schaamteloos, op de bijbehorende fatalistische toon: 'Ik weet niet wat dat voor gevolgen zou hebben voor het tijdweefsel.'

Claire keek hem ietwat verontrust aan, terwijl hij zijn schouders ophaalde als wilde hij zich van elke verantwoordelijkheid ontslaan. Tenslotte kon hij er niets aan doen: hij was daar omdat zij hem dat zelf in haar brieven had opgedragen. Hij had de tijd doorkruist om datgene te doen waarvan Claire al – en tot in detail bovendien – had verteld dat ze het hadden gedaan. Hij was door de jaren gereisd om de machinerie van hun romance in werking te stellen, om te ontketenen wat al gebeurd was, maar nog niet had plaatsgevonden. Het meisje leek tot dezelfde conclusie te komen. Wat kon ze tenslotte anders: de benen nemen en haar leventje voortzetten, trouwen met een van haar bewonderaars? Ze had nu de mogelijkheid om datgene te beleven waarvan ze al als kind had gedroomd: een liefde groter dan het leven, een liefde door de tijd heen. Als ze deze mogelijkheid niet aangreep, zou het zijn alsof haar hele leven een leugen was geweest.

'De mooiste herinnering van mijn hele leven,' glimlachte ze. 'Heb ik dat echt geschreven?'

'Ja,' antwoordde Tom direct. 'Dat is precies wat je schreef, Claire.'

Het meisje keek hem besluiteloos aan. Ze kon toch niet zomaar met een wildvreemde naar bed gaan? Maar dit was een uitzonderlijk geval: ze moest zich aan hem geven, anders ondervond het universum de gevolgen. Ze moest zich opofferen om de wereld te beschermen. Maar was het wel een opoffering, vroeg ze zich af, hield ze dan soms niet van hem? Was het soms geen liefde, al die emoties waardoor ze iedere keer als ze naar hem keek werd overstroomd? Nee, het kon niets anders zijn. Dat gevoel dat haar vanbinnen verlichtte en haar knikkende knieën bezorgde kon alleen maar liefde zijn, want als het dat niet was, wat kon het dan zijn? Kapitein Shackleton had haar verteld dat ze elkaar die middag zouden beminnen, en dat zij hem daarna mooie brieven zou schrijven. Waarom zou ze dat niet doen, als ze het per slot van rekening zelf dolgraag wilde? Om de eenvoudige reden dat ze het al had gedaan, en in de voetsporen trad van een andere Claire die uiteindelijk zijzelf was? Omdat ze voelde dat het geen oprecht verlangen was, om het opgelegde tintje aan iets wat toch eigenlijk spontaan hoorde te zijn? Hoe ze er ook over nadacht, ze vond geen goede reden om zich te verzetten tegen datgene wat ze met haar hele hart verlangde. Lucy noch haar vriendinnen zouden het goedkeuren dat ze naar bed ging met een vreemde. En juist dat gaf uiteindelijk de doorslag. Ja, ze zou zich aan hem geven om vervolgens de rest van haar leven naar hem te verlangen, en hem prachtige lange brieven schrijven doordrenkt van haar parfum en haar tranen. Ze wist dat ze sterk en vasthoudend genoeg was om een liefde brandende te houden, ook al zag ze degene die de liefde had ontketend nooit meer terug. Dat was kennelijk haar lot. Een bijzonder lot, een onweerstaanbaar tragische lotsbestemming – en toch veel aangenamer om te dragen dan het saaie huwelijk dat ze met een van haar kleurloze vrijers kon sluiten. Een vastberaden trek vormde zich om haar lippen.

'Ik hoop dat ik niet heb overdreven uit angst uw mannelijke trots te krenken, kapitein,' grapte ze.

'Ik ben bang dat er maar één manier is om dat uit te vinden,' antwoordde Tom lachend.

Hij haalde opgelucht adem bij deze vrolijke repliek van het meisje; nu was het niet zo pijnlijk meer om misbruik van haar te maken. Inderdaad zou hij door zijn gemene list haar lichaam bezitten om daarna voorgoed uit haar leven te verdwijnen, maar hoewel hij nog steeds vond dat het arrogante kind niet anders verdiende, had dat eerloze gedrag hem een gevoel van onbehagen bezorgd, een diepe innerlijke onvrede waardoor hij wist dat hij nog scrupules kende. Maar dat onbehagen was minder sterk geworden nu het meisje vastbesloten leek genot te vinden in haar overgave aan kapitein Shackleton, de dappere held die haar naam fluisterde tussen de puinhopen van de toekomst.

Het pension leek vanbinnen schoon en zelfs gezellig in vergelijking met de logementen waar Tom gewoonlijk de nacht doorbracht. Misschien vond het meisje het niet veel zaaks, een dame van haar stand onwaardig, maar ze had in elk geval geen reden om ontzet op de vlucht te slaan. Terwijl Tom om een kamer vroeg, zag hij vanuit zijn ooghoek hoe ze onbekommerd de schilderijen bekeek die de eenvoudige hal sierden, en hij vond het aandoenlijk hoe ze haar best deed mondain te lijken, alsof het de gewoonste zaak van de wereld was om 's middags in Londense pensions het bed te delen met mannen uit de toekomst. Na afwikkeling van de formaliteiten liepen ze de trap op naar de verdieping waar zich de kamer bevond. En toen hij Claire zo voor zich uit zag lopen, met die mengeling van onverschrokkenheid en onderworpenheid, besefte Tom eindelijk ten volle wat er te gebeuren stond. Er was geen weg meer terug: hij zou de liefde met haar bedrijven, hij zou haar naakte lichaam in zijn armen houden. Een vlaag van begeerte beving hem en hij huiverde. En toen ze stilhielden voor de deur van hun kamer, deed hij zijn best om zich in te houden. Claire verstijfde plotseling.

'Het zal heerlijk zijn, dat weet ik,' zei ze opeens, haar ogen halfgesloten, als om zichzelf moed in te spreken.

'Inderdaad, Claire,' zei Tom, die nauwelijks nog kon wachten om haar van haar kleren te ontdoen. 'Dat heb je me zelf opgebiecht.'

Het meisje knikte met een berustende zucht. Tom opende de deur, liet haar met een beleefd knikje voorgaan en sloot de deur achter haar. Toen ze in de kamer verdwenen waren, lag de smalle gang er weer verlaten bij. Door het raam aan het eind van de gang, dat een flinke schoonmaakbeurt goed kon gebruiken, sijpelde het licht van de inmiddels ten einde lopende middag. Het was het laatste schijnsel, koperkleurig, een zacht, teer en bijna schuchter licht, waarin de stofjes in de lucht wel glazen insecten leken. Maar misschien kan ik die stofdeeltjes vanwege hun doelloze en trage rondzweven beter vergelijken met een stuifmeelregen, wat dunkt u? Achter enkele van de gesloten deuren klonken de onmiskenbare geluiden van het liefdesspel: hees gekreun, gesmoorde kreten en zelfs een enkele enthousiaste klap, afkomstig van een hand die neerkwam op een zachte bilpartij; allemaal geluiden die, samen met het ritmische kraken van de bedden, vertelden dat de liefde die er werd bedreven niet van echtelijke aard was. Maar behalve de geluiden die getuigden van de geslachtelijke prestaties van een aantal klanten, klonken er ook andere, minder wellustige, zoals flarden van gesprekken en het huilen van een kind, die de onsamenhangende symfonie van het leven completeerden. In de gang, zo'n dertig meter lang, hingen enkele schilderijen van nevelige landschappen en wat olielampen, die de eigenaar, meneer Pickard – het zou onbeleefd zijn om hem u niet voor te stellen, al speelt hij in dit verhaal verder geen rol – juist op dat moment gewoontegetrouw wilde aansteken, om te verhinderen dat zijn gasten bij hun min of meer haastige uittocht aan de duisternis overgeleverd zouden zijn.

Het waren zijn voetstappen die je nu op de trap hoorde. Iedere avond viel het bestijgen van de treden hem zwaarder, want de jaren eisen nu eenmaal hun tol, en de laatste tijd ontsnapte hem na de beklimming steeds vaker een triomfantelijke zucht. Meneer Pickard haalde een doosje lucifers uit zijn broekzak en begon het half dozijn lampen in de gang op zijn gemak aan te steken. Hij stak de lucifer onder de lampenkap met de behendigheid van een zwaardvechter die een degenstoot oefent, tot de met olie doordrenkte pit begon te branden. In de loop van de tijd was het een soort mechanische handeling geworden die hij met een afwezig gezicht uitvoerde. Geen gast had kunnen vertellen waaraan meneer Pickard dacht tijdens het dagelijkse ritueel, maar ik ben geen gast en zijn geheimenissen, net als die van de rest van de personages in dit verhaal, zijn voor mij geen verboden terrein. Meneer Pickard dacht aan zijn kleindochtertje Wendy, die al meer dan tien jaar geleden aan roodvonk was overleden: hij vergeleek het aansteken van de lampen onwillekeurig met wat de Schepper met Zijn schepselen deed, door ze naar believen te ontsteken en te doven, op Zijn eigen ondoorgrondelijke manier, en zonder zich erom te bekommeren hoeveel mensen Hij daarmee in duisternis dompelde. Na de laatste lamp te hebben aangestoken, daalde meneer Pickard de trap weer af, en verliet dit verhaal even discreet als hij het was binnengegaan.

De gang lag er weer net zo verlaten, maar nu uitstekend verlicht bij. Misschien drijft het u tot wanhoop dat ik u die nogmaals beschrijf, maar ik vrees dat ik dat toch doe, want ik ben absoluut niet van plan om achter de deur van de kamer van Tom en Claire te kijken en zomaar hun privacy binnen te dringen. Geniet u intussen van de trillende schaduwen die de lampen werpen op de Franse lelies op het behang, en probeert u er bij wijze van vermaak konijnen, beren of hondjes in te zien, terwijl de middag overgaat in de avond, en de minuten, onwetend van de zorgen van de mensen, zich onverbiddelijk opeenhopen tot uren, als een sneeuwbal die over een helling rolt.

Ik zal u niet vragen hoeveel diertjes u intussen hebt geteld, maar ten slotte gaat de deur van de kamer open en komt Tom naar buiten. Met een voldane glimlach om zijn lippen stopt hij zijn hemd in zijn broek en zet zijn pet op. Met het excuus dat hij moest gaan voordat de tijdtunnel zich sloot, had hij zich zachtjes uit Claires armen losgemaakt, en Claire had hem plechtig gekust als een vrouw die weet dat ze de man die ze liefheeft voor de laatste keer kust. En met die kus op zijn lippen ging Tom de trap af, zich afvragend hoe hij zich zowel de gelukkigste man ter wereld als het verachtelijkste schepsel op aarde kon voelen.

XXVIII

Twee dagen waren er sinds de ontmoeting verstreken, en tot Toms verrassing leefde hij nog steeds. Niemand had hem in het hoofd geschoten als hij zich 's nachts angstig oprichtte in zijn bed, niemand was hem op straat gevolgd, wachtend op het goede moment om hem in het drukke gewoel een dolk in zijn zij te steken, niemand had geprobeerd hem met een koets te overrijden of hem onder de trein te duwen. Uit die beangstigende rust kon Tom slechts opmaken dat ze hem ofwel met dat tergende uitstel wilden martelen voordat ze hem doodden, ofwel dat er eenvoudigweg geen plannen bestonden om hem te laten boeten voor wat hij had gedaan. De spanning was ondraaglijk, en meer dan eens had hij op het punt gestaan er zelf een eind aan te maken en zich met een scherp voorwerp de keel door te snijden of zich, geheel in lijn met de familietraditie, van een brug in de Theems te werpen. Elke manier om te vluchten leek hem goed, als hij maar kon ontsnappen aan de onrust die 's nachts zijn dromen binnensloop, en ze tot een nachtmerrie maakte, waarin Salomo zich als een insect door de Londense straten voortbewoog, zich een weg baande door de in jassen en hoeden gehulde mensenmenigte, en met veel moeite de trap van het pension op klom, in de richting van zijn kamer. Steeds schoot Tom wakker op het moment dat de machinemens Toms deur openbrak, en enkele verwarrende minuten lang dacht hij dat hij werkelijk de moedige kapitein Shackleton uit het jaar 2000 was die zich in het jaar 1896 verstopt hield. Niets hielp om de dromen te verjagen. 's Nachts was hij dus overgeleverd aan zijn angsten, maar overdag lukte het hem ze te overwinnen. Dan wist hij zijn hoofd koel te houden en stelde hij zich erop in om zijn lot met kalme gelatenheid te aanvaarden. Nee, hij ging zich niet zelf van het leven beroven. Het was veel waardiger te sterven terwijl hij zijn beulen in de ogen keek, of ze nu van vlees en bloed of van smeedijzer waren.

Omdat hij ervan overtuigd was dat hij spoedig zou sterven, had hij het niet nodig gevonden naar de kade te gaan om werk te zoeken: sterven kon hij net zo goed met lege zakken. Dus bracht hij de dag door met doelloos rondzwerven door Londen, als een blad meegevoerd door de wind. Als hij zo nu en dan in een park terechtkwam, ging hij een tijdje in het gras liggen, als een straatslijper of een dronkenlap, en liet de ontmoeting met het meisje nog eens in alle details de revue passeren: haar opgewonden liefkozingen, haar bedwelmende kussen, de oprechte, hartstochtelijke manier waarop ze zich aan hem had gegeven. Dan zei hij opnieuw bij zichzelf dat het de moeite waard was geweest, en dat hij zich niet zou verzetten als ze hem het leven kwamen benemen om dat ene moment van geluk met hem af te rekenen; iets in hem zag die almaar uitblijvende kogel immers onwillekeurig nog steeds als een gerechtvaardigde straf voor zijn verachtelijke gedrag.

Op de derde dag voerden zijn omzwervingen hem naar de heuvel van Harrow, de plek waar hij altijd heen ging als hij rustig wilde nadenken. Dat was een prima plek om zijn beulen af te wachten, terwijl hij ondertussen de onsamenhangende gebeurtenissen van zijn leven tot een logisch geheel probeerde te maken en er een zin in probeerde te ontdekken, al was het maar om zichzelf iets wijs te maken. Boven aangekomen ging hij in de schaduw van de eik zitten, haalde diep adem, en keek ondertussen met een onverschillige blik naar de stad. Vanaf de heuvel gezien vond hij de hoofdstad van het Britse Rijk er altijd teleurstellend uitzien, een sinistere barkas, met een mastwerk van spitse klokkentorens en rokende fabrieksschoorstenen. Langzaam liet hij zijn adem weer ontsnappen, en probeerde de honger die hij voelde te negeren. Hij vertrouwde erop dat hij vandaag gedood werd, zo niet, dan moest hij voor het vallen van de avond iets stelen om zijn protesterende maag tot bedaren te brengen. Waar bleven de mannen van Murray toch? vroeg hij zich voor de zoveelste keer af. Maar waar ze ook waren, vanaf zijn uitkijkpost zou hij ze in elk geval zien aankomen. En hij zou ze met een brede glimlach verwelkomen, zijn hemd openen en zijn vinger op de plek van zijn hart leggen om het ze zo makkelijk mogelijk te maken. Vooruit, dood me maar, zou hij zeggen, en jullie hoeven niet bang te zijn dat ik jullie daarna zal doden. Ik ben geen held. Ik ben Tom maar, de arme, verachtelijke Tom Blunt. En daarna kunnen jullie me hier begraven, naast mijn vriend John Peachey, al net zo'n arme drommel als ik.

Op het moment dat hij naar het graf keek, viel zijn oog op de brief die ernaast lag, onder een steen. Even dacht hij dat zijn fantasie hem parten speelde. Toen pakte hij hem nieuwsgierig op, en met het vreemde gevoel alsof hij dit al eerder had gedroomd stelde hij vast dat hij gericht was aan kapitein Derek Shackleton. Een paar tellen lang wist hij niet wat hij moest doen. Maar er zat natuurlijk maar één ding op. Toen hij hem openmaakte voelde hij zich vies, alsof hij andermans post las. Maar toen hij de velletjes openvouwde zag hij het elegante, fijne handschrift van Claire Haggerty. Langzaam begon hij te lezen, zich steeds voor de geest halend wat elke letter ook alweer betekende. Hardop droeg hij de brief voor, alsof hij de eekhoorns wilde vertellen over de zorgen van de mensen.

Claire Haggerty aan kapitein Derek Shackleton
Mijn lieve Derek,
Minstens tien keer heb ik met deze brief moeten beginnen voor ik begreep dat er maar één begin mogelijk is, namelijk alle inleidende woorden overslaan en direct beginnen met wat mijn

hart me dicteert: ik hou van je. Derek. Ik hou van je zoals ik nog nooit van iemand heb gehouden. Ik hou van je en zal altijd van je blijven houden. En mijn liefde voor jou is het enige wat me nu nog kracht geeft.

Ik kan me je verbaasde gezicht voorstellen als je deze woorden van een wildvreemde leest; ik kan ervan meepraten, dat verzeker ik je. Maar het is waar, mijn liefste, ik hou van je. Of beter gezegd, wij houden van elkaar, want – al zal je dat nog vreemder vinden omdat je niet eens weet wie ik ben – jij houdt ook van mij, of je zult over een paar uur van mij houden, misschien zelfs al over een paar minuten. Hoe je je er ook tegen verzet, hoe wonderlijk je dit alles ook vindt, je zult van me houden. Je hebt gewoon geen keus. Je zult van me houden omdat je al van me houdt.

Ik neem de vrijheid om me zo vol liefde tot je te richten vanwege dat wat we samen deelden, want je moet weten dat ik de warmte van jouw vingers nog op mijn huid voel, dat mijn lippen nog naar jou smaken, dat ik jou nog altijd in mij voel. En in weerwil van mijn aanvankelijke angst, in weerwil van mijn dwaze, kinderachtige reserves, word ik nu overspoeld door de liefde die je voorspelde, of misschien ook door een liefde die nog groter is, een liefde zo groot dat niets ertegenop kan.

Je kunt je hoofd schudden zoveel je wilt terwijl je deze verbijsterende woorden probeert te begrijpen, maar de verklaring is heel simpel. Het komt allemaal hierop neer: wat voor jou nog niet is gebeurd, is voor mij al verleden tijd. Dat is een van de merkwaardigste dingen die het tijdreizen met zich meebrengt, het steeds heen en weer springen tussen de jaren. Dat is jou toch bekend, hè? Want als ik me niet vergis, heb je deze brief zojuist gevonden vlak bij een enorme eik toen je uit een tijdgat kwam. Daarom zal het je waarschijnlijk niet al te veel moeite kosten om alles wat ik zeg te geloven. Ja, ik weet waar je tevoorschijn zult komen en wat je in mijn tijd komt doen, en dat ik dat allemaal weet kan maar één ding betekenen: dat ik de waarheid spreek. Je moet me dus onvoorwaardelijk vertrouwen. En bovenal moet je me vertrouwen als ik je zeg dat we elkaar liefhebben. Begin mij ook vast lief te hebben en beantwoord deze brief alsjeblieft met eenzelfde gevoel. Schrijf me en leg je brief op je volgende reis bij het graf van John Peachey: zo zullen we vanaf nu met elkaar communiceren, mijn liefste, want we zullen elkaar nog zes brieven schrijven. Trek je nu je wenkbrauwen op? Ik neem het je niet kwalijk – ik herhaal slechts wat je me gisteren zelf hebt gezegd. Doe het, schrijf me, mijn liefste, schrijf me, want je brieven zijn het enige wat me van jou rest.

Ja, want dat is het slechte nieuws: ik zal je nooit meer terugzien, Derek, en dat betekent dat ik moet leven op je brieven. Onze liefde stamt maar van één ontmoeting, want we zien elkaar maar één keer. Nu goed, eigenlijk twee, maar de eerste keer – of de laatste, als we de chronologie volgen die door onze liefde zal worden overwonnen – zal het niet meer dan een paar minuten zijn. De tweede ontmoeting, die in mijn tijd plaatsvindt, zal de langste en de belangrijkste zijn, want tijdens die ontmoeting ontvlamt het vuur dat voor altijd in onze harten zal branden. Deze brieven zullen dat vuur voor mij levend houden; voor jou zullen ze het nog moeten ontsteken. Want chronologisch gezien zal ik je nooit meer terugzien. Jij daarentegen moet nog beginnen me te leren kennen, hoewel we elkaar amper een paar uur geleden hebben bemind. Nu begrijp ik ook je opwinding tijdens onze afspraak gisteren in de theesalon: die heb ik zelf met deze woorden veroorzaakt.

We hebben elkaar ontmoet op 20 mei in het jaar 2000, maar over de details van die eerste ontmoeting zal ik je schrijven in mijn laatste brief. Met die ontmoeting zal het allemaal beginnen, hoewel ik, nu ik erbij stilsta, begrijp dat ook dat niet klopt, want jij zult me al kennen van mijn brieven. Waar begint onze liefdesgeschiedenis dan? Is dat hier, met deze brief? Nee, ook niet. We draaien in een cirkel rond, Derek, en wie kan zeggen waar een cirkel zijn beginpunt heeft? We kunnen hem alleen voortzetten tot hij rond is, zoals ik nu probeer te doen ondanks het trillen van mijn hand. Dat is mijn rol, het enige wat me te doen staat, omdat ik al weet wat jij hebt gedaan: ik weet dat je deze brief zult beantwoorden, ik weet dat je verliefd op me zult worden, ik weet dat je me zult komen halen als het moment daar is. Alleen de details zullen nieuw voor me zijn.

En ik bedenk dat ik deze brief niet kan besluiten zonder je te vertellen hoe ik ben, hoe ik denk en hoe ik de wereld zie, aangezien je mij bij onze afspraak in de theesalon, toen ik vroeg hoe het mogelijk was dat je van me hield als je me niet eens kende, hebt verzekerd dat je me beter kende dan ik voor mogelijk hield. En natuurlijk kende je me door mijn brieven, laten we dus maar beginnen: ik ben geboren op 14 maart 1875, in het Londense West End. Ik ben slank, van gemiddelde lengte, heb blauwe ogen en mijn haar, dat ik meestal, anders dan gebruikelijk, los over mijn schouders draag, is zwart. Neem me niet kwalijk dat ik over deze zaken niet al te zeer uitweid, want mezelf in fysieke zin beschrijven vind ik onfatsoenlijk en ijdel. Bovendien heb ik liever dat je me diep in mijn hart leert kennen. Ik heb twee zusjes, Rebecca en Evelyn, allebei ouder dan ik. Ze zijn beiden getrouwd en wonen in Chelsea, en ik kan het beste uitleggen hoe ik ben door me met hen te vergelijken. Ik heb altijd gevoeld dat ik anders was. Anders dan mijn zusjes heb ik me niet kunnen aanpassen aan de tijd waarin ik leef. Ik heb het gevoel dat die onverdraaglijk saai is, Derek. Hoe kan ik je dat uitleggen? Ik voel me als bij een komisch toneelstuk waar iedereen moet lachen terwijl de grappigheid van de opmerkingen van de personages mij ontgaat. En dat heeft me tot een problematisch meisje gemaakt, iemand die je beter niet op je feestjes kunt uitnodigen en die je bij familiepartijtjes in de gaten moet houden – want die heb ik meer dan eens bedorven door tekeer te gaan tegen de absurde gedragsnormen die gelden in de maatschappij waarin ik leef.

Nog iets waardoor ik me anders voel dan de andere meisjes die ik ken, is dat ik er niet veel belangstelling voor heb om te trouwen. De rol die de vrouw in het huwelijk dient te vervullen, en waarvoor mijn moeder me met alle geweld wil klaarstomen, vind ik vreselijk. Niets lijkt me schadelijker voor mijn ongebonden geest dan een soort brave gouvernante te moeten zijn van een gezin; ik zou mijn kinderen de morele waarden moeten bijbrengen die ik zelf heb meegekregen, en moeten toezien op het werk van het personeel, terwijl mijn echtgenoot zich staande probeert te houden in de wereld van de arbeid, dat gevaarlijke toneel waarvan wij vrouwen, omdat we als gevoelige en breekbare wezens worden gezien, op een discrete manier verre worden gehouden. Zoals je ziet ben ik onafhankelijk en ondernemend, maar, hoe vreemd je het ook zult vinden, ik word niet gemakkelijk verliefd. Om eerlijk te zijn had ik nooit gedacht dat ik ooit op iemand verliefd zou kunnen worden zoals me nu met jou is gebeurd. Ik begon mezelf al te zien als zo'n fles die staat te verstoffen in de wijnkelder, wachtend tot ze wordt ontkurkt bij een speciale gelegenheid die nooit komt. Maar dat dit allemaal gebeurt dank ik waarschijnlijk aan mijn karakter.

Overmorgen kom ik hier terug om je brief op te halen, mijn liefste, precies zoals je me hebt verteld. Ik kijk er reikhalzend naar uit om van je te horen, je woorden van liefde te lezen, te weten dat je de mijne bent, ook al worden we gescheiden door een oceaan van tijd.

Voor altijd de jouwe,

C.

Ondanks de inspanning die het lezen hem kostte, las Tom Claires brief driemaal over, met het verbaasde gezicht dat het meisje had voorspeld, hoewel natuurlijk om heel andere redenen. Daarna stopte hij hem voorzichtig weer in de envelop en, leunend tegen de boom, probeerde hij orde te scheppen in de veelheid van gevoelens die de brief bij hem had gewekt. Het kind had het allemaal geloofd! En ze was naar de heuvel gekomen om een brief voor hem neer te leggen! Op het moment dat het voor hem allemaal voorbij was geweest, zo begreep hij, was het voor haar pas begonnen. Nu pas realiseerde hij zich wat voor proporties het allemaal had aangenomen. Hij had met het meisje gespeeld zonder aan de gevolgen te denken, maar nu kende hij die gevolgen. Al was het niet het oorspronkelijke plan, in die brief las hij welke uitwerking zijn list had gehad, iets waarvan hij liever onwetend was gebleven. Niet alleen had Claire zo in zijn leugen geloofd dat ze gewillig de volgende stap in het ritueel had gezet, maar het samensmelten van hun lichamen had ook het zuchtje wind betekend dat de ontluikende liefde had doen ontvlammen, en kennelijk had doen uitgroeien tot een onbeheersbare brand. Nu dreigde ze door dat vuur te worden verteerd, en Tom was niet alleen verbaasd dat hun korte ontmoeting tot zulke vlammen had geleid, maar ook dat het meisje haar leven eraan wilde wijden om ze brandend te houden, als iemand die in een bos een vuurtje brandend houdt om de wolven op afstand te houden. Maar wat hem het meest verbaasde was dat Claire dat allemaal voor hem zou doen, omdat ze van hem hield. Niemand had ooit zo'n liefde voor hem gevoeld, zei hij verbijsterd bij zichzelf. Het kon hem al niet meer schelen dat haar gevoelens eigenlijk bestemd waren voor kapitein Shackleton: degene die met haar naar bed was geweest, die haar eerbiedig had uitgekleed, die haar met zachtheid had genomen, was hij, Tom Blunt. Shackleton was maar een voorstelling, een idee, maar Claire was uiteindelijk verliefd geworden op de manier waarop Tom hem had vertolkt. En wat voelde hij zelf? Moest hij, alleen maar omdat hem zo'n onvoorwaardelijke, hartstochtelijke liefde ten deel viel, soms iets dergelijks voelen opwellen in zijn eigen hart? Hij wist geen antwoord op die vraag. Maar hij hoefde er zich ook het hoofd niet over te breken, omdat hij in de loop van de dag waarschijnlijk toch wel zou worden vermoord.

Opnieuw keek hij naar de brief die hij in zijn handen hield. Wat moest hij ermee? Plotseling begreep hij dat er maar één ding op zat: hij moest hem beantwoorden, niet om de rol van geliefde aan te nemen, maar omdat het meisje had laten doorschemeren dat ze zonder zijn brieven niet kon leven. Tom stelde zich voor hoe ze in haar koets aankwam, haastig de heuvel opliep, en er geen antwoord van kapitein Shackleton aantrof. Hij was ervan overtuigd dat Claire zo'n plotselinge tegenslag, zo'n onverwachte, raadselachtige stilte niet zou kunnen verwerken. Hij kon zich goed voorstellen hoe ze zich, na steeds maar weer met lege handen te zijn teruggekeerd, van het leven beroofde, met dezelfde hartstocht als waarmee ze had besloten hem lief te hebben, misschien door zich met een scherpe dolk in het hart te steken of een heel flesje laudanum in te nemen. En dat kon Tom niet laten gebeuren. Of hij het nu wilde of niet, door zijn spel was Claire Haggerty's leven zijn verantwoordelijkheid geworden. Hij moest haar brief beantwoorden. Een andere keus had hij niet.

Op de terugweg naar Londen, toen hem opviel dat hij dwars door het veld liep in plaats van over de weg en bij het minste geluid stilhield en zijn spieren spande, begreep hij dat er iets was veranderd: hij wilde niet meer doodgaan. Niet omdat hij opeens zijn leven waardeerde als nooit tevoren, maar omdat hij de brief van het meisje moest beantwoorden. Hij moest in leven blijven om te zorgen dat Claire in leven bleef.

In de stad liep hij een boekwinkel binnen en stal er wat briefpapier, en nadat hij zich ervan had overtuigd dat hij niet werd gevolgd en dat er ook geen potige mannen van Murray rond het pension geposteerd stonden, vluchtte hij naar zijn kamertje in Buckeridge Street. Alles leek rustig. Vanaf de straat drongen de gebruikelijke namiddaggeluiden door, een symfonie zonder enige dissonant, naar het leek. Dus schoof hij de stoel voor het bed, als een soort geïmproviseerd bureau, zette het papier, de inktpot en de pen die hij had gestolen erop, en haalde diep adem. Na een halfuur vol frustratie boven het velletje papier te hebben gehangen, werd het hem duidelijk dat schrijven niet zo makkelijk was als hij had gedacht. Schrijven was nog moeilijker dan lezen, veel moeilijker. Verbaasd stelde hij vast dat hij de gedachten die hij in zijn hoofd had, onmogelijk vorm kon geven op papier. Hij wist precies wat hij zeggen wilde, maar zodra hij met een zin begon raakten de woorden op drift, en raakte dat wat hij ermee bedoelde te zeggen steeds verder uit het zicht. Hij keek naar het onleesbare allegaartje van letters en doorhalingen op het witte blad papier, waarin alleen het 'Lieve Claire' waarmee hij zijn schrijven zo welgemoed was begonnen enige betekenis had. Het was niet meer dan het aandoenlijke broddellapje van een halve analfabeet die probeert zijn eerste brief te schrijven. Hij verfrommelde het papier en gaf zich gewonnen. Als Claire zo'n brief kreeg, zou ze zich net zo goed van het leven beroven, omdat ze niet begreep waarom de redder van de mensheid schreef als een chimpansee.

Hoe graag hij ook wilde, hij kon haar niet antwoorden. Maar over twee dagen moest ze een brief naast de eik vinden, anders zou ze zich van het leven beroven! Hij ging op bed liggen en probeerde na te denken. Hij had hulp nodig, dat was duidelijk. Hij had iemand nodig die de brief voor hem schreef. Maar wie? Hij kende niemand die kon schrijven. En het kon ook niet zomaar iemand zijn, een schoolmeester bijvoorbeeld, die hij met dreigementen tot schrijven kon dwingen. De persoon die hij koos moest zich niet alleen op papier correct weten uit te drukken, maar diende ook voldoende fantasie te hebben om het spel goed mee te spelen, en alsof dat nog niet genoeg was, moest hij ook in staat zijn op net zo'n hartstochtelijke manier te schrijven als het meisje. Was er iemand die aan al die voorwaarden voldeed en die hij om hulp kon vragen?

Opeens wist hij het. Hij sprong op, schoof de stoel opzij en opende de onderste la van de kast. Daar, als een naar adem happende vis op het droge, lag de roman. Hij had het boek gekocht toen hij met zijn werk voor Murray begon, omdat zijn baas hem had verteld dat zijn zaak dankzij dat boek zo'n succes was. En Tom, die nooit een roman had gelezen, was meteen naar de boekwinkel gesneld. Het lezen was erg moeizaam gegaan en hij was niet verder gekomen dan pagina 3, maar hij had de roman toch bewaard omdat hij op de een of andere manier voelde dat hij het aan de schrijver dankte dat hij was wie hij nu was. Hij sloeg het boek open en bestudeerde het portret van de schrijver aandachtig. Er stond bij dat hij in Woking woonde, in het graafschap Surrey. Ja, als er iemand was die hem kon helpen was het ongetwijfeld degene op de foto, de jongeman met het vogelgezicht met de naam H.G. Wells.

Zonder geld voor een huurrijtuig en zonder zin om zich de hele treinreis naar Surrey te moeten verstoppen, besloot Tom dat alleen de benenwagen hem restte om bij het huis van de schrijver te komen. De tocht naar Woking, per koets ongeveer drie uur, zou te voet drie keer zo lang duren. Als hij nu op weg ging, zou hij midden in de nacht arriveren, geen tijdstip om onaangekondigd bij iemand aan te komen, behalve in een noodgeval als dit. Hij stopte Claires brief in zijn zak, trok zijn pet over zijn ogen en ging zonder verdere deliberatie op pad. Hij had geen keus, en tegen de wandeltocht zag hij absoluut niet op. Hij wist dat hij een goed stel benen had en genoeg uithoudingsvermogen om de enorme tocht te volbrengen zonder ook maar een moment de moed te verliezen.

Tijdens de lange weg naar het huis van de schrijver, terwijl hij de nacht traag over de velden zag vallen en regelmatig achteromkeek om zich ervan te vergewissen dat hij niet werd gevolgd door Murrays mannen, overwoog Tom Blunt de verschillende manieren waarop hij zich aan Wells kon voorstellen. Het beste leek hem ten slotte wat tegelijk het belachelijkst klonk: hij zou zich aandienen als kapitein Shackleton. Hij was ervan overtuigd dat de redder van de mensheid veel vriendelijker zou worden ontvangen dan de ongelukkige Tom Blunt, op welk uur van de dag dan ook, en niets belette hem zich op een andere plek dan het toneel voor hem uit te geven, zoals hij al met opmerkelijk succes bij Claire had gedaan. In de rol van Shackleton kon hij de schrijver zelfs hetzelfde verhaal vertellen als hij voor het meisje had verzonnen, en zeggen dat hij haar brief had gevonden bij het verlaten van het tijdgat op zijn eerste reis naar de huidige tijd. Die Wells, die net een roman over tijdreizen had geschreven, zou dat zeker slikken. Al moest hij om zijn leugen geloofwaardig te maken ook een goede reden verzinnen waarom hijzelf, of iemand anders uit de toekomst, de brief aan Claire niet kon schrijven. Misschien kon hij aanvoeren dat in het jaar 2000 niemand meer brieven schreef omdat dat al lang voor de oorlog de taak van de klerk-machines was geworden, zodat de mensen van zijn tijd de kunst van het schrijven waren verleerd. Hoe dan ook leek hem de beste strategie zich aan te dienen als kapitein Shackleton: het was in elk geval beter als de schrijver om hulp werd gevraagd door de beroemde held uit de toekomst, die immers de planeet van de machinemensen zou redden, dan dat een armoedzaaier hem in zijn slaap kwam storen om hem uit de nesten te halen waarin hij door zijn seksuele verlangens was komen te zitten.

Het was al diep in de nacht toen hij in Woking aankwam, en er heerste een idyllische stilte. Het was een frisse, maar mooie nacht. Het kostte hem bijna een uur om de namen op de brievenbussen te lezen tot hij die van Wells vond. Hij stond op dat moment voor een huis van drie verdiepingen, omgeven door een niet al te hoog hek, waarin geen enkel licht meer brandde. Tom observeerde het huis van de schrijver een poosje, ademde diep in en ging door het hek. Verder uitstel had geen zin.

Eerbiedig, alsof hij een kapel binnenging, stapte hij de kleine voortuin in, liep de stenen treden op naar de voordeur en wilde aanbellen, maar net voor hij aan de bel trok bleef zijn hand in de lucht steken. De plotselinge hoefslag van een paard in de nachtelijke stilte maakte hem aan het schrikken. Hij hoorde het geluid dichterbij komen, draaide zich langzaam om, en zag hoe een ruiter halt hield voor het huis van de schrijver. Een koude rilling liep over zijn rug toen de man, niet veel meer dan een donker silhouet, afsteeg en het hek opende. Was het misschien een van Murrays mannen? De gestalte beantwoordde zijn vraag met een gebaar dat geen ruimte liet voor twijfel: hij haalde een pistool uit zijn zak en richtte op zijn borst. Tom sprong opzij en rende weg door de tuin, tot hij werd opgeslokt door de duisternis. Vanuit zijn ooghoeken zag hij hoe de vreemdeling zijn onverwachte bewegingen met zijn wapen probeerde te volgen, maar Tom was niet van plan hem een gemakkelijk doelwit te bieden. Hij sprong op en met een paar grote passen bereikte hij het hek en klom er lenig tegenop. Hij was ervan overtuigd dat hij elk moment de kogelinslag in zijn rug zou voelen, maar er gebeurde niets. Hij was kennelijk sneller dan hij zelf dacht. Hij sprong het hek af, de straat op, en zette het op een rennen. Minstens vijf minuten rende hij door. Pas toen bleef hij hijgend stilstaan, en gunde zich een blik achterom om te kijken of de man van Gilliam hem volgde, maar er was niets te zien in de dichte duisternis. Het was hem gelukt de man te misleiden, en voorlopig kon hij zich in elk geval veilig voelen, want hij nam aan dat zijn beul niet de moeite zou nemen hem te zoeken. Waarschijnlijker was het dat hij naar Londen zou terugkeren om Murray in te lichten. Tom was inmiddels weer op adem gekomen en bereidde zich voor om, verscholen achter een paar struiken, de nacht door te brengen. Als het eenmaal ochtend was, zou hij kijken of de man inderdaad was verdwenen, en opnieuw naar het huis van de schrijver gaan om zijn hulp in te roepen, zoals oorspronkelijk zijn plan was geweest.

XXIX

'Louter door je fantasie te gebruiken heb je een mensenleven gered,' had Jane amper een paar uur daarvoor tegen hem gezegd, en die woorden klonken nog na in Wells' hoofd terwijl hij het eerste ochtendlicht door het zolderraam zag stromen, waar het de meubels uit hun schaduw haalde en de contouren belichtte van het Griekse standbeeld dat hun verstrengelde lichamen op de zetel van de tijdmachine vormden. Toen hij tegen zijn vrouw had gezegd dat ze de stoel misschien nog wel gebruiken konden, had hij niet aan deze manier gedacht, maar het leek hem niet raadzaam haar op dat misverstand te wijzen, en nu al helemaal niet. Wells sloeg haar liefdevol gade. Ze sliep rustig ademend in zijn armen, nadat ze zich met hernieuwd enthousiasme aan hem had gegeven, met de wilde hartstocht van de eerste maanden, die hij langzaam had zien uitdoven met de weemoedige berusting van iemand die maar al te goed weet dat passies nooit eeuwig duren, dat ze zich hoogstens nog op andere lichamen kunnen richten. Maar nergens stond geschreven dat gloeiende kooltjes niet soms weer vlam kunnen vatten dankzij een onverwacht briesje, en die ontdekking had op de lippen van de schrijver een dankbaar glimlachje getoverd dat daar al een tijdje niet meer te zien was geweest. En dat was allemaal te danken aan die zin die almaar in zijn hoofd klonk: 'Louter door je fantasie te gebruiken heb je een mensenleven gered,' een zin die hem voor Jane weer nieuwe glans had gegeven, en die u naar ik hoop niet vergeten bent, want hij vormt de verbinding tussen deze scène en de eerste verschijning van Wells in ons verhaal: ik zei u al dat we nog van hem zouden horen.

Toen zijn vrouw naar beneden ging om het ontbijt klaar te maken, besloot de schrijver nog even in de tijdmachine te blijven zitten. Hij haalde diep adem, voldaan en verbazend tevreden over zichzelf. Soms, op bepaalde momenten in zijn leven, zag Wells zichzelf als een volkomen belachelijk menselijk wezen, maar nu leek hij door een fase te gaan waarin hij anders naar zichzelf leerde kijken, milder, bewonderend zelfs. Hij had het plezierig gevonden om een leven te redden, zowel vanwege Janes onverwachte beloning als vanwege het bijzondere geschenk dat hij eraan had overgehouden: de machine die aan zijn fantasie was ontsproten, de machine die eruitzag als een soort moderne paardenslee waarmee je je kon verplaatsen door de tijd, tenminste, dat was wat ze Andrew Harrington hadden laten geloven. Nu hij het toestel zo bij daglicht zag, moest hij toegeven dat hij nooit had gedacht dat het zoiets moois zou kunnen worden toen hij het met wat vage penseelstreken in zijn boek beschreef. Met het gevoel alsof hij een kwajongensstreek uithaalde, richtte hij zich plechtig op in de zetel, en legde zijn hand met overdreven ceremonieel op de glazen hendel rechts op het dashboard. Om zijn mond vormde zich een weemoedig lachje. Deed het geval het maar, kon het maar van de ene tijd naar de andere gaan, op willekeurige wijze de tijd doorkruisen en zelfs haar grenzen bereiken, mochten die er zijn, daar komen waar alles ontstond of alles eindigde. Maar daarvoor diende de machine niet. Eigenlijk deugde de machine nergens voor. Nu hij zelfs het mechanisme voor het ontbranden van het magnesiumpoeder eruit had gehaald, kon je er niet eens de bestuurder meer mee verblinden.

'Bertie?' riep Jane van beneden.

Wells sprong op, alsof hij zich schaamde dat hij bij het spelen met het toestel werd betrapt. Hij trok zijn kleren recht die in het vuur van de hartstocht in de war waren geraakt en liep ijlings de trap af.

'Er is een jongeman die je wil spreken,' zei Jane, enigszins nerveus. 'Hij zegt dat hij kapitein Derek Shackleton is.'

Wells bleef onder aan de trap staan. Derek Shackleton? Waar deed die naam hem aan denken?

'Hij zit in de kamer te wachten. Maar hij heeft nog iets gezegd, Bertie...' zei Jane weifelend, niet wetend hoe ze verder moest gaan. 'Hij zei dat hij... uit het jaar 2000 komt.'

Uit het jaar 2000? Op dat moment wist Wells waar de naam hem aan deed denken.

'Nou, dan moet het wel om iets heel dringends gaan,' zei hij met een geheimzinnig lachje. 'Laten we dus maar geen tijd verliezen en zien wat meneer wenst.'

Hij schudde geamuseerd zijn hoofd en begaf zich naar de woonkamer. Wells trof er een eenvoudig geklede jongeman aan die naast de schoorsteen stond, en die het kennelijk niet had gedurfd om op een van de stoelen plaats te nemen. Wells nam hem van top tot teen op. Het was, ongelooflijk maar waar, een imposant specimen van het menselijk ras, met indrukwekkende spieren en een onverschrokken gezicht, de ogen wild als van een in het nauw gedreven panter.

'Ik ben George Wells,' stelde hij zich voor na zijn inspectie. 'Waarmee kan ik u van dienst zijn?'

'Goedendag, meneer Wells,' zei de man uit de toekomst. 'Neemt u mij niet kwalijk dat ik op dit vroege uur uw huis kom binnenvallen, maar het gaat om een zaak van leven en dood.'

Wells knikte, en moest bij zichzelf lachen om de ingestudeerde introductie.

'Ik ben kapitein Derek Shackleton en ik kom uit de toekomst. Uit het jaar 2000, om precies te zijn.'

Na die woorden keek de jongen hem met open blik aan, gespitst op zijn reactie.

'Zegt mijn naam u iets?' vroeg hij, toen hij zag dat de schrijver niet erg verbaasd leek.

'Maar natuurlijk, kapitein,' antwoordde Wells met een lachje, terwijl hij de prullenmand doorzocht die naast een kast vol boeken stond. Hij haalde er een verkreukeld stuk papier uit, streek het glad en gaf het aan zijn bezoeker, die het voorzichtig aanpakte. 'Natuurlijk zegt uw naam me iets! Stipt elke week krijg ik zo'n pamflet. U bent de redder van de mensheid, de man die onze planeet in het jaar 2000 bevrijdt van het juk van de verdorven machinemensen!'

'Precies,' zei de jongen, een beetje achterdochtig vanwege de ironische ondertoon in de stem van de schrijver.

Er viel een gespannen stilte, waarin Wells zijn bezoeker spottend aankeek, zijn handen in zijn zakken.

'Ik neem aan dat u zich afvraagt hoe ik naar uw tijd ben gereisd,' zei de jongen ten slotte, als een toneelspeler die zelf zijn claus moet uitspreken om verder te kunnen gaan met zijn tekst.

'Ja, nu u het zegt,' antwoordde Wells, zonder te verhelen dat hij geen enkele belangstelling had voor de kwestie.

'Nou, ik zal het u uitleggen,' zei de jongeman, en probeerde zich niet uit het veld te laten slaan door de klaarblijkelijke onverschilligheid van zijn toehoorder. 'Kort na het begin van de oorlog vonden onze geleerden een machine uit die gaten in de tijd kon graven, met als doel een tunnel aan te leggen van het jaar 2000 naar uw tijd. Ze wilden iemand sturen om de fabrikant van mechanisch speeltuig te elimineren en zo de oorlog te voorkomen nog vóór hij zou uitbreken. Nou, die iemand ben ik.'

Wells keek hem wel een minuut lang ernstig aan. Ten slotte barstte hij uit in een schaterende lach die zijn bezoeker van zijn stuk bracht.

'U beschikt over een buitengewone fantasie, jongeman,' zei hij.

'Gelooft u me niet?' vroeg de jongeman, op een toon waardoor de vraag meer een bittere constatering leek.

'Natuurlijk niet!' riep de schrijver vrolijk uit. 'Maar maakt u zich niet ongerust, u hebt uw ingenieuze verhaal heel geloofwaardig gebracht.'

'Maar dan...' stamelde de jongen verward.

'Ik geloof geen moment dat je naar het jaar 2000 kunt reizen, en al helemaal niet dat de mensen dan in oorlog zouden zijn met de machinemensen. Dat is allemaal maar een belachelijk verzinsel. Heel Engeland gelooft het misschien, maar mij houdt Gilliam Murray niet voor de gek,' verkondigde Wells.

'Dus... u weet dat het allemaal bedrog is?' mompelde de jongen, nog steeds even verbaasd.

Wells knikte, en wierp een blik op Jane die al net zo verrast was.

'En u bent niet van plan hem aan te geven?'

De schrijver slaakte een diepe zucht, alsof die vraag hem al te lang had gekweld.

'Nee, dat ben ik absoluut niet van plan,' antwoordde hij. 'Als mensen geld willen betalen om u een stuk of wat koperen machinemensen te zien verslaan, verdienen ze het misschien wel dat ze worden opgelicht. Aan de andere kant, wie ben ik om ze de illusie te ontnemen dat ze in de toekomst zijn geweest? Moet ik hun droom verstoren, alleen maar omdat iemand er rijk van wordt?'

'Ik begrijp het,' mompelde de bezoeker. En hij voegde er, nog steeds verbaasd en zelfs enigszins bewonderend aan toe: 'U bent de enige die ik ken die denkt dat het allemaal bedrog is.'

'Nou, ik ben dan ook enigszins in het voordeel ten opzichte van de rest van de mensheid, neem ik aan,' antwoordde Wells.

De steeds grotere verbijstering op het gezicht van de jongen ontlokte hem een milde glimlach. Ook Jane keek hem nieuwsgierig aan. De schrijver zuchtte smartelijk. Het moment was gekomen om het brood met zijn apostelen te delen – misschien konden ze hem daarna helpen het kruis te dragen.

'Iets meer dan een jaar geleden,' zo legde Wells zijn vrouw en de jongen uit, 'vlak na het verschijnen van *De tijdmachine*, kwam er een man bij me langs die me een roman wilde geven die hij net had voltooid. Net als bij *De tijdmachine* ging het om een toekomstroman. Hij wilde dat ik het boek las en, als mijn oordeel gunstig was, het zou aanbevelen bij Henley, mijn uitgever, zodat die het misschien wilde uitgeven.'

De jongen knikte langzaam, alsof hij nog niet helemaal begreep wat dat allemaal met hem te maken had. Wells draaide zich om en zocht in de kast tussen de boeken en mappen. Uiteindelijk vond hij wat hij zocht, een lijvig geschrift dat hij op tafel wierp.

'De man heette Gilliam Murray, en dit is de roman die hij mij op die middag in oktober vorig jaar gaf.'

Met een handgebaar nodigde hij de jongen uit te lezen wat er op het titelblad stond. De jongen kwam dichterbij en stuntelig, alsof hij op elke letter moest kauwen, las hij hardop voor: '*Kapitein Derek Shackleton, het ware en schokkende verhaal van een held uit de toekomst*, door Gilliam F. Murray.'

'Ja,' zei Wells. 'En wilt u weten waar de roman over gaat? Hij speelt zich af in het jaar 2000, en vertelt over de oorlog van de verdorven machines tegen de mensen, die worden aangevoerd door de moedige kapitein Derek Shackleton. Komt die plot u bekend voor?'

De bezoeker knikte, maar uit zijn ontredderde blik maakte Wells op dat hij nog steeds niet begreep waar hij heen wilde.

'Als Gilliam eerst zijn bedrijf had opgericht en daarna pas zijn roman had geschreven, zou ik, afgezien van mijn gebruikelijke scepsis, geen enkele reden hebben om aan zijn jaar 2000 te twijfelen,' legde hij uit. 'Maar hij gaf me deze roman al een jaar eerder. Een jaar! Begrijpt u wat ik zeggen wil? Gilliam heeft eenvoudigweg zijn roman in werkelijkheid omgezet. En u bent zijn hoofdpersoon.'

Hij pakte het geschrift, zocht naar een bepaalde pagina en tot ontsteltenis van de jongeman las hij op: 'Kapitein Derek Shackleton was een imposant specimen van het menselijk ras, met indrukwekkende spieren en een onverschrokken gezicht, de ogen wild als van een in het nauw gedreven panter.'

De jongen bloosde. Zag hij er echt zo uit? Had hij de ogen van een in het nauw gedreven roofdier? Misschien wel, want vanaf zijn geboorte had hij zich door alles en iedereen in het nauw gedreven gevoeld, door zijn vader, door het leven, door zijn pech, en de laatste tijd door Murrays mannen. Hij wist niet wat hij zeggen moest en keek naar Wells.

'Het is een vreselijke beschrijving van een schrijver zonder een greintje talent, maar ik kan niet ontkennen dat u er precies aan voldoet,' zei Wells, terwijl hij het manuscript met de grootst mogelijke minachting op tafel gooide.

Een paar seconden lang zei niemand iets.

'Maar deze jongeman heeft toch je hulp nodig, Bertie,' kwam Jane tussenbeide.

'Ach, ja. Dat is waar,' antwoordde Wells met tegenzin. Na zijn slimme ontmaskering had hij gemeend het bezoek als beëindigd te kunnen beschouwen.

'Hoe heet u in het echt?' vroeg Jane aan de jongen.

'Tom Blunt, mevrouw,' antwoordde hij, met een beleefde buiging.

'Tom Blunt,' herhaalde Wells spottend. 'Dat klinkt natuurlijk lang niet zo heroïsch.'

Jane keek hem bestraffend aan. Ze had er een hekel aan als haar man denigrerend deed om het minderwaardigheidsgevoel te compenseren dat hem in aanwezigheid van een fysiek indrukwekkender persoon altijd bekroop.

Wells schraapte zijn keel. 'Vertel eens, Tom, waarmee kan ik je van dienst zijn?'

Tom zuchtte. Hij frommelde aan zijn pet alsof hij hem als een vaatdoek wilde uitwringen, en, met neergeslagen blik, omdat hij nu immers geen dappere held uit de toekomst meer was, maar gewoon een arme drommel, probeerde hij het echtpaar alles te vertellen vanaf het moment dat hij om zijn blaas te legen een plek ver van het decor van de toekomst had opgezocht. Terwijl hij zijn best deed niet in de war te raken, vertelde hij hoe Claire Haggerty uit het niets was opgedoken, net op het moment dat hij zijn helm had afgezet, waardoor ze zijn gezicht had gezien, met alle consequenties van dien – hetgeen hij verduidelijkte met het voorbeeld van Perkins die door Murray tot zwijgen was gebracht omdat hij zijn voorstelling in gevaar dreigde te brengen. Zijn vermoedens ontlokten de vrouw van de schrijver een angstige kreet; de schrijver zelf schudde slechts zijn hoofd alsof hij van Gilliam Murray niets anders had verwacht. Vervolgens vertelde Tom hoe hij Claire Haggerty op de markt was tegengekomen en haar een afspraakje had ontfutseld, zonder te denken aan de mogelijke gevolgen; hij erkende beschaamd dat hij zich enkel en alleen door zijn mannelijke instincten had laten leiden. En hoe hij vervolgens die hele brievenschrijverij had moeten bedenken om haar over te halen met hem mee te gaan naar het pension. Hij wist dat hij niet goed had gehandeld, zei hij, zonder zijn ogen van de grond te durven opslaan, en hij had er ook spijt van, maar ze moesten zijn gedrag niet zonder meer veroordelen, want zijn daad had onverwachte gevolgen gehad. Het meisje was verliefd op hem geworden, en omdat ze ervan overtuigd was dat het allemaal waar was, had ze gehoorzaam haar eerste brief geschreven en die achtergelaten op de heuvel van Harrow. Hij haalde de brief tevoorschijn en gaf hem aan Wells, die hem hoogst verbaasd aanpakte. De schrijver vouwde hem open, schraapte zijn keel en las hem hardop voor, zodat zijn nieuwsgierige echtgenote ook kon horen wat erin stond. Hij probeerde kalm en gelijkmatig te spreken, maar kon niet voorkomen dat zijn stem bij bepaalde passages trilde van emotie. Het ging om zulke prachtige gevoelens dat hij een tikje jaloers was op de jongeman tegenover hem, die zonder dat hij het verdiende zo'n onvoorwaardelijke liefde ontving dat het hem noopte om vraagtekens te zetten bij zijn eigen gevoelens, en om zijn manier van voelen, van beminnen en bemind worden nog eens helemaal opnieuw te bezien. De ontroering op Janes gezicht vertelde hem dat zijn vrouw iets dergelijks had gevoeld.

'Ik heb geprobeerd haar te schrijven,' zei Tom, 'maar ik kan zelfs amper lezen. En ik ben bang dat juffrouw Haggerty wel eens iets geks kan doen als er morgen geen brief voor haar op de heuvel ligt.'

Wells moest toegeven dat dat gezien de vurige toon van de brief hoogst aannemelijk was.

'Ik ben gekomen om u te vragen of u in mijn plaats met haar wilt corresponderen,' bekende de jongen toen.

Wells keek hem stomverbaasd aan.

'Wat zegt u nu?'

'Het gaat maar om drie brieven, meneer Wells. Dat is voor u toch niets?' zei de jongen, en voegde er na enig nadenken aan toe: 'Ik kan u niet betalen, maar als u ooit hulp nodig hebt bij iets wat niet beschaafd valt op te lossen, hoeft u maar een kik te geven.'

Wells kon zijn oren niet geloven. Hij stond op het punt te antwoorden dat hij niet van plan was aan die hele toestand mee te doen, toen hij opeens Janes warme handdruk voelde. Hij wendde zich naar zijn vrouw, die hem met net zo'n dromerig gezicht toelachte als wanneer ze zo'n liefdesromannetje had gelezen waar ze zo verzot op was; vervolgens keek hij naar Tom, die hem op zijn beurt vol verwachting aankeek. En hij wist dat hij geen keus had: wéér moest hij een leven redden door zijn fantasie te gebruiken. Lange tijd bestudeerde hij de velletjes papier die hij in zijn handen hield, met daarop het pietepeuterige, elegante handschrift van Claire Haggerty. Het was eigenlijk wel verleidelijk, moest hij toegeven, om het inventieve verhaal voort te zetten, om zich voor te doen als een dappere held uit de toekomst, verwikkeld in een bloedige oorlog met de verdorven machinemensen, en ook nog eens met goedkeuring van zijn vrouw aan een andere vrouw te schrijven dat hij hartstochtelijk veel van haar hield. Het zou zijn alsof hij opeens in een wereld leefde waarin men de diepste menselijke instincten alle ruimte gaf in plaats van ze te beknotten, zodat alle bewoners van de planeet in harmonie konden samenleven, zonder jaloezie en zonder vooroordelen, in een wereld waarin bandeloosheid tot een soort tedere, hoffelijke kameraadschap werd gesublimeerd. De uitdaging prikkelde hem enorm, en omdat er niets anders op zat dan haar maar aan te nemen, vatte hij moed en bedacht dat de correspondentie met het onbekende meisje net zo amusant als opwindend kon zijn.

'Akkoord,' zei hij schoorvoetend. 'Komt u morgenvroeg langs, dan krijgt u uw brief.'

XXX

Jane liet de jongen uit, en zodra Wells alleen in de kamer was, pakte hij Murrays manuscript op en stopte het weer diep weg. Al had hij het niet laten merken, de barbaarse manier waarop Gilliam zijn theater draaiende hield had veel indruk op hem gemaakt. Het was duidelijk dat het voor de ondernemer van vitaal belang was zich te omringen met mensen die hun mond hielden, en hoewel je dat natuurlijk kon bereiken door een goed salaris te betalen, waren bedreigingen kennelijk effectiever. Hij huiverde bij de ontdekking dat Gilliam zich zonder scrupules van dergelijke schandelijke methoden bediende, want de man was immers niet voor niets zijn vijand, of zo leek hij zich tenminste tegenover hem te gedragen. Hij pakte de folder op die hij elke week kreeg opgestuurd en staarde er geërgerd naar. Hoe het hem ook tegenstond, Wells kon er niet omheen dat het allemaal zijn eigen schuld was. Ja, het feit dat Murray Tijdreizen bestond, was aan hem te danken, aan de beslissing die hij had genomen.

Hij had Gilliam Murray maar twee keer ontmoet, maar sommige mensen hadden niet meer nodig om vijanden te maken. En Gilliam was zo iemand, dat had hij onmiddellijk gezien. De eerste ontmoeting had hier in deze kamer plaatsgevonden op een middag in april, herinnerde hij zich, en hij keek met afkeer naar de oorfauteuil waarin Gilliam Murray met moeite zijn zware lijf had geperst.

Vanaf het moment dat hij aan de deur was verschenen en hem met zijn slijmerige lachje zijn visitekaartje had overhandigd, was hij onder de indruk geweest van zijn enorme lijf, maar hij was met name verbaasd geweest over de onverwacht soepele manier waarop hij zich bewoog, alsof zijn botten uit buigzaam materiaal bestonden. Wells had op de stoel tegenover hem plaatsgenomen, en de beide mannen hadden elkaar beleefd geobserveerd terwijl Jane de thee inschonk. Zodra zijn vrouw de kamer uit was, werd de glimlach van de vreemdeling nog breder; hij bedankte Wells dat hij hem zo prompt had ontvangen en bedolf hem onder een lawine van loftuitingen over zijn roman *De tijdmachine*. Maar sommige mensen willen, als ze iets prijzen, eigenlijk alleen maar zichzelf in de hoogte steken en de wereld laten weten hoe enorm gevoelig en intelligent ze zijn, en tot dat kamp van ijdele lieden behoorde Gilliam Murray. Hij prees de roman de hemel in, en in een opgewonden monoloog roemde hij zijn evenwichtige structuur, de krachtige beelden, en zelfs de kleur van het pak waarin de schrijver de hoofdpersoon had gestoken, terwijl Wells beleefd toehoorde, en zich afvroeg waarom iemand in hemelsnaam zijn ochtend verdeed met al dat gepraat, in plaats van zijn opmerkingen gewoon in een beleefde brief te zetten, zoals zijn andere bewonderaars deden. Hij liet de vurige lofprijzingen ongemakkelijk knikkend over zich heen komen als een hinderlijke, maar op zich onschuldige motregen, en hoopte in stilte dat de vervelende lofzang niet te lang zou duren, zodat hij weer kon terugkeren naar zijn bezigheden. Maar vervolgens ontdekte hij dat die nog maar de inleiding was geweest op de eigenlijke reden van zijn bezoek. Want toen Gilliam zijn geestdriftige monoloog had beëindigd, haalde hij een lijvig manuscript uit zijn tas en reikte het Wells voorzichtig aan, alsof het een kostbaar relikwie of een pasgeboren kind was. *Kapitein Derek Shackleton, het ware en schokkende verhaal van een held uit de toekomst*, las Wells, stomverbaasd. Hoe het allemaal precies was gegaan herinnerde hij zich niet meer, maar nadat de reus hem de belofte had ontlokt dat hij het boek zou lezen en het, als het hem beviel, bij Henley zou aanbevelen, hadden ze een afspraak gemaakt voor de week daarop.

Zonder animo begon Wells het manuscript te lezen dat hem zo onverwacht in handen was gegeven. Het trok hem absoluut niet aan om iets te lezen wat aan de fantasie van die verwaande ijdeltuit was ontsproten; hij achtte hem niet in staat zijn belangstelling voor wat dan ook te wekken, en dat had hij goed gezien. Hoe verder hij doordrong in het verhaal, hoe groter zijn verveling werd, en hij bezwoer zichzelf nooit meer af te spreken met welke bewonderaar dan ook. Wat Gilliam hem te lezen had gegeven was opgeklopte, slaapverwekkende onzin, zo'n toekomstromannetje dat, in het kielzog van zijn eigen boek, meedeed met de mode van de speculaties, en waarmee de etalages van de boekhandels tegenwoordig vol lagen, romans vol technische prullen, waarin, geïnspireerd door de wetenschap, allerlei onzinnige machines voorkwamen bestemd om de diepste wensen van de mens te realiseren. Wells had er niet een gelezen, maar Henley had er bij een etentje een aantal voor hem samengevat, zoals die van de New Yorker Luis Senarens, waarin het wemelde van de luchtschepen waarmee de hoofdpersonen de meest onbegaanbare gebieden op aarde exploreerden, en daarbij elke inheemse stam die ze tegenkwamen grondig beroofden. Maar met name herinnerde Wells zich de roman over de Joodse uitvinder die een apparaat had gebouwd waarmee hij dingen groter kon maken. Het beeld van een door gigantische pissebedden aangevallen Londen, dat Henley hem spottend had beschreven, had hem werkelijk angst aangejaagd.

De plot van Gilliam Murrays roman was al even bedroevend. Achter de hoogdravende titel gingen de verzinsels schuil van een waanzinnige. Gilliam beweerde dat mechanische poppen, dat kinderspeelgoed dat je in enkele winkels in het centrum van Londen kon kopen, in de loop der jaren tot leven zouden komen. In hun houten koppen zou, hoe ongelooflijk het ook klonk, een soort bewustzijn ontstaan dat veel leek op dat van de mens. Dat ging zo ver, zoals de verbouwereerde lezer vervolgens kon vaststellen, dat die machines een enorme wrok jegens de mensen ontwikkelden omdat die hen als slaven hadden behandeld. Uiteindelijk kwamen ze, onder leiding van Salomo, een door stoom aangedreven krijgsmachine, tot het besluit om het hele menselijke ras zonder verdere consideratie te vernietigen. Na tientallen jaren slaagden ze erin de planeet tot een puinhoop en de mensheid tot een handvol bange ratten te reduceren. Tot er een redder verscheen, de dappere kapitein Shackleton die, na jaren van vergeefse oorlogsvoering, met een lachwekkend zwaardduel een eind maakte aan de veroveringsdromen van de machinemens Salomo. Als toppunt van gekte waagde Gilliam het om op de laatste bladzijden een moraal te fabriceren, waarover hij heel Engeland, of in elk geval alle bedenkers van speelgoed, wilde laten nadenken: God zou de mens vast en zeker straffen als die nog langer probeerde Hem naar de kroon te steken door zelf leven te scheppen – alsof je bij die mechanische mormels van leven kon spreken, dacht Wells.

Misschien werkte zo'n verhaal goed als satire, maar het probleem was dat Gilliam zichzelf verschrikkelijk serieus nam, en er iets zo plechtstatigs van maakte dat de plot er alleen maar belachelijker op werd. Het was totaal ongeloofwaardig dat het door Gilliam voorspelde jaar 2000 werkelijkheid zou worden. Voor het overige was zijn manier van schrijven even kinderlijk als hoogdravend, waren de personages slecht uitgewerkt en misten de dialogen pit. Kortom, het was zo'n roman van iemand die denkt dat iedereen zomaar schrijver kan worden. Had hij de woorden zonder enige esthetische ambitie aan elkaar geregen, dan zou het lezen een saaie, maar verteerbare opgave zijn geweest. Maar Gilliam hoorde tot de gulzige lezers die denken dat goed schrijven zoiets is als het optuigen van een koets. Met als resultaat een gekunstelde manier van schrijven, vol bizarre stijlbloempjes en een bombastisch verbaal vertoon waarin je je gewoon wel moest verslikken. Toen Wells op de laatste bladzijde was aangekomen, was hij er misselijk van. De roman verdiende geen beter lot dan het haardvuur, en als tijdreizen later de gewoonste zaak van de wereld zouden zijn, zou je verplicht naar het verleden moeten reizen om alle vingers van die fantast te verbrijzelen vóór hij de literatuur met zijn prutswerk kon onteren. Maar hij durfde het niet goed aan om Gilliam Murray die waarheid in zijn gezicht te zeggen; bovendien kon hij de roman gewoon aan zijn uitgever geven, zodat het Henley was die hem afwees, iets waartoe Henley ongetwijfeld zou besluiten, zonder de wroeging die Wells er zelf bij zou hebben gehad.

Toen de dag van zijn afspraak met Murray aanbrak, had Wells nog steeds niet besloten wat hij zou doen. Gilliam diende zich benijdenswaardig punctueel aan met zijn meest vriendelijke glimlachje, maar onder dat beleefde vernislaagje zag Wells een nauwelijks verholen ongeduld. Het was duidelijk dat Gillam popelde om zijn vonnis te horen, maar voor hem gold net zo goed als voor Wells dat hij zich aan het protocol moest houden. Onder het uitwisselen van beleefdheden leidde Wells hem naar de kamer, en beiden namen op hun respectievelijke stoelen plaats terwijl Jane de thee serveerde. De schrijver maakte van het moment gebruik om zijn nerveuze, maar dapper glimlachende gast te observeren. Een onverwacht gevoel van macht maakte zich van Wells meester. Meer dan wie ook kende hij de illusies die gepaard gaan met het schrijven van een roman, en de geringe waarde die die illusies in de ogen van de rest van de mensheid hebben – iemands werk wordt immers beoordeeld naar het resultaat en niet naar de toewijding waarmee het tot stand is gebracht. Een negatief oordeel, al was het nog zo opbouwend bedoeld, was voor een schrijver te allen tijde pijnlijk. Zo'n oordeel raakte hem altijd, of hij nu met de moed van een gewonde soldaat reageerde, of dat zo'n oordeel zijn tere ego vernietigde en hem in de afgrond stortte. En nu hield Wells zomaar de dromen van die wildvreemde in zijn hand, en hij kon ermee doen wat hij wilde. Het ging erom of hij zijn macht ten goede of ten kwade zou gebruiken, of hij wilde zien hoe die arrogante kerel reageerde op wat gewoon de zuivere waarheid was, of dat hij hem met een barmhartige leugen voor die waarheid zou behoeden en hem, in elk geval tot Henleys diagnose, in de waan zou laten dat hij een verdienstelijk werk had geschreven.

'Nou, meneer Wells?' vroeg Gilliam, zodra Jane de kamer had verlaten. 'Wat vond u van mijn roman?'

Wells voelde de lucht in de kamer bijna vibreren, alsof de loop der dingen een kruispunt had bereikt, alsof de wereld op zijn beslissing wachtte om verder te kunnen gaan, om te weten welke weg ingeslagen moest worden. Het was alsof zijn stilte een dam vormde, een dijk die de stroom van gebeurtenissen in bedwang hield.

En zelfs vandaag wist hij nog niet waarom hij voor het ene in plaats van het andere had gekozen. Beide opties waren mogelijk geweest. Eén ding wist hij echter wel: hij had niet gehandeld uit boosaardigheid, maar gewoon omdat hij nieuwsgierig was hoe de man tegenover hem zo'n klap zou incasseren, of hij zijn oordeel beleefd zou aanvaarden en zijn gekwetste trots zou verbergen, of dat hij voor zijn ogen zou instorten als een kind of een ter dood veroordeelde, of dat hij zo geïrriteerd zou raken dat hij zich op hem stortte om hem met zijn grote handen te wurgen – iets wat ook niet viel uit te sluiten. Het was gewoon een experiment geweest met de arme man, welke naam je het beestje ook gaf. Een empirische exercitie, zoals wanneer een geleerde een muis offert voor zijn onderzoek. En het was Wells te moede alsof Gilliam hem een onmetelijke macht had toegekend, de mogelijkheid om het vonnis namens de hele boze wereld te voltrekken.

Toen hij zijn besluit had genomen, schraapte hij zijn keel en antwoordde op beleefde, bijna kille toon, alsof het hem niet kon schelen wat het effect van zijn woorden zou zijn: 'Ik heb uw werk met de grootste aandacht gelezen, meneer Murray, maar ik moet u bekennen dat het in geen enkel opzicht een plezierige ervaring is geweest. Ik heb er niets in gevonden wat ik kan prijzen, niets wat ik kan toejuichen. Ik ben zo vrij op deze manier tegen u te spreken omdat ik u als een collega beschouw, en van mening ben dat u er niets aan hebt als ik tegen u lieg.'

Gilliams glimlach bevroor en zijn dikke knuisten klemden zich om de armleuningen van de stoel. Wells keek toe hoe zijn gezicht veranderde en ging intussen verder met hem uiterst beleefd te kwetsen: 'U gaat naar mijn mening niet alleen uit van een vrij naïef idee, maar u werkt het ook nog eens bijzonder ongelukkig uit. Uw boek kent een chaotische, grillige structuur, de scènes missen samenhang en uiteindelijk krijg je de indruk dat de dingen zomaar gebeuren, zonder enige logica, gewoon omdat het u zo uitkomt. Gevoegd bij uw manier van schrijven, die lijkt op die van een notaris die verzot is op het romantische werk van Austen, heeft dit bij de lezer onvermijdelijk desinteresse tot gevolg, en wellicht zelfs een fundamentele afwijzing van wat hij leest.'

Op dat punt aangekomen pauzeerde Wells even om zijn bleek geworden gast met de nieuwsgierigheid van een natuurvorser te bekijken. De man moest wel van ijs zijn om bij zulk commentaar niet te ontploffen, zei hij bij zichzelf. Was Gilliam inderdaad van ijs? Wells keek toe hoe hij zijn houding probeerde te hervinden, hoe hij op zijn lippen beet en zijn vuisten balde en weer opende, en concludeerde dat hij het weldra zou weten.

'Waar hebt u het over?' vroeg Murray ten slotte getergd, terwijl hij zich oprichtte in zijn stoel, ten prooi aan een plotselinge woede die de aderen in zijn nek deed opzwellen. 'Op wat voor manier hebt u mijn werk in godsnaam gelezen?'

Nee, Gilliam was niet van ijs. Hij was louter vuur, en Wells begreep meteen dat hij niet zou instorten. Zijn bezoeker hoorde tot het soort mensen die een trots bezitten die hen moreel onoverwinnelijk maakt, die zo van zichzelf overtuigd zijn dat ze geloven dat ze alles kunnen wat ze willen, of het nu gaat om het maken van een vogelhuisje of het schrijven van een roman. Maar het was niet aan de bouw van een vogelhuisje dat Gillian besloten had zich te wagen. Nee, hij had besloten de wereld te tonen dat hij een buitengewone fantasie bezat, dat hij alle woorden uit het woordenboek tot zijn beschikking had om er losjes mee te strooien, en dat hij de belangrijkste aspecten van het schrijversvak, zo niet alle, beheerste. Wells deed zijn best kalm te blijven terwijl zijn gast zich bijna schor schreeuwde van woede en zijn kritische opmerkingen afdeed als domheid. Toen hij hem zo heftig tekeer zag gaan, kreeg hij spijt van de keus die hij had gemaakt. Het was duidelijk dat het alleen nog maar onaangenamer kon worden als hij de roman met zijn sarcastische opmerkingen de grond in bleef boren. Maar wat kon hij anders? Moest hij alles wat hij had gezegd weer terugnemen omdat die vent hem misschien het hoofd afrukte als hij zich door zijn woede liet meeslepen?

Gelukkig voor Wells leek Gilliam opeens te bedaren. Hij haalde een paar keer diep adem, draaide zijn nek heen en weer en legde zijn handen in zijn schoot, in een koppige poging zijn zelfbeheersing te hervinden. Zijn moeizame gevecht om tot kalmte te komen leek Wells een soort parodie op de indrukwekkende gedaanteverwisseling die de acteur Richard Mansfield een paar jaar geleden in het Lyceum-theater had ondergaan tijdens de opvoering van het stuk *Dr. Jekyll and Mr. Hyde.* Heimelijk opgelucht liet hij hem begaan. Gilliam leek zich nu te schamen, en Wells begreep dat hij een intelligent man tegenover zich had die zich door zijn ongebreidelde temperament liet meeslepen en wiens impulsiviteit woedeaanvallen veroorzaakte die hij ongetwijfeld in de loop van zijn leven steeds beter had leren beheersen – iets waar hij waarschijnlijk ook trots op was. Maar Wells had een gevoelige snaar geraakt, zijn ijdelheid, en hem daarmee laten zien dat hij zijn zelfbeheersing nog steeds kon verliezen.

'U hebt misschien het geluk gehad een sympathieke roman te schrijven die bij het brede publiek in de smaak valt,' zei Gilliam, inmiddels gekalmeerd, maar desalniettemin op oorlogszuchtige toon, 'maar u bent duidelijk niet in staat te oordelen over andermans werk. Ik vraag me af of u wellicht jaloers bent. Is de koning soms bang dat de nar op zijn troon komt zitten en beter regeert dan hij?'

Wells lachte stilletjes bij zichzelf. Na de buitensporige woede volgden nu de schijnbare kalmte en de verandering van tactiek. Zojuist had Gilliam zijn roman, die hij een paar dagen daarvoor nog zo uitbundig had geprezen, afgedaan als een populair werkje, en daarvoor een argument aangevoerd dat niets met literaire kwaliteit had te maken, namelijk jaloezie. Goed, dat was in elk geval beter dan zijn woedende geschreeuw. Ze kwamen nu op het terrein van het schermen met woorden, en dat prikkelde hem, want op dat gebied voelde hij zich bij uitstek thuis. Hij besloot fermere woorden te gebruiken.

'Het staat u volstrekt vrij om over uw werk te denken wat u wilt, meneer Murray,' zei hij kalm. 'Maar ik neem toch aan dat u naar mijn huis bent gekomen om mijn mening te vragen omdat u mij voldoende in de materie thuis acht om mijn oordeel op prijs te stellen. Het spijt me dat ik u niet heb verteld wat u wilde horen, maar dit is wat ik ervan denk. Ik betwijfel of uw roman iemand kan bekoren om de redenen die ik u heb genoemd. Maar het belangrijkste probleem is volgens mij dat het verhaal ongeloofwaardig is. Geen mens zal in de door u beschreven toekomst geloven.'

Gilliam keek hem niet-begrijpend aan.

'Vertelt u me nu dat ik een toekomst heb beschreven die niet aannemelijk is?' vroeg hij.

'Ja, precies, en wel om verschillende redenen,' antwoordde Wells met een onbewogen gezicht. 'Het is ondenkbaar, om niet te zeggen bespottelijk om te denken dat mechanisch speelgoed tot leven zal komen, ook al is het nog zo geavanceerd. Net zo ondenkbaar als het feit dat er in de volgende eeuw een oorlog op wereldschaal zal plaatsvinden. Dat zal nooit gebeuren. En dan zwijg ik nog over alle andere zaken waarmee u geen rekening hebt gehouden: zo gebruiken de mensen in uw jaar 2000 bijvoorbeeld nog steeds olielampen, terwijl iedereen kan zien dat elektriciteit uiteindelijk de overhand zal krijgen. Fantasie moet ook geloofwaardig zijn, meneer Murray. Staat u mij toe dat ik mijn eigen roman als voorbeeld neem. Om het jaar 802.701 te beschrijven heb ik gewoon logisch nagedacht: met de splitsing van het menselijk ras in twee vijandige soorten, de Eloi, met hun nonchalante hedonisme, en de Morlocks, de monsterlijke wezens onder de grond, geef ik een mogelijke consequentie weer van onze starre kapitalistische maatschappij. Op dezelfde manier is de latere doodsstrijd van de planeet, hoe moedeloos stemmend ook, een consequente doorvoering van de duistere voorspellingen die astronomen en geologen dagelijks in alle mogelijke tijdschriften doen. Zó gaat speculeren in zijn werk, meneer Murray. Niemand kan zeggen dat mijn jaar 802.701 niet plausibel is. Natuurlijk kan het anders uitpakken, met name als er zich in de loop van de tijd factoren voordoen die we nu nog niet kunnen voorzien, maar niemand kan zeggen dat mijn visie niet acceptabel is. Die van u bezwijkt echter onder haar eigen gewicht.'

Gilliam Murray keek hem lange tijd zwijgend aan, en zei ten slotte: 'Meneer Wells, misschien hebt u gelijk en moet ik mijn roman grondig herschrijven en herzien. Het was pas mijn eerste poging, en natuurlijk was het niet te verwachten dat het resultaat voortreffelijk of zelfs maar acceptabel zou zijn. Ik kan echter niet toestaan dat u twijfelt aan mijn speculaties over het jaar 2000, want daarmee miskent u mijn literaire gaven. U beledigt gewoon mijn intelligentie. Mijn toekomst zou net zo goed werkelijkheid kunnen zijn als elke andere, geef het maar toe.'

'Staat u mij toe dat ik dat betwijfel,' antwoordde Wells koeltjes – in dit stadium van het gesprek was de tijd voor medelijden voorbij.

Gilliam Murray moest opnieuw een woedeaanval onderdrukken. Hij bewoog heen en weer in zijn stoel alsof hij aan stuipen leed, maar even later had hij zich weer in de hand en nam een ontspannen, zelfs nonchalante houding aan. Hij bekeek Wells een paar minuten met geamuseerde nieuwsgierigheid, alsof het ging om een exotisch insect, en barstte toen uit in een luid geschater.

'Weet u wat het verschil is tussen ons, meneer Wells?'

De schrijver vond het niet nodig te antwoorden, en haalde slechts zijn schouders op.

'Ons perspectief,' vervolgde Gilliam. 'Ons perspectief op de dingen. U bent een conformist, ik niet. U bent tevreden als u een soort verbond met uw lezers kunt aangaan. U schrijft romans over dingen die zouden kunnen gebeuren en hoopt dat de mensen u daarin volgen, hoewel ze de hele tijd weten dat het om een roman gaat, pure fictie dus. Maar voor mij is dat niet genoeg, meneer Wells. Voor mij niet. Dat ik mijn speculaties in de vorm van een roman heb gegoten was puur toeval, omdat je daarvoor alleen een stapel papier en een sterke pols nodig hebt. Maar eerlijk gezegd kan het me eigenlijk niet veel schelen of de roman al dan niet uitgegeven wordt. Ik denk namelijk dat het mij niet genoeg zou zijn als een handjevol lezers erover discussieert of mijn toekomst al dan niet plausibel is. Nee, mijn ambities gaan verder dan erkend worden als fantasierijk schrijver. Mijn streven is dat de mensen in mijn verzinsel geloven zonder dat ze weten dat het een verzinsel is, dat ze denken dat het jaar 2000 precies zo is als ik het heb beschreven. En ik zal u laten zien dat ik daartoe in staat ben, hoe weinig waarschijnlijk u dat ook lijkt. En dan niet door middel van een roman – die kinderachtige trucs laat ik aan u over, meneer Wells. U schrijft uw fantasieën in uw boeken. De mijne zal ik schrijven in de werkelijkheid.'

'In de werkelijkheid?' vroeg de schrijver, die niet begreep wat zijn gast bedoelde. 'Wat wilt u daarmee zeggen?'

'Daar komt u nog wel achter, meneer Wells. En als het eenmaal zover is, en u bent een heer, dan komt u me misschien wel opzoeken om u te verontschuldigen.'

Hij stond op en streek zijn jasje glad met de gracieuze bewegingen waarover de wereld zich altijd weer zou verbazen.

'Goedemiddag, meneer Wells. En vergeet mij en kapitein Shackleton niet. U zult spoedig van ons horen.' Hij pakte zijn hoed van de tafel en zette hem met een zwierig gebaar op. 'U hoeft niet mee te lopen naar de deur. Ik vind de weg zelf wel.'

Zijn afscheid kwam zo onverwacht dat Wells nog steeds als verdoofd in zijn stoel zat toen Gilliams voetstappen wegstierven en hij het hek in het slot hoorde vallen. Nog lange tijd bleef hij in de kamer zitten, piekerend over Murrays woorden, tot hij bij zichzelf zei dat die ijdele kwast niet verdiende dat hij ook maar één gedachte aan hem wijdde. En omdat hij de maanden daarop niets meer van hem hoorde, vergat hij het onaangename gesprek uiteindelijk. Tot op de dag dat de folder van Murray Tijdreizen in de bus viel. Toen begreep hij wat Gilliam had bedoeld met 'de mijne zal ik schrijven in de werkelijkheid'. En afgezien van een handjevol woedende krantenartikelen schrijvende wetenschappers en geleerden, had heel Engeland zijn 'ongeloofwaardige' verzinsel geloofd, wat voor een deel kwam omdat hij zelf met zijn roman *De tijdmachine* het idee had gewekt dat je naar de toekomst kon reizen, een ironische bijkomstigheid die hem nog nijdiger maakte.

Vanaf dat moment ontving hij elke week stipt zo'n folder, vergezeld van een uitnodiging om aan een van de zogenaamde reizen naar het jaar 2000 deel te nemen. Die schurk zou niets liever zien dan dat hij, note bene de veroorzaker van de tijdreiskoorts, zijn zegen gaf aan Gilliams bedrijf door mee te doen aan dat door hem uitgewerkte verzinsel, iets wat natuurlijk absoluut niet in Wells' bedoeling lag. Het ergste van alles was echter de boodschap die achter de beleefde uitnodiging schuilging. Wells wist dat Gilliam erop rekende dat hij nooit op zijn aanbod zou ingaan, en dat maakte zijn uitnodigingen tot een bespotting, tot een papieren schaterlach, maar bovendien tot een dreigement – want het feit dat de envelop steeds ongefrankeerd in zijn brievenbus lag, wees erop dat Gilliam Murray die zelf bij hem in de bus had gedaan, of dat had opgedragen aan een van zijn mannen. De bedoeling was in beide gevallen hetzelfde: Wells moest weten dat het makkelijk was om ongezien bij zijn huis te komen, dat Gilliam hem niet was vergeten, dat hij in de gaten werd gehouden.

Maar wat Wells het kwaadst maakte was dat hij Gilliam niet kon aangeven, zoals Tom had gesuggereerd, hoe graag hij dat ook wilde. En dat kwam omdat Gilliam had gewonnen. Ja, de ondernemer had bewezen dat zijn toekomst geloofwaardig was, en nu moest Wells de nederlaag sportief opnemen, en niet tekeergaan als iemand die niet tegen zijn verlies kan. Als fatsoenlijk iemand kon hij slechts met de armen over elkaar toezien hoe Gilliam rijker en rijker werd. De ondernemer leek het intussen allemaal enorm te amuseren, want met die folders die gestaag in zijn brievenbus vielen, herinnerde hij hem er niet alleen steeds weer aan dat hij gewonnen had, maar daagde hij hem bovendien elke keer opnieuw uit om hem te ontmaskeren.

'De mijne zal ik schrijven in de werkelijkheid,' had hij gezegd. En daarin was hij, ongelooflijk maar waar, geslaagd.

XXXI

Die middag maakte Wells een langere fietstocht dan gewoonlijk, en zonder het gezelschap van Jane. Hij moest nadenken onder het fietsen, zei hij bij zichzelf. Gekleed in zijn onafscheidelijke Norfolk-jas met riem reed hij op zijn gemak over de stille binnenwegen van Surrey, terwijl hij met zijn gedachten bij de brief was die hij aan het meisje Claire Haggerty moest schrijven. De totale correspondentie bestond, volgens het vernuftige plan dat Tom in de theesalon had verzonnen, uit zeven brieven, waarvan hij er drie moest schrijven en Claire vier; in de laatste zou ze de kapitein vragen de tijd te doorkruisen om haar de parasol terug te brengen. Afgezien daarvan was hij volkomen vrij om te schrijven wat hij wilde, zolang het maar strookte met wat Tom had verzonnen. En hij moest toegeven: hoe langer hij erover nadacht, hoe meer hij gefascineerd raakte door het verhaal dat die half analfabete jongen al improviserend had bedacht. Het was een verleidelijk, beeldend en bovenal geloofwaardig verhaal – ervan uitgaand natuurlijk dat er een machine bestond die tunnels kon graven in het tijdweefsel, en ook de door Murray verzonnen toekomst een feit was. Dat stond hem van alles nog het minst aan: dat Gilliam Murray er op een bepaalde manier weer bij was betrokken, zoals ook bij de redding van de ongelukkige Andrew Harrington het geval was geweest. Moesten hun levens dan altijd vervlochten blijven, zoals de klimop en het hek? Wat een ironie, dat hij nu in de huid moest kruipen van kapitein Derek Shackleton, een personage dat door zijn vijand was bedacht. Was hij het dan uiteindelijk die, als de God van het Oude Testament, Murrays eendimensionale creatie tot leven zou brengen?

Tevreden kwam hij thuis, op een prettige manier uitgeput, en met een ruw idee in zijn hoofd van wat hij in de eerste brief moest schrijven. Met chirurgische precisie rangschikte hij pen, inktpot en papier op de keukentafel, en vroeg Jane hem het komende uur niet te storen. Hij ging zitten, haalde diep adem en begon aan de eerste liefdesbrief van zijn leven.

Lieve Claire,
Ook ik heb verscheidene keren met deze brief moeten beginnen voor ik begreep dat ik dat maar op één manier kan doen, namelijk door je te vertellen dat ik van je hou, precies zoals je me vraagt. Maar ik moet je wel bekennen dat ik aanvankelijk dacht dat ik dat niet zou kunnen, en dat ik verscheidene blaadjes heb volgekrabbeld waarin ik je probeerde uit te leggen dat wat je me in jouw brief vroeg niet minder dan een daad van geloof was. Hoe kan ik verliefd op u worden, juffrouw Haggerty, als ik u nog nooit heb gezien? schreef ik ten slotte – ik durfde je nog niet aan te spreken op de vertrouwelijke toon die de situatie vereiste. Ondanks mijn begrijpelijke argwaan kon ik echter niet heen om het glasheldere feit dat jij zei dat ik al verliefd op je was geworden. Hoe kon ik aan je woorden twijfelen: toen ik uit een tijdgat vanuit het jaar 2000 tevoorschijn kwam, had ik immers bij een reusachtige eik jouw brief gevonden. Meer bewijs heb ik, zoals je terecht zegt, niet nodig om te begrijpen dat alles wat je me vertelt waar is: zowel het feit dat we elkaar pas over zeven maanden zullen ontmoeten als dat er liefde tussen ons zal ontstaan. Als dus mijn toekomstige ik – en ik blijf natuurlijk wie ik ben – verliefd op je wordt zodra hij je ziet, waarom mijn huidige ik dan niet? Het zou anders net zijn alsof ik mijn eigen oordeel niet vertrouwde. Dus

waarom tijd verdoen met wachten op gevoelens die in de loop van de tijd uiteindelijk toch ontstaan?

Daarbij komt dat je de geloofsdaad die je van me verlangt ook zelf hebt moeten volbrengen. Bij de ontmoeting in de theesalon waarop je zinspeelt, was jij het die in mij moest geloven, die moest geloven dat je verliefd zou worden op de man die je tegenover je had. En dat heb je gedaan. Mijn toekomstige ik bedankt je, Claire. En de ik die deze regels schrijft, en die nog niet weet hoe je huid smaakt, kan slechts je vertrouwen beantwoorden, geloven dat alles wat je zegt waar is, dat alles wat je in je brief vertelt zal gebeuren omdat het op de een of andere manier al gebeurd is. Ik kan dus alleen maar zeggen dat ik van je hou, Claire Haggerty, wie je ook bent. Vanaf dit moment hou ik van je, voorgoed.

Toms hand trilde toen hij de woorden van de schrijver las. Wells had zijn taak serieus opgevat. Niet alleen had hij zich gehouden aan het door hemzelf geïmproviseerde verhaal omtrent zijn personage, maar naar zijn woorden te oordelen leek hij bovendien al even verliefd op Claire als zij op hem, dat wil zeggen, op Tom, of, beter gezegd, op de moedige kapitein Shackleton. Hij wist dat de schrijver maar deed alsof, maar zijn verzinsel overtrof zijn eigen armzalige gevoelens, hoewel die toch diepgaander moesten zijn omdat hij en niet Wells met haar had geslapen. Als Tom zich de dag daarvoor had afgevraagd of je het gevoel dat hij in zijn borst voelde liefde mocht noemen, dan had hij nu een antwoord, omdat hij iets had om zijn gevoel mee te vergelijken, een soort maatstaf: de woorden van de schrijver. Voelde Tom wat Wells schreef dat Shackleton voelde? Hij dacht er wat langer over na en besloot toen dat er op die ingewikkeld geformuleerde vraag maar één antwoord mogelijk was: Nee! Hij kon nooit zo'n liefde voelen voor iemand die hij nooit meer terug zou zien.

Hij legde de brief naast het graf van John Peachey en begon dwars door de velden aan de terugtocht naar Londen, tevreden met het resultaat, al voelde hij zich wat ongemakkelijk over het verzoek dat Wells Claire aan het eind van zijn brief terloops had gedaan, een vraag die hem meer iets leek voor een perverseling. Ontstemd dacht hij aan de laatste alinea terug:

Met heel mijn hart zou ik willen dat de tijd sneller ging, dat de zeven maanden die ons nog scheiden van de dag van onze eerste ontmoeting in een zucht voorbij waren. Ik moet je trouwens bekennen dat ik je niet alleen dolgraag wil leren kennen, Claire, maar ook enorm nieuwsgierig ben naar de manier waarop je naar mijn tijd zult reizen. Kun je dat werkelijk? Ik van mijn kant kan alleen maar wachten en doen wat me te doen staat, dat wil zeggen, je brieven beantwoorden, en er het mijne toe bijdragen opdat de cirkel zich sluit. Ik hoop dat deze eerste brief je niet teleurstelt. Morgen leg ik hem naast de eik als ik naar jouw tijd reis. Twee dagen later ben ik er weer. Ik weet dat er dan een brief van jou op mij zal liggen wachten. En misschien vind je het brutaal van me, mijn liefste, maar mag ik je vragen me daarin te vertellen over onze amoureuze ontmoeting? Bedenk dat die voor mij pas over een paar maanden zal zijn, en al beloof ik je dat ik geduldig zal zijn, ik kan me geen mooiere manier voorstellen om de tijd door te komen dan steeds weer te lezen wat ik in de toekomst met jou ga beleven. Vertel me alsjeblief alles, Claire, zonder ook maar iets te verzwijgen. Vertel me hoe het geweest is, hoe we elkaar voor de eerste en enige keer beminden, want ook ik leef vanaf nu op jouw woorden, mijn lieve Claire. Het leven hier valt me zwaar. Onze broeders sneuvelen bij duizenden, de machinemensen verwoesten onze steden en alles wat wij tot stand hebben gebracht, alsof ze ieder spoortje van ons bestaan willen uitwissen. Ik weet niet wat er zal gebeuren als mijn missie mislukt, als ik er niet in slaag te voorkomen dat deze oorlog uitbreekt. Maar ondanks alles, mijn liefste, heb ik – terwijl de wereld om mij heen instort – een glimlach op mijn gezicht, omdat jouw

onvoorwaardelijke liefde me tot de gelukkigste man op aarde heeft gemaakt.
D.

Opgewonden drukte Claire de brief tegen haar borst. Wat had ze ernaar verlangd dat iemand haar zulke woorden schreef, woorden die haar de adem benamen en haar hart deden overslaan. Nu was het dan zover! Nu vertelde iemand haar dat hij haar beminde met een liefde die de grenzen van de tijd oversteeg. Bevangen door een dronken makende euforie pakte ze haar schrijfpapier en begon Tom te vertellen wat ik zelf zo zorgvuldig heb vermeden u te beschrijven om hun beider privacy te beschermen.

O, Derek, mijn Derek, je weet niet wat je brief voor mij betekende, omdat hij op de afgesproken plek lag, maar ook omdat hij zo doordrenkt van liefde was. Het was net wat ik nodig had om mijn lot zonder een spoortje van twijfel te aanvaarden. Allereerst zal ik aan je verzoek voldoen, mijn liefste, zonder een seconde te verliezen, al moet ik er vast en zeker bij blozen. Hoe kan ik je iets weigeren wat in wezen van jou is? Ja, ik zal je vertellen hoe het allemaal zal gaan, al dicteer ik je daarmee slechts wat je moet doen, hoe je je moet gedragen, want zo merkwaardig is dit allemaal.

We hadden elkaar lief in een kamer in pension Pickard, aan de overkant van de theesalon. Daarheen zal ik met je meegaan, nadat ik voor mezelf tot de conclusie ben gekomen dat ik je kan vertrouwen. Maar desondanks zul je merken dat ik vreselijk bang ben als we door de gang naar de kamer lopen. En dat wil ik je graag uitleggen, mijn liefste, nu ik daarvoor in de gelegenheid ben. Ik weet niet of je verbaasd zult zijn over wat ik je ga vertellen, maar in onze tijd, met name in burgerfamilies als de mijne, wordt meisjes geleerd hun natuurlijke instincten te onderdrukken. Bij ons heerst nu eenmaal de over-

tuiging dat de intieme daad alleen gericht dient te zijn op de voortplanting, en terwijl de man het genot dat de vleselijke omgang hem bezorgt openlijk – zij het op respectvolle, bescheiden wijze – mag tonen, moeten wij vrouwen ons keurig onverschillig betonen, omdat ons genot immoreel wordt geacht. Mijn moeder heeft haar hele leven in die houding volhard, en ook de meesten van mijn getrouwde vriendinnen doen dat. Maar ik ben anders, Derek. Ik heb die absurde beperking altijd net zo verfoeid als breien en andere handwerkjes. Ik geloof dat vrouwen, net als mannen, ook recht hebben op genot, en daar de uitdrukking aan mogen geven die ze passend vinden. Ook ben ik van mening dat je niet getrouwd hoeft te zijn om een intieme relatie te hebben met een man: het is voor mij genoeg als ik verliefd op hem ben. Zo denk ik erover, Derek, en terwijl ik door de gang van het pension liep, besefte ik opeens dat nu het moment was gekomen om vast te stellen of ik mijn overtuigingen in praktijk kon brengen, of dat ik mezelf gewoon had voorgelogen, en alleen maar bang was vanwege mijn volstrekte onervarenheid in die dingen.

Inmiddels weet je het, en ik denk dat je me daarom met zo veel zachtheid en tederheid zult behandelen, maar laten we niet op de zaken vooruitlopen. Ik zal je alles netjes stap voor stap vertellen, en sta me toe dat ik dat, uit respect voor jou, in de toekomende tijd doe; vanuit jouw gezichtspunt is het allemaal immers nog niet gebeurd.

De pensionkamer zal erg eenvoudig zijn, maar knus. Het zal al bijna donker zijn, en daarom zul je allereerst de lamp op het nachtkastje aansteken. Ik sta intussen stokstijf bij de deur naar je te kijken, zonder me te durven verroeren. Dan kijk jij me een paar tellen lief aan, en vervolgens zul je heel langzaam dichterbij komen, met een geruststellende glimlach, alsof je bang bent een schichtige kat aan het schrikken te maken. Dan zul je me diep in de ogen kijken, en daarna buig je je langzaam naar mijn mond, zo traag dat ik je warme adem, de gloeiende lucht die je vanbinnen doorstroomt, zal kunnen voelen voordat je lippen zacht en stevig de mijne raken. De tere aanraking brengt me even van mijn stuk, want het zal mijn eerste kus zijn, Derek, en hoewel ik er nachtenlang over heb nagedacht hoe die zou zijn, heb ik me altijd op de spirituele kant ervan geconcentreerd, op het zwevende gevoel dat die kus vermoedelijk teweeg zou brengen; het was nooit bij me opgekomen om aan het lichamelijke aspect te denken, aan de zachte, trillende warmte van een andere mond tegen de mijne. Langzaam maar zeker zal ik me echter aan die heerlijke aanraking overgeven, en ik zal met dezelfde tederheid antwoorden, omdat ik voel dat we op deze manier beter en oprechter communiceren dan met woorden, en dat heel ons wezen in dat kleine stukje huid van onze lippen is geconcentreerd. Nu weet ik dat niets twee zielen dichter bij elkaar brengt dan het uitwisselen van een kus, dan het aanwakkeren van het verlangen van de één door het verlangen van de ander.

Dan kriebelt er een aangenaam gevoel in mijn lichaam, het kruipt onder mijn huid en neemt bezit van me. Zou dat die maalstroom van gevoelens zijn die mijn moeder en mijn zedigste vriendinnen proberen te negeren? Ik zal het voelen, Derek. Ik zal ervan genieten, met huid en haar. En ik zal koesteren wat ik voel, mijn liefste, in de wetenschap dat het de eerste en tegelijk de laatste keer is dat ik zoiets ervaar, omdat er na jou geen andere man meer zal zijn. Dan zal de bodem onder mijn voeten verdwijnen en lijkt het bijna alsof ik zweef, maar je handen zullen mijn heupen stevig vastgrijpen.

Vervolgens zul je je lippen terugtrekken en de smaak van je mond op de mijne achterlaten. Je zult me met tedere nieuwsgierigheid bekijken, terwijl ik probeer mijn kalmte te hervinden en op adem te komen. En dan? Dan zal het tijd zijn om ons uit te kleden en op bed te gaan liggen, maar jij zult al even onzeker lijken als ik, en geen stap in die richting durven doen, misschien omdat je denkt dat je me daarmee aan het schrik-

ken zult maken. En dat heb je goed aangevoeld, mijn liefste, want ik had me nog nooit in het bijzijn van een man uitgekleed. Heel even word ik overvallen door een mengeling van angst en schaamte, en ik zal me zelfs even afvragen of uitkleden wel echt nodig is. Van mijn tantes heb ik gehoord dat mijn moeder haar huwelijk heeft geconsummeerd zonder dat mijn vader haar naakt heeft gezien. Zoals bij haar generatie gebruikelijk was, legde de keurige mevrouw Haggerty zich op bed met haar onderrok nog aan; daarin zat een opening die de toegang onthulde waardoor mijn vader haar diende te naderen. Maar ik zal geen genoegen nemen met het optrekken van mijn onderrok, Derek. Ik zal zo veel mogelijk van onze ontmoeting willen genieten, en ik zal dus mijn schaamte overwinnen en me uitkleden, en je intussen met zoete ernst blijven aankijken. Ik zal mijn hoedje met veren afzetten en aan de kapstok hangen, vervolgens zal ik me ontdoen van mijn jasje, mijn hooggesloten blouse, mijn kamizool, mijn korset, mijn overrok, mijn rok, mijn queue de Paris en mijn onderrok, tot ik alleen mijn onderjurk nog aanheb. Terwijl ik je teder blijf aankijken, zal ik de bandjes omlaag doen zodat het kledingstuk naar beneden glijdt als de sneeuw van de takken van een spar, tot het opgerold aan mijn voeten blijft liggen, en daarna, als slotakte van het omslachtige ritueel, zal ik mijn directoire uitdoen, en me ten slotte helemaal naakt aan je geven en mijn lichaam overgeven aan jouw handen en jouw mond, me volledig geven in de wetenschap dat ik dat doe aan de juiste man, aan kapitein Derek Shackleton, de redder van de mensheid, de enige op wie ik verliefd kon worden.

En jij, mijn liefste, hebt dat ingewikkelde proces met hunkerende nieuwsgierigheid gadegeslagen, als iemand die uit een blok marmer een mooi beeld ziet ontstaan, en als ik naar je toe kom, zul je je snel ontdoen van je overhemd en pantalon, zo snel alsof ze door een windvlaag van de waslijn worden gerukt. Dan zullen we elkaar omhelzen en de warmte van onze lichamen zal zich vermengen, en ik zal voelen hoe je handen, gewend om met wapens om te gaan, opwindend langzaam en met voorzichtige eerbied mijn lichaam onderzoeken, zich bewust van de teerheid ervan. We zullen op bed gaan liggen zonder dat onze ogen elkaar loslaten, en mijn handen zullen je buik afzoeken naar het litteken dat Salomo's kogel heeft achtergelaten toen hij probeerde je te doden, maar ik ben zo nerveus dat ik het niet kan vinden. Dan zal je mond over mijn lichaam gaan, vochtig en begerig, tot je er, als het naar behoren in kaart is gebracht, voorzichtig in zult binnendringen, en ik zal voelen hoe je langzaam in me beweegt. Maar al ben je nog zo voorzichtig, het binnendringen zal een onverwachte pijnscheut veroorzaken, en ik zal een zwak protest laten horen en zelfs even aan je haren trekken, maar onmiddellijk daarna wordt de pijn tot een draaglijke, zelfs zoete marteling, en merk ik hoe iets diep vanbinnen ten langen leste ontwaakt. Hoe kan ik je beschrijven wat ik op dat moment zal voelen? Stel je een harp voor die voor het eerst door vingers wordt beroerd en die geen idee heeft van de tonen die ze kan voortbrengen. Of een brandende kaars waarlangs de gesmolten was naar beneden druipt en die, onwetend van de vlam bovenop, onder aan de kandelaar een mooi kantwerk achterlaat. Wat ik bedoel, mijn liefste, is dat ik tot op dat moment niet wist dat je zo'n verrukkelijke vervoering kunt voelen, zo'n uitbundig genot zoals dat zich op dat moment over mijn hele wezen zal verspreiden. Hoewel ik aanvankelijk uit schaamte mijn kiezen op elkaar zal houden om mijn kreunen te onderdrukken, zal ik me daarna overgeven aan het verpletterende genot, me laten meevoeren in de stroom van ijskoud vuur dat mijn lust aanwakkert en mijn lichaam doet ontluiken, en ik zal je wanhopig tegen me aan drukken, je inklemmen tussen mijn benen, alsof ik je nooit meer uit me weg wil laten gaan, omdat ik niet zal begrijpen hoe ik tot dan toe heb kunnen leven zonder je vol tederheid in me verankerd te voelen. En als je je ten slotte terugtrekt, daar-

bij een spoor van kleine rode vlekjes achterlatend op de lakens, zal ik me plotseling incompleet, verweesd voelen. Met gesloten ogen zal ik tot het laatst genieten van de echo van gelukzaligheid die je in me hebt achtergelaten, de heerlijke resonantie van je aanwezigheid; daarna, nadat die langzaam is weggestorven, word ik overvallen door een overweldigende eenzaamheid, maar ook door een grenzeloze dankbaarheid nu ik heb ontdekt dat ik een wezen ben dat in staat is zowel van de meest verheven als van de meest aardse vreugden te genieten. Dan zal ik mijn hand naar je uitstrekken en je in zweet badende huid zoeken, een huid die nog steeds beeft en gloeit, als de snaren van een viool na een concert, en ik zal je vol dankbaarheid toelachen omdat je me hebt geleerd wie ik ben, me hebt geleerd wat ik van mezelf nog niet wist.

Tom liet de brief zakken, ontroerd en verbaasd. Was hij het geweest die al die gevoelens bij haar had opgeroepen? Leunend tegen de eik, bijna ademloos, liet hij zijn ogen over de akkers dwalen. Voor hem was de geslachtelijke omgang met het meisje een aangename ervaring geweest die hij zich altijd zou blijven herinneren, maar Claire sprak over de ontmoeting alsof het iets subliems en onvergetelijks was geweest, en maakte haar liefde daarmee tot een soort kathedraal. Tom voelde zich nog minderwaardiger dan anders, slaakte een zucht en las verder:

Ik wilde je juist vertellen hoe ik naar jouw tijd zou reizen, Derek, toen ik bedacht dat je bij ons afspraakje in de theesalon nog niet wist hoe dat in zijn werk gaat, en daarom voel ik me genoodzaakt het geheim te bewaren, om de loop van de gebeurtenissen niet te verstoren. Het is genoeg als je weet dat vorig jaar een schrijver genaamd H.G. Wells een prachtige roman met de titel De tijdmachine *het licht heeft doen zien, en dat we vervolgens met z'n allen zijn gaan dromen over de toekomst. En dat iemand ons die toekomst heeft getoond. Meer*

kan ik niet zeggen. Maar dat maak ik weer goed door je te vertellen dat je je missie in mijn tijd weliswaar niet zult voltooien, en dat het uiteindelijk verboden wordt de machine waarmee je reist te gebruiken, maar dat het menselijk ras de oorlog tegen de machinemensen zal winnen en wel dankzij jou. Ja, mijn liefste, jij zult de verdorven Salomo verslaan in een spannend zwaardduel. Geloof me maar, want ik heb het met mijn eigen ogen gezien. Ik hou van je,
C.

Wells legde de brief op tafel en probeerde de verlegenheid die Claires woorden bij hem veroorzaakten te verbergen. Nauwelijks zijn hoofd bewegend, knikte hij Tom zonder woorden toe, en gaf hem daarmee te kennen dat hij kon gaan. Toen hij alleen was, pakte hij de brief die hij moest beantwoorden weer op en herlas het gedetailleerde relaas van de ontmoeting in het pension. Hij voelde hoe hij het steeds warmer kreeg. Dankzij dit hem onbekende meisje begreep hij eindelijk hoe het genot bij vrouwen functioneert, dat gevoel dat langzaam kwam opzetten, om hen vervolgens helemaal te overstelpen of soms ook alleen maar zacht te beroeren. Wat was het genot van de vrouw subliem, heerlijk en eindeloos vergeleken met dat van de man, dat grof en primitief was, niet veel meer dan een extatische explosie tussen de dijen. Maar voelden alle vrouwen het zo, of was dat meisje een speciaal geval, wier ontvankelijkheid door de Schepper tot in het onvoorstelbare was geperfectioneerd? Nee, waarschijnlijk was het een heel normale jongedame, maar genoot ze van haar seksualiteit op een manier die de rest van de mensheid als driest zou bestempelen. Alleen al de beslissing om zich helemaal voor Tom uit te kleden wees op een onverschrokken geest, vastbesloten om elk gevoel dat bij de geslachtsdaad hoorde te ervaren.

Na die constatering voelde Wells zich teleurgesteld en zelfs gekwetst over de preutse manier waarop de vrouwen die hij in de loop van zijn leven had gekend zich aan hem hadden gegeven.

Zijn nicht Isabel was zo iemand geweest die haar toevlucht had genomen tot het gat in de onderrok, en de vagina die hij zo te zien kreeg kwam hem voor als een soort zuigend schepsel van buitenaardse afkomst. En ook Jane, hoewel vrijer in die dingen, had zich nooit volledig naakt aan hem getoond, zodat hij ook haar lichaam alleen op de tast had leren kennen. Kortom, hij had nooit het geluk gehad iemand tegen te komen met de aanbiddelijke predispositie van Claire. Wat zou hij niet hebben kunnen doen met zo'n makkelijk te bekeren meisje? Hij had slechts het heilzame effect hoeven roemen dat het geslachtsverkeer op vrouwen heeft, en hij zou haar hebben veranderd in een enthousiaste discipel van de vleselijke lust, een moderne priesteres die altijd klaarstaat om genot te geven en te ontvangen, een kampioene van de geslachtsdaad die vrouwen zachter, ronder en glanzender maakt en ze van hun scherpe kantjes ontdoet. Met een vrouw als zij naast zich zou hij zonder enige twijfel een bevredigde, rustige, levenskrachtige man zijn, een man die zich eindelijk op andere dingen kon richten, zich aan andere interesses kon wijden, vrij van die eeuwige drang die de man vanaf zijn adolescentie beheerst en die pas weer verdwijnt als zijn lichaam van ouderdom onbruikbaar is geworden. Het is daarom geen wonder dat Wells zich deze Claire Haggerty vervolgens meteen in zijn bed voorstelde, zonder dat iets haar slanke, soepele lichaam bedekte, aanhalig als een kat, intens genietend van dezelfde liefkozingen die aan Jane amper een beleefde zucht ontlokten. Wat een ironie, vond hij, dat hij het genot van het onbekende meisje begreep, terwijl hij niets af wist van dat van zijn eigen vrouw, die, zo herinnerde hij zich opeens, ergens in huis zat te wachten tot hij haar de nieuwe brief zou laten lezen.

Hij liep de keuken uit om haar te zoeken, en probeerde onderweg zijn ademhaling te reguleren om zijn opwinding te verbergen. Hij vond haar in de kamer met een boek, en legde de brief zonder iets te zeggen op het tafeltje naast haar, zoals iemand een vergiftigd glas wijn neerzet en zich terugtrekt om de uitwerking op het slachtoffer af te wachten. Want de brief zou ongetwijfeld zijn uitwerking hebben op Jane, net zoals hij hemzelf anders tegen de lichamelijke kant van de liefde had laten aankijken, op dezelfde manier als Claires eerdere brief hem had genoodzaakt vraagtekens te zetten bij de manier waarop hij de geestelijke kant van de liefde ervoer. Hij liep de tuin in, ademde de nachtlucht in, en keek naar de maan die bleek en rond aan de hemel stond. Bij het gevoel van nietigheid dat het uitspansel hem altijd gaf, voegde zich nu nog eens het gevoel van onhandigheid dat hem gewoonlijk overviel als hij zag hoe een ander, in dit geval Claire Haggerty, veel effectiever en spontaner contact met de wereld had dan hij. Lange tijd bleef hij in de tuin, tot hij het tijd achtte om na te gaan welke uitwerking Claires brief op zijn vrouw had gehad.

Zonder zich te haasten ging hij het huis binnen, en toen hij haar in de kamer noch in de keuken aantrof, liep hij naar boven naar de slaapkamer. Daar stond Jane naast het raam op hem te wachten. Het licht van de maan omspeelde het naakte lichaam dat ze hem bood. Verbouwereerd en tegelijk begerig keek Wells naar haar rondingen en proporties, en zag hoe de delen van haar lichaam die hij tot nu toe alleen maar afzonderlijk onder het textiel had vermoed, nu soepel versmolten tot één landschap, en een vrij, etherisch wezen toonden dat elk moment zomaar leek te kunnen wegvliegen. Hij bewonderde haar soepele borsten, haar aandoenlijk smalle taille, de vredige oase van haar heupen, de zwarte wolligheid van haar schaamheuvel en haar lieve voetjes, terwijl Jane hem bevrijd toelachte, en er zichtbaar van genoot zich bekeken te voelen door haar verraste echtgenoot. De schrijver begreep wat hem te doen stond. Alsof hij de aanwijzingen opvolgde van een onzichtbare souffleur, ontdeed hij zich haastig van zijn kleren en stelde zich, net als zijn vrouw, bloot aan het glanzende schijnsel van de maan. Toen omhelsden man en vrouw elkaar, midden in de slaapkamer, en ervoeren als nooit tevoren het heerlijke gevoel van hun huid tegen die van de ander. Ook de gevoelens die daarna kwamen leken intenser, omdat elke liefkozing en elke kus, met de woorden van Claire naklinkend in hun hoofd, een dubbele uitwerking had, en een roes veroorzaakte waarvan ze niet wisten of die echt was of misschien het effect van suggestie. Maar een roes was het, en enthousiast en gretig gaven ze zich eraan over, verlangend elkaar te verkennen, en popelend te ontdekken wat de verboden tuin van hun genot te bieden kon hebben.

Later, toen Jane sliep, sloop Wells het bed uit, liep op zijn tenen naar de keuken, pakte zijn pen en begon, bevangen door een onstuitbare euforie, te schrijven.

Mijn liefste,
Wat verlang ik naar de dag waarop ik eindelijk alles zal kunnen voelen wat je me vertelt! Wat kan ik je anders zeggen dan dat ik van je hou en dat ik je precies op die manier zal beminnen? Ik zal je teder kussen, je langzaam en eerbiedig liefkozen, en uiterst voorzichtig bij je binnengaan, en mijn genot zal dubbel zo groot zijn, Claire, nu ik weet wat jij allemaal zult voelen.

Argwanend las Tom Wells' vurige woorden. Hij wist dat de schrijver in zijn naam sprak, maar kon het gevoel niet van zich afzetten dat de woorden evengoed van hemzelf konden zijn. Het was duidelijk dat Wells genoot van de hele situatie. Wat zou zijn vrouw ervan denken? Hij vouwde de brief dubbel, stak hem in de envelop en legde hem onder de steen naast het graf van de mysterieuze Peachey. Op de terugweg bleef hij piekeren over de woorden van de schrijver, en voelde zich onwillekeurig buitengesloten in het spel dat hij zelf had bedacht, gedegradeerd tot een ordinaire loopjongen.

Ik hou al van je, Claire, ik hou nu al van je. Je zien zal slechts een volgende stap zijn. En de wetenschap dat wij deze bloedige oorlog zullen winnen maakt me nog gelukkiger. Salomo en ik tegenover elkaar in een zwaardgevecht? Tot voor een paar dagen had ik getwijfeld aan je gezond verstand, mijn liefste: ik had nooit gedacht dat we onze geschillen met zo'n prehistorisch wapen zouden beslechten. Maar vanochtend, toen ik de ruïnes van het History Museum doorzocht, trof een van mijn mannen daar een zwaard aan. Het leek hem een kapitein waardig en hij overhandigde het me plechtig, als op een aanwijzing van jou. Nu weet ik dat ik ermee moet oefenen voor een toekomstig duel, een duel waaruit ik als overwinnaar tevoorschijn zal komen omdat de zekerheid dat jouw mooie ogen op me gericht zijn me kracht zal geven.

Met al mijn liefde uit de toekomst,

D.

Claire was een flauwte nabij. Ze ging op bed liggen en stond nog eens uitgebreid stil bij de vele gevoelens die de woorden van de moedige kapitein Shackleton bij haar hadden gewekt. Dus toen hij tegenover Salomo stond, wist hij dat zij naar hem keek... Die gedachte bezorgde haar een duizelig gevoel. Toen ze even later weer wat bijgekomen was, stopte ze de brief voorzichtig terug in de envelop. Plotseling besefte ze dat ze nog maar één brief van haar geliefde zou ontvangen. Hoe kon ze zonder die brieven verder leven?

Ze probeerde er niet aan te denken. Zijzelf had nog twee brieven te schrijven. Zoals beloofd zou ze hem in de laatste vertellen over hun ontmoeting in het jaar 2000, maar wat moest ze hem nu schrijven? Enigszins geschrokken stelde ze vast dat ze voor het eerst geen idee had. Wat kon ze haar geliefde nu nog voor nieuws vertellen? Temeer omdat ze alles wat ze hem schreef zorgvuldig moest afwegen, om hem geen informatie te geven die het tijdweefsel, breekbaar als glas, in gevaar bracht. Na enig nadenken besloot ze hem te vertellen hoe haar dagen er nu uitzagen, haar dagen als geliefde zonder minnaar. Ze ging aan haar schrijftafel zitten en pakte haar pen.

Mijn liefste,
Je kunt je niet voorstellen wat je brieven voor mij betekenen! Ik weet dat ik er nog maar één zal krijgen, en dat vervult me met een diep verdriet. Maar ik beloof je dat ik sterk zal zijn, dat ik de moed niet zal verliezen, dat ik nooit zal ophouden aan je te denken, dat ik je elke seconde van mijn lange dagen aan mijn zijde zal blijven voelen. En natuurlijk zal ik niet toestaan dat een andere man onze liefde bezoedelt, ook al zal ik je nooit meer zien. Ik leef liever met de herinnering aan jou, al doet mijn moeder – aan wie ik natuurlijk niets heb verteld, omdat jij voor haar toch maar een zinloze luchtspiegeling zou zijn – ook nog zo haar best om afspraakjes voor me te organiseren met de rijkste vrijgezellen uit de buurt. Ik ontvang hen beleefd, maar vervolgens verzin ik de meest absurde tekortkomingen om ze te kunnen afwijzen, waarop mijn moeder me dan vol ongeloof aankijkt. Mijn reputatie verslechtert met de dag: ik ben hard op weg een oude vrijster te worden, de schande van de familie. Maar wat doet het ertoe wat anderen denken? Ik ben jouw geliefde, de geliefde van de moedige kapitein Derek Shackleton, ook al kan ik alleen maar in het geheim van je houden.

Afgezien van die vervelende gesprekken besteed ik de rest van de dag aan jou, mijn liefste, want ik heb geleerd je aan mijn zijde te voelen ook al ben je eeuwen ver weg. Ik voel je als een geur om mij heen, ik voel je tedere blik op me rusten, al ben ik soms verdrietig dat ik je niet kan aanraken, dat jouw aanwezigheid nog slechts een flauwe herinnering is, dat we niets samen kunnen beleven. Dat je niet gearmd met me door Green Park kunt wandelen, dat je niet hand in hand met me de avond kunt zien vallen boven The Serpentine, dat je de geur van de narcissen in mijn tuin niet kunt ruiken die volgens mijn buurvrouwen heel St. James Street doen geuren.

Net als de andere keren zat Wells in de keuken op hem te wachten. Tom gaf hem de brief zonder iets te zeggen, en ging weer voordat het hem werd gevraagd. Wat kon hij immers zeggen? Hoewel hij diep in zijn hart wist dat het niet zo was, had hij toch het gevoel dat Claire zich tot de schrijver richtte en niet tot hem. Hij voelde zich een indringer in deze liefdesgeschiedenis, de rotte helft van de appel. Toen Wells alleen was, vouwde hij de brief open en liet zijn ogen gretig over het keurige handschrift van het meisje gaan.

Toch zal ik van je houden tot mijn leven uitdooft, Derek, en niemand zal kunnen zeggen dat ik niet gelukkig ben geweest. Maar ik moet je wel bekennen dat het niet altijd makkelijk is. Jij hebt gezegd dat ik je niet meer zal zien, en al ben ik sterk, ik vind die gedachte zo onverdraaglijk dat ik soms denk dat je je misschien wel vergist. Niet dat ik aan je woorden twijfel, mijn liefste, natuurlijk niet. Maar de Derek die dat in de theesalon zei liet zich leiden door mijn woorden, en die Derek, die na ons samenzijn in het pension haastig terugkeerde naar zijn eigen tijd, die Derek die jij nog niet bent, kan het misschien niet verdragen mij niet meer te zien en vindt wellicht wel een manier om terug te komen. Wat die Derek zal doen, weten wij geen van beiden, want de sporen van zijn voetstappen verdwijnen buiten de cirkel. Dat is mijn hoop, mijn liefste. Misschien naïef, maar die hoop heb ik nodig. Ik hoop dat ik je terugzie. Ik hoop dat de geur van mijn narcissen je naar me toe leidt.

Wells vouwde de brief dubbel, stak hem weer in de envelop en legde hem op tafel. Lange tijd kon hij zijn blik er niet van losmaken. Hij stond op, liep wat rond door de keuken, ging weer zitten, stond weer op, liep nog wat rond, en ten slotte maakte hij zich op om naar het station van Woking te gaan, waar hij een koets wilde nemen. 'Ik ga naar Londen om iets te regelen,' zei hij tegen Jane, die in de tuin aan het werk was. Onderweg had hij het gevoel dat zijn hart op hol sloeg.

St. James Street leek op dat middaguur in een diepe stilte gedompeld. Wells liet de koets aan het begin van de straat stoppen en vroeg de koetsier te wachten. Hij zette zijn hoed stevig op zijn hoofd, trok zijn vlinderdasje recht en stak als een speurhond zijn neus in de lucht. Hij wist zeker dat de zwakke, enigszins suggestieve, jasmijnachtige geur, voor zover die achter de stank van de paardenuitwerpselen waarneembaar was, afkomstig moest zijn van de narcissen. De symboliek van die bloem beviel hem, want hij had gelezen dat de narcis, anders dan je zou denken, haar naam niet dankte aan de mooie Griekse god, maar aan haar narcotische eigenschappen. De bol van de narcis bevat alkaloïden die hallucinaties kunnen veroorzaken, en dat leek Wells zeer passend, want zaten zij drieën – het meisje, Tom en hijzelf – niet in een hallucinatie verstrikt? Hij keek naar de lange, lommerrijke straat, en zette zich in beweging als was hij een toevallige wandelaar, maar naarmate hij de vermeende bron van de geur naderde, voelde hij zijn mond droger worden. Waarom was hij daar? Wat wilde hij eigenlijk? Hij kon het zelf niet precies zeggen. Hij wist alleen dat hij het meisje moest zien, dat hij degene aan wie hij zijn vurige woorden richtte een gezicht moest geven, of, als dat niet mogelijk was, het huis moest zien waarin ze die heerlijke brieven aan hem schreef. Misschien was dat al wel genoeg.

Eerder dan gedacht stond hij voor een tuin waaraan duidelijk veel zorg was besteed, met een kleine fontein aan de zijkant en omgeven door een hek waaruit loom wat bloemen met grote, bleekgele blaadjes staken. Aangezien er in de straat geen tuin was die in schoonheid kon wedijveren met deze, concludeerde Wells dat de bloemen die hij voor zich zag de narcissen moesten zijn, en het chique huis dientengevolge het huis van Claire Haggerty, het meisje op wie hij voorwendde verliefd te zijn met een overtuiging die hij tegenover de vrouw die hij werkelijk liefhad niet opbracht. Zonder verder stil te staan bij die paradox – die ook wel weer in overeenstemming was met zijn tegenstrijdige aard – liep hij naar het hek, en gluurde door de spijlen om te kijken of hij achter de glas-in-loodramen iets kon ontwaren wat zijn aanwezigheid daar betekenis gaf.

Op datzelfde moment zag hij het meisje dat hem enigszins verbaasd vanuit een hoek van de tuin gadesloeg. Wells voelde zich betrapt, en probeerde net te doen alsof er niets aan de hand was – wat hem grote moeite kostte, omdat hij meteen begreep dat het meisje dat hem wantrouwig opnam niemand anders dan Claire Haggerty kon zijn. Hij probeerde zich een houding te geven, en schonk haar een hulpeloos lachje. 'Mooie narcissen, juffrouw,' zei hij met haperende stem, 'ze zijn aan het begin van de straat al te ruiken.' Het meisje glimlachte en kwam wat dichterbij, dichtbij genoeg om de schrijver een blik te gunnen op haar mooie gezicht en de tere contouren van haar lichaam. Weliswaar met kleren aan, had hij haar nu eindelijk vóór zich. En hoewel haar enigszins eigenwijze neusje de klassieke schoonheid van een Grieks standbeeld tenietdeed, of misschien wel juist daardoor, vond hij haar adembenemend mooi. Aan dit meisje waren zijn brieven gericht, dit meisje was zijn fictieve geliefde. 'Dank u, meneer, dat is erg aardig van u,' antwoordde ze. Wells opende zijn mond om iets te zeggen, maar bedacht zich. Wat hij haar ook zeggen wilde, het ging in tegen de regels van het spel waaraan hij had toegestemd mee te doen. Hij kon haar niet vertellen dat hij, die onbeduidende, kleine man, de woorden schreef zonder welke ze zei niet te kunnen leven. En evenmin kon hij haar vertellen dat hij tot in detail wist op welke manier ze het vleselijk genot beleefde. En nog veel minder dat het allemaal een schijnvertoning was, dat ze haar leven niet moest verdoen met een liefde die alleen in haar hoofd bestond, dat tijdreizen niet bestonden en dat er geen kapitein Shackleton was die in het jaar 2000 oorlog voerde tegen machinemensen. Want als hij haar zei dat het allemaal maar een verzinsel was om haar het leven te redden, kon hij haar net zo goed een pistool geven om zich recht in het hart te schieten. Toen merkte hij dat ze hem nieuwsgierig opnam, alsof zijn gezicht haar bekend voorkwam. Bang herkend te worden, tikte Wells snel aan zijn hoed, maakte een beleefde buiging en vervolgde zijn wandeling, waarbij hij probeerde niet te snel te lopen. Claire keek hem geïntrigeerd na, haalde haar schouders op en liep terug het huis in.

Vanaf de overkant van de straat zag Tom, verscholen achter een muurtje, hoe ze in het huis verdween. Hoofdschuddend kwam hij uit zijn schuilplaats tevoorschijn. Het had hem verrast Wells hier te zien opduiken, maar ook weer niet al te zeer. Ook de schrijver zou niet erg verbaasd zijn geweest Tom Blunt daar aan te treffen. Kennelijk hadden ze allebei de verleiding niet kunnen weerstaan op zoek te gaan naar het huis, waarvan Claire het adres op subtiele wijze had prijsgegeven, voor het geval dat Shackleton zou terugkeren en haar zou willen opzoeken.

Tom wist niet wat hij van Wells moest denken, en keerde terug naar zijn schuilplaats in Buckeridge Street. Was de schrijver verliefd op haar geworden? Hij dacht het niet. Waarschijnlijk was hij gewoon uit nieuwsgierigheid naar haar huis gegaan. Zou hij in Wells' plaats ook niet proberen het meisje, aan wie hij dingen moest schrijven die hij waarschijnlijk zelfs tegen zijn eigen vrouw nooit had gezegd, een gezicht te geven? Hij ging op bed liggen en voelde zich vreselijk moe, maar vanwege de zenuwen en de voortdurende spanning kon hij maar een paar uur slapen, en nog voor het licht werd begon hij aan de lange tocht naar het huis van de schrijver. Deze wandelingen waren beter voor zijn conditie dan de trainingen waaraan Murray hem onderwierp. Alweer had diens huurmoordenaar zich niet laten zien, maar dat betekende nog niet dat hij zijn waakzaamheid liet verslappen.

Wells zat op het trapje voor het huis op hem te wachten. Ook hij leek niet veel geslapen te hebben. Hij zag er vaal uit, met wallen onder zijn ogen, en met een vreemde schittering in zijn blik. Waarschijnlijk was hij de hele nacht wakker gebleven om de brief te schrijven die hij nu in zijn handen had. Hij groette Tom met een kort knikje en overhandigde hem de brief, terwijl hij hem vermeed aan te kijken. Tom pakte hem aan, en omdat ook hij de bedrukte stilte niet wilde doorbreken, draaide hij zich om en maakte rechtsomkeert. Toen hoorde hij Wells' stem: 'Zul je me haar brief brengen, ook al hoef ik die niet meer te beantwoorden?' Tom draaide zich om en keek hem bedroefd aan, al wist hij niet of de droefheid Wells gold of hemzelf, of misschien zelfs wel Claire. Uiteindelijk knikte hij somber, en ging op pad. Pas toen hij al een eind op weg was, opende hij de envelop en begon te lezen.

Mijn liefste,
In mijn wereld bestaan geen narcissen. Er is geen enkel spoor meer van welke bloem dan ook, maar ik kan je verzekeren dat ik ze, als ik je brief lees, bijna kan ruiken. Ja, ik kan mezelf aan jouw zijde zien, in de tuin waarover je vertelt, waaraan jij naar ik me voorstel veel liefdevolle aandacht besteedt, en waar misschien wel ergens een fontein vrolijk klatert. Dankzij jou, mijn liefste, kan ik de narcissen hier ruiken, aan de andere kant van de tijd.

Tom schudde verslagen zijn hoofd toen hij zich voorstelde hoe de woorden het meisje zouden ontroeren, en weer voelde hij medelijden met haar – maar meer nog voelde hij een enorme afkeer van zichzelf. Claire verdiende al dat bedrog niet. De brieven zouden haar inderdaad het leven redden, maar eigenlijk dienden ze alleen om de schade te repareren die hij in zijn egoïsme had aangericht. Hij kon zichzelf niet feliciteren met het feit dat hij haar zelfmoord had voorkomen en verder de zaak maar vergeten. Hij kon niet toestaan dat Claire haar leven ruïneerde om een verzinsel, dat ze zichzelf levend wilde begraven om een hersenschim. De lange wandeling naar de heuvel verhelderde zijn gedachten, en bracht hem tot de conclusie dat het enige wat zijn geweten werkelijk zou geruststellen, was om haar echt lief te hebben, om de liefde waarvoor zij zich wilde opofferen tot werkelijkheid te maken. Hij moest er dus voor zorgen dat Shackleton terugkeerde uit het verre jaar 2000 en zijn leven voor haar op het spel zette, precies zoals Claire dat zo graag wilde. Alleen daarmee kon hij zijn fout helemaal goedmaken. Maar het was ook het enige wat buiten zijn macht lag.

Hij liep er nog steeds over te piekeren toen hij haar tot zijn verrassing bij de eik zag staan. Ondanks de afstand herkende hij haar meteen. Hij bleef abrupt staan. Het was niet te geloven, maar daar was Claire, naast de boom, zich tegen de zon beschermend met de parasol die hij haar door de tijd heen had teruggezorgd. Aan de voet van de heuvel zag hij ook een rijtuig, met de koetsier knikkebollend op de bok. Snel verstopte hij zich achter een paar struiken vóór een van de twee zou merken dat ze er niet alleen waren. Wat deed Claire daar? vroeg hij zich af. Maar het antwoord was duidelijk: ze wachtte op hem. Ja, Claire wachtte op hem, of beter gezegd, ze wachtte tot Shackleton uit de tijdtunnel zou opduiken. Ze had zich niet bij zijn afwezigheid kunnen neerleggen en besloten zich te verzetten tegen het lot. Ze wilde iets doen, en wat was eenvoudiger dan de plek opzoeken waar de kapitein haar brieven kwam ophalen? Wanhoop had Claire ertoe gebracht buiten de regels te treden. En in zijn schuilplaats, verstopt achter de struiken, sloeg Tom zich voor het hoofd dat hij niet eerder aan die mogelijkheid had gedacht, vooral omdat ze hem al ruimschoots had getoond hoe intelligent en vermetel ze was.

Bijna de hele ochtend bleef hij achter de struiken zitten, verdrietig toekijkend hoe ze heen en weer drentelde onder de grote eik, tot ze er ten slotte genoeg van kreeg, in de koets stapte en terugkeerde naar Londen. Tom kwam uit zijn schuilplaats tevoorschijn, legde de brief onder de steen en keerde eveneens terug naar de stad. Onderweg dacht hij aan de treurige woorden waarmee Wells zijn laatste brief had besloten.

Ik word door een oneindige droefheid overvallen, mijn liefste, als ik tot me door laat dringen dat dit de laatste brief is die ik je zal schrijven. Jijzelf hebt het me verteld, en ook hierin geloof ik je. Ik zou je graag willen blijven schrijven tot we elkaar in mei ontmoeten, maar als ik bij dit alles één ding heb geleerd, dan is het wel dat de toekomst vastligt, en dat jij haar kent, en daarom denk ik dat er iets zal gebeuren waardoor ik je geen brieven meer kan sturen, bijvoorbeeld dat het wordt verboden om de tijdmachine nog langer te gebruiken of dat mijn vruchteloze missie wordt geannuleerd. Mijn gevoelens zijn op dit moment tegenstrijdig, zoals je je kunt voorstellen: aan de ene kant ben ik blij te weten dat dit voor mij geen definitief afscheid is, omdat ik je heel binnenkort zal zien, maar aan de andere kant breekt mijn hart als ik bedenk dat jij geen bericht meer van mij zult krijgen. Maar dat betekent niet dat mijn liefde daarmee ophoudt. Die blijft leven, dat beloof ik je, want als ik iets zeker weet, dan is het dat ik van je zal blijven houden, Claire. Mijn liefde zal blijven bloeien in een wereld zonder bloemen.

D.

Met tranen op haar wangen ging Claire aan haar schrijftafel zitten. Ze slaakte een diepe zucht en doopte haar pen in de inktpot.

Dit is ook mijn laatste brief, mijn liefste, en hoe graag ik ook zou beginnen met je te vertellen hoeveel ik van je hou, ik moet eerlijk tegenover mijzelf zijn en je beschaamd bekennen dat ik een dag of wat geleden iets onbesuisds heb gedaan. Ja, Derek, kennelijk ben ik niet zo sterk als ik dacht, want ik ben naar de eik gegaan om daar te wachten op jouw komst. Je afwezigheid deed me te veel pijn. Ik moest je zien, ook al zou het tijdweefsel erdoor veranderen. Maar de hele ochtend verstreek zonder dat jij verscheen en ik kon niet langer aan mijn moeders waakzaamheid ontsnappen. Het is al moeilijk genoeg om te zorgen dat Peter, de koetsier, geen argwaan krijgt. Wat zou hij gedacht hebben als jij als een duveltje-uit-een-doosje was opgedoken bij de eik? Ik denk dat alles uitgekomen zou zijn en dat zou waarschijnlijk een soort tijdscatastrofe hebben veroorzaakt. Nu begrijp ik dat ik me heb gedragen als een dom en onverantwoordelijk kind, want ook al zou Peter niets hebben gezien – als ik hem vraag me naar de heuvel te rijden, kijkt hij me iedere keer verbaasd aan, al heeft hij voorlopig nog niets tegen mijn moeder gezegd – onze onverwachte ontmoeting zou het tijdweefsel toch hebben verstoord: je zou me dan niet pas op de twintigste mei van het jaar 2000 voor het eerst zien, en daardoor zou alles plotseling in de war raken, en niets zou gebeuren zoals het moet gebeuren. Maar gelukkig – al was niets me natuurlijk liever geweest – ben je niet verschenen en valt er dus ook niets te betreuren. Ik neem aan dat je 's middags gekomen bent, want de volgende dag lag er je mooie, laatste brief. Ik hoop dat je mij mijn onverantwoordelijke gedrag kunt vergeven, Derek; ik heb het je opgebiecht omdat ik mijn tekortkomingen niet voor je wil verbergen. In de hoop je nog meer tot vergeving aan te sporen, stuur ik je een recht uit mijn hart komend geschenk, zodat je zult weten wat een bloem is.

Nadat ze die laatste regels had opgeschreven stond ze op, pakte haar exemplaar van *De tijdmachine* uit de kast, sloeg het open en haalde er de narcis uit die ze tussen de bladzijden te drogen had gelegd. Toen drukte ze een kus op de tere blaadjes en stak de bloem voorzichtig samen met de brief in de envelop.

Ook deze keer stelde Peter geen vragen. Zonder dat ze iets hoefde te zeggen, reed hij haar naar de heuvel van Harrow. Daar liep Claire naar boven, naar de eik, en verstopte de brief onder de steen. Vervolgens keek ze een poos om zich heen, met het gevoel dat ze afscheid moest nemen van de plek die het toneel van haar geluk was geweest, van de stille akkers die heldergroen kleurden in het ochtendlicht, en van de tarwevelden in de verte, die als een gouden band langs de horizon liepen. Ze keek naar de grafsteen van John Peachey, en vroeg zich af wat voor leven die man had gehad, of hij ware liefde had gekend of was gestorven zonder daar ooit van te hebben geproefd. Ze ademde diep in en het kwam haar voor alsof ze de geur van haar geliefde Derek kon ruiken, alsof zijn herhaalde verschijningen op deze plek een soort stempel hadden gedrukt. Maar dat was natuurlijk louter suggestie, zei ze bij zichzelf, opgeroepen door haar wanhopige verlangen hem terug te zien. Ze moest de werkelijkheid accepteren. Ze moest zich erop instellen dat ze het de rest van haar leven zonder hem moest doen. Die middag nog, of de volgende ochtend of misschien de ochtend daarna, zou een onzichtbare hand haar laatste brief doen verdwijnen, en daarna zouden er geen brieven meer zijn, alleen nog de eenzaamheid die zich voor haar voeten ontrolde als een oneindig tapijt.

Ze liep naar de koets en stapte in zonder Peter orders te geven. Dat was ook niet nodig. Zodra ze het portier gesloten had, zette de koetsier met een berustende uitdrukking op zijn gezicht koers naar Londen. Toen het rijtuig in de verte verdwenen was, liet Tom zich zakken van de tak waarop hij had gezeten en sprong op de grond. Vanaf die plek had hij haar voor het laatst kunnen zien, en als hij zijn arm had uitgestoken had hij haar zelfs kunnen aanraken. En nu, nadat hij aan zijn opwelling had toegegeven, moest hij voor altijd ver bij haar vandaan blijven. Hij pakte de brief vanonder de steen, ging met zijn rug tegen de boom zitten en begon met een bedroefd gezicht te lezen.

Je hebt het goed geraden, Derek, al snel zal de tijdmachine verboden worden. Je zult geen tijdreizen meer maken totdat je de verdorven Salomo hebt verslagen. Dan zul je je leven op het spel zetten en in het geheim met de machine naar mijn tijd reizen. Maar laat me je nu eerst rustig vertellen hoe onze eerste ontmoeting zal verlopen en wat je daarna te doen staat. Zo-

als ik je al vertelde, zal onze ontmoeting plaatsvinden op 20 mei in het jaar 2000. Die ochtend zullen jij en je mannen Salomo in een hinderlaag lokken. Ondanks de strategische opstelling van je soldaten zal het gevecht op het eerste gezicht niet erg gunstig voor jullie verlopen, maar daarover hoef je je geen zorgen te maken, want op het eind zal Salomo je voorstellen de oorlog voorgoed te beëindigen met een zwaardgevecht van man tegen man. Neem zijn aanbod zonder aarzelen aan, mijn liefste, want je zult als overwinnaar uit het duel tevoorschijn komen. Je zult een held zijn, en de slag, die het einde betekent van de heerschappij van de machinemensen, zal worden beschouwd als het begin van een nieuw tijdperk. Het zal daardoor zelfs een toeristische bestemming bij uitstek worden voor de reizigers van mijn tijd, die maar al te graag getuige willen zijn van de slag.

Ik zal aan een van die reizen deelnemen, en, verborgen tussen de puinbrokken, zal ik je zien vechten tegen Salomo. Maar in plaats van met de anderen terug te keren als het duel voorbij is, zal ik me tussen de ruïnes verstoppen om in jouw wereld te blijven – je weet immers dat mijn eigen tijd niets aantrekkelijks heeft voor mij. Sterker nog, dankzij die gevoelens van onvrede, waarvan ik nooit had gedacht dat die me nog eens van nut zouden zijn, hebben wij elkaar ontmoet. Maar ik moet je wel waarschuwen: onze ontmoeting zal niet erg romantisch zijn, maar juist nogal pijnlijk, vooral voor jou, Derek, ik moet nog lachen als ik eraan denk. Maar uit je niet erg gepaste gedrag kan ik alleen maar afleiden dat ik je hierover verder niets moet vertellen, omdat ik anders je handelen zou beïnvloeden. Je hoeft verder alleen maar te weten dat ik tijdens die korte ontmoeting mijn parasol zal laten vallen, en ook al zul je de tijd doorkruisen om me te leren kennen en te beminnen, het terugbrengen van die parasol zal het excuus zijn waarmee je me over kunt halen om naar de theesalon te komen. Om te zorgen dat alles verloopt zoals het moet verlopen, en om de cirkel waarin wij ons bevinden rond te maken, moet je natuurlijk in mijn tijd aankomen vóór we onze correspondentie beginnen; het zou geen zin hebben als je later kwam, omdat jij me, zoals je weet, juist moet aanmoedigen om te schrijven. Je moet dus exact op 6 november 1896 om twaalf uur 's middags op de markt van Covent Garden zijn, om mij tegen te komen en om me voor te stellen diezelfde middag nog af te spreken. De rest weet je. Als je het allemaal op die manier doet, zal de cirkel blijven bestaan, en alles wat gebeurd is, zal gebeuren.

Dat is alles, mijn liefste. Over een paar maanden zal onze geschiedenis voor jou beginnen. Maar voor mij eindigt ze nu, als ik een punt zet achter deze brief. Maar ik neem geen afscheid met een 'adieu' waarmee elke hoop om elkaar weer te zien vervliegt, want ik blijf altijd leven met de hoop dat je naar me terugkeert. Om me op te sporen hoef je alleen maar de geur te volgen van de bloem die je aantreft in deze envelop.

Met al mijn liefde,

C.

Met een verslagen zucht vouwde Wells de brief die Tom hem had gebracht dicht en legde hem op tafel. Hij pakte de envelop en wilde hem leegschudden in zijn hand, maar er kwam niets uit. Wat had hij dan gedacht? De bloem was natuurlijk niet voor hem. En zo zat Wells in zijn keuken, in het licht van de late middagzon, en hij begreep dat hij zich te veel illusies had gemaakt. Het mocht dan wel zo lijken, maar hij was niet de hoofdpersoon in die tijdsidylle. Hij zag zichzelf zitten met die lachwekkend uitgestoken lege hand, alsof hij wilde vaststellen of het binnen in huis soms regende. En ondanks zichzelf voelde hij zich een indringer in die liefdesgeschiedenis, de rotte helft van de appel.

XXXII

Behoedzaam stak Tom de broze bloem tussen de bladzijden van het enige boek dat hij bezat, het gehavende exemplaar van *De tijdmachine*. Hij had besloten Wells de brieven van Claire te schenken als een soort vergoeding voor verleende diensten, maar vooral omdat hij diep in zijn hart vond dat Wells er recht op had; om dezelfde reden had hij de narcis die in de laatste envelop had gezeten achtergehouden, omdat hij vond dat de bloem wel degelijk voor hém bestemd was. Per slot van rekening kon hij een narcis beter lezen dan een brief.

Hij ging op zijn bed liggen en vroeg zich af hoe het Claire Haggerty zou vergaan, nu de brievenfase voorbij was, en ze zou beseffen dat ze echt een idylle beleefde met een man uit de toekomst. Hij stelde zich voor hoe ze elke dag aan hem dacht, precies zoals ze had geschreven, van 's morgens vroeg tot 's avonds laat, terwijl de jaren verstreken en het echte leven, het leven dat ze moest leven, haar door de vingers glipte zonder dat ze daarover treurde. Dat onverdiende lot, waaraan hij zelf had bijgedragen, of beter gezegd, waarvoor hij zelf had gezorgd, vervulde hem met een enorm medelijden, maar hij wist niet hoe hij dat kon veranderen zonder alles nog meer te verpesten. Zijn enige troost was dat Claire hem in een van haar brieven had verzekerd dat ze gelukkig zou sterven. En dat was misschien het enige waar het uiteindelijk om ging. Waarschijnlijk was ze met deze onmogelijke idylle gelukkiger dan dat ze ooit zou zijn als ze met een van haar vrijers was getrouwd. Als dat zo was, maakte het niet uit dat haar geluk voortkwam uit een leugen: ze zou er nooit achter komen, ze zou haar dagen eindigen zonder te weten dat ze bedrogen was, in de vaste overtuiging dat ze kapitein Derek Shackleton had liefgehad en door hem was bemind.

Hij hield op met denken over Claires lot en concentreerde zich op dat van hemzelf. Doordat hij zich steeds verborgen had gehouden en onder de blote hemel had geslapen, was hij erin geslaagd in leven te blijven, en had hij zelfs Claires leven weten te redden, precies zoals hij zich ten doel had gesteld. Daarom was hij nu bereid te sterven, verlangde hij zelfs naar de dood, want er restte hem niets anders dan zijn leven vol armoede voort te zetten, en dat leek hem uiterst vervelend en zinloos, en, met de herinnering aan Claire in zijn hart, ook veel pijnlijker. Maar anderzijds waren er inmiddels twaalf dagen verstreken sinds hij – onder de blikken van heel Londen – met haar had afgesproken in de theesalon, en de moordenaar die Gilliam had ingehuurd had hem nog steeds niet weten te vinden. Ook op Salomo, die kennelijk liever in zijn droomwereld bleef, viel niet te rekenen. Maar íémand zou hem moeten doden, anders kwam hij nog van de honger om. Moest hij het makkelijker maken voor zijn beul? En dan kwam daar dit nog bij: over twaalf dagen vond de derde expeditie naar het jaar 2000 plaats, en algauw zouden de repetities beginnen. Wachtte Gilliam soms af tot hij zich in Greek Street zou vertonen, zodat hij hem eigenhandig om zeep kon helpen? Als hij gewoon op de eerste repetitie verscheen, zou dat gelijkstaan aan zelfmoord, maar Tom wist dat hij zich toch in het hol van de leeuw zou wagen, al was het maar om voor eens en voor altijd uit te vinden wat het lot met hem voorhad.

Op dat moment werd er luid gebonsd op de deur van zijn kamer. Tom schoot overeind, maar maakte geen aanstalten om open te doen. Op alles voorbereid bleef hij staan, al zijn spieren gespannen. Had zijn laatste uur dan eindelijk geslagen? Een paar seconden later klonk het gebons opnieuw.

'Ben je daar, Tom?' schreeuwde iemand buiten. 'Doe open, ouwe schooier, anders zal ik de deur moeten inslaan!'

Hij herkende onmiddellijk de stem van Jeff Wayne. Hij stopte Wells' roman in zijn zak en opende met tegenzin de deur. Jeff stormde de kamer binnen en omhelsde hem enthousiast. Bradley en Mike begroetten hem vanaf de overloop.

'Waar heb je al die tijd gezeten, Tom? We hebben je overal gezocht... Is er soms een vrouw in het spel? Nou ja, het doet er ook niet toe: we hebben je nog net op tijd gevonden. Vanavond is er groot feest. Onze vriend Mike pakt uit.' Zijn kameraad wees op de reus, die in gedachten verzonken naast de deur stond te wachten.

Kennelijk, zo begreep Tom uit Jeffs warrige verhaal, had Mike een paar dagen geleden een speciale opdracht van Murray gekregen. Hij had niemand minder dan Jack the Ripper moeten spelen, het monster dat in de herfst van 1888 in Whitechapel vijf prostituees had vermoord.

'Sommigen zijn in de wieg gelegd om helden te spelen, maar anderen...' zei Jeff en haalde spottend zijn schouders op. 'In elk geval is het een hoofdrol, en dat moet gevierd worden, nietwaar?'

Tom knikte. Wat kon hij anders? Het plan, dat duidelijk niet van Mike Spurrell afkomstig was, maar van Jeff, die niets liever deed dan andermans geld erdoorheen jagen, beviel hem helemaal niet, maar hij wist dat hij de kracht miste om ertegen in te gaan. Zijn vrienden moesten hem bijkans de trap af en naar een van de naastgelegen kroegen duwen, maar de dampende schalen met worstjes en gebraden vlees die daar op de tafel stonden deden zijn laatste restje tegenstand smelten. Het gezelschap mocht Tom dan niet bevallen, maar zijn maag zou het hem nooit vergeven als hij niet meedeed. Uitgelaten zetten de vier zich aan tafel en aten als wolven, terwijl Mike een eindeloze reeks grappen over zijn opdracht over zich heen moest laten komen.

'Het was niet makkelijk, hoor, Tom,' klaagde de grote kerel. 'Ik moest een stalen plaat op mijn borst dragen om bij het schieten niet gewond te raken, en het valt echt niet mee om te doen alsof je dood bent als je een ijzeren korset aanhebt!'

Zijn kameraden brulden van het lachen. Ze aten en dronken vrolijk verder, en toen de borden grotendeels leeg waren en het effect van de alcohol merkbaar werd, stond Bradley op, draaide zijn stoel om, en legde zijn handen op de rugleuning, alsof hij op een spreekgestoelte stond, terwijl hij zijn kameraden met theatrale ernst aankeek. Altijd als ze aan de boemel waren kwam Bradley wel met een staaltje van zijn imitatietalent. Tom leunde berustend achterover in zijn stoel; in elk geval had hij zijn honger gestild.

'Dames en heren, ik wil u alleen maar vertellen dat u op het punt staat deel te nemen aan de belangrijkste gebeurtenis van de eeuw: vandaag zult u een tijdreis maken!' kondigde Bradley met geknepen stem aan. 'Ja, u hoeft me niet zo aan te kijken! Wij bij Murray Tijdreizen zijn natuurlijk niet tevreden met een tijdreis alleen. Dankzij onze inspanningen zult u getuige zijn van het belangrijkste moment in de geschiedenis van de mensheid. Ik doel uiteraard op de slag tussen de moedige kapitein Derek Shackleton en de verschrikkelijke Salomo: u zult het voorrecht hebben diens veroveringsdromen te zien sneuvelen onder Shackletons zwaard!'

Er klonk applaus en gelach. Aangemoedigd door het effect van zijn optreden gooide Bradley zijn hoofd naar achteren en trok een lachwekkend dromerig gezicht.

'Weet u wat Salomo's grote fout is geweest? Ik zal het u vertellen, dames en heren: zijn fout was dat hij de verkeerde man heeft gekozen om de soort in stand te houden. Ja, de machinemens heeft een verkeerde keus gemaakt, een heel verkeerde keus. En die verkeerde keus heeft de loop van de geschiedenis veranderd,' zei hij met een spottende grijns. 'Kent u een vreselijker lot dan de hele dag te moeten paren? Nou, dat was het lot van die ongelukkige jongen' – hij spreidde zijn armen en schudde zijn hoofd, een hevig verdriet veinzend. 'Hij wist echter niet alleen zijn lot te dragen, maar slaagde er ook in om zijn lichaam te harden en zijn vijand nauwgezet te bestuderen. Die keek elke avond met grote belangstelling toe hoe hij copuleerde, en liep daarna naar het stadsbordeel om zijn goedkeuring te hechten aan enkele nieuw gefabriceerde courtisanes. Maar op de dag dat de vrouw beviel, wist de jongeman dat hij zijn kind niet zou zien opgroeien; zijn kind was alleen ter wereld gekomen om zijn eigen moeder te bevruchten, en daarmee een perverse kringloop in gang te zetten. De jongeman overleefde echter zijn executie, bracht ons bij elkaar en gaf ons hoop...' – even zweeg hij geëmotioneerd, en voegde er daarna aan toe: 'Al wachten we nog steeds tot hij ons net zo goed leert neuken als hij!'

Opnieuw brullend gelach. Toen het weer stil werd, hief Jeff zijn kroes.

'Op Tom, de beste kapitein die we maar konden hebben!'

Allen hieven hun kroes en brachten een toost uit. Het gebaar van zijn makkers verraste Tom; hij kon zijn ontroering amper verbergen.

'Goed, Tom, je begrijpt vast wel wat we nu gaan doen, hè?' zei Jeff toen hun woorden waren weggestorven, en gaf hem een klopje op zijn schouder. 'We hebben een tip gekregen dat er in ons lievelingsbordeel verse waar is aangekomen. Meisjes met spleetogen. Stel je voor! Spleetogen!'

'Heb jij het ooit met een oosters meisje gedaan, Tom?' vroeg Bradley.

Tom schudde van nee.

'Nou, dat moet iedereen voor zijn dood een keer hebben meegemaakt, vriend!' lachte Jeff, terwijl hij opstond van tafel. 'Die Chinese meisjes kennen honderden manieren om je op te winden, daar weten onze vrouwen niets van af.'

Met veel kabaal verlieten ze de kroeg, met Bradley voorop, die de eindeloos vele deugden van Chinese vrouwen opsomde, tot vreugde van Mike, die zich alvast liep te verlekkeren. Kennelijk waren oosterse meisjes, behalve teder en willig, ook gezegend met een soepel lichaam dat probleemloos in staat was allerlei onmogelijke houdingen aan te nemen. Maar hoe veelbelovend het ook allemaal klonk, Tom zou het wel willen uitschreeuwen. Als hij op dat moment al door iemand bemind wilde worden, dan alleen door Claire, al had ze noch spleetogen noch die bovennatuurlijke buigzaamheid. Hij dacht terug aan alles wat hij bij haar had ervaren, en vroeg zich af wat zijn kameraden, die ruwe, onbehouwen kerels, zouden denken als ze erachter kwamen dat er meer verheven, verfijnde gevoelens bestonden, die bijna tegengesteld waren aan hun primitieve vorm van lust beleven.

Ze hielden een rijtuig aan en onder luid gelach stapten ze in. Mike perste zijn zware lijf naast Tom en drukte hem bijna plat tegen de deur, terwijl de andere twee tegenover hem plaatsnamen. Lawaaierig gaf Jeff orders en de koets zette zich in beweging. Tom had geen zin om mee te doen aan de algemene euforie en keek uit het raampje, waar de straten er vanwege het late tijdstip angstaanjagend verlaten bij lagen. Toen merkte hij op dat de koetsier verkeerd reed: zo ging je niet naar het bordeel, maar naar de haven.

'Hé, Jeff, we rijden de verkeerde kant op!' riep hij boven de herrie uit.

Jeff Wayne draaide zich naar hem toe, keek hem ernstig aan; de lach stierf langzaam weg op zijn gezicht. Ook Bradley en Mike lachten niet meer. Er hing een vreemde, dichte stilte om hen heen, alsof iemand die uit de diepe zee had gehaald en er de koets mee had gevuld.

'Nee, Tom, we rijden in de goede richting,' zei Jeff ten slotte, en keek hem met een onheilspellend lachje aan.

'Onzin, Jeff,' hield Tom vol, 'zo ga je niet naar...'

Ineens begreep hij het. Dat hij het niet eerder door had gehad: de overdreven vrolijkheid, de toost die wel een afscheid had geleken, hun gespannen houding in de koets... Hoeveel hints had hij nog meer nodig? In de doodse stilte die nu in het rijtuig hing, keken de drie hem met geveinsde kalmte aan en wachtten tot hij alles verwerkt had. En tot zijn verbazing merkte Tom dat hij, nu zijn tijd om te sterven eindelijk gekomen was, helemaal niet dood wilde. Niet dat hij daar een speciale reden voor had, maar hij wilde gewoon niet. Niet zo, niet op die manier. Niet door de hand van deze gelegenheidsbeulen, die alleen maar de ongelimiteerde macht van Gilliam Murray lieten zien, die met zijn geld iedereen tot moordenaar kon maken. In elk geval deed het hem deugd dat Martin Tucker, degene die hem altijd nog de eerlijkste had geleken, er niet bij was; hij had zich tenminste weten te onttrekken aan deze vrolijke, collectieve moordpartij.

Teleurgesteld over de onstandvastigheid van de menselijke geest slaakte Tom een diepe zucht en nam Jeff enigszins ontgoocheld op. Zijn kameraad haalde zijn schouders op, en wees daarmee iedere verantwoordelijkheid af voor wat er te gebeuren stond. Hij stond op het punt iets te zeggen, misschien iets als 'zo is het leven' of een ander cliché, toen Toms laars hem vol op zijn keel trof en hem terugwierp op de bank. Jeff liet een schor gegrom horen dat overging in een schel gefluit. Tom wist dat hij hiermee niet uitgeschakeld was, maar hij had het hele stel met zijn explosieve aanval tenminste wel overrompeld. Vóór de andere twee konden reageren, plantte hij zijn elleboog in het gezicht van Mike Spurrell, die verbijsterd naast hem zat, met zo'n kracht dat zijn kin naar links schoot, en het raampje bedekt raakte met het bloed dat uit zijn mond stroomde. Zonder zich af te laten schrikken door Toms gewelddadige reactie trok Bradley een mes en stortte zich op hem. Hij was vlug en lenig, maar gelukkig ook de zwakste van het stel. Voor het wapen hem kon raken, pakte Tom zijn arm en draaide die met kracht om, tot hij het mes liet vallen. Omdat Bradleys hoofd zich nu amper een paar centimeter van zijn been bevond, stootte hij hem met zijn knie in zijn gezicht, zodat Bradley opnieuw op het bankje belandde, waar hij, hevig bloedend uit zijn neus, slap neerviel. Binnen een paar seconden was Tom de drie mannen met wat snelle bewegingen de baas, maar hij had amper de tijd om zichzelf geluk te wensen met zijn doeltreffende actie omdat Jeff zich inmiddels had hersteld en zich met een dierlijk gebrul op hem stortte. Tom werd tegen de deur van de koets gekwakt, waarbij de deurknop als een dolk in zijn rechterzij drong. Verbeten worstelden ze even in de kleine ruimte, tot Tom achter zich een gekraak hoorde. Hij besefte dat de deur van de koets het had begeven en een ogenblik later zweefde hij in een dwaze omhelzing met Jeff door de lucht, terwijl het rijtuig zijn weg vervolgde. De klap waarmee hij tegen de grond sloeg benam hem bijna de adem. Een paar tellen rolden ze samen over de grond, tot ze kans zagen een eind te maken aan hun bizarre omhelzing.

Toen de wereld zich weer enigszins stabiliseerde deed Tom, wiens lichaam vreselijk pijn deed, zijn uiterste best om op te staan, terwijl Jeff een paar meter verderop vloekend en kreunend hetzelfde voor elkaar probeerde te krijgen. Tom besefte dat het, voordat de anderen kwamen, even één tegen één zou zijn, en dat was een voordeel dat hij niet moest laten lopen. Maar Jeff was te snel. Nog voor Tom overeind kon komen, wierp Jeff zich met volle kracht op hem en vloerde hem opnieuw. Toms rug kraakte op duizend plekken, maar terwijl Jeffs handen zijn keel zochten, wist hij zijn voet tegen Jeffs borst te zetten en hem van zich af te stoten. Jeff kwam een eind verderop terecht. Tom negeerde de pijnscheuten in zijn been en kwam zo goed en zo kwaad als het ging overeind, en liep op zijn rivaal toe. Het rijtuig was verderop tot stilstand gekomen, een van de deuren hing naar buiten als de kapotte vleugel van een vogel, en Bradley en Mike kwamen al op hem afrennen. Tom schatte snel zijn kansen in en concludeerde dat hij het gevecht, waarin hij zeker het onderspit zou delven, maar het beste uit de weg kon gaan, en begon te rennen in de richting van straten waar meer leven was, weg uit het verlaten havengebied.

Hij wist niet waar zijn plotselinge drang tot overleven vandaan kwam – nog maar een paar uur daarvoor had hij immers nog verlangd naar de eeuwige rust van de dood – maar hij rende zo hard als zijn bonzende hart en de vreselijke pijn in zijn been hem toestonden, terwijl hij zich intussen probeerde te oriënteren in de nachtelijke duisternis. Terwijl hij zijn achtervolgers achter zich hoorde rennen, sloeg hij de eerste de beste straat in, die helaas uitkwam op een doodlopend steegje. Tom vervloekte de bakstenen muur die hem de weg versperde en draaide zich langzaam om. Zijn makkers wachtten hem op aan het begin van het steegje. Goed, nu begon het echte gevecht, zei hij bij zichzelf, en met kalme berusting liep hij, terwijl hij zijn best deed om niet te hinken, naar de plek waar zijn beulen hem stonden op te wachten, en balde zijn vuisten. Het was duidelijk dat hij geen kans had tegen de drie, maar dat betekende nog niet dat hij zich overgaf. Was zijn drang om te overleven sterker dan hun wil om hem te doden?

Toen hij dichtbij gekomen was, groette Tom hen met een spottende buiging. Hij beschikte dan wel niet over Shackletons zwaard, maar voelde wel diens hart branden in zijn borst. Dat is tenminste iets, zei hij bij zichzelf. De dichtstbijzijnde lantaarn wierp slechts een zwak licht op het tafereel, en hun gezichten bleven in het donker. Niemand zei iets, want er viel niets meer te zeggen. Op een commando van Jeff stelden zijn beulen zich in een cirkel rondom hem op, als boksers die hun rivaal monsteren. Niemand leek het initiatief te willen nemen, en Tom begreep dat ze hem de mogelijkheid boden het ongelijke gevecht te openen. Met wie zou hij beginnen? vroeg hij zich af, terwijl zijn makkers langzaam om hem heen draaiden. Met gebalde vuist deed hij een stap in de richting van Mike, maar op het laatste moment haalde hij uit naar Jeff, die daar niet op bedacht was. De klap trof hem vol in zijn gezicht, zodat hij tegen de grond sloeg. Uit zijn ooghoeken zag Tom vervolgens Bradleys aanval aankomen. Hij kon de klap net ontwijken, en toen hij hem, uit balans gebracht, recht voor zich kreeg, plantte Tom zijn vuist in Bradleys maag, waarop hij dubbelsloeg. Spurrells mokerslag kon hij echter niet meer ontwijken. De wereld verloor alle samenhang, zijn mond zat vol bloed, en hij moest zijn best doen om op de been te blijven. Maar de reus gunde hem geen respijt. Voor hij zich kon herstellen, kreeg hij een flinke dreun op zijn kin, die hem op de grond deed belanden. Bijna meteen kreeg hij een laars in zijn zij, zijn ribbenkast kraakte vervaarlijk, en Tom begreep dat hij er nu echt was geweest. Het gevecht was voorbij. Aan de regen van slagen die op hem neerdaalde merkte hij dat Jeff en Bradley nu ook meededen. Op de grond naast hem, in de dichte mist veroorzaakt door de pijn, zag hij het boek van Wells, dat tijdens de vechtpartij uit zijn zak moest zijn gevallen. Claires bloem was ertussenuit gegleden en lag nu tussen het vuil van de straat, een bleekgele gloed die, net als zijn eigen leven, elk moment leek te zullen doven.

XXXIII

Toen het geweld eindelijk ophield, klemde Tom zijn tanden op elkaar en probeerde ondanks de pijn bij Claires bloem te komen. Hij slaagde er niet in, omdat iemand hem bij zijn haren pakte en overeind probeerde te zetten.

'Niet slecht gedaan, Tom, helemaal niet slecht gedaan,' fluisterde Jeff Wayne in zijn oor, met iets wat een lach of misschien ook gekreun kon zijn. 'Helaas verandert het niets aan je einde.'

Hij vroeg Mike Spurrell om hem bij zijn voeten te pakken, en zo brachten zijn beulen Tom naar een bestemming die hem – balancerend op de rand van bewusteloosheid – intussen geheel koud liet. Na een paar minuten werd hij weer op de grond gegooid, alsof er een baal werd gelost. Tom hoorde het geluid van de zee en het tegen elkaar klotsen van de schepen. Zijn ergste vermoedens werden bevestigd: ze hadden hem naar de kade gebracht, waarschijnlijk om hem in de rivier te gooien. Maar voorlopig deed of zei niemand iets. Tom kwam in de verleiding om zich over te geven aan de bewusteloosheid, maar er was iets wat hem tegenhield: het niet-onaangename gevoel van iets zachts en warms op zijn gezwollen wangen. Het was alsof een van zijn collega's had besloten hem wat op te poetsen voor hij doodging, door met een vochtige doek het bloed van zijn gezicht te vegen.

'Eterno, kom onmiddellijk hier!' hoorde hij iemand roepen.

Het zachte vegen hield onmiddellijk op, en Tom hoorde zware maar zachte voetstappen, van iemand die op zijn dooie gemak het tafereel naderde.

'Zet hem overeind,' beval de stem.

De mannen hesen hem ruw overeind, maar Toms voeten weigerden dienst, en hij zeeg ineen, met een soort sensuele loomheid, als een marionet waarbij de draden worden doorgeknipt. Een gedienstige hand hield hem vast bij zijn kraag, om te zorgen dat hij niet opnieuw in elkaar zakte. Toen zijn duizeligheid min of meer over was en hij weer scherp kon zien, zag Tom, niet echt verbaasd, Gilliam Murray langzaam dichterbij komen, met zijn hond achter zich aan. De ondernemer had de licht geïrriteerde blik van iemand die midden in de nacht voor iets onbenulligs uit bed is gehaald – waarbij hij intussen kennelijk was vergeten dat hij zelf de opdracht had gegeven voor de overval. Op enkele meters van Tom vandaan bleef hij staan en bekeek hem met een spottend lachje, alsof Toms deerniswekkende toestand hem genoegen deed.

'Tom, Tom, Tom,' zei hij ten slotte, op een toon waarop je een kind een standje geeft, 'waarom moest het zover komen? Was het zo moeilijk voor je om mijn eenvoudige instructies op te volgen?'

Tom zweeg, niet zozeer vanwege het retorische gehalte van de vraag, maar omdat hij betwijfelde of hij met zijn gezwollen lippen en zijn mond vol bloed en versplinterde tanden een woord zou kunnen uitbrengen. Nu zijn blik weer helder was, stelde hij vast dat ze inderdaad in de haven waren, op slechts enkele passen van de kademuur. Behalve Gilliam, die voor hem stond, en zijn collega's, die achter hem op orders wachtten, leek er verder niemand te zijn. Alles zou in volstrekte beslotenheid plaatsvinden. Dit was hoe naamloze mensen stierven, discreet, met de onopvallendheid van vuilnis dat midden in de nacht in de rivier wordt gegooid, terwijl de rest van de wereld slaapt. En niemand die zijn afwezigheid zou opmerken. Niemand zou zeggen: 'Wacht even, waar is Tom Blunt?' Nee, het orkest van de wereld zou doorspelen zonder hem; eigenlijk had het altijd al zonder hem gekund.

'Weet je wat nog het grappigste is, Tom?' vroeg Gilliam Murray toen, terwijl hij naar de kaderand liep en afwezig naar het zwarte water keek. 'Dat je liefje je heeft verraden!'

Ook nu zei Tom niets. Hij keek slechts naar zijn baas, die verdiept bleef in het water van de Theems, de bodemloze kist waarin hij alles wegborg wat hem problemen opleverde. Even later draaide Gilliam zich om en keek hem met een half medelijdend, half geamuseerd lachje aan.

'Ja, ik had jullie idylle nooit ontdekt als ze de dag na de expeditie niet op mijn kantoor was verschenen om het adres van een of andere voorouder van kapitein Shackleton te vragen.'

Hij zweeg opnieuw zodat Tom zijn woorden kon verwerken, want aan diens verbaasde gezicht kon hij zien dat het meisje hem dat nooit had verteld, precies zoals hij had gedacht. Goed, zo belangrijk was het nu ook weer niet. Vanuit Toms gezichtspunt dan, natuurlijk. Voor Gilliam was het een gelukkige vergissing geweest.

'Ik wist absoluut niet wat ze wilde,' bekende hij, terwijl hij opnieuw met korte, bijna dansachtige pasjes op Tom toeliep. 'Ik scheepte haar af met wat vage praat, maar uit nieuwsgierigheid liet ik haar door een van mijn mannen volgen. Ik hield haar maar liever in de gaten, want zoals je weet heb ik niet graag dat iemand snuffelt in mijn zaken. Maar juffrouw Haggerty was er helemaal niet op uit om iets te onderzoeken, juist integendeel, nietwaar? Ik moet bekennen, dat ik zeer verrast was toen mijn informant me vertelde dat ze met je had afgesproken in een theesalon, en dat ze daarna... Nou ja, je weet zelf wat in pension Pickard is gebeurd.'

Tom boog zijn hoofd, wat evengoed uit schaamte kon zijn als vanwege de duizeligheid.

'Mijn vermoedens werden dus bewaarheid,' vervolgde Gilliam, geamuseerd door zijn verwarring, 'maar op een heel andere manier dan ik had gedacht. Ik wilde je dus toen al laten ombrengen, ondanks mijn bewondering voor het profijt dat je van de situatie had weten te trekken. Maar toen zette je een onverwachte stap: je ging naar het huis van Wells, en dat maakte me weer nieuwsgierig. Ik vroeg me af wat je van plan was. Als je de schrijver had willen vertellen dat de hele onderneming één groot bedrog was, had je de verkeerde gekozen, zoals je al snel doorkreeg. Wells is in heel Londen de enige die de waarheid kent. Maar nee, je had een veel nobeler plan!'

Gilliam bleef, met zijn handen op de rug, steeds kleine eindjes heen en weer lopen vlak voor Toms gezicht, wat de planken van de kade akelig deed piepen. Een paar meter verderop keek Eterno met een vage nieuwsgierigheid toe.

'Van Wells' huis ging je naar de heuvel van Harrow, en verborg er een brief onder een steen. Mijn spion heeft me die onmiddellijk gebracht, en na lezing begreep ik alles.' Hij keek Tom met vriendelijke spot aan. 'Ik moet toegeven dat ik veel plezier heb beleefd aan jullie brieven. Mijn informant nam ze mee vanonder de steen en legde ze als ik ze had gelezen weer op hun plaats, voordat een van jullie hem weer op kwam halen. Behalve de laatste brief, natuurlijk. Die heb je zo snel opgehaald dat ik hem Wells heb moeten ontfutselen op een van zijn tochtjes op dat belachelijke apparaat dat fiets heet.'

Hij bleef staan en keek weer naar de rivier.

'Herbert George Wells...' fluisterde hij met nauw verholen afkeer. 'Die arme dwaas! Ik moet je bekennen dat ik in de verleiding was om al zijn brieven te verscheuren en ze vervolgens zelf te schrijven. Ik heb het niet gedaan omdat Wells daar nooit achter gekomen zou zijn, en dat was hetzelfde geweest als wanneer ik ze niet had geschreven. Maar genoeg hierover,' riep hij plotseling vrolijk uit, terwijl hij zich opnieuw naar zijn slachtoffer keerde, 'die jaloezie tussen schrijvers laat jou koud, nietwaar Tom? Ik heb inderdaad veel plezier beleefd aan jullie brieven, vooral bij een bepaalde passage, zoals je begrijpt. Die zou voor iedereen uiterst leerzaam zijn, denk ik. Maar goed, het verhaal is uit, de oude moedertjes zullen het tragische lot van de geliefden uitgebreid bewenen, en nu kan ik je eindelijk ombrengen.'

Hij hurkte voor Tom neer, en tilde met moederlijke tederheid zijn hoofd op. Zijn vingers kwamen onder het bloed te zitten dat van zijn gescheurde lip droop. Hij haalde een zakdoek uit zijn jasje en veegde ze afwezig schoon, terwijl hij Tom belangstellend bleef aankijken.

'Weet je, Tom?' vervolgde hij. 'Eigenlijk ben ik je eindeloos dankbaar voor alles wat je hebt gedaan om mijn bedrog niet aan het licht te brengen. Ik weet dat dit maar voor een deel jouw schuld is geweest. Het was dat onnadenkende meisje dat ermee begon, dat klopt. Maar jij had haar met rust kunnen laten, nietwaar? Dat heb je niet gedaan. En dat begrijp ik ook wel weer: het meisje is de risico's die je hebt genomen waarschijnlijk dubbel en dwars waard. Maar je zult begrijpen dat ik je niet kan laten leven. Ieder heeft zijn rol in dit stuk. En de mijne is dat ik jou moet doden. Helaas voor jou. Maar hoe had ik de verleiding kunnen weerstaan om het karwei op te dragen aan je trouwe soldaten uit de toekomst?!'

Hij lachte de mannen die achter Tom stonden spottend toe. Toen sloeg hij Tom opnieuw lange tijd gade, alsof hij nadacht over hetgeen hij nu voor de laatste keer ging doen, en de mogelijkheid overwoog om de zaken anders te laten verlopen.

'Nee, het is onvermijdelijk, Tom,' zei hij ten slotte schouderophalend. 'Als ik je niet naar de andere wereld help, zul je vroeg of laat weer naar haar op zoek gaan. Daar ben ik van overtuigd. Je zult haar opzoeken omdat je verliefd bent op haar.'

Bij die woorden keek Tom hem verrast aan. Was dat waar, was hij verliefd op Claire? Hij had nooit echt over die vraag nagedacht, want het antwoord zou hem toch niets hebben opgeleverd: of hij nu van haar hield of wanneer het maar een buitenkansje of een bevlieging was geweest, in beide gevallen had hij ver bij haar uit de buurt moeten blijven. Maar hij moest toegeven dat hij, als Gilliam hem in leven liet, onmiddellijk naar haar op zoek zou gaan, en dat kon alleen maar betekenen dat hij inderdaad verliefd was. Ja, hij hield van haar, gaf Tom verbaasd toe, hij hield van Claire Haggerty. Hij had van haar gehouden vanaf het eerste moment dat hij haar had gezien. Hij hield van haar om de manier waarop ze hem aankeek, hij hield van de zachte aanraking van haar huid, hij hield van de manier waarop zij van hem hield. Het was heerlijk zich beschermd te weten door die mantel van onmetelijke, onvoorwaardelijke liefde die hem beschutte tegen de kou van het leven, tegen de ijzige kou van alledag, tegen de wind die aanhoudend door de luiken blies en doordrong tot in het diepst van zijn wezen. En hij begreep dat hij niets liever wilde dan haar met dezelfde hartstocht lief te hebben, omdat dat het belangrijkste en nobelste was waartoe de mens in staat is, datgene waarvoor hij in de wieg is gelegd: liefhebben, echt liefhebben, liefhebben louter vanwege de voldoening die het geeft daartoe in staat te zijn. Want dat was zijn reden van bestaan: hijzelf kon dan misschien geen spoor achterlaten in de wereld, maar hij kon wel iemand gelukkig maken, en dat was het belangrijkste. Het belangrijkste was een spoor achter te laten in het hart van iemand anders. Ja, Gilliam had gelijk, hij zou naar haar op zoek gaan omdat hij met haar samen wilde zijn, omdat hij haar aan zijn zijde nodig had om een ander te worden, om degene wie hij was te ontvluchten. Hij zou haar zoeken, al was het maar om samen de lente te verwelkomen of samen de afgrond in te tuimelen. Hij zou haar zoeken omdat hij van haar hield. En daardoor was de leugen waarin Claire leefde toch niet echt een leugen, want uiteindelijk hield ze van iemand die ook van haar hield, en, net als die van Shackleton, was ook zijn liefde niet in staat om Claire te bereiken: zijn liefde raakte onderweg zoek, kwam niet aan. Wat maakte het uit dat ze in dezelfde tijd leefden en zelfs in dezelfde stad, het etterende Londen van het eind van de eeuw, als ze door een oceaan van tijd werden gescheiden?

'Maar waarom nog doorgaan met dit verhaal?' hoorde hij de

ondernemer zeggen, die niets van zijn gedachten wist. 'Dan zou het een veel minder spannend einde krijgen, denk je niet? Het is beter dat je verdwijnt, Tom, en dat het verhaal eindigt zoals het eindigen moet. Aan het geluk van het meisje zal dat niets veranderen.'

Gilliam Murray richtte zich op met zijn zware lijf en sloeg hem vanuit de hoogte opnieuw met academische belangstelling gade, alsof Tom in een fles formaline zat.

'Doe haar geen kwaad,' stamelde Tom.

Gilliam schudde zijn hoofd, en deed alsof hij verontwaardigd was.

'Natuurlijk niet, Tom! Begrijp je het dan niet? Zonder jou vormt ze voor mij geen enkel gevaar. En ik heb ook mijn scrupules, ook al denk je van niet. Ik ga niet zomaar iemand doden, Tom.'

'Ik heet Shackleton,' siste Tom tussen zijn tanden. 'Kapitein Derek Shackleton.'

De ondernemer lachte schaterend.

'In dat geval hoef je je nergens zorgen over te maken, want dan herrijs je uit de dood, dat beloof ik je.'

Na die woorden knikte hij hem nog een laatste keer toe en maakte een gebaar naar zijn metgezellen.

'Vooruit, heren. We maken het karwei af, dan kunnen we gaan slapen.'

Op zijn bevel tilden Jeff en Bradley Tom van de grond, terwijl Mike Spurrell een enorm blok steen aansleepte waaraan een touw vastzat, dat ze aan Toms voeten bonden. Daarna deden ze zijn handen op zijn rug en bonden die eveneens vast. Met een tevreden glimlach sloeg Gilliam de voorbereidingen gade.

'Klaar, jongens,' zei Jeff, nadat hij beide knopen op deugdelijkheid had gecontroleerd, 'kom maar op!'

Bradley en hij tilden Tom op en droegen hem naar de rand van de kade, terwijl Mike de steen torste die hem in de diepte zou verankeren. Zonder enige emotie keek Tom naar het donkere water. Hij was vervuld van de vreemde kalmte die iemand overvalt die weet dat hij het stuur van zijn leven niet langer in handen heeft. Gilliam kwam bij hem staan en legde een hand op zijn schouder.

'Vaarwel, Tom. Je bent de beste Shackleton geweest die ik maar heb kunnen vinden. Maar zo is het leven. Doe Perkins de groeten van me!'

Zijn kameraden jonasten hem, en op de derde tel gooiden ze hem met steen en al in het water. Tom kon juist nog een keer diep inademen voor hij het water raakte. De kou verraste hem en maakte een eind aan zijn verdoving. Opnieuw leek het lot hem te bespotten: wat had hij eraan om zo klaarwakker te zijn nu hij alleen nog maar kon verdrinken? Eerst zonk hij in horizontale positie omlaag, maar meteen daarop trok de zware steen hem rechtstandig en met verbazende snelheid naar de bodem van de Theems. Hij knipperde een paar keer met zijn ogen en probeerde in het groenachtige water iets te onderscheiden, maar veel was er niet te zien, alleen de buik van de barkassen die aan de oppervlakte van het water dreven, en de trillende lichtkring van de enige lantaarn die op de kade stond. Al snel raakte de steen de bodem en Tom bleef er zo'n twintig à dertig centimeter boven hangen, als een vlieger aan zijn touw. Hoe lang zou hij het kunnen uithouden zonder adem te halen? Wat deed het er ook toe? Het was immers absurd om je te verzetten tegen het onvermijdelijke. Toch klemde hij zijn lippen stijf op elkaar, al wist hij dat hij zijn dood daarmee maar een klein beetje kon vertragen. Daar had je dat vervelende overlevingsinstinct weer. Maar dit keer begreep hij waar die plotselinge drang vandaan kwam: het ergste van doodgaan was dat hij geen mogelijkheid meer zou hebben om datgene te veranderen wat geweest was, dat het enige wat de anderen van hem te zien zouden krijgen, het afschuwelijke beeld was van zijn onvervulde leven. Een angstige eeuwigheid lang bleef hij zo hangen, terwijl hij zijn longen voelde branden en zijn slapen oorverdovend voelde kloppen, tot hij in ademnood kwam en zich tegen zijn wil genoodzaakt zag zijn mond te openen. Het water stroomde in zijn keel en drong vrolijk zijn longen binnen, en de wereld om hem heen werd waziger en waziger. En Tom begreep dat dit het einde was, dat hij binnen enkele seconden het bewustzijn zou verliezen.

Hij had nog net tijd om hem te zien aankomen. Hij zag hem in de verte uit de nevelgordijnen opdoemen en met zware ijzeren tred op hem afkomen over de bodem van de rivier. Waarschijnlijk lag het aan het zuurstofgebrek in zijn hersenen dat hij droombeelden begon aan te zien voor de werkelijkheid. Hoe dan ook, de man kwam te laat: zijn ingrijpen zou niet nodig zijn, hij kon heel goed verdrinken zonder zijn hulp. Maar misschien kwam hij alleen maar om toe te kijken hoe hij stierf, zij beiden tegenover elkaar in de donkere beslotenheid van het water.

Maar toen de ijzeren man ten slotte bij hem stond, sloeg hij tot Toms verrassing een metalen arm om zijn middel, alsof ze samen een dans zouden maken; zijn andere hand worstelde met het touw waarmee zijn voeten vastzaten, tot hij hem wist los te maken. Vervolgens sleepte hij hem mee naar boven, en half bewusteloos zag Tom hoe de buik van de schepen en het trillende schijnsel van de lantaarn weer dichterbij kwamen. Voor hij begreep wat er gebeurde, stak hij plotseling met zijn hoofd boven water.

De nachtlucht drong zijn longen binnen, en Tom wist dat dit de smaak van het leven was. Hij ademde gulzig in en moest hoesten als een hongerig kind dat zich verslikt in zijn eten. Krachteloos liet hij zich door zijn vijand op de kade hijsen. Daar bleef hij liggen, verkleumd en duizelig, tot hij de handen van de machinemens op zijn borst voelde drukken. Dat hielp hem om al het water eruit te gooien dat hij binnen had gekregen. Toen hij het allemaal kwijt leek te zijn, hoestte hij een paar keer, spuugde wat rode klontertjes bloed uit, en voelde hoe het leven zich weer traag nestelde in zijn bleke, week geworden lichaam. Het was een heerlijke gewaarwording zich weer vol leven te voelen, te voelen hoe het leven hem vanbinnen begerig vulde, zoals een paar minuten geleden het water van de Theems nog had geprobeerd te doen, en even leek hij zelfs bijna onsterfelijk, alsof het feit dat hij de dood, die toch zo dichtbij was geweest, om de tuin had geleid hem in zekere zin met haar vertrouwd had gemaakt en hij nu voorgoed aan haar heerschappij was ontsnapt. Toen hij weer enigszins op krachten was gekomen, schonk Tom zijn redder een moeizaam lachje. Diens grote metalen hoofd hing als een donker, rond gevaarte boven hem, het gezicht verhuld in de schaduw van de achter hem staande lantaarn.

'Dank je, Salomo...' wist hij uit te brengen.

De machinemens zette zijn hoofd af.

'Salomo?' lachte hij. 'Dit is een duikerspak, Tom.'

Hoewel het gezicht nog steeds in de schaduw bleef, herkende Tom de stem van Martin Tucker. Een golf van vreugde overspoelde hem.

'Heb je zoiets nog nooit gezien? Je kunt ermee onder water lopen alsof je een wandelingetje maakt in het park: de lucht krijg je van bovenaf ingeblazen door een slang die gekoppeld is aan een compressor. Daar heeft Bob voor gezorgd, en hij heeft ons ook op de kade gehesen,' legde zijn kameraad uit, en wees naar iemand die buiten Toms gezichtsveld stond. Toen Martin het duikerspak had uitgetrokken, tilde hij Toms hoofd op, behoedzaam als een verpleegster, en bekeek het van alle kanten. 'Nou, je ziet er niet al te best uit. De jongens hebben zich grondig van hun taak gekweten, maar reken het ze maar niet aan. Het moest allemaal zo echt mogelijk lijken om Gilliam om de tuin te leiden. En dat is gelukt, denk ik. In zijn ogen hebben de jongens hun taak volbracht, en dus krijgen ze nu waarschijnlijk het geld uitbetaald dat ze is beloofd.'

Op Toms gezwollen lippen verscheen een verraste grimas. Het was dus allemaal maar een schijnvertoning geweest? Daar leek het wel op. Murray had zijn makkers inderdaad opdracht gegeven hem uit de weg te ruimen, maar ze waren minder slecht dan hij had gedacht, al zaten ze ook weer niet zo ruim bij kas dat ze zijn aanbod hadden kunnen afwijzen. Als ze een beetje slim waren konden ze het een doen en het ander niet laten, had Martin Tucker gezegd, de goeiige makker die nu het bebloede haar van zijn voorhoofd streek en hem met vaderlijke genegenheid aankeek.

'Nou, Tom, de voorstelling is afgelopen,' zei hij. 'Je bent nu officieel dood, en dus ben je vrij. Vanavond begint je nieuwe leven, beste vriend. Gebruik het goed; al heb ik wel een idee wat je gaat doen!'

Bij wijze van afscheid pakte hij hem stevig bij de schouder, nam het duikerspak op, schonk hem een laatste glimlach en verliet de kade. Het gerinkel van zijn metalen voetstappen weerklonk in de stille nacht en Tom bleef op de grond liggen, zonder haast om op te staan, en probeerde het gebeurde langzaam te verwerken. Hij liet de lucht diep in zijn pijnlijke longen stromen, en keek naar de hemel boven zijn hoofd. Een mooie volle maan, bleekgeel van kleur, verlichtte de nacht. Hij lachte ernaar en verbeeldde zich dat het een doodshoofd was, terwijl de dood hem voorlopig bespaard zou blijven. Hoe ongelooflijk ook, alles was tot een goed einde gekomen zonder dat hij had hoeven sterven, dat wil zeggen, écht sterven, want zijn lijk lag zogenaamd op de bodem van de Theems. Alles deed hem pijn en hij had bijna geen kracht meer over, maar hij leefde, hij leefde! Een wilde euforie beving hem en hij krabbelde moeizaam overeind, voordat de koude grond en zijn natte kleren hem een longontsteking zouden bezorgen, en voorzichtig hinkend verliet hij de kade. Al zijn botten deden pijn, maar er leek niets gebroken. Zijn kameraden waren zorgvuldig te werk gegaan en hadden zijn vitale organen ongemoeid gelaten.

Hij wierp een blik om zich heen. Nergens ook maar iemand te bekennen. Aan het begin van het steegje zag hij Claires bleekgele bloem nog steeds naast Wells' roman liggen. Hij pakte haar voorzichtig op en hield haar in de palm van zijn hand, als een kompas dat je de weg wijst.

De geur van de narcissen was zoet, met iets van jasmijn, en vol beloften. Hij leidde hem door het labyrint van de nacht, zachtjes aan hem trekkend als de terugvloeiende golven van de branding, en bracht hem bij een mooi huis dat in stilte was gehuld. Het hek was niet al te hoog, en de klimop die langs de voorgevel woekerde leek uitsluitend bedoeld om avontuurlijke lieden de toegang te vergemakkelijken tot het geopende raam van het meisje, dat daar lag te slapen in een bed waar geen droom meer bij kon.

Met oneindige genegenheid sloeg Tom het meisje gade dat hem liefhad zoals niemand hem ooit had liefgehad. Uit haar halfopen lippen ontsnapten zachte zuchten, alsof bij haar vanbinnen een zomerwindje woei. Haar rechterhand sloot zich om een velletje papier, waarop hij het sierlijke handschrift van Wells herkende. Net wilde hij haar met een liefkozing verrassen toen ze langzaam haar ogen opende, alsof het gewicht van zijn blik haar had gewekt. Ze schrok niet toen ze hem aan haar bed zag staan; het was alsof ze had verwacht dat hij, de geur van haar narcissen volgend, vroeg of laat zou verschijnen.

'Je bent teruggekomen,' fluisterde ze zacht.

'Ja, Claire, ik ben teruggekomen,' antwoordde hij, even zachtjes. 'Voorgoed!'

Ze lachte hem toe, zag het gedroogde bloed op zijn lippen en wangen, en begreep hoeveel hij van haar hield. Ze liet zich uit bed glijden, liep op hem af en wierp zich in zijn armen. En terwijl ze elkaar kusten, begreep Tom dat dit, wat Gilliam Murray ook zei, een veel mooier einde was dan het vorige, waarin een weerzien voorgoed onmogelijk was geweest.

DEEL DRIE

Waarde heren, lieve dames,
we komen nu aan de laatste bladzijden
van ons meeslepende feuilleton.

Welke wonderen hebben we nog voor u
in petto?

Als u daarachter wilt komen, moet u de
volgende bladzijden aandachtig lezen, want
daarin kunt u naar eigen goeddunken door
de tijd reizen, zowel naar verleden als
toekomst. Als u geen lafaard bent, beste lezer,
maak dan af waar u aan begonnen bent!

Deze laatste reis is de moeite waard,
dat verzekeren we u!

XXXIV

Inspecteur Colin Garrett van Scotland Yard was liever beter opgewassen geweest tegen het zien van bloed, zodat hij niet steeds hoefde over te geven als hij uit hoofde van zijn beroep met een ernstig toegetakeld lijk werd geconfronteerd. Maar helaas gebeurde hem dat zo vaak, dat hij zelfs had overwogen om 's ochtends niet te ontbijten, gezien de korte tijd die het ontbijt in zijn maag verbleef. Wellicht als compensatie voor zijn aversie tegen bloed was Colin Garrett gezegend met een briljante geest. Dat was tenminste wat zijn oom altijd had gezegd, de legendarische inspecteur Frederick Abberline, die jaren geleden op de moordenaar Jack the Ripper had gejaagd. Zijn geloof in de scherpe geest van zijn neef was zo groot geweest, dat hij hem praktisch eigenhandig naar Scotland Yard had gedirigeerd en met een enthousiaste aanbevelingsbrief bij hoofdinspecteur Arnold had afgeleverd. En tot zijn verbazing had Garrett moeten toegeven dat zijn oom het bij het rechte eind had gehad, want sinds hij een jaar geleden zijn werkkamer met uitzicht op Great George Street had betrokken, had hij een groot aantal zaken weten op te lossen, zonder dat hij zich daarvoor bijzonder had ingespannen. Maar ook zonder dat hij zijn kantoor had verlaten. In zijn goed verwarmde toevluchtsoord had Garrett nachtenlang gepiekerd, geanalyseerd en de bewijsstukken die zijn ondergeschikten hem brachten gecombineerd, als een kind dat zich amuseert met een puzzel, maar het contact met de rauwe, bloedige werkelijkheid achter de feiten had hij daarbij zo veel mogelijk vermeden. Het werk op locatie was niets voor een gevoelige geest als hij, ook al had hij daarbij zijn voortreffelijke brein als partner.

En in de brandende hel achter de deur van zijn kantoor waren het de mortuaria die het duidelijkst het ware gezicht van de misdaad toonden, het stinkend concrete, organische deel dat Garrett op een afstand probeerde te houden. Iedere keer als hij naar een lijkschouw werd geroepen slaakte de inspecteur daarom een berustende zucht, zette zijn hoed op en vertrok naar het onheilsgebouw van die dag, en bad onderweg dat zijn opstandige maag hem ditmaal de tijd zou gunnen de autopsiezaal te verlaten voor hij met zijn ontbijt de schoenen van de gerechtsarts bevuilde.

Het lijk van die ochtend was gevonden in Marylebone, en nadat de politie van de City zonder succes had geprobeerd te achterhalen wat voor wapen de gruwelijke wond bij het slachtoffer – duidelijk een bedelaar – kon hebben veroorzaakt, had ze de zaak overgedragen aan de speurders van Scotland Yard. Garrett stelde zich voor dat de agenten daarbij spottend hadden gelachen, blij dat ze de genieën van Great George Street nu een ingewikkelde zaak konden bieden die hen eens flink bezig zou houden. Het was Terence Alcock geweest, de man die op dat moment in de hal van het mortuarium in York Street met een schort vol bloedvlekken op hem stond te wachten, die de politie van de City had toegegeven dat hij voor een raadsel stond. En omdat Alcock, een man met veel ervaring die zich bij elke gelegenheid op zijn kennis liet voorstaan, zijn nederlaag zo openlijk had erkend, had Garrett het idee dat het werkelijk een interessante zaak betrof, meer iets uit een roman van zijn vereerde Sherlock Holmes dan uit het echte leven, waar het de misdadigers bijna altijd aan inventiviteit ontbrak.

De arts begroette hem met een ernstig gezicht en leidde hem zwijgend door de gang naar de autopsiezaal. Garrett begreep dat de mysterieuze wond de arts zo kwaad had gemaakt, dat zijn doorgaans uitstekende humeur erdoor was bedorven. Hoewel hij er een beetje angstaanjagend uitzag omdat hij één oog miste, was dokter Alcock normaal gesproken een vrolijke, praatgrage man. Hij ontving Garrett altijd vriendelijk en opgewekt, en dreunde op zijn weg door de lange gang, als was het een populair liedje, de volgorde op waarin volgens hem de buikholte diende te worden onderzocht: mesenterium, milt, linkernier, bijnier, blaas, prostaat, zaadblaasjes, penis, zaadstreng... een lange reeks namen die eindigde met de darmen, die door de gerechtsarts om redenen van hygiëne als laatste werden onderzocht, want het behandelen van de inhoud daarvan was, naar hij verzekerde, een uiterst weerzinwekkend karwei. En ik, die alles zie, hoewel ik er geen enkel belang bij heb, zoals ik u in de loop van dit verhaal al meerdere malen heb verteld, kan bevestigen dat de dokter, ondanks zijn neiging tot opschepperij, in dit geval niet overdreef, want door mijn bovennatuurlijke alomtegenwoordigheid heb ik vaak genoeg gezien dat hij bij die gelegenheden niet alleen zichzelf met uitwerpselen bevuilde, maar ook het lijk, de onderzoekstafel en zelfs de vloer van de zaal. Maar uit respect voor u, geachte lezer, zal ik niet verder in detail treden.

Ditmaal liep de arts echter somber door de lange gang, zonder het aanstekelijke deuntje dat Garrett zich tot zijn verbazing ook zelf wel eens hoorde neuriën, meestal als hij in een goede stemming was. Aan het eind van de gang betraden ze een grote ruimte waar een lijkengeur hing die onmogelijk viel te negeren. De verlichting bestond uit een paar vierarmige gaslampen aan het plafond, maar dat was lang niet genoeg voor zo'n grote zaal, dacht Garrett: de ruimte werd er alleen maar naargeestiger van. In de flauwe schemering bedroeg het zicht nauwelijks meer dan twee meter. Langs de bakstenen muren stonden kastjes met chirurgische instrumenten, afgewisseld met rekken vol flessen die geheimzinnige donkere vloeistoffen bevatten. Aan de achterwand bevond zich een enorme spoelbak, waar hij dokter Alcock meer dan eens het bloed van zijn handen had zien wassen. In het midden van de zaal, op een stevige, door een aparte lamp verlichte tafel, lag een lichaam dat met een laken was afgedekt. De arts, die altijd werkte met opgestroopte mouwen, een detail dat Garrett nog eens extra verontrustte, beduidde hem met een hoofdgebaar dat hij dichterbij moest komen. Op een tafeltje naast het lijk stond een onheilspellend stilleven opgesteld van ontleedmessen, kraakbeenscharen, een scheermes, diverse scalpels, kleine zagen, een beenderbeitel met bijbehorende hamer, een tiental naainaalden met darmdraad, wat vuile lappen, een weegschaal, een lens en een kom vol roodachtig water waar Garrett maar liever niet naar keek.

Op dat moment stak een van de assistenten zijn hoofd om de deur en maakte aanstalten om binnen te komen, maar dokter Alcock joeg hem met een nijdig gebaar weg. Garrett had hem vaak genoeg horen uitvaren tegen die ventjes die ze hem, vers van de universiteit, toewezen als assistent. Ze hielden het sectiemes vast alsof het een pen was en, met hun armen stijf tegen hun lichaam geklemd, bewogen ze enkel hun vingers en pols bij het maken van wat kleine sneetjes, die eerder de indruk wekten dat ze aan de avondmaaltijd zaten. 'Bewaart u die sneetjes maar voor bij de anatomische les,' placht dokter Alcock te zeggen. Hij was zelf een groot liefhebber van lange, diepe sneden, waarmee je de weerstand van de arm en de schouderspieren kon testen.

Nadat hij ervoor had gezorgd dat ze niet werden gestoord, haalde de dokter zonder veel omhaal het laken weg, als een magiër die er genoeg van heeft om steeds weer hetzelfde trucje uit te halen.

'Hier hebben we het lijk van een man tussen de veertig en vijftig jaar,' zo dreunde hij vervolgens op, 'een meter zeventig lang, dunne botten, weinig onderhuids vet, niet erg ontwikkelde spieren en een bleke lichaamskleur. De voortanden zijn compleet, maar er ontbreekt een aantal kiezen, en de wel aanwezige zijn merendeels rot en met een bruin laagje bedekt.'

Na zijn rapport wachtte hij een paar seconden, in de hoop dat de inspecteur zijn blik van het plafond naar het lijk zou verplaatsen.

'En hier is de wond...' zei hij met enthousiasme in zijn stem, toen een reactie uitbleef.

Garrett haalde diep adem, keek langzaam omlaag naar het lijk, en bekeek angstig het enorme gat in zijn borst.

'Het is een rond gat van dertig centimeter doorsnee,' zei de arts, 'dat dwars door het lichaam heen gaat, zodat je erdoorheen kunt kijken als door een raam. Als u zich over het lijk buigt, kunt u het goed zien.'

Met tegenzin boog Garrett zich over het enorme gat, en zag de tafel waarop het lijk lag er inderdaad dwars doorheen.

'Wat ook de oorzaak van deze wond geweest moge zijn, het heeft niet alleen de huid vreselijk geschroeid, maar ook alles op zijn weg meegenomen: delen van het borstbeen, het ribkraakbeen, het buikvlies en de longen, het grootste deel van de ribben, de rechterkant van het hart en het bijbehorende deel van de wervelkolom. Het weinige wat nog rest, zoals een paar stukjes long, is met de borstwand versmolten. Ik heb nog geen autopsie verricht, maar het is duidelijk dat het gat de doodsoorzaak is,' zei de arts, 'al mogen ze me ophangen als ik weet wat het heeft veroorzaakt. Het lijkt alsof de borst van de arme man is doorboord met een vlammend zwaard, zoals dat van aartsengel Michaël.'

Garrett knikte, en voelde zijn maag in opstand komen.

'Vertoont het lichaam verder nog afwijkingen?' vroeg hij, om maar wat te zeggen, terwijl hij voelde hoe het zweet hem op het voorhoofd stond.

'De voorhuid is korter dan normaal en bedekt slechts de rand van de eikel, maar er is geen litteken te zien,' antwoordde de arts professioneel. 'Maar afgezien daarvan is de enige afwijking dat vervloekte gat, dat groot genoeg is om er een poedel doorheen te laten springen.'

Garrett knikte, misselijk van het door de arts opgeroepen

beeld, en met het gevoel dat hij de arme man inmiddels intiemer kende dan voor het onderzoek noodzakelijk was.

'Hartelijk dank, dokter Alcock. Waarschuwt u me als u iets nieuws ontdekt of er misschien zelfs achter bent wat het gat kan hebben veroorzaakt,' zei hij.

Daarop nam hij haastig afscheid en verliet het mortuarium, zo rechtop mogelijk. Buiten dook hij het eerste het beste steegje in en te midden van de hopen vuilnis gooide hij zijn ontbijt eruit. Terwijl hij zijn mond afveegde met zijn zakdoek, liep hij de straat weer in, nog steeds bleek maar weer kiplekker. Even hield hij zijn pas in, ademde een paar keer diep in en langzaam weer uit, en lachte stilletjes voor zich heen. Het verbrande vlees. Het enorme gat. Geen wonder dat de arts geen enkel wapen kende waarmee je zulke wonden kon maken. Maar hij wel!

Hij had het gezien in het jaar 2000, in de handen van de moedige kapitein Shackleton.

Het kostte hem bijna twee uur om zijn superieur ervan te overtuigen dat hij hem aan een arrestatiebevel moest helpen voor een man die nog niet was geboren. Hij moest even slikken toen hij voor de deur van zijn kantoor stond, want hij wist dat het niet makkelijk zou zijn. Hoofdinspecteur Thomas Arnold was een goede vriend van zijn oom en had hem graag in zijn team van detectives opgenomen, maar meer dan wat afstandelijke vriendelijkheid had hij hem nooit betoond, afgezien dan van een enkele opwelling van vaderlijke genegenheid als Garrett weer eens een ingewikkelde zaak had opgelost. Als de jonge inspecteur zijn superieur zo geconcentreerd bezig zag in zijn kantoor, had hij altijd de indruk dat hij net zo tevreden glimlachte als wanneer hij bij een lekker snorrende kachel zat.

Zijn minzame lachje was echter verdwenen op de dag dat Garrett hem, na terugkeer van zijn uitstapje naar het jaar 2000, dringend had voorgesteld de fabricage van mechanisch speelgoed te verbieden en alle reeds bestaande automaten in beslag te nemen en achter slot en grendel te doen, het liefst op een met prikkeldraad omheind terrein waar bewaking mogelijk was. Dat had hoofdinspecteur Arnold je reinste onzin gevonden. Over een jaar ging hij met pensioen en hij wilde het zichzelf niet nog eens moeilijk maken door vreemde dreigingen te voorkomen die hij zelf niet eens zag. Maar omdat de jonge knaap al vaak had laten zien dat hij over een buitengewone intelligentie beschikte, ging hij er ten slotte mee akkoord om de kwestie te bespreken met de commissaris en de premier. Bij die gelegenheid was Garretts aanbeveling echter afgewezen. Ook al zouden de automaten een eeuw later de planeet veroveren, de productie van het onschuldige speelgoed dat het leven van de mensen alleen maar veraangenaamde, werd niet stopgezet. Garrett stelde zich voor hoe de beraadslagingen van de drie deftige heren waarschijnlijk onder veel grappen en gelach was verlopen. Maar ditmaal zou het anders gaan. Ditmaal konden ze niet de andere kant op kijken. Ditmaal konden ze hun handen niet in onschuld wassen met het excuus dat zij al rustig onder de groene zoden zouden liggen als de machines in opstand zouden komen tegen de mens. En wel omdat de toekomst ditmaal naar hen toe was gekomen en zich afspeelde in hun heden, in de tijd waarover zij geacht werden te waken.

Toch trok hoofdinspecteur Arnold meteen een sceptisch gezicht toen hij hem de zaak uiteenzette. Garrett beschouwde het als een voorrecht dat hij leefde in een tijd waarin de wetenschap dagelijks vorderingen maakte en met dingen kwam die zijn grootouders niet voor mogelijk hadden gehouden. En dan dacht hij niet aan de grammofoon of de telefoon, maar aan de nieuwe mogelijkheid van het tijdreizen. Had zijn grootvader ooit kunnen bedenken dat de mensen in de tijd van zijn kleinzoon naar de toekomst konden reizen, voorbij de grens van hun eigen leven, of naar het verleden, naar de verre tijden die in boeken werden bestudeerd? Garrett was vol opwinding naar het jaar 2000 gereisd, niet zozeer omdat hij getuige kon zijn van de historische nederlaag van de machinemensen, maar omdat hij zich meer dan ooit realiseerde dat hij leefde in een wereld waarin dankzij de wetenschap alles mogelijk leek. Hij zou naar het jaar 2000 gaan, maar wie weet hoeveel tijden hij nog meer zou zien voor hij stierf? Volgens Gilliam Murray zouden er weldra nieuwe tijdroutes worden ontsloten, en misschien kon hij binnenkort een betere toekomst bezoeken, waarin de wereld was herbouwd, of naar het verleden reizen, naar de tijd van de farao's of naar het Londen van Shakespeare, waar hij de toneelschrijver misschien zelfs bij het licht van een kaars zijn legendarische werken kon zien schrijven. En dat alles was voor zijn jonge geest een reden tot geluk, tot voortdurende dankbaarheid aan God, in wie hij, ondanks het gezichtsverlies dat de Schepper sinds Darwin had geleden, nog altijd geloofde. Elke nacht voor het slapengaan glimlachte hij daarom naar de sterren waar God naar hij aannam woonde, en gaf daarmee te kennen dat hij bereid was zich over al Zijn wonderen te verblijden. Het zal u daarom niet verbazen dat Garrett geen begrip kon opbrengen voor mensen die de nieuwe uitvindingen en de wetenschappelijke vooruitgang met wantrouwen bezagen, en al helemaal niet voor mensen die Gilliam Murrays buitengewone ontdekking gewoon negeerden, zoals zijn superieur, die nog altijd geen tijd had gevonden om naar het jaar 2000 te gaan.

'Heb ik het goed begrepen, inspecteur? Is dit de enige aanwijzing die u hebt in de zaak?' vroeg hoofdinspecteur Arnold. Hij zwaaide met de folder van Murray Tijdreizen die Garrett hem had gegeven, en wees naar de tekening van de moedige kapitein Shackleton, die een machinemens met een hittestraal doorboorde.

Garrett zuchtte. Omdat hoofdinspecteur Arnold nog geen expeditie naar de toekomst had meegemaakt, moest hij hem alles uitleggen. Hij vertelde hem dus in grote lijnen wat zich in het jaar 2000 afspeelde en hoe er door de tijd werd gereisd, en bleef toen stilstaan bij het onderwerp waarom het hem te doen was:

de wapens van de mensensoldaten. Dat waren wapens waarmee je gemakkelijk door metaal heen ging, en het was daarom niet zo'n vreemde gedachte dat ze, als ze werden ingezet tegen de mens, net zulke verwoestende sporen achterlieten als die op het lijk in het mortuarium van Marylebone. Voor zover hij wist bestond er in elk geval in zijn eigen tijd geen wapen dat zo'n enorme wond kon veroorzaken, iets wat ook door dokter Alcock werd bevestigd. Daarna zette Garrett Arnold zijn theorie uiteen: een van de mannen uit de toekomst, waarschijnlijk degene die kapitein Shackleton werd genoemd, had zich als verstekeling in de Cronotilus verstopt en was mee teruggereisd naar het jaar 1896, waar hij nu met zijn dodelijke wapen rondliep. Als dat inderdaad het geval was, konden ze twee dingen doen: of ze zochten heel Londen naar Shackleton af, wat weken kon duren en geen enkele garantie bood op succes, of ze bespaarden zich de moeite en arresteerden hem op de plek waar ze zeker wisten dat ze hem konden vinden, op 20 mei in het jaar 2000. Garrett zou er zelf samen met twee agenten heen kunnen reizen om hem te arresteren vóór hij naar hun tijd kon gaan.

'Bovendien,' voegde hij eraan toe, in een laatste poging zijn verward kijkende superieur te overtuigen, 'als u mij toestemming geeft kapitein Shackleton in de toekomst te arresteren, zal uw afdeling daarmee veel eer inleggen, want dan doen we echt iets nieuws: dan arresteren we een moordenaar nog vóór hij zijn misdaad kan begaan.'

Hoofdinspecteur Arnold keek hem verbijsterd aan.

'Wilt u daarmee zeggen dat, als u naar het jaar 2000 reist en de moordenaar arresteert, het misdrijf... ongedaan wordt gemaakt?'

Garrett begreep dat het voor een man als hoofdinspecteur Arnold moeilijk was om dat te bevatten. Wat hij had gezegd was voor niemand makkelijk te begrijpen, tenminste als je niet, net als hijzelf, avond aan avond alle paradoxen waartoe tijdreizen konden leiden, de revue liet passeren.

'Daar ben ik van overtuigd, hoofdinspecteur. Als ik hem arresteer vóór hij zijn moord begaat, verandert ons heden daardoor onvermijdelijk. We hebben dan niet alleen onze moordenaar te pakken, maar ook een mensenleven gered, want ik verzeker u dat het lijk op dat moment uit het lijkenhuis verdwenen zal zijn,' zei Garrett, overigens zonder dat het hem duidelijk was hoe dat in zijn werk zou gaan.

Thomas Arnold overwoog een ogenblik wat dat gegoochel met de tijd Scotland Yard zou opleveren. Gelukkig overzag de hoofdinspecteur met zijn beperkte verstand niet dat met de arrestatie van de moordenaar niet alleen het lijk zou verdwijnen, maar ook alles waartoe de moord had geleid, inclusief het gesprek dat ze nu voerden. Er zou niet eens een moord zijn die opgelost moest worden. Kortom, het zou niets opleveren, want er zou niets zijn gebeurd. De gevolgen van de arrestatie van Shackleton in de toekomst, vóór hij naar het verleden zou reizen en zijn misdaad zou begaan, waren zo onvoorzienbaar dat het zelfs Garrett duizelde als hij erbij stilstond. Wat moest je met een moordenaar die was gearresteerd vóór hij zijn misdrijf kon plegen? Niemand zou het zich herinneren dat hij iemand had vermoord. Waarvan moest hij in hemelsnaam worden beschuldigd? Of verdween zijn reis naar de toekomst ook in het kosmische afvoerputje waardoor alles wat niet plaatsvond uiteindelijk werd geloosd? Garrett wist het niet, maar hij wist wel dat hij degene was die het allemaal teweegbracht.

Na twee uur praten maakte een volledig aan verwarring ten prooi zijnde hoofdinspecteur Arnold een einde aan het gesprek en beloofde Garrett dat hij diezelfde avond nog een ontmoeting zou hebben met de commissaris en de premier en hun de zaak zo goed mogelijk uit de doeken zou doen. Garrett bedankte hem. Dat betekende dat hij, als er niets tussen kwam, de volgende ochtend de opdracht zou krijgen om Shackleton in het jaar 2000 te arresteren. Dan zou hij direct naar Murray Tijdreizen gaan om drie plaatsen te boeken voor de volgende reis met de Cronotilus.

Zoals te verwachten was, dacht Garrett in de tussentijd verder na over de zaak. Die hoefde hij niet meer op te lossen, want de moordenaar had hij immers al, en dus beperkte hij zich tot het bewonderen van de vele eigenaardige vertakkingen ervan, alsof het het web van een nieuw soort spin betrof. Ditmaal bleef Garrett echter niet op zijn kantoor om zich aan zijn overpeinzingen over te geven, maar had hij plaatsgenomen op een bankje in Sloane Street, tegenover de luxueuze villa van Nathan Ferguson, de pianolafabrikant. Hij wist niet of die afschuwelijke man, die helaas met zijn vader bevriend was en hem al kende toen hij nog in de wieg lag, uiteindelijk echt de aanstichter van de verwoestende oorlog in de toekomst was, zoals die vlegel van een Winslow min of meer voor de grap had beweerd, maar het was geen enkele moeite om zich een middag met een zak druiven voor zijn huis te posteren, en te kijken of er soms een verdacht persoon rondhing. In dat geval kon hij zich waarschijnlijk een reis naar de toekomst besparen. Maar misschien speelde Ferguson in het universum geen andere rol dan het fabriceren van die belachelijke pianola's, en zwierf kapitein Shackleton intussen heel ergens anders rond. Waarom had hij anders die bedelaar vermoord? Wat voor belangstelling kon de kapitein voor die arme drommel hebben? Was het een ongeluk geweest, een toevallig slachtoffer? Of was het lijk in het mortuarium, hoe onwaarschijnlijk ook, een belangrijk stukje in de puzzel van de toekomst?

Dergelijke speculaties fascineerden Garrett, maar hij moest ze onderbreken toen hij zag dat de deur openging en Ferguson naar buiten kwam. De inspecteur stond snel op van zijn bankje en verborg zich achter een boom, waar hij alles wat op het trottoir aan de overkant gebeurde goed kon overzien. Ferguson bleef staan op de trap, zette zijn hoed op en keek met de trotse blik van een veroveraar om zich heen. Garrett constateerde dat hij elegant gekleed was, en leidde daaruit af dat hij op weg was naar een diner of iets dergelijks. Nadat hij zijn handschoenen had aangetrokken sloot hij de deur en liep het trapje af, het tuinpad op.

Hij moest kennelijk ergens in de buurt zijn, anders was hij wel met de koets gegaan. Garrett vroeg zich af of hij de man zou volgen. Maar voor hij een besluit had kunnen nemen, was Ferguson bij het tuinhek aangekomen, waar vanuit de struiken plotseling een gedaante opdook. De figuur droeg een lange jas en een pet die een schaduw over zijn gezicht wierp, maar Garrett hoefde geen gezicht te zien om te weten om wie het ging. Hij stond er zelf verbaasd van dat zijn vermoeden juist bleek te zijn.

Met een vastberaden beweging haalde de figuur een pistool uit zijn zak en richtte op Ferguson, die nietsvermoedend over het trottoir wandelde. Garrett reageerde onmiddellijk. Hij sprong vanachter zijn boom tevoorschijn en rende de straat over, in het besef dat het verrassingselement zijn grootste troef was tegenover iemand als Shackleton, die bijna twee keer zo groot en sterk was als hij. Het geluid van zijn voetstappen alarmeerde de figuur, die, zichtbaar onthutst, Garrett op zich af zag rennen, maar intussen de fabrikant onder schot bleef houden. Garrett stortte zich op de kapitein, sloeg zijn arm om zijn middel, en getweeën vlogen ze dwars over de heg de tuin in. Het verraste de inspecteur hoe zacht Shackleton aanvoelde en hoe makkelijk hij hem op de grond had gekregen, maar alles viel op zijn plek toen hij in het gezicht keek van een aantrekkelijk meisje, zijn mond een kus verwijderd van de hare.

'Juffrouw Nelson?' stamelde hij verbluft.

'Inspecteur Garrett!' riep het meisje, al even verrast.

Met een rood gezicht stond Garrett haastig op en hielp haar overeind. De revolver lag nog op de grond, maar geen van beiden nam de moeite hem op te rapen.

'Alles in orde?' vroeg de inspecteur.

'Ja, prima, maakt u zich geen zorgen,' hijgde ze, enigszins geïrriteerd. 'In elk geval heb ik geloof ik niets gebroken.'

Lucy sloeg het stof van haar kleren en maakte haar knot los, die bij de val in de war was geraakt.

'Het spijt me van mijn overval, juffrouw Nelson,' verontschuldigde Garrett zich, betoverd door het heerlijke gouden haar dat over haar schouders golfde. 'Het spijt me werkelijk, maar... u wilde meneer Ferguson neerschieten, nietwaar?'

'Ja, wat dacht u dan, inspecteur? Ik zit hier niet voor niets de hele middag verstopt,' antwoordde ze korzelig.

Ze bukte zich om het pistool te pakken, maar Garrett was haar voor.

'Laat mij dat maar opbergen,' zei hij met een verontschuldigend lachje. 'Maar vertelt u eens, waarom wilde u meneer Ferguson doden?'

Lucy zuchtte en keek een ogenblik in gedachten verzonken naar de grond.

'Ik ben niet het oppervlakkige meisje waar iedereen me voor houdt, weet u?' zei ze ten slotte met iets van droefheid in haar stem. 'Net als ieder ander maak ik me zorgen om de wereld waarin ik leef. En dat wilde ik bewijzen door de man uit te schakelen die verantwoordelijk is voor de oorlog in de toekomst.'

'Ik denk helemaal niet dat u een oppervlakkig meisje bent,' zei Garrett. 'Wie dat denkt moet wel een grote stommeling zijn!'

Lucy glimlachte gevleid.

'Denkt u dat heus?' vroeg ze koket.

'Maar natuurlijk, juffrouw Nelson,' verzekerde de inspecteur, met een verlegen lachje. 'Maar denkt u niet dat er betere methoden zijn om dat te bewijzen dan door uw mooie handen met bloed te bevlekken?'

'Waarschijnlijk hebt u gelijk, meneer Garrett...' gaf Lucy toe, en keek gefascineerd naar de inspecteur.

'Ik ben blij dat u het ook zo ziet,' zei Garrett opgelucht.

Een paar tellen keken ze elkaar in verwarring aan.

'En nu, inspecteur?' vroeg het meisje ten slotte met een onschuldig gezicht. 'Gaat u me arresteren?'

Garrett zuchtte.

'Dat zou eigenlijk wel moeten, jufrouw Nelson,' antwoordde hij bedrukt, 'maar...'

Hij zweeg even en overdacht de situatie.

'Ja?' vroeg Lucy.

'Ik zal de zaak vergeten als u me belooft nooit meer op iemand te schieten.'

'O, dat beloof ik u, inspecteur,' riep ze verheugd uit. 'En als u zo vriendelijk wilt zijn me het pistool te geven, dan kan ik het terugleggen in de la, zonder dat mijn vader erachter komt dat ik het heb weggenomen.'

Garrett weifelde, maar gaf haar uiteindelijk het wapen. Toen ze het aanpakte raakten hun vingers elkaar en de twee lieten dat heerlijke moment zo lang mogelijk duren. Toen stopte Lucy het pistool in haar jaszak, en Garrett schraapte zijn keel.

'Staat u me toe dat ik u naar huis begeleid, juffrouw Nelson,' vroeg hij, zonder haar aan te kijken. 'Een jongedame moet op dit uur niet alleen over straat lopen, ook al heeft ze een wapen op zak.'

Verrukt over Garretts aanbod glimlachte Lucy hem toe.

'Natuurlijk,' antwoordde ze. 'Dat is erg aardig van u, inspecteur. Ik woon hier overigens niet ver vandaan en het is een mooie avond. Het zal een fijne wandeling zijn.'

'Dat zal het zeker!' antwoordde Garrett.

XXXV

De volgende ochtend kauwde inspecteur Colin Garrett in de beslotenheid van zijn kantoor zijn ontbijt weg, in gepeins verzonken. Het was duidelijk dat hij dacht aan Lucy Nelson, aan haar mooie ogen, aan haar gouden haar, en aan de glimlach die ze hem had geschonken toen hij had gevraagd of hij haar mocht schrijven. Op dat moment kwam een van zijn agenten binnen en overhandigde hem een door de premier getekend stuk, waarin hem werd opgedragen naar de toekomst te gaan om een man aan te houden die nog geboren moest worden. Verliefd als hij was drong de betekenis van het papiertje pas werkelijk tot hem door toen hij al met het rijtuig onderweg was naar Murray Tijdreizen.

De eerste keer dat Garrett daar over de drempel was gestapt, had hij dat met knikkende knieën gedaan en met een droom in zijn hoofd: een kaartje naar de toekomst, naar het jaar 2000, een kaartje dat hij kon kopen met het spaargeld dat zijn vader hem had nagelaten. Ditmaal liep hij echter vastberaden naar binnen, al was datgene wat hij nu in zijn zak had net zoiets ongelooflijks, want welbeschouwd werd hij erop uitgestuurd om een soort hersenschim te arresteren. Maar Garrett was ervan overtuigd dat, als tijdreizen op den duur de gewoonste zaak van de wereld waren, dit slechts de eerste zou zijn van een lange lijst van dergelijke opdrachten, die de politie in staat zouden stellen aanhoudingen te verrichten in verschillende tijden, mits de misdrijven binnen een en dezelfde ruimte, namelijk het stadsgebied van Londen, waren begaan. Toen de premier zijn handtekening op het papier had gekrabbeld had hij daarmee, zonder dat hij zich daarvan bewust was, een historische stap gezet, de opening van een nieuw tijdperk. Zoals Garrett al had vermoed, gaven nu de wetenschap en haar talloze ontdekkingen de maat aan waarop de mens moest dansen.

Maar het document dat hij in zijn zak had kwam hem ook van pas in de ruimte van het heden. Hij zou bijvoorbeeld niet urenlang in een kamertje hoeven wachten tot de drukbezette Gilliam Murray tijd had om hem te ontvangen. Zwaaiend met het arrestatiebevel passeerde Garrett de secretaresses die over Murrays agenda waakten, en stevende, doof voor hun protesten, de trap op naar de eerste verdieping. Hij passeerde de lange gang met de tikkende klokken en viel als een geestverschijning het kantoor van de ondernemer binnen, met in zijn kielzog een legertje hijgende secretaresses. Gilliam Murray lag op het vloerkleed te spelen met een enorme hond. De ondernemer wierp Garrett een geërgerde blik toe toen hij zo onaangekondigd verscheen, maar deze liet zich niet intimideren. Hij wist dat zijn gedrag meer dan gerechtvaardigd was.

'Goedemorgen, meneer Murray. Mijn naam is inspecteur Colin Garrett, van Scotland Yard,' stelde hij zich voor. 'Neemt u mij niet kwalijk dat ik op deze manier uw kantoor binnenval, maar ik heb iets belangrijks met u te bespreken.'

Murray kwam langzaam overeind, keek de inspecteur argwanend aan en stuurde ten slotte met een achteloos gebaar de secretaresses weg.

'De zaken waarmee u zich bezighoudt zijn per definitie belangrijk, inspecteur, u hoeft zich nergens voor te verontschuldigen,' zei hij, en bood hem een fauteuil aan, terwijl hij zijn enorme lijf in de stoel ertegenover perste.

Gilliam pakte een houten kistje dat op het tafeltje tussen hen in stond, klapte het open en bood Garrett een sigaar aan – dit alles met een vriendelijkheid die in schril contrast stond met zijn eerdere reserve. De inspecteur bedankte beleefd en lachte inwendig om de plotselinge omslag in de houding van de ondernemer, die kennelijk in een paar seconden de voors en tegens had afgewogen van het bruuskeren van een inspecteur van Scotland Yard, en tot de conclusie was gekomen dat het beter was hem stroop om de mond te smeren. Daarom zat Garrett nu in een gemakkelijke fauteuil en niet op de harde stoel ernaast.

'U kunt zeker niet tegen de rook, hè?' zei Gilliam, en zette het kistje terug. Vervolgens pakte hij een kristallen karaf die was gevuld met een vreemde, zwartachtige vloeistof en schonk twee glazen in. 'Dan kan ik u misschien iets te drinken aanbieden.'

Garrett bekeek het glas met het donkere spul enigszins wantrouwig, maar Gilliam moedigde hem lachend aan, en nam ondertussen zelf een flinke slok. Garrett deed het hem na, en voelde de vreemde vloeistof kriebelen in zijn keel, zodat de tranen hem in de ogen sprongen.

'Wat is dit, meneer Murray?' vroeg hij onthutst, waarbij hij een kleine oprisping niet kon onderdrukken. 'Misschien een drankje uit de toekomst?'

'O nee, inspecteur. Het is een opwekkend tonicum uit de Verenigde Staten. Een uitvinding van een apotheker uit Atlanta, op basis van cocabladeren en kolanoten. Sommige mensen, onder wie ikzelf, drinken het met een beetje soda. Ik denk dat het spoedig ook in Engeland wordt ingevoerd.'

Garrett zette zijn glas op het tafeltje en durfde geen slok meer te nemen.

'Het smaakt nogal vreemd. De mensen zullen er wel even aan moeten wennen,' zei hij, om maar wat te zeggen.

Gilliam knikte lachend en dronk zijn glas leeg. Vervolgens vroeg hij, duidelijk om zijn gunst te winnen: 'Vertelt u eens, inspecteur, is de reis naar het jaar 2000 naar uw zin geweest?'

'Zeer zeker, meneer Murray,' antwoordde Garrett oprecht. 'En ik maak graag van de gelegenheid gebruik om u ervan te verzekeren dat ik uw project volledig steun, ook al schrijven sommige kranten dat het immoreel is om in een tijd rond te kijken die niet de onze is. Ik sta er onbevooroordeeld tegenover en vind zo'n tijdreis ongelooflijk aantrekkelijk. Ik hoop vurig dat u binnenkort nieuwe routes naar andere tijdvakken kunt inrichten.'

De ondernemer bedankte hem met een bedeesd lachje en nam een afwachtende houding aan, ongetwijfeld met de bedoeling de inspecteur aan te moedigen de redenen van zijn bezoek uiteen te zetten. Garrett schraapte zijn keel en kwam ter zake: 'We leven in een fascinerende, maar ook uiterst onzekere tijd, meneer Murray,' zo begon hij met de korte inleiding die hij had ingestudeerd. 'De wetenschap gaat voorop, en de mens moet zich aanpassen. Met name onze wetgeving moeten we aanpassen aan de nieuwe ontwikkelingen, wil ze ons van nut zijn. Dat geldt in het bijzonder voor de tijdreizen. We staan aan het begin van een buitengewone ontdekking waardoor de wereld zoals wij die kennen er ongetwijfeld heel anders uit zal komen te zien. Daarbij zijn de gevaren niet te voorzien, of in elk geval moeilijk in te schatten. En precies over die gevaren wil ik het met u hebben, meneer Murray.'

'Ik ben het volkomen met u eens, inspecteur,' zei de ondernemer. 'De wetenschap zal de wereld onherkenbaar veranderen. Dat dwingt ons onze wetten aan te passen, en mogelijk ook een groot deel van onze principes, zoals de tijdreizen ons laten zien. Maar vertelt u eens, over welke gevaren wilt u me spreken? Ik moet bekennen dat u mijn nieuwsgierigheid hebt gewekt.'

Garrett ging rechtop zitten en schraapte opnieuw zijn keel.

'Twee dagen geleden,' zei hij, 'heeft de politie van de City in Manchester Street, in de wijk Marylebone, het stoffelijk overschot van een man gevonden. Het ging om een bedelaar, maar de wond die zijn dood heeft veroorzaakt was zo ongewoon dat ze de zaak aan ons hebben overgedragen. Die wond bestaat uit een enorm gat in zijn borst met een doorsnee van dertig centimeter en geschroeide randen. Onze forensische artsen zijn volkomen verbijsterd. Ze zeggen dat geen enkel wapen zo'n wond kan veroorzaken.'

Garrett pauzeerde even, om daarna met een ernstige blik te vervolgen: 'Tenminste, niet hier, niet in onze tijd.'

'Wat wilt u daarmee zeggen, inspecteur?' vroeg Murray op een luchtige toon die niet helemaal in overeenstemming was met de manier waarop hij onrustig in zijn stoel heen en weer zat te schuiven.

'Dat de artsen gelijk hebben,' antwoordde Garrett, 'en dat zo'n wapen nog niet is uitgevonden. Toch heb ik het al gezien, meneer Murray. Kunt u raden waar?'

Gilliam antwoordde niet, en keek hem alleen maar aan, op zijn hoede.

'Dat was in het jaar 2000!'

'Is het heus?' prevelde de ondernemer.

'Zeker, meneer Murray. Ik ben ervan overtuigd dat de wond alleen afkomstig kan zijn van een wapen zoals kapitein Shackleton en zijn mannen gebruiken. Zo'n hittestraal die door een ijzeren harnas heen kan gaan.'

'Ik begrijp het...' mompelde Gilliam, met een lege blik in de verte. 'Natuurlijk, het wapen van de soldaten in de toekomst.'

'Inderdaad. Ik denk dat een van hen, waarschijnlijk Shackleton, ongezien met de Cronotilus is teruggereisd, en zich nu hier in onze tijd bevindt en rondloopt in onze straten. Ik weet niet waarom hij die bedelaar heeft vermoord, en ook niet waar hij zich schuilhoudt, maar dat doet er niet toe. Ik ben niet van plan heel Londen naar hem af te zoeken.' Hij haalde het document uit zijn binnenzak en overhandigde het aan de ondernemer. 'Dit is een arrestatiebevel van de premier dat mij de bevoegdheid geeft de moordenaar te arresteren, en wel op 20 mei in het jaar 2000, nog vóór hij de moord kan begaan. Daarom wil ik samen met twee van mijn agenten mee met de expeditie van volgende week. Zodra we in de toekomst zijn aangekomen, splitsen we ons ongemerkt af van de groep, observeren de terugkeer van de reizigers van de tweede expeditie, en geheel onopvallend zullen we dan degene die zich verstopt in de Cronotilus arresteren. Wie het ook moge zijn.'

Toen viel de inspecteur ineens iets in: bij het observeren van de terugkeer van de tweede expeditie zou hij zichzelf tegenkomen. Hij hoopte maar dat hij daar niet net zo heftig op zou reageren als op het zien van bloed. Hij keek naar Murray, die het document grondig bestudeerde, en zo lang stil bleef dat Garrett dacht dat hij zelfs de kwaliteit van het papier in zijn oordeel betrok.

'En maakt u zich geen zorgen, meneer Murray,' voegde hij eraan toe, 'als de moordenaar uiteindelijk kapitein Shackleton blijkt te zijn, zal de afloop van de oorlog door mijn ingreep niet veranderen, want ik arresteer hem immers pas na afloop van zijn duel met Salomo. De oorlog zal nog steeds worden gewonnen door het menselijk ras, en ook uw voorstelling zal er niet onder lijden.'

'Ik begrijp het,' mompelde Gilliam, zonder zijn ogen op te slaan van het document.

'Ik kan dus op uw medewerking rekenen, meneer Murray?'

Langzaam hief Gilliam zijn hoofd en keek de inspecteur aan met een blik waarin Garrett heel even iets van minachting leek te bespeuren, maar hij begreep dat hij zich vergiste toen de ondernemer hem met een brede glimlach antwoordde: 'Maar natuurlijk, inspecteur, maar natuurlijk. Ik houd drie plaatsen voor u vrij bij de volgende expeditie.'

'Hartelijk dank, meneer Murray.'

'Als u me nu wilt verontschuldigen,' zei de ondernemer, terwijl hij opstond en hem het arrestatiebevel teruggaf, 'ik heb nog veel te doen.'

'Natuurlijk, meneer Murray.'

Enigszins verbaasd over de haast waarmee de ondernemer het gesprek beëindigde, stond Garrett op uit zijn stoel, bedankte hem nogmaals voor de medewerking en verliet het kantoor. Toen hij door de lange gang vol klokken liep, verscheen er een glimlach om zijn lippen. In opperbeste stemming liep hij de trap af naar de hal.

'Mesenterium, milt, linkernier, bijnier, blaas, prostaat...' neuriede hij.

XXXVI

Noch het zachte briesje op je huid dat de zomer aankondigt, noch het strelen van een ander lichaam, noch het drinken van Schotse whisky in bad tot het water koud wordt of welk ander pleziertje ook dat hij maar kon bedenken gaf Wells zo'n gevoel van welbehagen als het moment waarop hij een punt zette achter een roman. Die handeling vervulde hem altijd met een grote tevredenheid, met een vlaag van geluk die voortkwam uit de zekerheid dat niets in het leven hem meer bevrediging schonk dan het schrijven van een roman, ook al vond hij het schrijven op zich een vervelende, ondankbare bezigheid, want Wells behoorde tot het soort schrijvers dat schrijven haat, maar het heerlijk vindt geschreven te hebben.

Hij trok het laatste vel uit zijn Hammond-schrijfmachine, legde het op de stapel en, met de triomfantelijke glimlach van een jager die zijn voet zet op de kop van de verslagen leeuw, liet hij zijn hand erop rusten, want schrijven had voor Wells veel weg van een gevecht, van een felle strijd met een idee dat zich niet wilde laten vangen. Een idee dat hij ook nog eens zelf had uitgebroed. Dat was misschien nog wel het frustrerendste van alles, het gat dat altijd gaapte tussen het resultaat en het doel dat hij zich vooraf, zij het eerder onbewust dan bewust, had gesteld. De ervaring had hem geleerd dat wat je uiteindelijk op papier kreeg slechts een flauwe afspiegeling was van wat je je oorspronkelijk had voorgesteld. Hij had geleerd ermee te leven dat wat hij schreef maar half zo goed was als het origineel, maar half zo aanvaardbaar als de perfecte roman die hem voor ogen had gestaan en hem achter de bladzijden van elk boek als een grijnzend spook leek te bespotten. Maar hier lag dan toch het resultaat van zijn inspanningen van de laatste maanden, zei hij bij zichzelf, en om nu daadwerkelijk voor zich te zien wat, tot hij de laatste punt had gezet, niet meer dan een vage mogelijkheid was geweest, was werkelijk onbetaalbaar. Morgen zou hij het manuscript aan Henley geven, en dan hoefde hij er verder niet meer aan te denken.

Maar, zoals vaak, bleef de twijfel knagen. Weer vroeg Wells zich bij het zien van de stapel getypte velletjes af of hij had geschreven wat hij had moeten schrijven. Was deze roman een werk dat in zijn bibliografie kwam te staan, of was het zomaar een tussendoortje geweest? Besliste hij wat voor roman hij schreef, of behoorde dat ook tot de competentie van het toeval waardoor het leven van de mens wordt geregeerd? Het waren te veel vragen, en door één daarvan werd hij in het bijzonder gekweld: zat ergens in een hoekje van zijn brein een roman verborgen waarmee hij alles kon geven wat hij in zich had? Hij huiverde bij het idee dat hij daar misschien te laat achter zou komen, dat op zijn doodsbed, vlak voor hij zijn laatste adem uitblies, van ergens diep uit zijn brein de plot zou opduiken van een heel bijzondere roman, die hij dan vervolgens niet meer kon schrijven. Een roman die er altijd al was geweest, op hem had gewacht, hem had geroepen, maar die te midden van alle lawaai van het leven niet was gehoord, en nu samen met hem zou sterven, omdat niemand anders hem kon schrijven, omdat hij, net als een maatpak, speciaal voor hem was gemaakt. Dat was zijn grootste angst, zijn ergste vloek.

Hij schudde zijn hoofd, als om de hinderlijke gedachten te verjagen, en keek op de klok. Het was al over twaalven, zodat hij op de laatste bladzijde van de roman, naast zijn paraaf, de datum 21 november 1896 kon noteren. Daarna blies hij zachtjes over de inkt, stond op en pakte de petroleumlamp. Zijn rug deed pijn en hij was doodmoe, maar hij liep niet naar de slaapkamer, waar Janes ritmische ademhaling klonk. Vandaag had hij geen tijd om te slapen, er wachtte hem een drukke nacht, zei hij bij zichzelf met een lichte glimlach om zijn lippen. Bij het licht van de lamp liep hij door de gang, vulde hem met het zachte geluid van zijn vilten pantoffels, en ging de trap op naar zolder, zo zacht mogelijk, om de treden niet te laten kraken.

Boven op zolder wachtte hem, glanzend en fraai, in het spookachtige licht van de maan, de machine. Hij was het geheime ritueel gewend geraakt, al kon hij niet eens precies zeggen wat hem nu zo beviel aan het onschuldige, dwaze spel, dat eruit bestond dat hij, terwijl zijn vrouw sliep, in de machine ging zitten. Misschien was het dat hij zich dan toch bijzonder voelde, ook al wist hij dat het om niet meer dan een fraai stuk speelgoed ging. De bouwer van het toestel had het allemaal tot in de kleinste details uitgedacht. De machine kon dan misschien geen tijdreizen maken, maar dankzij het ingenieuze mechaniek kon je op het bedieningspaneel elke gewenste datum instellen, het fictieve doel van die onmogelijke reizen door het tijdweefsel.

Tot op dat moment had Wells zich alleen maar op de verre toekomst gericht, zoals bijvoorbeeld het jaar 802.701, de wereld van de Eloi en Morlocks. Hij had zich geconcentreerd op een tijd waarin het leven zoals hij het kende volstrekt vreemd, zelfs pijnlijk onbegrijpelijk zou zijn, maar hij had ook tijden in het verleden ingesteld waarin hij graag had geleefd, zoals de tijd van de druïden. Vannacht echter zette hij met een spottend lachje de wijzers op 20 mei 2000, de datum die die zwendelaar van een Gilliam Murray had gekozen voor de beslissende slag van de mensheid, de vertoning die heel Engeland tot zijn verbazing voor zoete koek had geslikt, voor een deel dankzij zijn eigen boek. Wat een ironie dat hij, de schrijver van een roman over tijdreizen, de enige was die ze voor onmogelijk hield! Hij had heel Engeland aan het dromen gebracht, maar was zelf niet ontvankelijk voor zijn eigen droom.

Hoe zou de wereld er werkelijk uitzien over een eeuw? vroeg hij zich af. Hij was graag naar het jaar 2000 gereisd, niet louter vanwege het genoegen het te leren kennen, maar ook om er met zo'n nieuwerwetse camera wat foto's te maken en na terugkeer die naïeve lieden die bij Murray Tijdreizen in de rij stonden het ware gezicht van de toekomst te laten zien. Het was natuurlijk een totaal onmogelijke wens, maar hij kon in elk geval net doen alsof, dacht hij, en achterovergeleund in zijn zetel haalde hij plechtig de hendel over. Meteen voelde hij over zijn hele lichaam een opwindend gekriebel, zoals altijd wanneer hij die handeling verrichtte.

Ditmaal werd het echter tot zijn verrassing volkomen donker op zolder toen hij de hendel helemaal had overgehaald. Het door het raam binnenvallende maanlicht leek zich terug te trekken en hem in een dichte duisternis achter te laten. Voor hij ook maar begreep wat er gebeurde, had hij het duizeligmakende gevoel alsof hij in de diepte stortte. Hij voelde hoe hij gewichtloos dreef in een donker niets dat heel goed het universum kon zijn. En terwijl hij langzaam het bewustzijn verloor, kon hij nog net bedenken dat hij of een hartinfarct had, of toch op weg was naar het jaar 2000.

Akelig langzaam kwam hij weer bij. Zijn mond was droog en zijn hele lichaam voelde vreemd zwaar aan. Toen hij weer helder kon zien, zag hij dat hij op de grond lag, niet op de vloer van de zolder, maar op een met stenen en brokken puin bezaaid terrein. Hij probeerde op te staan, maar stelde geërgerd vast dat het vreselijk pijn deed als hij zijn hoofd ook maar even bewoog. Voorlopig bleef hij daarom maar zitten. Ongelovig liet hij zijn blik over het puinlandschap gaan.

Hij bevond zich in een volkomen verwoeste stad. Was dit het Londen van de toekomst? Was hij echt naar het jaar 2000 gereisd? Van de tijdmachine was geen spoor te zien, alsof de Morlocks haar hadden verstopt in de sfinx. Nadat Wells het terrein aan een uitgebreide inspectie had onderworpen, achtte hij de tijd gekomen om op te staan, wat hem evenveel moeite kostte als zo'n aap van Darwin die de afstand die hem scheidt van de mens tracht te bekorten. Opgelucht stelde hij vast dat hij niets had gebroken, maar hij was nog steeds akelig duizelig. Kwam dat omdat hij op zijn tijdreis een eeuw had doorkruist? De hemel ging schuil achter een dichte nevel die de wereld in een sombere schemering hulde, een ondoordringbaar waas van rook, afkomstig van de vele branden aan de horizon. Te midden van die troosteloze woestenij was de aanwezigheid van de raven die boven zijn hoofd cirkelden bijna onvermijdelijk. Eén vogel daalde vlak bij hem neer, en begon met een macaber geluid in het puin te pikken.

Toen hij wat beter keek, zag Wells tot zijn ontzetting dat de vogel probeerde een menselijke schedel te doorboren. Onwillekeurig ging hij een paar passen achteruit, maar dat was een beweging die hij op die plek beter niet had kunnen maken. Het volgende moment voelde hij hoe de grond onder zijn voeten wegzakte, en te laat begreep hij dat hij was bijgekomen aan de rand van een helling, waarover hij nu tot zijn ongeluk naar beneden rolde. Met een doffe klap kwam hij neer, gehuld in een dichte stofwolk die in zijn longen drong, zodat hij een paar keer flink moest hoesten. Geërgerd over zijn onhandigheid kwam Wells weer overeind. Gelukkig had hij ook ditmaal niets gebroken, alleen zijn broek was op een aantal plaatsen gescheurd, vernederend genoeg ook vanachter, waar nu een stuk van zijn magere, witte achterwerk zichtbaar was.

Wells schudde zijn hoofd. Wat kon er verder nog gebeuren? vroeg hij zich af, terwijl hij het stof van zich afsloeg. Toen het neergedaald was, bleef de schrijver stokstijf staan, en keek stomverbaasd naar de schimmen die nu zichtbaar werden. Voor hem stond een legertje machinemensen dat hem stond aan te staren. Het waren er minstens tien, en ze stonden allemaal in dezelfde stramme, angstaanjagende houding, ook de aanvoerder, die een vreemd uit de toon vallende gouden kroon op zijn hoofd droeg.

Het leek alsof ze halt hadden gehouden toen ze hem van de helling naar beneden hadden zien komen. Toen hij begreep waar hij was, werd hij overvallen door een hevige angst. Hij was naar het jaar 2000 gereisd, en het jaar 2000 zag er precies zo uit als Gilliam Murray het had beschreven, want voor hem stond Salomo, de wrede koning van de machinemensen, degene die voor alle verwoesting verantwoordelijk was. Zijn lot was bezegeld: hij zou sterven aan een schot van een stuk speelgoed. Hier, in de toekomst waarin hij niet had willen geloven!

'Ik denk dat u kapitein Shackleton nu wel aan uw zijde zou willen hebben, nietwaar?'

De stem kwam niet van de machinemens, al had hem dat in dit stadium niet verbaasd, maar van ergens achter hem. Wells herkende de stem meteen. Hij had gewild dat hij die nooit meer had hoeven horen, maar op de een of andere manier, misschien vanwege een soort beroepsdeformatie, had hij altijd geweten dat hij de man vroeg of laat nog eens zou tegenkomen. Het verhaal waarin ze tot zijn leedwezen beiden de hoofdrol speelden vroeg om een ontknoping, om een einde dat aan de verwachtingen van de lezers voldeed. Maar hij had nooit gedacht dat die ontmoeting zich zou afspelen in de toekomst, met name omdat hij nooit in de mogelijkheid van een reis naar de toekomst had geloofd. Langzaam draaide hij zich om. Een paar meter achter hem stond Gilliam Murray, die hem vriendelijk geamuseerd aankeek. Hij droeg een elegant paars pak en een groene hoed, zodat hij veel weg had van de bontgevederde vogels die het paradijs bevolken. Naast hem zat een grote, goudgele hond.

'Welkom in het jaar 2000, meneer Wells,' zei de ondernemer opgewekt. 'Of misschien moet ik zeggen: in mijn voorstelling van het jaar 2000!'

Wells bekeek hem argwanend, maar bleef ondertussen de machinemensen in de gaten houden, die spookachtig onbeweeglijk voor hen bleven staan, alsof ze verwachtten dat ze op de foto werden gezet.

'Bent u bang voor mijn dierbare machines? Maar hoe kan zo'n ongeloofwaardige toekomst u nu schrik aanjagen?' vroeg Gilliam spottend.

De ondernemer liep kalm naar de aanvoerder van het groepje, en met een blik van verstandhouding naar Wells legde hij zijn mollige hand op de schouder van de machinemens en duwde hem om. De machinemens viel achterover en kwam met veel kabaal tegen degene achter hem terecht, die weer botste tegen degene naast hem, en zo stortten ze allemaal langzaam de een na de ander ter aarde. Gilliam hief zijn handen, als om zich te verontschuldigen voor het lawaai.

'Zonder iemand erin zijn het gewoon lege harnassen, louter vermommingen,' zei hij.

De schrijver keek naar de berg omgevallen machines en vervolgens naar Gilliam. Hij probeerde het duizeligmakende gevoel van onwerkelijkheid van zich af te schudden.

'Het spijt me dat ik u tegen uw wil naar het jaar 2000 heb gebracht, meneer Wells,' verontschuldigde de ondernemer zich quasi-ontdaan. 'Dat was niet nodig geweest als u aan een van mijn uitnodigingen gehoor had gegeven, maar nu had ik geen andere keus. Ik wilde beslist dat u het zag voor ik de zaak weer moet sluiten. Daarom heb ik een van mijn mannen naar u toe gestuurd, om u in uw slaap met chloroform te bedwelmen. Maar naar ik heb gehoord gebruikt u de nacht voor heel andere dingen. U hebt hem daar op zolder de stuipen op het lijf gejaagd!'

Die woorden wierpen een welkom licht in Wells' verwarde geest, zodat hij al snel de nodige draadjes met elkaar wist te verbinden. Hij begreep dat hij niet naar het jaar 2000 was gereisd. De machine op zijn zolder was nog steeds een stuk speelgoed, en het verwoeste Londen waarin ze zich bevonden niets anders dan een reusachtig decor dat door Gilliam was gebouwd om de wereld te misleiden. Waarschijnlijk had zijn handlanger zich achter de tijdmachine verstopt toen hij hem op zolder had zien aankomen, en misschien had hij zelfs overwogen geweld te gebruiken. Dat was gelukkig niet nodig geweest, want door vrolijk in het toestel te gaan zitten, had hij hem een perfecte gelegenheid geboden om de in chloroform gedrenkte zakdoek onder zijn neus te houden waarmee hij waarschijnlijk al had klaargestaan.

Vanzelfsprekend was Wells enorm opgelucht toen hij begreep dat hij gewoon in een decor stond, dat hij helemaal geen onmogelijke reis door de tijd had gemaakt. De situatie waarin hij zich bevond was niet aangenaam, maar in elk geval wel te begrijpen.

'Ik hoop dat u mijn vrouw geen kwaad hebt gedaan,' zei hij, op een toon die hij niet echt dreigend wist te laten klinken.

'O, maakt u zich niet bezorgd,' stelde Gilliam hem gerust, wuivend met zijn hand. 'Uw vrouw slaapt heel diep, en als het nodig is kunnen mijn mannen ongelooflijk stil zijn. Ik weet zeker dat uw aanbiddelijke Jane op dit moment nog steeds rustig slaapt, zonder u te missen.'

Wells wilde iets terugzeggen, maar zweeg uiteindelijk. Gilliam behandelde hem met de enigszins theatrale arrogantie van de rijken bij wie de wereld aan hun voeten ligt. De opstelling van de stukken op het schaakbord was sinds hun laatste ontmoeting duidelijk veranderd. Was het Wells geweest die tijdens hun gesprek in Woking de scepter van de macht had gezwaaid, zoals een kind zijn nieuwe speeltje omhooghoudt, nu was het Gilliam die hem in zijn mollige vingers hield. De ondernemer had in die paar maanden een ware gedaanteverwisseling ondergaan. Hij was niet meer de aankomende schrijver die zijn meester eer bewijst, maar de eigenaar van de best lopende onderneming van de stad, die door heel Londen met een absurd respect werd bejegend. Wells vond natuurlijk niet dat hij dat verdiende, en als hij toestond dat hij op dat superieure toontje tegen hem sprak, was dat alleen omdat hij van mening was dat Murray er recht op had, want hij was duidelijk de winnaar van het duel dat ze de afgelopen maanden hadden gevoerd. En had hij zelf niet net zo'n toontje aangeslagen toen hij de scepter nog in handen had?

Zoals de circusdirecteur het begin van de voorstelling aankondigt, spreidde Gilliam Murray zijn armen, en omvatte daarmee symbolisch de ravage om zich heen.

'Nou, wat vindt u van mijn wereld?' vroeg hij.

Wells keek hem onverschillig aan.

'Een bijzondere prestatie voor een kassenbouwer, vindt u niet, meneer Wells? Want voor u me een nieuw doel in het leven gaf, was dat mijn vak, het bouwen van kassen.'

Het was Wells niet ontgaan hoe Gilliam hem nu opeens verantwoordelijk stelde voor zijn lot, maar hij verkoos er niets over te zeggen. Zonder zich door zijn afwijzende houding te laten ontmoedigen, nodigde Gilliam hem met een handgebaar uit om een wandeling in de toekomst te maken. De schrijver aarzelde even, maar volgde hem toen lusteloos.

'Ik weet niet of het u bekend is, maar de kassenbouw is een heel lucratieve handel,' vertelde Gilliam. 'Tegenwoordig heeft iedereen in zijn tuin wel zo'n plekje waar je het hele jaar door, onafhankelijk van het seizoen, planten en fruitbomen kunt kweken. Maar mijn vader, Sebastian Murray, had zogezegd hogere aspiraties.'

Ze hadden nog maar net een eindje gelopen, of ze stuitten op een steile helling die de ondernemer met bespottelijke trippelpasjes begon af te dalen, waarbij hij, om zijn evenwicht te bewaren, zijn armen spreidde. De hond volgde hem op de voet. Met een zucht begon ook Wells aan de afdaling en probeerde niet te struikelen over de stukken pijp en grijnzende schedels die overal uit het puin staken. Eén keer per dag naar beneden tuimelen was meer dan genoeg.

'Mijn vader had het idee dat in die doorzichtige huisjes die de rijken in hun tuin neerzetten de kiem van de toekomst lag,' riep Gilliam, terwijl hij vóór hem naar beneden hupte, 'dat ze de voorboden waren van een wereld van transparante steden, van glazen gebouwen waar de mens geen geheimen en geen intimiteit meer zou kennen. Een betere wereld waar voor de leugen geen plaats meer zou zijn!'

Beneden aangekomen reikte hij Wells de hand, maar de schrijver weigerde zijn hulp en deed geen moeite te verbergen dat het hem allemaal flink begon te irriteren. Gilliam deed alsof hij niets merkte en liep door.

'Ik moet u bekennen dat ik als kind gefascineerd was door het fraaie visioen dat het leven van mijn vader beheerste,' ging hij verder. 'Een tijdlang dacht ik zelfs dat de toekomst er werkelijk zo zou uitzien. Tot ik zeventien werd en bij hem kwam werken. Toen begreep ik dat het slechts een illusie was. Het was duidelijk dat die speeltjes van ingenieurs en kwekers nooit de architectuur van de toekomst konden worden. Niet alleen omdat de mens nooit zijn privacy zou opgeven voor welk harmonieus samenleven dan ook, maar ook omdat de architecten zelf neerkeken op ijzer en glas, materialen die naar hun mening de esthetische waarde misten die goede architectuur kenmerkt. Direct begreep ik dat dat de treurige werkelijkheid was, en dat mijn vader en ik niets tegen de suprematie van de baksteen konden beginnen, hoeveel glazen stations we ook in Engeland zouden bouwen. Ik legde me er dus bij neer dat ik de rest van mijn leven aardige kassen zou bouwen. Maar zegt u nu zelf, meneer Wells, zo'n oppervlakkig, nietszeggend beroep kan toch niemand bevrediging schenken? Mij in elk geval niet. Maar ik wist ook niet wat dan wel. Ik was net twintig en beschikte inmiddels over genoeg geld om me elke uitspatting te kunnen veroorloven, maar juist daarom leek de wereld me vreselijk saai, een spelletje kaart dat ik op voorhand al had gewonnen. Bovendien stierf mijn vader in die tijd en daardoor werd ik nog rijker, want ik was zijn enige erfgenaam. Zijn dood maakte me er echter ook pijnlijk van bewust dat de meeste mensen sterven zonder dat ze hun dromen tot werkelijkheid hebben gemaakt. Hoe benijdenswaardig mijn vaders leven er van de buitenkant ook uitzag, ik wist dat het niet vervuld was geweest, en met het mijne zou het al niet anders gaan. Ik was ervan overtuigd dat ik met net zo'n ontevreden gezicht zou sterven als hij. Ik denk dat ik daarom vluchtte in de literatuur, om te ontsnappen aan het eentonige, voorspelbare bestaan dat zich voor me uitstrekte. Iedereen komt om een bepaalde reden tot lezen, denkt u niet? Hoe is dat bij u gegaan, meneer Wells?'

'Ik heb op mijn achtste mijn been gebroken,' antwoordde de schrijver ongeïnteresseerd.

Gilliam wierp hem een ietwat ontstelde blik toe, maar daarna knikte hij tevreden.

'Ik neem aan dat genieën zoals u inderdaad op die leeftijd moeten beginnen,' zei hij peinzend. 'Bij mij heeft het wat langer geduurd. Tot mijn vijfentwintigste toonde ik geen enkele interesse in de bibliotheek die mijn vader, al vroeg weduwnaar geworden, in een vleugel van het huis had aangelegd, volgens mij gewoon om van het geld af te komen dat hij zonder de hulp van mijn moeder niet meer wist uit te geven. Maar als ik het niet had gedaan, dan had niemand al die boeken ooit gelezen. Ik verslond dus alles, werkelijk alles. Zo ben ik tot lezen gekomen. Het is nooit te laat, denkt u niet? Al moet ik bekennen dat ik niet zo'n veeleisende lezer was. Elk boek dat me iets vertelde over een leven dat niet het mijne was, vond ik op zijn minst interessant. Maar uw roman, meneer Wells... nooit eerder had een roman me zo geboeid! U vertelde niet over de wereld die ik kende, zoals Dickens deed, of over exotische gebieden in Afrika of Maleisië, zoals Haggard en Salgari, en al evenmin over de maan, zoals Verne had gedaan. Nee, in *De tijdmachine* vertelde u over iets wat nog veel onbereikbaarder was, namelijk over de toekomst. U was de eerste die het had gewaagd ons die te tonen!'

Wells haalde alleen maar zijn schouders op en probeerde niet over de hond te struikelen, die steeds op een irritante manier tussen zijn benen doorliep. Natuurlijk was Verne hem voorgegaan, maar dat hoefde Gilliam niet te weten. De ondernemer liet zich echter ook nu niet afremmen door zijn onverschilligheid.

'Zoals u weet, hebben sindsdien vele anderen hun visie op de toekomst gegeven, waarschijnlijk geïnspireerd door uw roman. De etalages van de boekwinkels lagen plotseling vol met toekomstromans. Ik heb ze allemaal gekocht en heb ze gedurende lange, slapeloze nachten verslonden, en vanaf dat moment wist ik dat die nieuwe literatuur voortaan mijn enige lectuur zou zijn.'

'Het is jammer dat u hebt besloten uw tijd met het lezen van die flutromannetjes te verdoen,' bromde Wells, die het genre beschouwde als een vervelend fin-de-siècleverschijnsel.

Gilliam keek hem verbaasd aan en barstte daarna uit in een luid gelach.

'Natuurlijk is de kwaliteit van die werkjes gering,' gaf hij toe toen hij uitgelachen was, 'maar dat maakt me niets uit. De schrijvers van die flutromannetjes, zoals u ze noemt, hebben iets wat voor mij meer waard is dan het kunnen formuleren van prachtige zinnen: een visionaire intelligentie die ik bewonder en waarom ik ze benijd. De meeste van die boekjes vertellen hoe een volstrekt onwaarschijnlijke uitvinding het leven van de mens verandert. Hebt u die roman gelezen over die Joodse uitvinder die een machine bouwt die alles groter maakt? Een vreselijk boek, maar ik moet u bekennen dat ik het beeld van een leger reuzenkevers dat door Hyde Park trekt werkelijk angstaanjagend vond. Gelukkig zijn ze niet allemaal zo. In sommige romans wordt een toekomst geschetst waarvan het waarschijnlijkheidsgehalte me boeide. En er was nog iets anders. Als ik een boek van bijvoorbeeld Dickens had gelezen, had ik nooit de wens om ook zoiets te schrijven, om te zien of ik ook een verhaal over de lotgevallen van een bedelkind of het lijden van een jongen in een schoenpoetsfabriek kon verzinnen. Volgens mij zou iedereen met wat fantasie dat wel kunnen. Maar over de toekomst schrijven... ach, meneer Wells, dat was een ander verhaal. Dat leek me een ware uitdaging, want daarvoor is intelligentie vereist en moet je logisch kunnen denken. Was ik in staat een toekomst te bedenken die waarschijnlijk leek? Dat vroeg ik me op een nacht, na het lezen van zo'n roman af. Zoals u al zult hebben vermoed, nam ik u tot voorbeeld, want behalve het feit dat we over dezelfde dingen schrijven, zijn we ook ongeveer even oud. Een maand lang schreef ik dag en nacht aan een roman over de toekomst, waarin ik mijn kunnen en de kracht van mijn logica zou tonen. Natuurlijk probeerde ik het boek zo goed mogelijk te schrijven, maar het ging me vooral om de profetische waarde ervan. Ik wilde dat mijn lezers de door mij bedachte toekomst geloofwaardig zouden vinden, dat die hun plausibel leek. Maar bovenal was ik geïnteresseerd in de mening van de schrijver die me de weg had gewezen: de uwe, meneer Wells. Ik wilde dat u mijn roman las en mijn voorstelling van de toekomst zou prijzen, dat u me na lezing in de ogen zou kijken en me zou erkennen als uw gelijke, als een verwante ziel. Het was me niet genoeg dat u mijn roman met genoegen zou lezen, meneer Wells. Ik wilde dat u er hetzelfde intellectuele plezier aan zou beleven als uw roman mij destijds had bezorgd.'

Beide mannen keken elkaar aan, in een stilte die alleen door het verre gekras van de raven werd doorbroken.

'Maar zoals u weet is het anders gegaan,' zei Gilliam ten slotte, en schudde bedroefd zijn hoofd, wat Wells onwillekeurig ontroerde, omdat het hem het eerste oprechte gebaar leek dat de ondernemer sinds het begin van de wandeling had gemaakt.

Ze waren stil blijven staan bij een reusachtige hoop puin, en daar staarde Gilliam met de handen in de zakken van zijn schreeuwerige jasje minutenlang bedroefd naar zijn schoenen, misschien wachtend tot Wells een hand op zijn schouder zou leggen en de troostende woorden zou spreken die, als de zangen van een sjamaan, de lelijke wond zouden genezen die hij hem die middag lang geleden in zijn trots had toegebracht. Maar de schrijver keek hem alleen maar aan zoals een stroper zou kijken naar een konijntje dat spartelt in zijn val, in de wetenschap dat hij niet meer dan een bemiddelaar is, en het lijden van het dier wordt veroorzaakt door de wrede harmonie van het leven.

Toen Gilliam begreep dat de enige persoon die hem de balsem voor zijn wond kon geven daartoe niet bereid was, zette hij de wandeling met een somber lachje voort. Ze liepen nu door een straat die, te oordelen naar de imposante hekken en het luxueuze meubilair dat hier en daar tussen het puin zichtbaar was, eens onderdeel moest zijn geweest van een welgestelde buurt, en een leven in herinnering bracht dat zo weinig met al die troosteloosheid in overeenstemming was, dat het leek alsof de schepping van de mens en zijn verspreiding over de aarde een goddelijke vergissing was geweest, een belachelijk zaad dat voorbestemd was verloren te gaan als gevolg van de werking van de elementen.

'Ik zal niet ontkennen dat ik het me aanvankelijk ergerde dat u aan mijn kwaliteiten als schrijver twijfelde,' zei Gilliam met een stem die als stroop uit zijn keel leek te vloeien. 'Niemand vindt het prettig als men neerkijkt op zijn werk. Maar wat me echt irriteerde was dat u het waarschijnlijkheidsgehalte van mijn roman in twijfel trok, de toekomst die ik met zo veel zorg had vormgegeven. Ik weet dat mijn reactie niet juist was, en ik maak graag van de gelegenheid gebruik om me daarvoor te verontschuldigen. Zoals u inmiddels uit mijn woorden zult hebben begrepen, ben ik niet van mening veranderd: ik beschouw uw roman nog steeds als het werk van een genie.'

Zijn laatste woorden had Gilliam met lichte ironie uitgesproken. Ook het zelfingenomen lachje was weer terug op zijn gezicht, maar Wells wist nu dat de machtige reus een zwakke plek had, een barst vertoonde die de façade steeds weer dreigde te breken, en gezien de ergerlijke arrogantie van de ondernemer was hij er zelfs een beetje trots op dat hij het was die die barst had veroorzaakt.

'Die middag kon ik me echter slechts verweren als een rat in de val,' hoorde hij Gilliam zeggen. 'Maar toen ik wat gekalmeerd was, zag ik alles gelukkig weer met andere ogen. Ja, je kunt gerust zeggen dat ik een soort openbaring had.'

'Is het werkelijk?' vroeg Wells spottend.

'Ja, geen twijfel aan. Toen ik daar tegenover u zat, begreep ik dat ik het verkeerde medium had gekozen om de wereld mijn voorstelling van de toekomst aan te bieden. Omdat ik die de vorm van een roman had gegeven, had ik de toekomst tot fictie gemaakt, plausibele fictie weliswaar, maar nog altijd fictie, net zoals u met uw toekomst van Morlocks en Eloi had gedaan. Maar als ik de beperkende tussenvorm van de roman nu eens wegliet, vroeg ik me af, als ik de toekomst nu eens toonde als iets werkelijk bestaands? U begrijpt, als heel Engeland geloofde dat mijn idee van het jaar 2000 werkelijk de toekomst was, zou het genoegen een plausibel klinkende roman te hebben geschreven daarbij volledig verbleken. Maar was dat mogelijk? vroeg de ondernemer in mij zich af. De omstandigheden om zo'n plan tot een succes te maken waren perfect. Uw roman, meneer Wells, had een levendige discussie op gang gebracht over de vraag of tijdreizen tot de mogelijkheden behoorden. In de clubs en cafés werd over niets anders meer gepraat. Het was de ironie van het lot dat ik om zo te zeggen mijn graan kon uitstrooien op de bodem die al door u was bewerkt. Waarom zou ik de mensen niet geven waarom ze vroegen? Waarom bood ik ze geen reis naar het jaar 2000 aan, naar mijn toekomst? Ik wist niet of het me zou lukken, maar één ding wist ik wel: ik kon niet verder leven zonder dat ik het had geprobeerd. Onbedoeld, meneer Wells, puur bij toeval, zoals dat gaat met de belangrijke dingen in het leven, had u me een doel gegeven, een reden om te leven, want het bereiken van dat doel zou me de vervulling brengen waarnaar ik zo verlangde, het geluk dat de kassenbouw me nooit had kunnen schenken.'

Wells moest zijn hoofd laten zakken om te voorkomen dat hij de ondernemer een blik van solidariteit toewierp. Zijn woorden herinnerden hem aan de miraculeuze keten van gebeurtenissen die hem zelf in de liefdevolle armen van de literatuur hadden gedreven, en zo hadden behoed voor de middelmatigheid waartoe hij door zijn heel wat minder liefdevolle moeder veroordeeld leek. Door zijn talent voor taal had hij niet op zoek hoeven gaan naar de zin van zijn bestaan, had hij niet de weg hoeven gaan van al die mensen die niet weten waartoe ze geboren zijn en slechts het kleine, alledaagse geluk kennen dat een goed glas wijn of de tederheid van een gewillige vrouw hun schenkt.

'Op de terugweg naar Londen begonnen mijn hersens te werken,' hoorde hij de ondernemer zeggen. 'Ik was ervan overtuigd dat het onmogelijke, als het maar waarschijnlijk was, geloofwaardig zou zijn. Eigenlijk was het precies als bij de kassen: als de glazen constructie maar licht en elegant genoeg was, zou niemand meer letten op het ijzeren geraamte eronder, en zouden ze op magische wijze in de lucht lijken te zweven. De volgende ochtend verkocht ik meteen de zaak die mijn vader uit het niets had opgebouwd. Dat deed ik zonder enige wroeging, voor het geval u zich dat afvraagt, integendeel juist. De verkoop zou me in staat stellen letterlijk aan de toekomst te bouwen, en dat was precies wat mijn vader altijd had gewild. Na de verkoop kocht ik dit oude theater. Ik koos het omdat meteen erachter, aan Charing Cross Road, twee leegstaande gebouwen stonden die ik ook heb gekocht. De volgende stap was natuurlijk om de drie gebouwen samen te voegen door de nodige muren te slopen, waardoor ik deze reusachtige ruimte kreeg. Zoals u vanbuiten hebt gezien, is het theater niet bijzonder groot; niemand vermoedt dus dat zich daarin het enorme decor bevindt dat Londen in het jaar 2000 voorstelt. Daarna bouwde ik in amper twee maanden tijd tot in de kleinste details de wereld na die ik in mijn roman had beschreven. In werkelijkheid is het allemaal niet zo groot als het lijkt, maar als je in kringetjes rondloopt, lijkt het enorm, nietwaar?'

Hadden ze dat al die tijd gedaan, in kringetjes rondgelopen? Wells kon zijn woede nauwelijks bedwingen. In dat geval moest hij toegeven dat het labyrint hem totaal had misleid en dat de heuvels van puin zo waren aangelegd dat alles veel groter leek. Hij had nooit gedacht dat het decor in dat kleine theatertje paste.

'Mijn smeden hebben de machinemensen gebouwd die u eerder zo hebben laten schrikken, en ook de wapenrustingen voor kapitein Shackleton en zijn mannen,' vervolgde Gilliam zijn uitleg, terwijl hij Wells door een soort holle weg leidde die uit ingestorte huizen bestond. 'Aanvankelijk was ik van plan beroepsacteurs in te huren om de beslissende slag om de toekomst van de mensheid te spelen – die ik overigens zelf in scène heb gezet om hem zo interessant en spannend mogelijk te laten lijken. Maar dat idee verwierp ik meteen weer, omdat acteurs over het algemeen wispelturig en ijdel zijn, en ze me te aanstellerig leken om op een natuurlijke manier de geharde, stoïcijnse soldaten van het leger van de toekomst te spelen. De belangrijkste reden was echter dat ik ze moeilijk het zwijgen zou kunnen opleggen als ze het werk immoreel vonden. In plaats daarvan nam ik een stelletje lanterfanters in dienst, die veel meer leken op de zwaarbeproefde personages die ze moesten vertolken. Zij vonden het niet erg om de hele voorstelling in een zwaar ijzeren harnas te lopen, en het liet hen koud dat mijn project een enigszins frauduleus tintje had. Toch waren er wat problemen, maar niets wat niet op te lossen viel,' voegde hij eraan toe, met een veelbetekenend lachje naar de schrijver.

Wells begreep dat hij hem met dat sluwe lachje twee dingen wilde zeggen: dat hij wist van zijn betrokkenheid bij de romance tussen juffrouw Haggerty en Tom Blunt, en dat hij verantwoordelijk was voor diens plotselinge verdwijning. De schrijver dwong zichzelf het ongelovige, geschrokken gezicht op te zetten dat Gilliam kennelijk van hem verwachtte, maar natuurlijk had hij het liefst die arrogante glimlach van zijn gezicht geveegd en hem verteld dat de jongen zijn eigen dood had overleefd. Twee nachten geleden was Tom in Woking opgedoken om hem te bedanken voor alles wat hij voor hem had gedaan, en om hem er nog eens aan te herinneren dat hij maar hoefde te kikken als hij ooit iemand met spierballen nodig had.

De holle weg eindigde op een open plek waar vroeger waarschijnlijk een pleintje was geweest, te oordelen naar de kale, vreemd verwrongen bomen die er nog stonden. In het midden van het plein zag Wells een barok uitziende tram, met aan de zijkanten verchroomde stangen en leidingen, vol ventielen en andere glimmende onderdelen, die hem bij nadere beschouwing echter geen enkele functie leken te hebben.

'En dit is de Cronotilus, een stoomvoertuig dat plaats biedt aan dertig personen,' zei Gilliam, terwijl hij trots op de zijkant klopte. 'Om hun reis naar de toekomst te beginnen, stappen de passagiers hiernaast in, zonder te weten dat het jaar 2000 zich in de belendende ruimte bevindt. Ik hoef ze alleen maar hierheen te brengen. Zoals u ziet bedraagt de afstand hooguit vijftig meter,' zei hij, wijzend naar een deur die zich ergens in de mist moest bevinden, 'maar voor de reizigers vertegenwoordigt die afstand een hele eeuw.'

'Maar wat doet u om het een tijdreis te laten lijken?' vroeg Wells, die niet kon geloven dat zijn klanten zich lieten afschepen met een simpel ritje met een tram, hoe fraai die er ook uitzag.

Gilliam glimlachte, alsof hij op die vraag had gewacht.

'Zoals u terecht opmerkt, zou alle moeite voor niets zijn geweest als ik er niet in was geslaagd die lastige kwestie op te lossen. Het heeft me vele slapeloze nachten gekost, dat verzeker ik u. Natuurlijk kon ik geen slakken laten zien die rennen als hazen, of de maan die in enkele seconden alle fasen doorloopt, zoals u in uw roman deed om de beweging in de richting van de toekomst aanschouwelijk te maken. Ik moest daarom een manier van tijdreizen bedenken waarbij het niet nodig was om die effecten te tonen en die bovendien niet gebaseerd was op de wetenschap, want als eenmaal in de kranten zou staan dat ik naar het jaar 2000 kon reizen, zou gegarandeerd de hele wetenschappelijke wereld willen weten hoe ik dat voor elkaar kreeg. Een ware uitdaging, nietwaar? Nadat ik de zaak grondig had bestudeerd, kon ik maar één manier bedenken waaraan door de wetenschap niet kon worden getornd, namelijk een reis met behulp van de magie.'

'De magie?'

'Ja, wat moest ik anders als de wetenschap verboden terrein voor me was? Ik voorzag mezelf dus van een nieuw levensverhaal: voordat ik mijn zaak in tijdreizen opende, hadden mijn vader en ik geen saai kassenbouwbedrijf geleid, maar een onderneming die expedities financierde, zoals men die tegenwoordig overal organiseert om de laatste geheimen van de wereld te ontsluieren. En natuurlijk zochten ook wij wanhopig naar de bronnen van de Nijl, die volgens de legenden in het hart van Afrika te vinden waren. We hadden er onze beste ontdekkingsreiziger, Oliver Tremanquai, heen gestuurd, die na een aantal hachelijke avonturen in contact was gekomen met een inheemse stam die door middel van magie een toegang naar een andere dimensie kon openen.'

Gilliam pauzeerde even en keek met een spottend lachje toe hoe de schrijver zijn verbijstering probeerde te verbergen.

'Door die toegang betrad men een winderige, roze vlakte waar de tijd niet verstreek,' vervolgde hij, 'en die niets anders was dan mijn persoonlijke voorstelling van de vierde dimensie. De vlakte vormde een soort toegangsportaal naar andere tijden, want ze was bezaaid met een groot aantal tijdgaten van dezelfde soort als de toegang die de verbinding met de Afrikaanse nederzetting vormde. Eén ervan leidde naar 20 mei in het jaar 2000, de dag waarop de mensen in een verwoest Londen om hun voortbestaan strijden met de machinemensen. En wat konden we anders doen, mijn vader en ik, toen we eenmaal van het bestaan van het magische tijdgat wisten, dan het stelen en naar Londen brengen om het aan de burgers van het Rijk te tonen? Dat deden we dus. We stopten het in een speciaal daarvoor vervaardigde ijzeren kist en vervoerden het hierheen. En voilà, daarmee had ik de oplossing die ik zocht, om zonder wetenschappelijke hulpmiddelen naar de toekomst te kunnen reizen. Je hoefde daarvoor alleen maar met de Cronotilus door het tijdgat te gaan, de roze vlakte te doorkruisen, en vervolgens het andere gat te passeren dat naar het jaar 2000 leidde. Eenvoudig, nietwaar? En om de reizigers de vierde dimensie niet te hoeven laten zien, bevolkte ik haar op passende wijze met gevaarlijke, op draken lijkende monsters, die zo angstaanjagend waren dat ik de ramen van de Cronotilus had moeten verven om geen gevoelige zieltjes te schaden,' zei hij, terwijl hij de schrijver op de inderdaad zwartgeverfde ossenoogvormige ramen wees. 'Zodra mijn klanten in de tijdtram zijn gestapt, leid ik ze hiernaartoe, zorg onderweg voor zo veel mogelijk geslinger en laat met behulp van hobo's en trombones het gebrul van de draken klinken. Ik heb het nooit zelf vanuit de Cronotilus meegemaakt, maar het moet heel overtuigend zijn, te oordelen naar het bleke gezicht dat veel passagiers bij terugkomst vertonen.'

'Maar als het tijdgat ze altijd naar deze plek in het jaar 2000 brengt...' begon Wells.

'... zou elke expeditie alle vorige en alle volgende tegen moeten komen,' maakte Gilliam de zin af. 'Ik weet het, ik weet het, dat is pure logica. Maar tijdreizen zijn zo nieuw, dat nog maar weinigen een idee hebben van de paradoxen die daarbij komen kijken. Als het tijdgat steeds naar hetzelfde moment in de toekomst leidt, zou ik hier natuurlijk minstens twee Cronotilussen moeten hebben staan, omdat er tot nu toe twee expedities zijn geweest. Maar zoals gezegd, meneer Wells, niet iedereen staat daarbij stil. In elk geval heb ik met het oog op eventuele vragen de acteur die voor gids speelt geleerd de mensen te vertellen dat de Cronotilus iedere keer naar een andere plek wordt gebracht, juist om zo'n ontmoeting te vermijden.'

De ondernemer zweeg, om Wells de gelegenheid te geven een volgende vraag te stellen, maar de schrijver leek verzonken in gedachten die, te oordelen naar zijn sombere gezicht, alleen maar treurig konden zijn.

'En zoals ik al had gedacht,' vervolgde Gilliam ten slotte, 'toen ik mijn reizen naar het jaar 2000 in de kranten bekendmaakte, wilden allerlei wetenschappers me spreken. U had ze moeten zien, meneer Wells! Ze kwamen in horden, en verwachtten dat ik ze het een of andere toestel zou laten zien, dat ze vervolgens uit elkaar konden halen. Maar ik was geen man van de wetenschap. Ik was gewoon een rechtschapen zakenman die toevallig een ontdekking had gedaan. Na het onderhoud reisden de meesten verontwaardigd af. Ze konden amper hun woede verbergen dat ze met een manier van tijdreizen werden geconfronteerd die ze niet konden analyseren, en waarop natuurlijk ook niets viel af te dingen, want magie is nu eenmaal een kwestie van geloof. Voor een aantal mensen klonk mijn uitleg echter heel overtuigend, zoals bijvoorbeeld uw collega, de schrijver Arthur Conan Doyle. De schepper van de onfeilbare Sherlock Holmes is een van mijn grootste pleitbezorgers geworden, zoals u waarschijnlijk wel weet als u een van de vele artikelen hebt gelezen waarin hij mijn zaak verdedigt.'

'Doyle zou zelfs in feeën geloven,' zei Wells een tikje spottend.

'Mogelijk. Allemaal laten we ons graag wat wijsmaken, als het maar waarschijnlijk genoeg is. Dat kunt u nu met eigen ogen zien. Ik moet u bekennen dat die periodieke bezoekjes van onze sceptische vertegenwoordigers van de wetenschap me totaal niet hinderden, integendeel juist, ze bezorgden me veel plezier. Ik mis ze zelfs, want het was het aandachtigste publiek dat ik maar had kunnen vinden. Wat heb ik ervan genoten om ze steeds weer de avonturen van Tremanquai te vertellen, die, zoals u al zult hebben vermoed, een verhuld eerbetoon waren aan mijn bewonderde Henry Rider Haggard, de schrijver van *De mijnen van koning Salomo*. Tremanquai is een anagram van Quatermain, de achternaam van zijn bekendste personage, de avonturier die...'

'En geen van die geleerden wilde... het tijdgat zien?' vroeg Wells, die er nog steeds niet aan wilde dat het allemaal zo simpel was.

'O, natuurlijk wel. Velen wilden niet gaan voor ze het met eigen ogen hadden gezien. Maar daar had ik rekening mee gehouden. Ik had precies zo'n zelfde grote ijzeren kist laten bouwen als ik voor mijn verhaal had bedacht, en daarin bevond zich zogenaamd het tijdgat. Degenen die het met alle geweld wilden zien, vroeg ik de kist binnen te gaan, maar ik waarschuwde wel dat ik de deur achter ze dicht moest doen, om te voorkomen dat de woeste draken uit de vierde dimensie onze wereld zouden binnenvallen. Denkt u dat ook maar iemand naar binnen durfde te gaan?'

'Vermoedelijk niet,' antwoordde Wells gelaten.

'U hebt het bij het rechte eind,' zei de ondernemer. 'In feite staat aan de basis van dit alles een lege kist die niets anders bevat dan onze angsten. Het is al even poëtisch als amusant, nietwaar?'

De schrijver schudde zijn hoofd, pijnlijk getroffen door de naïviteit van zijn medemens, maar vooral door het gebrek aan moed bij de mannen van de wetenschap als het erop aankwam bij een empirische toetsing hun leven te wagen.

'Zo, nu weet u hoe ik mijn klanten naar de toekomst breng, meneer Wells. Ik spring uit de tijdstroom en duik er elders weer in onder, als een zalm die de rivier op trekt. De eerste expeditie was een daverend succes,' zei Gilliam trots. 'En ik moet u bekennen dat niemand meer verrast was dan ikzelf dat mijn leugen zo goed werkte. Maar zoals gezegd, de mensen zien alleen wat ze willen zien. Ik kreeg echter niet veel tijd om van het succes te genieten, want een paar dagen later werd ik ontboden door niemand minder dan Hare Majesteit. Ja, de koningin in eigen persoon wenste dat mijn nederige persoontje naar haar paleis zou komen. Ik ging erheen in de verwachting de straf te krijgen die ik in mijn overmoed had verdiend, maar tot mijn verrassing had Hare Majesteit heel iets anders voor ogen. Ze wilde dat ik een privéreis naar het jaar 2000 voor haar organiseerde.'

Wells keek hem met open mond aan.

'Ja, ook zij en haar hofhouding wilden de oorlog van de toekomst zien waarover men in heel Londen sprak. Zoals u zich kunt voorstellen, was ik niet erg enthousiast over het idee. Niet alleen omdat ik de hele voorstelling gratis moest verzorgen, maar ook omdat het voor zo'n belangrijk publiek allemaal perfect moest gaan, dat wil zeggen, volkomen geloofwaardig moest zijn. Gelukkig ging het allemaal goed. Volgens mij was het zelfs onze beste voorstelling. Het gezicht van Hare Majesteit bij de aanblik van het verwoeste Londen sprak voor zich. De volgende dag ontbood ze me echter opnieuw in haar paleis. Weer dacht ik dat mijn bedrog was ontdekt, en weer was ik stomverbaasd toen ik ontdekte dat Hare Majesteit me ditmaal had laten komen omdat ze me een genereuze donatie wilde geven zodat ik mijn onderzoekingen kon voortzetten. Ja, u hoort het goed, de koningin was bereid mijn leugen te financieren. Ze wilde dat ik andere tijdgaten zou bestuderen, nieuwe wegen zou ontsluiten naar andere tijden. Maar dat was nog niet alles. Ze wilde ook dat ik voor haar een paleis in de vierde dimensie zou bouwen, een soort zomerverblijf waar ze langere tijd kon verblijven, om zo te ontsnappen aan de tijd en haar leven te verlengen. Natuurlijk stemde ik daarin toe. Wat had ik anders moeten doen? Maar het paleis is nog niet klaar, en zal ook nooit afkomen. Kunt u bedenken waarom?'

'Ik denk omdat het werk voortdurend wordt vertraagd door de aanvallen van de verschrikkelijke draken uit de vierde dimensie,' antwoordde de schrijver, met duidelijke afschuw.

'Precies,' zei Gilliam met een brede grijns. 'Ik zie dat u de regels van het spel begint te begrijpen, meneer Wells.'

De schrijver vertikte het om om zijn opmerking te lachen. In plaats daarvan keek hij naar de hond, die een paar meter verderop hardnekkig in het puin zat te wroeten.

'Het feit dat Hare Majesteit mijn leugen had geloofd, was niet alleen plezierig voor mijn portemonnee, maar maakte ook in één klap een eind aan al mijn zorgen. Ik maakte me niet meer druk om de brieven die regelmatig in de kranten verschenen en waarin ik voor een bedrieger werd uitgemaakt, brieven waaraan trouwens niemand enige aandacht besteedde. Zelfs die ellendeling die om de zo veel tijd mijn gevel volsmeerde met koeiendrek ergerde me niet meer. Eigenlijk was er nu nog maar één persoon die me kon ontmaskeren, en dat was u, meneer Wells. Maar omdat u dat tot dan toe nog niet had gedaan, dacht ik dat dat niet meer zou gebeuren. En ik moet bekennen dat ik uw houding bewonderenswaardig vond: de houding van een heer die weet wanneer hij het spel heeft verloren.'

Met een zelfingenomen lachje hervatte de ondernemer de wandeling, en nodigde Wells met een hoofdgebaar uit hem te volgen. Zwijgend verlieten ze het plein, en sloegen een straat in die bezaaid was met puin, op de voet gevolgd door de hond.

'Hebt u erover nagedacht wat dit alles in wezen betekent, meneer Wells?' vroeg de ondernemer. 'Als ik dit hier niet had gepresenteerd als het echte jaar 2000, maar het in plaats daarvan had aangekondigd als een toneelstuk gebaseerd op een door mij geschreven boek, had ik niets verbodens gedaan. Ook dan waren er veel mensen komen kijken. Maar ik kan u verzekeren dat niemand zich dan bij thuiskomst bijzonder had gevoeld, of de wereld vanuit een ander perspectief had bekeken. Eigenlijk laat ik de mensen alleen maar dromen. Vindt u het niet treurig dat ik daarvoor kan worden gestraft?'

'U zou uw klanten moeten vragen of ze hetzelfde bedrag zouden neertellen om gewoon een toneelstuk te zien,' antwoordde de schrijver.

'Nee, meneer Wells, dat ziet u verkeerd. De eigenlijke vraag is of ze liever zouden weten dat het allemaal oplichterij is en hun geld terug kunnen krijgen, of verder leven met het idee dat ze in het jaar 2000 zijn geweest. Dat is waar het om gaat. En ik verzeker u dat de meeste mensen het niet zouden willen weten. Soms maken leugens het leven mooier, nietwaar?'

Wells zuchtte, maar wilde niet toegeven dat Gilliam in de grond van de zaak gelijk had. Zijn medemens geloofde kennelijk liever dat hij leefde in een eeuw waarin de wetenschap in staat was hem naar het jaar 2000 te brengen, ongeacht hoe dat in zijn werk ging, dan in een eeuw waaruit je niet kon vluchten.

'Denkt u bijvoorbeeld eens aan de jonge Harrington,' zei de ondernemer met een boosaardig lachje. 'Die herinnert u zich toch nog wel? Als ik me niet vergis, is hij nog in leven dankzij een leugen. Een leugen waaraan u hebt meegewerkt.'

Wells wilde antwoorden dat de ene leugen de andere niet was, maar de ondernemer was hem voor met een nieuwe vraag: 'Weet u dat ik de tijdmachine heb gebouwd die u op zolder hebt staan, dat speeltje waar u zo dol op bent?'

Ditmaal kon Wells zijn verbazing niet verbergen.

'Ja, ik heb het toestel gebouwd in opdracht van Charles Winslow, de neef van die arme meneer Harrington,' bekende Gilliam geamuseerd. 'Meneer Winslow nam deel aan onze tweede expeditie en kwam een paar dagen daarna naar mijn kantoor om te vragen voor hem en zijn neef een privéreis naar het jaar 1888 te organiseren, naar de Herfst van de angst. Het maakte niet uit hoeveel het kostte. Maar helaas kon ik aan die merkwaardige wens niet voldoen.'

Ze waren aan het eind van de straat gekomen en naderden nu een grote berg puin, waarachter vaag een horizon van daken zichtbaar was waarboven dreigende, grijze wolken dreven.

'Meneer Winslows reden om naar het verleden te reizen was echter zo romantisch, dat ik besloot hem te helpen,' vervolgde de ondernemer spottend, terwijl hij tot Wells' verbazing de puinheuvel begon te beklimmen. 'Ik legde hem uit dat je zo'n reis alleen kon maken met een tijdmachine zoals die in uw boek, en toen bedachten we samen het plan waarvan u, zoals bekend, het sluitstuk vormde. Als meneer Winslow u zou kunnen overhalen om net te doen alsof u een tijdmachine had, dan zou ik precies zo'n toestel laten bouwen als u beschrijft in uw roman, en bovendien zorgen voor de acteurs die Jack the Ripper en de hoer moesten spelen. U vraagt zich waarschijnlijk af waarom ik dat deed. Ik denk dat leugens bedenken een beetje verslavend is. En eerlijk gezegd vond ik het ook bijzonder amusant om u te betrekken bij een vertoning die veel weg had van de voorstelling die ik had bedacht, meneer Wells, en te zien of u eraan zou meedoen.'

Wells kon Gilliams woorden nauwelijks volgen. De beklimming van de puinberg vergde veel van zijn concentratie en hield hem in spanning omdat de verre horizon nu wel heel dichtbij kwam. Boven aangekomen zag de schrijver echter dat wat ze voor zich hadden gewoon een geverfde muur was. Verbluft ging hij met zijn hand over de wandschildering. Gilliam sloeg hem vol medeleven gade.

'Toen de tweede expeditie eveneens een succes was geweest en alles in rustiger vaarwater was gekomen, vroeg ik me toch iets af: had het nog zin om door te gaan, nu ik alles had bewezen wat ik had willen bewijzen? Het enige waarmee ik voor mezelf alle moeite kon rechtvaardigen die een derde expeditie me zou kosten,' zei hij, terwijl hij mismoedig dacht aan de gezwollen toon waarop Jeff Wayne Shackletons dialogen declameerde en hoe schriel hij eruitzag als hij met zijn geweer stond te zwaaien, 'was het geld. Maar geld had ik al zoveel dat ik het nog in geen dozijn levens had kunnen uitgeven. Anderzijds was ik ervan overtuigd dat mijn lasteraars zich vroeg of laat zouden organiseren, en met een offensief zouden komen dat zelfs Doyle niet zou kunnen tegenhouden.'

De ondernemer pakte de deurklink die uit de muur stak, maar duwde hem niet naar beneden. In plaats daarvan keerde hij zich met een bedrukt gezicht naar Wells.

'Het verstandigste was ongetwijfeld geweest om ermee op te houden,' zei hij melancholiek. 'Nog voor ik mijn zaak opende, had ik daarvoor al een plan bedacht. Ik zou doen alsof ik een gruwelijke dood in de vierde dimensie stierf, alsof ik op een onbewaakt moment werd verslonden door een van mijn verzonnen draken, pal voor de neus van mijn medewerkers die ontroostbaar zouden zijn, maar het trieste nieuws onverwijld zouden doorgeven aan de kranten. En terwijl ik in Amerika onder een andere naam een nieuw leven begon, zou Gilliam Murray, de ondernemer die het mysterie van de toekomst had onthuld, door heel Engeland worden beweend. Dat zou een mooi einde zijn geweest. Maar iets hinderde me en dwong me door te gaan. Wilt u weten wat dat was, meneer Wells?'

De schrijver haalde slechts zijn schouders op.

'Ik zal het u zo goed mogelijk proberen uit te leggen, maar ik vrees dat u het niet zult begrijpen. Ziet u, door dit alles tot stand te brengen had ik niet alleen bewezen dat mijn toekomst geloofwaardig was, maar was ik ook veranderd in iemand die ik helemaal niet was, in een personage uit mijn eigen verhaal. Ik was nu geen arme kassenbouwer meer. Voor u ben ik gewoon een charlatan, maar voor de rest van de wereld ben ik de heerser over de tijd, een vastberaden ondernemer die in Afrika duizend avonturen heeft beleefd, en 's nachts met zijn magische hond slaapt op een plek waar de tijd niet verstrijkt. Ik denk dat ik daarom de zaak niet wilde opgeven, omdat dat had betekend dat ik weer een heel gewoon iemand zou zijn. Vreselijk rijk, dat wel, maar ook vreselijk gewoon.'

Na die woorden duwde hij de klink omlaag en verdween in een wolk.

Wells volgde een paar tellen later, na de zogenaamd magische hond, en zag zijn wrevelige gezicht in een half dozijn spiegels vermenigvuldigd. Hij stond in een smalle kleedkamer vol kisten en rekken, waaraan borstkurassen, helmen en harnassen hingen. Gilliam stond in een hoek en nam hem met een rustige glimlach op.

'En waarschijnlijk heb ik verdiend wat er met me zal gebeuren als u me niet helpt,' zei hij.

Het hoge woord was eruit. Zoals Wells al had gedacht, had Gilliam zich alle moeite om hem hierheen te brengen niet getroost om hem een toeristische rondleiding aan te bieden. Nee, er was iets gebeurd, er was iets misgegaan. En nu zat Gilliam in de problemen. Nu had Gilliam zijn hulp nodig. Nu kwam het hoofdgerecht, dat de ondernemer op tafel zette nadat zijn gast het voorgerecht, de uitleg, had geslikt. Ja, de ondernemer had zijn hulp nodig, maar aan het superieure, bijna vaderlijke toontje te horen waarop hij nog steeds tot hem sprak, zou hij zich er waarschijnlijk niet toe verlagen hem erom te vragen. Hij rekende er gewoon op dat hij die hulp kreeg. Wells was benieuwd te horen met welk dreigement hij dat wilde bereiken.

'Gisteren kwam inspecteur Colin Garrett van Scotland Yard bij me langs,' vertelde de ondernemer. 'Hij onderzoekt de zaak van een bedelaar die in Marylebone is vermoord. Nu komt dat in die buurt wel vaker voor, maar het bijzondere aan deze zaak is het wapen dat de moordenaar heeft gebruikt. Het lijk vertoont een enorm gat midden in de borst, waardoor je door het hele lichaam heen kunt kijken als door een raam. Het ziet eruit alsof hij door een soort hittestraal is doorboord. De forensische artsen kennen geen wapen dat zo'n gat kan veroorzaken. Tenminste, niet in onze tijd. En dat bracht de inspecteur op de gedachte dat die arme man is vermoord met een wapen uit de toekomst, en wel met een geweer zoals kapitein Shackleton en zijn soldaten die gebruiken. Het verwoestende effect daarvan heeft hij kunnen zien toen hij deelnam aan de tweede expeditie.'

Gilliam nam een geweer van een rek en gaf het aan Wells. De schrijver zag meteen dat het zogenaamde wapen gewoon een geverfd stuk hout was, waaruit allerlei nutteloze hendels en pennen staken, wat hem aan de tijdtram deed denken.

'Een stuk speelgoed, zoals u ziet. De wonden van de machinemensen brengen we toe met springladingen die verborgen zitten in hun harnas. Maar voor mijn klanten is dit natuurlijk een even echt als verschrikkelijk wapen,' legde de ondernemer uit, terwijl hij het geweer weer van Wells aannam en terugzette in het rek. 'Inspecteur Garrett denkt nu dat een van mijn soldaten uit de toekomst, mogelijk kapitein Shackleton zelf, als verstekeling met de Cronotilus naar onze tijd is gereisd. Daarom wil hij mee met de derde expeditie, om hem te arresteren nog vóór hij zijn misdrijf kan begaan. Hij liet me gisteren een door de premier getekend arrestatiebevel zien voor een man die vanuit ons gezichtspunt nog niet eens is geboren. De inspecteur vroeg me of ik voor hemzelf en twee van zijn agenten drie plaatsen voor de derde expeditie wilde reserveren. Zoals u begrijpt, kon ik dat niet weigeren. Wat voor reden had ik daarvoor moeten geven? Over tien dagen reist de inspecteur dus naar het jaar 2000 om er een moordenaar te arresteren, maar in plaats daarvan ontdekt hij de grootste zwendel van de eeuw. Misschien denkt u dat ik hem, weinig scrupuleus als ik ben, eenvoudigweg kan overlaten aan een van mijn acteurs, maar om het allemaal geloofwaardig te laten zijn, zou ik niet alleen heel snel een tweede Cronotilus moeten bouwen, maar ook het lastige probleem moeten oplossen dat Garrett zichzelf ontmoet als deelnemer aan de tweede expeditie. Dat is zelfs voor mij te ingewikkeld. De enige die kan voorkomen dat Garrett naar de toekomst reist, bent u, meneer Wells. U moet de ware moordenaar vinden voor de derde expeditie begint.'

'En waarom zou ik u helpen?' vroeg Wells, op een toon die eerder terneergeslagen dan uitdagend klonk.

Dat was de vraag die alles duidelijk zou maken, en ze wisten het allebei. Gilliam kwam met een angstaanjagend kalm lachje op hem af, legde zijn mollige hand op zijn schouder en leidde hem met uiterste behoedzaamheid naar de andere kant van de kamer.

'Ik heb er lang over nagedacht wat mijn antwoord op die vraag zou zijn, meneer Wells,' zei hij vriendelijk, bijna liefdevol. 'Ik zou een beroep kunnen doen op uw medelijden. Ja, ik zou voor u op mijn knieën kunnen vallen en u smeken me te helpen. Kunt u het zich voorstellen, meneer Wells? Ik weet zeker dat het zou werken: u denkt dat u een beter mens bent dan ik en wilt dat maar al te graag bewijzen.' Nog steeds glimlachend opende Gilliam een deurtje en duwde Wells zachtjes naar buiten. 'Maar ik zou ook een beroep kunnen doen op uw angst, door u te vertellen dat als u me niet helpt, uw lieve Jane wel eens iets vervelends zou kunnen overkomen op een van haar fietstochtjes in de omgeving van Woking. Ik weet zeker dat ook dat zou werken. Maar ik heb besloten een beroep te doen op uw nieuwsgierigheid. U en ik zijn de enigen die weten dat dit alles hier een grote farce is. Of, wat hetzelfde is: u en ik zijn de enigen die weten dat reizen door de tijd onmogelijk is. Maar toch heeft iemand het gedaan. Bent u niet nieuwsgierig? Wilt u de jonge Garrett een hersenschim laten najagen, als er misschien echt een tijdreiziger door de Londense straten loopt?'

Gilliam en Wells keken elkaar zwijgend aan.

'Ik weet zeker van niet,' zei de ondernemer.

En na die woorden sloot hij de deur en liet de schrijver achter op 21 november 1896. Opeens stond Wells in een armoedig straatje achter Murray Tijdreizen waar de katten in het afval wroetten, met het gevoel dat zijn reis naar het jaar 2000 een droom was geweest. In een reflex voelde hij in de zakken van zijn jasje, maar die waren leeg: niemand had er een bloem in gestopt.

XXXVII

Toen Wells inspecteur Colin Garrett de volgende ochtend opzocht in zijn kantoor, vond hij het maar een timide ventje. Alles leek hem een maatje te groot, van de robuuste tafel waaraan hij op dat moment zat te ontbijten tot het aardekleurige kostuum dat hij droeg, maar in het bijzonder de moorden, roofovervallen en andere afschuwelijke vergrijpen die dagelijks overal in de stad werden gepleegd. Als hij misdaadromans had willen schrijven van het soort van zijn collega Doyle, had hij zijn detective nooit gemodelleerd naar het voorbeeld van dat miezerige, schrikachtige mannetje dat hij voor zich zag, en dat kennelijk vooral geneigd was tot eerbiedige bewondering, zoals hij opmaakte uit zijn geestdriftig toegestoken hand toen hij zijn kantoor binnenging.

Toen hij had plaatsgenomen liet Wells de stroom loftuitingen voor zijn roman *De tijdmachine* met het gebruikelijke bescheiden lachje over zich heen gaan, maar hij moest toegeven dat de jonge inspecteur zijn lofzang besloot met iets volkomen nieuws.

'Zoals gezegd heb ik enorm van uw roman genoten, meneer Wells,' zei Garrett, en schoof enigszins beschaamd zijn ontbijtblad opzij, alsof hij de sporen van zijn gulzigheid wilde verbergen. 'En ik vind het jammer dat het voor u en de andere schrijvers van toekomstromans voortaan moeilijk moet zijn over de toekomst te speculeren, nu we eenmaal weten hoe die eruitziet. Als de toekomst nog steeds ondoorgrondelijk en vol geheimen was geweest, zou dit soort romans denk ik een heel eigen genre zijn geworden.'

'Inderdaad,' erkende Wells, verrast dat de jonge inspecteur had nagedacht over iets wat bij hemzelf in de verste verte niet was opgekomen.

Misschien had hij er toch verkeerd aan gedaan om hem alleen op zijn uiterlijk te beoordelen. Na de korte gedachtewisseling keken beide mannen elkaar met een enigszins belachelijk aandoende genegenheid aan, terwijl de zon die door het raam binnenviel hen in een gouden licht liet baden. Toen Wells tot de conclusie was gekomen dat de inspecteur klaar was met zijn lofrede, sneed hij het onderwerp aan waarvoor hij was gekomen.

'Omdat u zo'n ijverig lezer bent van mijn werk, zal de reden van mijn bezoek u naar ik aanneem niet al te zeer verbazen. Ik ben namelijk geïnteresseerd in de zaak van de vermoorde bedelaar,' biechtte hij op. 'Het is mij ter ore gekomen dat de moordenaar wellicht een tijdreiziger is, en hoewel ik mezelf allerminst beschouw als een autoriteit op dat gebied, zou ik u misschien wel van nut kunnen zijn.'

Garrett trok zijn wenkbrauwen op, alsof hij niet begreep waarover Wells het had.

'Wat ik wil zeggen, inspecteur, is dat ik u... nou ja, dat ik u mijn medewerking kom aanbieden.'

De inspecteur keek hem geroerd aan.

'Dat is heel aardig van u, meneer Wells, maar dat is niet nodig,' zei hij. 'Ik heb de zaak namelijk al opgelost.'

Hij pakte een envelop uit een la in zijn bureau en spreidde de foto's van het lijk van de bedelaar op tafel uit, alsof het speelkaarten waren. Vervolgens liet hij ze een voor een aan Wells zien, en vertelde hem opgewonden in detail hoe hij ertoe was gekomen kapitein Shackleton of een van zijn soldaten te verdenken. Wells luisterde amper naar de inspecteur, want die herhaalde slechts wat Gilliam hem al had verteld, maar keek wel vol belangstelling naar de vreemde wond. Hij had totaal geen verstand van wapens, maar je hoefde geen expert te zijn om te zien dat dat vreselijke gat niet met een gewoon wapen kon zijn gemaakt. Precies zoals Garrett en de forensische artsen beweerden, leek de wond te zijn veroorzaakt door een hittestraal, alsof iemand een straal hete lava had afgevuurd.

'Een andere verklaring is niet mogelijk, zoals u ziet,' besloot Garrett tevreden lachend, terwijl hij de foto's weer opborg in de envelop. 'Eigenlijk dood ik hier gewoon de tijd tot de dag waarop de derde expeditie plaatsvindt. Vanochtend bijvoorbeeld heb ik puur uit routine nog een keer twee agenten naar de plaats delict gestuurd.'

'Ik begrijp het,' zei Wells, trachtend zijn verslagenheid te verbergen.

Hoe kon hij de inspecteur ervan overtuigen dat hij het in een andere richting moest zoeken, zonder hem aan zijn neus te hangen dat kapitein Shackleton helemaal geen man uit de toekomst was, dat het jaar 2000 gewoon een decor was met puin van de sloop? Als hem dat niet lukte, zou Jane waarschijnlijk sterven. Hij bedwong een zucht om zijn zorgen voor de inspecteur verborgen te houden.

Op dat moment stak een agent zijn hoofd om de deur die Garrett wilde spreken. De inspecteur verontschuldigde zich en volgde de agent naar de gang, waar de twee mannen een gesprek voerden dat Wells' oren bereikte in de vorm van een onverstaanbaar gemompel. Na een paar minuten kwam Garrett met een verstoord gezicht terug, zwaaiend met een stukje papier.

'Wat een stelletje prutsers, daar bij de politie van de City,' gromde hij, tot verbazing van Wells, die niet had gedacht dat zo'n teer ventje zo verontwaardigd kon zijn. 'Een van de agenten die ik naar de plaats delict had gestuurd, heeft een tekst op de muur ontdekt die kennelijk nog niemand was opgevallen.'

Hij las het stukje papier verscheidene malen zwijgend door en schudde geërgerd zijn hoofd.

'Maar uw bezoek komt inderdaad bijzonder gelegen, meneer

Wells,' zei hij ten slotte met een glimlach naar de schrijver. 'Volgens mij is dit een fragment uit een roman.'

Wells trok zijn wenkbrauwen op en pakte het briefje van Garrett aan. Hij las:

> *De vreemdeling kwam op een winterdag begin februari te voet van het treinstation van Bramblehurst, door een bijtende wind en dikke sneeuw.*

De schrijver keek op en ontmoette de blik van de inspecteur.

'Zegt die tekst u iets, meneer Wells?' vroeg hij.

'Nee,' antwoordde de schrijver beslist.

Garrett nam het briefje weer aan en las het nog een keer door, waarbij hij zijn hoofd als de slinger van een klok heen en weer bewoog.

'Mij ook niet,' zei hij. 'Wat zou Shackleton ons hiermee willen zeggen?'

Wells stond op.

'Goed, inspecteur,' zei hij, 'ik val u niet verder lastig en laat u alleen met uw raadsels.'

Garrett kwam weer tot zichzelf en schudde Wells de hand.

'Dank u, meneer Wells. Ik zal u laten komen als ik u nodig heb.'

Wells knikte en verliet het kantoor. Hij liep de gang door, de trap af, hield de eerste koets aan die hij tegenkwam en stapte in als een slaapwandelaar of een gehypnotiseerde, of – waarom ook niet? – als een robot. Gedurende de hele rit naar Woking durfde hij niet door het raampje te kijken, uit angst dat een of andere vreemdeling op het trottoir of een langs de kant van de weg rustende landarbeider hem een veelbetekenende blik toewierp die hem met ontzetting zou vervullen. Thuis aangekomen zag hij dat zijn handen trilden. Hij ging naar binnen zonder Jane iets te zeggen, en liep de keuken in. Op de tafel, naast de schrijfmachine, lag het manuscript van zijn nieuwste roman, die hij de titel *De onzichtbare man* had gegeven. Met een lijkbleek gezicht ging Wells zitten en wierp een blik op de eerste bladzijde van het manuscript dat, behalve hij, nog niemand had gelezen. De eerste zin luidde:

> *De vreemdeling kwam op een winterdag begin februari te voet van het treinstation van Bramblehurst, door een bijtende wind en dikke sneeuw.*

Er was werkelijk een tijdreiziger! En hij probeerde met hem in contact te komen, bedacht Wells, toen hij weer helder kon denken. Want waarom had hij anders de eerste regels van *De onzichtbare man* op de muur geschreven? De roman was nog niet gepubliceerd; hijzelf was op dat moment de enige die van het bestaan ervan wist. Het doden van een bedelaar met een onbekend wapen was duidelijk een teken voor de politie geweest dat het geen gewone moord betrof, maar het fragment uit zijn roman op de plaats delict kon alleen voor hem bedoeld zijn. De ongewone wond van de bedelaar kon zijn toegebracht met een wapen uit hun eigen tijd waaraan Garrett en de forensische artsen nog niet hadden gedacht, maar het begin van zijn roman kon alleen bekend zijn aan een man uit de toekomst, en dat nam alle twijfel weg die Wells nog aan het bestaan van de tijdreiziger mocht hebben. De schrijver voelde een huivering door zijn lichaam gaan, niet alleen omdat hij plotseling had ontdekt dat het reizen door de tijd, dat hij altijd als louter fantasie had beschouwd, toch mogelijk was, of beter gezegd, in de toekomst mogelijk zou zijn, maar ook omdat de tijdreiziger, wie het ook mocht zijn, om de een of andere duistere reden met hem in contact probeerde te komen.

De hele nacht lag hij te woelen in zijn bed met het onaangename gevoel dat hij in de gaten werd gehouden, en vroeg zich af of hij inspecteur Garrett op de hoogte moest stellen, of dat hij daarmee de woede van de tijdreiziger zou wekken. Tegen de ochtend had hij nog altijd geen beslissing genomen. Gelukkig was dat ook niet meer nodig, want op dat moment stopte er een rijtuig van Scotland Yard voor zijn huis. Garrett had een agent gestuurd om Wells te halen: er was opnieuw een lijk gevonden.

Zonder ontbijt en met een jas over zijn nachthemd geslagen liet Wells zich als verdoofd naar de hoofdstad brengen. De koets stopte in Portland Street, waar Garrett op hem stond te wachten, een nietig figuurtje in het epicentrum van een indrukwekkende politiemacht. Wells telde meer dan een half dozijn agenten die probeerden de vele toeschouwers bij de plaats van het misdrijf, onder wie hij minstens twee verslaggevers herkende, op een afstand te houden.

'Ditmaal is het slachtoffer geen bedelaar,' vertelde de inspecteur, nadat hij hem de hand had geschud, 'maar de baas van een kroeg hier in de buurt, een zekere Terry Chambers. Maar hij is ongetwijfeld met hetzelfde wapen vermoord.'

'Heeft de moordenaar weer een boodschap achtergelaten?' vroeg Wells met een zwak stemmetje, en hij moest zich inhouden om er niet aan toe te voegen: 'voor mij?'

Garrett knikte, duidelijk geërgerd. De jonge inspecteur had ongetwijfeld liever gezien dat kapitein Shackleton zich tot zijn arrestatie in het jaar 2000 met minder gevaarlijke zaken had beziggehouden. Zichtbaar overweldigd door het hele circus om hem heen loodste hij Wells door het politiekordon heen naar de plaats delict. Chambers zat op de grond, een beetje schuin tegen een muur geleund, met in zijn borst een dampend gat waardoor de muur achter hem zichtbaar was. Boven zijn hoofd had iemand een tekst neergekrabbeld. Met bonzend hart kwam Wells dichterbij, voorzichtig om niet op de kroegbaas te gaan staan. Hij boog voorover en las:

Op 1 mei om acht uur 's morgens uit München vertrokken en vroeg de volgende ochtend in Wenen aangekomen.

Wells zuchtte opgelucht, maar ook een beetje teleurgesteld toen hij zag dat de zin niet uit zijn roman afkomstig was. Was dit een boodschap gericht aan een andere schrijver? Dat was een logische gedachte, en hij was ervan overtuigd dat de zin, hoe nietszeggend ook, het begin was van een nog ongepubliceerde roman, waarschijnlijk zojuist voltooid door de betreffende schrijver. Kennelijk wilde de tijdreiziger niet alleen met hem, maar ook nog met iemand anders in contact komen.

'Zegt die tekst u iets, meneer Wells?' vroeg Garrett hoopvol.

'Nee, inspecteur. Maar ik stel voor dat u hem in de krant zet. De moordenaar geeft ons een soort raadsel op, en de ogen van het hele land zien meer dan die van ons beiden,' zei hij, in het besef dat hij alles op alles moest zetten om de boodschap terecht te laten komen bij degene voor wie ze was bedoeld.

De inspecteur knielde neer om het lijk beter te bekijken, en Wells liet verstrooid zijn blik over de menigte gaan die zich achter het politiekordon verdrong. Wat wilde de tijdreiziger van twee schrijvers uit de negentiende eeuw? Hij wist het niet, maar twijfelde er niet aan dat hij er spoedig achter zou komen. Het was een kwestie van afwachten. Nu was de tijdreiziger aan zet.

Toen hij weer tot de werkelijkheid was teruggekeerd, viel zijn blik op een meisje dat naar hem stond te kijken. Ze was waarschijnlijk even in de twintig, had een slank postuur, een bleke huid en roodblond haar, en ze staarde hem zo intens aan dat het bijna ongepast was. Ze droeg een heel gewone jurk en cape, maar er was iets vreemds aan haar, aan de uitdrukking op haar gezicht, aan de manier waarop ze naar hem keek, iets wat hij niet in woorden kon vatten, maar wat haar onderscheidde van de rest van de mensen om hem heen.

Zonder dat hij wist waarom, stapte Wells op haar af. Tot zijn verrassing schrok het meisje van die impulsieve daad, draaide zich om en verdween in de massa, haar haren wapperend als een vlam in de wind. Toen de schrijver zich een weg door de menigte had gebaand, was er al geen spoor meer van haar te bekennen. Hij keek alle kanten op, maar zag haar nergens. Het was alsof ze in rook was opgegaan.

'Is er iets, meneer Wells?'

De schrijver schrok toen hij de stem van de inspecteur naast hem hoorde.

'Hebt u dat meisje gezien, inspecteur?' vroeg Wells, terwijl hij gespannen de straat bleef afturen.

'Over welk meisje hebt u het?' vroeg de inspecteur onthutst.

'Ze stond hier, tussen de mensen. Maar ze had iets...'

Garrett keek hem nieuwsgierig aan.

'Hoe bedoelt u, meneer Wells?'

De schrijver wilde antwoorden, maar ontdekte dat hij niet wist hoe hij de vreemde indruk die het meisje op hem had gemaakt moest beschrijven.

'Ik... Laat maar, inspecteur,' antwoordde hij schouderophalend. 'Waarschijnlijk was het een oud-leerlinge van me, en kwam ze me daarom bekend voor...'

Garrett knikte, zonder veel overtuiging. Het was duidelijk dat hij Wells' gedrag nogal eigenaardig vond. Toch volgde hij de raad van de schrijver op, en de volgende dag stonden beide teksten, zowel die van Wells als die van de onbekende auteur, in alle Londense kranten. En als Wells' vermoeden juist was, zou die informatie het ontbijt van een van zijn collega's hebben bedorven. Hij wist niet wie de schrijver was die op dat moment waarschijnlijk net zo'n paniek voelde als hij zelf twee dagen geleden, maar de wetenschap dat hij niet de enige gesprekspartner van de tijdreiziger was, luchtte hem enigszins op. Hij voelde zich nu niet langer alleen in de zaak, en had ook geen haast meer om uit te vinden wat de tijdreiziger van hen wilde. Hij was ervan overtuigd dat het raadselspel nog niet ten einde was.

En het zou blijken dat hij zich daarin niet vergiste.

Toen de volgende ochtend het rijtuig van Scotland Yard verscheen, zat Wells op de trap voor zijn huis, aangekleed en met het ontbijt achter de kiezen. Het derde lijk was van een naaister genaamd Chantal Ellis. De onverwachte verandering van geslacht bracht inspecteur Garrett van zijn stuk, maar Wells niet. Hij wist dat de doden niet belangrijk waren, dat ze slechts het leitje waren waarop de tijdreiziger zijn boodschap schreef. De zin die hij ditmaal op een muur in Weymouth Street had geschreven, luidde als volgt:

> *Het verhaal had ons, rond het haardvuur, de adem vrijwel afgesneden maar behalve de voor de hand liggende opmerking dat het gruwelijk was, wat een vreemd verhaal in een oud huis op kerstavond in essentie ook moet zijn, kan ik me niet herinneren dat er verder nog iets over gezegd werd, totdat iemand opmerkte dat het het enige hem bekende geval was waarin een dergelijke bezoeking zich had voorgedaan aan een kind.*

'Zegt die tekst u iets, meneer Wells?' vroeg Garrett, zonder enige hoop.

'Nee,' antwoordde de schrijver, maar hij zei er niet bij dat het ondoorzichtige proza hem vaag bekend voorkwam, al kon hij niet zeggen wie de schrijver was.

En terwijl inspecteur Garrett zich met een tiental agenten opsloot in de London Library, vastbesloten om er alle romans na te kijken op zoek naar het boek waaruit Shackleton, met welke duistere bedoeling dan ook, citeerde, keerde Wells terug naar huis, en vroeg zich af hoeveel onschuldige mensen nog moesten sterven voor de reiziger zijn raadselspel had voltooid.

De volgende ochtend verscheen er echter geen rijtuig van Scotland Yard voor zijn deur. Betekende dat dat de tijdreiziger inmiddels met alle gewenste schrijvers contact had opgenomen? Het antwoord vond Wells in zijn brievenbus. Daar trof hij een plattegrond van Londen aan waarop de tijdreiziger een ontmoetingspunt had aangegeven, en die tegelijk bewees dat hij zich naar believen door de tijdstroom kon bewegen, want de kaart stamde uit het jaar 1666 en was vervaardigd door de Tsjechische graveur Wenceslaus Hollar. Vol bewondering bekeek Wells het schitterende werkstuk, dat een stad toonde die inmiddels niet meer dezelfde was, want amper een paar maanden daarna zou Londen worden verwoest door een grote brand, een brand die naar Wells zich herinnerde in een bakkerij in het centrum was ontstaan en zich via de belendende kolen-, hout- en drankpakhuizen razendsnel had verspreid, al snel St. Paul's Cathedral had bereikt en zelfs de Romeinse muur in de buurt van Fleet Street was overgestoken. Maar wat Wells het meest verbaasde was dat de kaart geen spoor vertoonde van de meer dan twee eeuwen lange reis die ze had moeten maken om in zijn handen terecht te komen. Zoals een soldaat die bij het oversteken van een rivier zijn geweer boven zijn hoofd houdt om het tegen het water te beschermen, had de tijdreiziger de kaart behoed voor de tand des tijds, voor het stille knagen der jaren, de gele klauwen der decennia en de gulzige vraatzucht der eeuwen.

Toen hij van de verrassing was bekomen, bekeek Wells de cirkel waarmee Berkeley Place was gemarkeerd; ernaast stond zo te zien het getal vijftig. Dat was ongetwijfeld de plek waar de drie schrijvers de tijdreiziger zouden ontmoeten. En hij moest toegeven dat de tijdreiziger geen betere ontmoetingsplaats had kunnen kiezen, want Berkeley Place 50 stond bekend als het meest behekste huis van Londen.

XXXVIII

Berkeley Place was een piepklein, voor zijn afmetingen wel erg melancholiek parkje, maar met de oudste bomen van de Londense binnenstad. Wells liep er langzaam, bijna schrijdend doorheen, groette met een korte buiging de lome nimf die de beeldhouwer Alexander Munro aan het sombere landschap had toegevoegd, en bleef staan voor het gebouw waarop nummer 50 stond. Het was een bescheiden pand dat een beetje uit de toon viel bij de rest van de gebouwen aan het plein, die alle door beroemde eigentijdse architecten waren ontworpen. Het huis zag eruit alsof het al minstens tien jaar leegstond, en hoewel de gevel intact leek, waren alle ramen geblindeerd met zware planken, een laag verweerd hout om de duistere geheimen die zich daarbinnen moesten afspelen tegen nieuwsgierige blikken te beschermen. Huiverend vroeg Wells zich af of het wel een goed idee was geweest om alleen te komen. Misschien had hij inspecteur Garrett moeten waarschuwen, want tenslotte was hij niet alleen hier om iemand te ontmoeten die er geen been in zag onschuldige burgers te vermoorden, maar had hij ook de naïeve bedoeling die persoon te arresteren en hem op een presenteerblaadje aan te bieden aan de inspecteur, zodat die de reis naar het jaar 2000 voor eens en voor altijd uit zijn hoofd zou zetten.

Wells keek aandachtig naar de strenge gevel van wat het meest behekste huis van Londen heette te zijn, en bedacht dat het allemaal nog wel meeviel. Het tijdschrift *Mayfair* had met veel gevoel voor sensatie de vreemde gebeurtenissen opgedist die zich er sinds het begin van de eeuw hadden afgespeeld: iedereen die zich erbinnen waagde verloor kennelijk óf zijn leven, óf zijn verstand. Voor Wells, die geen gevoel voor het bovennatuurlijke had, was het gewoon een lange opsomming van huiveringwekkende onzin, van geruchten die zelfs in gedrukte vorm niet geloofwaardig waren. Er was sprake van dienstmeisjes die hun verstand hadden verloren en niet konden vertellen wat ze hadden gezien, van matrozen die na een aanval uit het raam waren gesprongen en gespietst op het hek waren achtergebleven, en natuurlijk van buren die zelfs in tijden dat het huis had leeggestaan niet konden slapen en beweerden dat ze voortdurend meubels hoorden schuiven en vreemde schaduwen achter de ramen zagen. Al die griezelige gebeurtenissen hadden het pand tot een spookhuis gemaakt, het domein van een meedogenloze geest, dé ideale plek voor de heren van het koninkrijk om hun moed te tonen door er een nacht door te brengen. In 1840 had de avonturier sir Robert Warboys met zijn vrienden om honderd guineas gewed dat hij in het huis zou blijven slapen. Gewapend met een pistool ging hij naar binnen en sloot zich er op. Hij had een touw meegenomen dat was vastgemaakt aan een klokje op de begane grond, en met een spottend lachje beloofde hij eraan te trekken als hij in moeilijkheden zat. Hij was nog geen kwartier binnen of het klokje luidde, gevolgd door een schot dat de stilte van de nacht verbrak. Toen zijn vrienden te hulp snelden, troffen ze de aristocraat dood op bed aan, met een ontzette uitdrukking op zijn gezicht. De kogel was in het houten voeteneind gedrongen, en of hij daarvóór ook nog het ijle lichaam van het spook had doorboord, viel natuurlijk niet te zeggen. Dertig jaar later, toen het pand inmiddels een prominente plaats innam op de lijst van Engelands behekste huizen, bracht een andere dappere jongeman, een zekere lord Lyttleton er de nacht door. Hij had meer geluk, want hij overleefde de aanval van het spook, dat hij wist neer te schieten met het met zilveren munten geladen pistool dat hij uit voorzorg mee naar bed had genomen. Lord Lyttleton zag het duivelse schepsel zelfs ter aarde storten, al werd bij het onderzoek geen lijk in de kamer aangetroffen, zoals de lord zelf verbijsterd had verteld in het beroemde tijdschrift *Notes and queries* dat Wells in een boekwinkel had zien liggen en geamuseerd had doorgebladerd. De verhalen en geruchten waren het er ook niet over eens wat de reden was dat het in het pand was gaan spoken. Sommige mensen beweerden dat het een vervloekt huis was omdat er vroeger honderden kinderen waren gemarteld, anderen hielden het spook voor een verzinsel van de buren, die de huiveringwekkende kreten hadden gehoord van de krankzinnige broer van een oude huurder die ergens in een kamer gevangen werd gehouden. Wells' favoriete hypothese was echter dat het spook zijn oorsprong had in een zekere Myers die er vele slapeloze nachten met een kaars had rondgelopen nadat zijn verloofde hem een paar dagen voor de bruiloft had laten zitten. De laatste tien jaar was er in het huis niets meer gebeurd, zodat men aannam dat de geest was teruggekeerd naar de hel, misschien omdat hij verveeld was geraakt van al die melkmuilen die zo nodig hun moed moesten bewijzen. Maar het spook was de minste van Wells' zorgen. Hij had al aardse problemen genoeg om zich ook nog eens druk te maken over de bewoners van de wereld aan gene zijde.

Hij keek de straat naar beide kanten in, maar er was geen sterveling te zien, en omdat de maan in het laatste kwartier stond was het aardedonker; de duisternis leek hem zelfs van een stroperigheid waarvan in griezelromans wordt gesproken. Omdat er geen tijdstip van afspraak op de kaart was vermeld, had Wells besloten om om acht uur te gaan, de tijd die in het tweede tekstfragment werd genoemd. Hij hoopte dat dat een goede beslissing was geweest, en dat hij niet als enige bij de tijdreiziger aankwam. Uit voorzorg was hij gewapend. Hij bezat geen pistool, maar had een vleesmes meegenomen dat hij op zijn rug had gebonden, waar het hopelijk onopgemerkt zou blijven mocht de tijdreiziger besluiten hem te fouilleren. En zo, als een held uit een roman, had hij afscheid genomen van Jane, met een lange, onverwachte kus, die haar aanvankelijk had verrast, maar waaraan ze zich ten slotte kalm had overgegeven.

Zonder verder tijd te verliezen stak Wells de straat over, haalde nog een keer diep adem, alsof hij zich in de Theems ging storten in plaats van een huis binnen te gaan, en duwde tegen de deur, die verbazend gemakkelijk openging. Hij zag direct dat hij niet de eerste was, want midden in de hal stond een gezette, kale man van een jaar of vijftig, die, met de handen in de zakken van zijn onberispelijke pak, bewonderend naar de brede trap stond te kijken die in het halfduister van de bovenverdieping verdween.

Toen hij Wells binnen hoorde komen, draaide hij zich om, stak zijn hand uit en stelde zich voor als Henry James. Dus dat was James, die keurige heer! Wells kende hem niet persoonlijk, want de microkosmos van clubs en salons waarin James verkeerde behoorde niet tot de plekken die hij frequenteerde. Naar hij had gehoord bespiedde de rentenier er de geheime passies van zijn medegasten, en zette die vervolgens op papier in een proza dat al even beschaafd was als zijn manieren. Maar het hield hem nu niet direct uit zijn slaap dat hun wegen elkaar nooit hadden gekruist. Na het lezen van *The Aspern papers* en *The Bostonians* was hij zelfs blij geweest dat hij zich in een wereld ver van de zijne bevond, want na dat inspannende karwei was Wells tot de slotsom gekomen dat James en hij maar één ding gemeen hadden, namelijk dat ze beiden hun tijd doorbrachten met het rammen op een schrijfmachine – hij kon niet weten dat zijn collega zich te goed voelde voor dat mechanische werk, en zijn woorden liever aan een typiste dicteerde. De enige verdienste die James volgens Wells had, was zijn onmiskenbare talent om met ellenlange zinnen niets te zeggen. En waarschijnlijk minachtte

James zijn werk al evenzeer, want onwillekeurig trok die een vies gezicht toen hij zich voorstelde als H.G. Wells. De twee mannen keken elkaar even wantrouwend aan, tot James kennelijk het idee had dat ze een beleefdheidsnorm overtraden en snel de ongemakkelijke stilte verbrak.

'Het ziet ernaar uit dat we op het juiste tijdstip zijn gekomen. Onze gastheer verwachtte ons duidelijk vanavond,' zei hij, wijzend naar de vele kandelaars die de duisternis dan wel niet helemaal verdreven, maar in het midden van de hal wel een vlak verlichtten waar de ontmoeting kennelijk plaats zou vinden.

'Daar ziet het wel naar uit, ja,' zei Wells.

Vervolgens richtten beide schrijvers hun blik naar boven, naar het vakwerkplafond, het enige wat in de lege hal te bewonderen viel. Maar de ongemakkelijke stilte duurde gelukkig niet al te lang, want al snel hoorden ze hoe knarsende scharnieren de komst van de derde schrijver aankondigden.

De man die angstvallig de deur opende, alsof hij een crypte betrad, was een grote, roodharige vijftiger met een vlammende baard. Wells herkende hem onmiddellijk. Het was Bram Stoker, de Ier die het Lyceum-theater leidde, al stond hij in de stad beter bekend als de impresario en boezemvriend van de beroemde acteur Henry Irving. Toen Wells hem zo omzichtig, bijna schuchter zag binnenkomen, moest hij denken aan de geruchten dat Stoker lid was van de Gouden Dageraad, een occult genootschap waartoe ook anderen van zijn collega's behoorden, zoals de Welsh schrijver Arthur Machen en de dichter W.B. Yeats.

De drie schrijvers schudden elkaar de hand in de kring van licht, en verzonken daarna in een bedrukte stilte. James had zich weer verschanst achter zijn muur van ongenaakbaarheid, terwijl Stoker naast hem onrustig bewoog. Wells vond het ongemakkelijke samenzijn wel amusant; kennelijk hadden ze elkaar weinig of niets te zeggen, ook al hielden ze zich alle drie, ieder op zijn eigen wijze, bezig met hetzelfde.

'Ik ben blij te zien dat u allemaal gekomen bent, heren.'

De stem kwam van boven, en de drie schrijvers wendden hun hoofd naar de trap waar, zonder haast, alsof hij van zijn veerkrachtige passen genoot, de vermoedelijke tijdreiziger naar beneden kwam.

Wells nam hem nieuwsgierig op. Het was een man van ongeveer veertig jaar oud, van gemiddelde lengte en atletisch gebouwd, die hen lachend aankeek. Hij had hoge jukbeenderen en een stevige kin, en zijn goed getrimde baard leek bedoeld om zijn ruwe gelaatstrekken zo veel mogelijk te camoufleren. Hij werd geëscorteerd door twee mannen die iets jonger waren dan hij, en schuin over de borst een vreemd geweer droegen. Het leken net stevige wandelstokken van een vreemd zilverachtig materiaal, maar uit de manier waarop ze werden gedragen leidden de schrijvers af dat het wapens moesten zijn, en je hoefde geen genie te zijn om te begrijpen dat daaruit de hittestraal kwam waardoor de drie vermoorde mensen aan hun eind waren gekomen.

Het alledaagse voorkomen van de tijdreiziger stelde Wells echter teleur, alsof hij er, louter omdat hij uit de toekomst kwam, wel monsterachtig of op zijn minst verontrustend moest uitzien. Waren mensen uit de toekomst dan niet fysiek geëvolueerd, zoals Darwin zei? De tijdreiziger, die om de teleurstelling compleet te maken ook nog eens, net als zijn lijfwachten, gekleed was in een eigentijds elegant bruin kostuum, bleef voor hen staan en keek hen met een tevreden lachje aan. Misschien kwam het door de haast dierlijke blik in zijn intens zwarte ogen en het zelfvertrouwen dat uit elk van zijn bewegingen sprak, dat hij er toch niet helemaal gewoon uitzag. Maar die kenmerken waren niet specifiek voor de toekomst, zei Wells bij zichzelf, want die vond je ook bij mannen uit zijn eigen tijd, die gelukkig werd bevolkt door vastberadener en charismatischer figuren dan de kleine vertegenwoordiging die hier was verzameld.

'Ik denk dat onze ontmoetingsplek u bijzonder zal bevallen,

meneer James,' zei de tijdreiziger, ironisch lachend naar de Amerikaan.

James, kampioen van de onuitgesproken gedachten, antwoordde met een even beleefd als afstandelijk lachje.

'Ik kan niet ontkennen dat u mogelijk gelijk hebt, al zal ik u dat, als u mij toestaat, nu nog niet geven, want dat kan ik zonder hypocriet te zijn pas doen als de bijeenkomst afgelopen is en het resultaat ervan naar mijn oordeel voldoende compensatie vormt voor de verwoestende effecten die de reis uit Rye op mijn rug heeft gehad,' antwoordde hij.

De tijdreiziger tuitte zijn lippen, alsof hij niet helemaal zeker was of hij James' labyrintische antwoord had begrepen. Wells schudde zijn hoofd.

'Wie bent u en wat wilt u van ons?' vroeg Stoker met bange stem, zonder zijn ogen af te wenden van de twee lijfwachten, die als stijve schimmen aan de rand van de lichtkring stonden.

De tijdreiziger richtte zijn blik naar de Ier en keek hem met geamuseerde welwillendheid aan.

'U hoeft niet op zo'n angstige toon te spreken, meneer Stoker. Ik verzeker u dat ik u alleen maar hier samen heb gebracht om u het leven te redden.'

'Excuses dan voor onze terughoudendheid, maar u zult begrijpen dat het feit dat u, louter om onze aandacht te trekken, zonder scrupules drie mensen hebt vermoord, er nu niet bepaald toe bijdraagt dat we in uw menslievende bedoelingen geloven,' zei Wells, die als hij wilde net zulke kronkelende zinnen aaneen kon rijgen als James.

'O, dat...' zei de tijdreiziger met een afwerend gebaar. 'Gelooft u me, die drie mensen zouden toch wel gestorven zijn. Guy, de bedelaar uit Marylebone, zou de volgende nacht de dood hebben gevonden bij een ruzie met een paar kompanen. Meneer Chambers zou drie dagen later zijn omgekomen bij een overval bij het verlaten van zijn kroeg. En op de ochtend van diezelfde dag zou de lieve mevrouw Ellis in Cleveland Street door een op hol geslagen rijtuig zijn overreden. Eigenlijk heb ik hun dood alleen maar een paar dagen vervroegd. Daarom heb ik ze ook uitgekozen. Ik had drie mensen nodig die we konden doden met onze wapens, zodat de moorden, samen met de fragmenten uit uw nog onuitgegeven romans, in de krant kwamen te staan en u op die manier ter kennis zouden komen. Ik wist dat, als u er eenmaal van overtuigd zou zijn dat ik uit de toekomst kwam, ik u alleen nog maar de plaats van ontmoeting bekend hoefde te maken: uw nieuwsgierigheid zou de rest doen.'

'Het is dus waar?' vroeg Stoker. 'U komt echt uit het jaar 2000?'

De tijdreiziger lachte geamuseerd.

'Ik kom van veel verder dan het jaar 2000, en er vindt dan natuurlijk ook geen oorlog tegen machinemensen plaats. Ik wou dat we geen andere zorgen hadden dan dat speeltuig!'

'Wat wilt u daarmee zeggen?' vroeg de schrijver geschokt. 'We weten toch allemaal dat de machinemensen in het jaar 2000 de wereld...'

'Daarmee wil ik zeggen, meneer Stoker,' onderbrak de tijdreiziger zijn woorden, 'dat de firma Murray Tijdreizen gewoon bedrog is.'

'Bedrog?' stamelde de Ier ongelovig.

'Ja, slim bedrog weliswaar, maar nog altijd bedrog, waar men helaas pas na verloop van tijd achter zal komen,' zei hun gastheer met een arrogant lachje naar de drie schrijvers. Vervolgens richtte hij zich weer tot de Ier, geroerd door zijn naïviteit. 'Ik hoop niet dat u tot de gedupeerden behoort, meneer Stoker.'

'Nee, nee...' mompelde de schrijver, teleurgesteld en opgelucht tegelijk, 'de prijs van een kaartje gaat mijn mogelijkheden verre te boven.'

'Wees dan maar blij, want dan hebt u tenminste uw geld niet verspild,' zei de tijdreiziger monter. 'Het spijt me dat ik u heb teleurgesteld met de waarheid over de reizen naar het jaar 2000, maar bekijkt u het eens van de positieve kant: degene die u die waarheid deed inzien is een echte tijdreiziger. Zoals u aan de plattegrond in uw brievenbus hebt kunnen zien, kom ik niet alleen uit de toekomst, maar kan ik me in elke richting van de tijdstroom bewegen.'

Buiten raasde de wind om het behekste huis, maar binnen hoorde je alleen het geknetter van de vlammetjes van de kaarsen, die wellustige schaduwen op de muren wierpen. De stem van de tijdreiziger klonk vreemd zacht, alsof zijn keel met zijde was gevoerd, toen hij zei: 'Maar staat u mij toe dat ik me, voor ik u daarover vertel, eerst aan u voorstel, u moet niet denken dat we ons in de toekomst niet aan de meest elementaire beleefdheidsregels houden. Mijn naam is Marcus Rhys, en ik ben om zo te zeggen bibliothecaris.'

'Bibliothecaris?' vroeg James, plotseling geïnteresseerd.

'Ja, maar dan wel van een heel speciale bibliotheek. Maar laat ik bij het begin beginnen. Zoals u hebt kunnen zien, zal de mens op een gegeven moment door de tijd reizen, al is dat niet met een machine zoals u beschrijft in uw roman, meneer Wells. En tijdreizen zullen ook niet aan de orde van de dag zijn. Nee, in de volgende eeuw voeren wetenschappers, natuurkundigen en wiskundigen uit de hele wereld eindeloze debatten over de vraag of tijdreizen al dan niet mogelijk zijn, en ontwikkelen vele theorieën over hoe men ze tot werkelijkheid kan maken. Die theorieën lopen echter allemaal stuk op de aard van het universum, dat helaas niet de fysische eigenschappen bezit die nodig zijn om hun hypothesen te bewijzen. Het lijkt op de een of andere manier net alsof het universum tegen tijdreizen wordt beschermd, alsof het iets tegennatuurlijks is en God Zijn schepping ertegen heeft afgeschermd.' De tijdreiziger zweeg even en nam zijn toehoorders op met zijn intens zwarte ogen. 'Maar de geleerden uit mijn tijd willen dat niet accepteren, en blijven proberen de grootste droom van de mens waar te maken, die erin bestaat om in elke gewenste richting door de tijdstroom te reizen. Uiteindelijk is het echter allemaal verspilde moeite. Weet u waarom? Omdat het niet de wetenschap is die het tijdreizen mogelijk zal maken.'

Marcus zette zich langs de rand van de lichtkring in beweging, alsof hij even de benen wilde strekken, en deed alsof hij de vragende blikken van de schrijvers niet zag. Ten slotte was hij weer bij zijn uitgangspunt terug en keek de schrijvers aan met een lachje dat deed denken aan afbladderend pleister op een muur.

'Nee, het geheim van het reizen door de tijd heeft altijd in ons hoofd gezeten,' zei hij niet zonder leedvermaak. 'De mogelijkheden van ons brein zijn onbegrensd, heren.'

Bij het geluid van de knetterende kaarsen betoogde de tijdreiziger met zijn zachte stem dat de wetenschap in hun tijd nog geen idee had van het enorme potentieel van de menselijke geest – die was immers nog maar net overgegaan van het meten van de schedel tot het bestuderen van de inhoud ervan, en probeerde nu de werking van de hersenen te begrijpen met primitieve methoden als de ablatie en de toediening van elektrische schokken.

'Ah, het brein van de mens...' zuchtte hij. 'Het grootste raadsel van het universum weegt slechts veertienhonderd gram, en het verbaast u misschien te horen dat we maar twintig procent van zijn capaciteit gebruiken. Waartoe we bij volledig gebruik wel niet in staat zouden zijn, is zelfs voor ons nog een raadsel. Maar we hebben wel ontdekt dat het vermogen om ons te bewegen door de tijd een van de vele wonderen is die onder de hersenschors schuilgaan.' Hij pauzeerde even en vervolgde toen: 'Al moet ik u bekennen dat zelfs onze geleerden niet precies weten hoe dat in zijn werk gaat. Duidelijk is alleen dat de mens over een soort bewustzijn beschikt waardoor hij zich op dezelfde manier door de tijd kan bewegen als door de ruimte. Hij kan het weliswaar nog niet gericht gebruiken, maar het is natuurlijk al heel wat dat hij dat bewustzijn heeft weten te activeren.'

'In ons hoofd...' mompelde Stoker, betoverd als een kind.

Marcus keek hem vol genegenheid aan, maar liet zich niet afleiden en ging door met zijn betoog. 'Het is niet precies bekend wie de eerste tijdreiziger is geweest, dat wil zeggen, de eerste mens die een verplaatsing in de tijd onderging, zoals het destijds werd genoemd, want aanvankelijk betrof het geïsoleerde gevallen. Dat we over iets als een overzicht van die eerste verplaatsingen beschikken, danken we aan de esoterische tijdschriften en andere publicaties over paranormale verschijnselen. Weliswaar doken er regelmatig berichten op over mensen die beweerden in een andere tijd terecht te zijn gekomen, maar dat gebeurde ook weer niet zo vaak dat het in het algemeen bewustzijn werd verankerd. Halverwege onze eeuw werd de wereld toen opeens overspoeld door een ware vloedgolf van tijdreizigers, van wie niemand wist waar ze vandaan kwamen. Daar waren ze dan, alsof het zich kunnen verplaatsen door de tijd de volgende stap was in de door Darwin voorspelde evolutie. Kennelijk konden sommige mensen in een grenssituatie bepaalde delen van hun brein activeren, waardoor ze als bij toverslag uit het heden werden weggerukt en in het verleden of de toekomst werden geworpen. Het ging weliswaar om een kleine minderheid, en ze hadden hun vaardigheid niet onder controle, maar ze beschikten over een talent dat in alle opzichten gevaarlijk was. Zoals u zich kunt voorstellen bracht de regering mensen met dit talent al spoedig samen op een nieuw gevormd departement, om ze te bestuderen en ze te leren hun vaardigheid in een gecontroleerde omgeving te perfectioneren. Onnodig te zeggen dat aanmelding bij dat departement niet vrijwillig was! Welke regering kon immers mensen met zo'n gave vrij laten rondlopen? Nee, de *homo temporis*, zoals hij werd genoemd, moest in de gaten worden gehouden. Het onderzoek wierp wat licht op het fenomeen: men ontdekte bijvoorbeeld dat de tijdreizigers zich niet met constante snelheid door de tijdstroom bewogen om dan op een gegeven moment tot stilstand te komen, zoals de machine van meneer Wells, maar dat ze zich direct van het ene punt naar het andere verplaatsten, door een soort intuïtieve sprong in het niets waarvan ze alleen de richting, naar verleden of toekomst, konden bepalen. Eén ding stond vast: hoe groter de afgelegde afstand, hoe uitgeputter ze zich na de reis voelden. Sommigen hadden dagen nodig om weer bij te komen, anderen lukte dat nooit en raakten in een comateuze toestand waaruit ze niet meer ontwaakten. Men ontdekte ook dat ze, als ze zich maar genoeg concentreerden, voorwerpen mee konden nemen bij hun sprong, en zelfs andere mensen, al was dat dubbel zo vermoeiend. Toen men het mentale mechanisme dat het tijdreizen mogelijk maakte naar beste weten had ontrafeld, was het zaak om na te gaan of het verleden te veranderen was, of dat het onwrikbaar vaststond. Die vraag had al tot verhitte debatten geleid vóór het tijdreizen werkelijkheid was geworden, en diende nu dringend te worden beantwoord. Er waren natuurkundigen die beweerden dat als we bijvoorbeeld naar het verleden reisden met de bedoeling iemand neer te schieten, het pistool in onze hand zou exploderen. Het universum zou zichzelf herstellen, zou vanuit een soort zelfbewustzijn dat over de innerlijke samenhang waakt verhinderen dat iemand stierf die nooit was gestorven. Maar door een serie gecontroleerde experimenten, waarbij kleine veranderingen in het nabije verleden werden aangebracht, ontdekte men dat de tijd helemaal niet werd beschermd, dat hij zo kwetsbaar was als een schaaldier zonder schild. De geschiedenis, alles wat tot nu toe was gebeurd, kon compleet worden herschreven. U kunt zich voorstellen dat die ontdekking een grotere schok was dan het tijdreizen zelf. Plotseling beschikte de mens over de mogelijkheid om het verleden te veranderen. Geen wonder dat de meeste mensen dachten dat God de mens hiermee als het ware carte blanche gaf om zijn fouten te herstellen. Het zou er natuurlijk om gaan de oorlogen en epidemieën uit het verleden te voorkomen, het onkruid met wortel en al uit te trekken, want alles wat in de toekomst nog zal gebeuren, heren, is uiterst onaangenaam, en overtreft uw naïeve fictie in grote mate, meneer Wells. Stelt u zich eens voor hoeveel profijt de mensheid van het tijdreizen zou kunnen hebben! Je zou bijvoorbeeld de pestepidemie ongedaan kunnen maken die alleen al in Londen honderdduizend mensen het leven kostte voordat – ironie van het lot – de brand van 1666 er een einde aan maakte.'

'Of de boeken in de bibliotheek van Alexandrië redden voordat ze in vlammen opgaan,' opperde James.

Marcus glimlachte minzaam.

'Ja, je zou talloze dingen kunnen doen. Met instemming van de bevolking vormde de regering dus een raad van wetenschappers en geleerden die de taak kreeg het verleden, die catalogus van vergissingen, te analyseren, en te beoordelen welke gebeurtenissen het verdienden om te worden uitgewist, en wat daarvan de gevolgen voor het tijdweefsel zouden zijn, want men wilde natuurlijk niet dat de dingen nog eens erger werden. Maar dat was niet naar ieders zin, en al direct gingen er stemmen op tegen het herstelplan, zoals het werd genoemd. Velen zagen dit onbekommerde manipuleren van het verleden als onethisch, en een deel van de bevolking wilde koste wat het kost dat het project zou stoppen. Die, laat ons zeggen, conservatieve factie kreeg met de dag meer aanhangers, en was de mening toegedaan dat je de vergissingen van het verleden gewoon voor lief moest nemen. Het werd voor de regering steeds moeilijker het project voort te zetten, en er kwam definitief een einde aan toen de tijdreizigers, bang het doelwit te worden van een nieuwe vreemdelingenhaat, op chaotische wijze door de tijd begonnen te vluchten. Dat bracht meteen de nodige sociale onrust teweeg, want opeens was het verleden een soort stopverf geworden die door iedereen naar believen kon worden gekneed. Opeens stond de geschiedenis van de mensheid op het spel!'

'Maar hoe kun je nu weten of iemand het verleden manipuleert, want daarmee verandert hij immers ook ons heden?' vroeg Wells. 'We zullen nooit weten of iemand met de geschiedenis knoeit, we kunnen alleen de gevolgen daarvan ervaren.'

'Heel scherpzinnig van u, meneer Wells,' zei Marcus, aangenaam verrast door de vraag van de schrijver. 'Het ligt in de aard van de tijd dat de effecten van een verandering in het verleden zich door de hele tijdstroom verspreiden en daarbij onderweg alles veranderen, zoals het wateroppervlak verandert door de golven van een in de vijver geworpen steen. Het is precies zoals u zegt: we zouden nooit ontdekken dat er is geknoeid, want zowel ons heden als onze herinneringen zouden door de golven zijn beïnvloed.' Hij pauzeerde even en voegde er daarna met een malicieus lachje aan toe: 'Tenzij we ter vergelijking zouden beschikken over een reservekopie van de wereld.'

'Een reservekopie?'

'Ja, noemt u het zoals u wilt,' antwoordde de tijdreiziger. 'Ik doel op een verzameling boeken, kranten en dergelijke waarin de hele geschiedenis van de wereld zo volledig mogelijk is terug te vinden. Een soort portret van het ware gezicht van de aarde, waardoor we elke afwijking, hoe klein ook, direct kunnen ontdekken.'

'Ik begrijp het,' mompelde Wells.

'De regering werkte daaraan vanaf het verschijnen van de eerste vloedgolf van tijdreizigers, zodat niemand het verleden zonder toestemming kon manipuleren. Maar er was een probleem: waar moest dat geheugen worden bewaard, en wel zo dat de golven die door de veranderingen teweeg werden gebracht er geen vat op zouden hebben?'

De schrijvers keken hem vragend aan.

'Er was maar één plek die daarvoor in aanmerking kwam,' antwoordde de tijdreiziger zichzelf, 'namelijk het begin der tijden.'

'Het begin der tijden?' echode Stoker.

Marcus knikte.

'Het oligoceen, het derde subtijdperk van het tertiair in het cenozoïcum, om precies te zijn, toen de mens nog geen voet op aarde had gezet en de wereld werd bevolkt door rinocerossen, mastodonten, wolven en de eerste primaten. Een tijd die voor een tijdreiziger slechts bereikbaar was door vele sprongen achter elkaar te maken, met alle risico's van dien, en waar bovendien niemand heen wilde omdat er niets te veranderen viel. Binnen het trainingsproject van de tijdreizigers had de regering in het diepste geheim een soort elitegroep gevormd. De taak van die groep was natuurlijk om het wereldgeheugen naar het oligoceen te transporteren. Zoals u zult hebben begrepen, ben ik een van hen. Op ontelbare reizen bouwden we daar het heiligdom dat de kennis van de wereld zou bevatten, en dat ook ons thuis werd, want daar speelde zich vanaf dat moment een groot deel van ons leven af. Te midden van eindeloze vlakten van grasland, die we amper durfden betreden, zouden we leven en kinderen krijgen. Kinderen die we onze vaardigheid zouden doorgeven, zodat ook zij zich door de tijd konden bewegen en over de geschiedenis konden waken, de tijdlijn die begon in het oligoceen en eindigde op het moment dat de regering met het herstelplan was gestopt. Ja, heren, want daar eindigt onze jurisdictie. De tijd die daarna komt wordt niet meer bewaakt, omdat men ervan uitgaat dat die alle eventuele veranderingen veroorzaakt door de tijdreizen absorbeert. Maar het verleden is en blijft onaantastbaar. Elke verandering daarin is een vergrijp tegen de natuurlijke orde van de tijd.'

De tijdreiziger sloeg zijn armen over elkaar en keek zijn gasten welwillend aan. Zijn stem klonk enthousiast toen hij vervolgde: 'De plek waar het geheugen van de wereld wordt bewaard, noemen we de Bibliotheek van de Waarheid, en ik ben een van de bibliothecarissen die toezicht moeten houden op de negentiende eeuw. Ik reis daarvoor van het oligoceen naar hier, en met kleine sprongen van decennium naar decennium ga ik na of alles in orde is. Maar zoals u zich kunt voorstellen, is het een vermoeiende bezigheid om hier te komen, zelfs voor mij, die met een tijdsprong duizenden jaren kan overbruggen. Ik moet meer dan twintig miljoen jaar afleggen, en de bibliothecarissen die waken over wat voor u de toekomst is, zelfs nog meer. Daarom zijn er op de tijdlijn die we volgen zogenaamde nesten ingericht, een dicht net van huizen en andere plekken waar we kunnen uitrusten om het reizen wat draaglijker te maken. En u begrijpt, dit gebouw is zo'n schuilplaats. Een betere plek dan een al tientallen jaren leegstaand huis, dat tot het eind van de eeuw onbewoond zal blijven en waarin bovendien een spook nieuwsgierigen op een afstand houdt, hadden we niet kunnen bedenken.'

Marcus zweeg en gaf daarmee te verstaan dat hij aan het eind van zijn uiteenzetting was gekomen.

'En, is u in onze tijd iets ongewoons opgevallen?' vroeg Stoker geamuseerd. 'Hebt u meer vliegen geteld dan er eigenlijk moeten zijn?'

De tijdreiziger lachte om het grapje van de Ier, maar het was een duister lachje.

'Meestal vind ik wel iets,' bromde hij. 'Eigenlijk is mijn werk heel interessant, want juist in de negentiende eeuw brengen tijdreizigers graag veranderingen aan, misschien omdat de gevolgen vaak groot zijn. En ook al breng ik alles weer terug in de oorspronkelijke staat, bij mijn volgende bezoek is er altijd weer het nodige veranderd. Zoals natuurlijk ook nu.'

'Wat is er dan niet zoals het moet zijn?' vroeg James.

De behoedzaamheid waarmee de Amerikaan sprak was Wells niet ontgaan, alsof hij er niet helemaal zeker van was of hij het antwoord wel wilde weten. Ging het soms om de clubs, die luxueuze toevluchtsoorden waar James placht te schuilen voor de eenzaamheid die hem al vanaf zijn geboorte vergezelde? Misschien bestonden die pas sinds ze door een paar tijdreizigers waren opgezet, en moest Marcus ze nu verwijderen om de wereld haar oorspronkelijke vorm terug te geven.

'Het verbaast u misschien, heren, maar Jack the Ripper had nooit gearresteerd moeten worden.'

'Meent u dat serieus?' vroeg Stoker.

Marcus knikte.

'Ik ben bang van wel. Zijn arrestatie danken we aan een tijdreiziger, die de burgerwacht van Whitechapel heeft gewaarschuwd. Dankzij die 'getuige', die anoniem heeft willen blijven, kon Jack the Ripper worden gepakt. In werkelijkheid had dat niet moeten gebeuren. Zonder de inmenging van de tijdreiziger zou Bryan Reese, beter bekend als Jack the Ripper, nadat hij op 7 november 1888 de prostituee had vermoord, volgens plan met zijn schip koers hebben gezet naar de Caraïben. Daar zou hij nog een tijd met zijn bloedige hobby zijn doorgegaan door in Managua diverse vrouwen te vermoorden, maar vanwege de afstand zou dat nooit in verband zijn gebracht met de moorden op de hoeren in East End. Zo zou Jack the Ripper uit de geschiedenis zijn verdwenen en het geheim van zijn identiteit hebben meegenomen in zijn graf. Een geheim dat een van de grootste raadsels ter wereld zou worden, waaraan evenveel inkt zou worden vergoten als er bloed van zijn mes was gedropen, en dat ook de onderzoekers in de volgende eeuw nog volop zou bezighouden. Het verbaast u misschien te horen dat het onderzoek in sommige gevallen zelfs leidt naar het Koninklijk Huis. Iedereen heeft kennelijk wel een motief om een handvol hoeren van hun ingewanden te ontdoen. Zoals u ziet overtreft in dit geval de fantasie van het volk veruit de werkelijkheid. Ik denk dat de tijdreiziger die de verandering heeft veroorzaakt gewoon zijn nieuwsgierigheid naar de identiteit van het monster niet heeft kunnen bedwingen. En zoals u terecht concludeerde, meneer Wells, is de verandering onopgemerkt gebleven vanwege de golven die dat heeft veroorzaakt. In dit geval is de verandering echter heel gemakkelijk ongedaan te maken. Je moet daarvoor gewoon naar de nacht van 7 november 1888 reizen en voorkomen dat de tijdreiziger de burgerwacht onder leiding van George Lusk waarschuwt. Misschien denkt u dat dat niet bepaald een verandering ten goede is, en dat betwist ik niet, maar ik moet het toch voorkomen, want, zoals gezegd, elk manipuleren van het verleden is een misdrijf.'

'Betekent dat soms dat we ons in een... parallelle wereld bevinden?' vroeg Wells.

Marcus keek hem opnieuw verrast aan en knikte.

'Inderdaad, meneer Wells.'

'Wat voor de duivel is een parallelle wereld?' vroeg Stoker.

'Dat begrip komt pas in de volgende eeuw in zwang, als het tijdreizen nog slechts een hersenspinsel van schrijvers en natuurkundigen is,' legde Marcus uit, terwijl hij Wells nog steeds verbaasd aankeek. 'Parallelle werelden worden gezien als een manier om de tijdparadoxen te vermijden die kunnen ontstaan als het verleden onveranderlijk mocht zijn. Wat zou er bijvoorbeeld gebeuren als iemand naar het verleden reist en zijn grootmoeder doodt, nog vóór ze zijn moeder ter wereld heeft gebracht?'

'Dan zou hij niet geboren worden,' antwoordde James snel.

'Behalve als zijn grootmoeder niet zijn moeders echte moeder was, dan zou het een merkwaardige manier zijn om erachter te komen dat hij geadopteerd was,' grapte Stoker.

De tijdreiziger negeerde de opmerking van de Ier en vervolgde zijn uitleg: 'Maar als hij niet geboren is, hoe kan hij zijn grootmoeder dan vermoorden? Veel natuurkundigen in mijn tijd zien als enige oplossing voor die paradox dat belangrijke veranderingen in ons verleden een parallelle wereld creëren. In dat geval verdwijnt de moordenaar niet nadat hij zijn grootmoeder heeft gedood, wat logisch zou zijn, maar leeft hij verder in een andere wereld, een andere werkelijkheid die aan zijn wereld ontspruit op het moment dat hij de trekker overhaalt en daarmee het lot van zijn grootmoeder verandert. Het blijft een theorie die nooit te bewijzen valt, zelfs als tijdreizen eenmaal werkelijkheid zijn geworden, want of veranderingen in het verleden parallelle werelden doen ontstaan of niet, kun je, zoals ik eerder uitlegde, alleen vaststellen als je over een kopie van de oorspronkelijke wereld beschikt. Als wij die niet hadden, zou ik nu niet hier met u over het raadsel van de identiteit van Jack the Ripper praten, want dan bestond er helemaal geen raadsel.'

Wells knikte zwijgend, terwijl Stoker en James elkaar verward aankeken.

'Maar volgt u mij, heren. Ik zal u iets laten zien wat u zal helpen om het beter te begrijpen.'

XXXIX

Met een geamuseerd lachje liep de tijdreiziger de trap op. Na een korte aarzeling volgden de schrijvers, geescorteerd door de twee mannen met hun geweren. Boven leidde Marcus hen naar een kamer waar een kast vol stoffige boeken een hele wand innam, en de rest van het meubilair bestond uit een stel gammele stoelen en een doorgezakt bed. Wells vroeg zich af of daarop sir Robert Warboys en lord Lyttleton hadden gelegen en al die andere heren die de confrontatie met het spook waren aangegaan, maar hij had niet de tijd om het voeteneind op kogelsporen te inspecteren, want op dat moment trok Marcus aan een lampje aan de muur, waarop de zogenaamde boekenkast in het midden opengaing en zicht bood op een groot vertrek dat zich daarachter bevond.

De tijdreiziger wachtte tot zijn lijfwachten de lampen hadden aangestoken, en pas toen het vertrek was verlicht vroeg hij hen binnen te komen. Toen James en Stoker aarzelden, nam Wells het initiatief en waagde zich met kleine, voorzichtige passen in het geheimzinnige vertrek. Meteen bij de deur stonden twee grote eikenhouten tafels, bedekt met stapels boeken, schriften en kranten – ongetwijfeld de plek waar de tijdreiziger de fysionomie van de eeuw bestudeerde om eventuele knoeierijen op het spoor te komen. Aan de andere kant van het vertrek zag Wells echter iets wat nog veel meer zijn aandacht trok. Het zag eruit als een spinnenweb met koorden in verschillende kleuren, waaraan kantenknipsels hingen. James en Stoker hadden het ook opgemerkt; de tijdreiziger liep er nu naartoe en nodigde hen met een hoofdbeweging uit hem te volgen.

'Wat mag dat zijn?' vroeg Wells, toen hij bij hem stond.

Marcus lachte.

'De Kaart van de tijd,' antwoordde hij trots.

De schrijver keek hem verbaasd aan, wendde zijn blik weer naar het door koorden gevormde geheel en bekeek het wat nauwkeuriger. Wat er uit de verte had uitgezien als een spinnenweb, leek nu eerder de vorm van een spar of een visgraat te hebben. Een wit koord van muur tot muur, op een hoogte van ongeveer anderhalve meter gespannen, diende als hoofdtouw. Andere koorden, groen en blauw van kleur, liepen vandaar naar de zijmuren, waar ze met spijkers waren bevestigd. Net als het hoofdtouw hingen ze allemaal vol krantenknipsels. Wells liep er voorzichtig tussendoor en bekeek nieuwsgierig de koppen van de berichten die als was aan de waslijn hingen. Nadat Marcus instemmend had geknikt, volgden zijn collega's zijn voorbeeld.

'Het witte koord,' legde de tijdreiziger uit, 'stelt het oorspronkelijke universum voor, zoals het was voor de reizigers het verleden overhoop begonnen te halen. Het universum zoals ik dat in stand dien te houden.'

Aan een van de uiteinden van het witte koord ontdekte Wells een foto die licht glansde. Ze was verrassend genoeg in kleur, en toonde een imposant gebouw van steen en glas onder een smetteloos blauwe hemel. Dat moest de Bibliotheek van de Waarheid zijn. Aan het andere uiteinde hing een knipsel over de stopzetting van het herstelplan en de wet die manipulatie van het verleden verbood. Tussen beide berichten in hingen talloze andere krantenknipsels die kennelijk over belangrijke gebeurtenissen gingen. Vele daarvan waren Wells bekend, en sommige, zoals de Indiase Opstand en de zogeheten Bloody Sunday, hadden zich afgespeeld in zijn eigen tijd. Maar hoe verder het touw naar de toekomst liep, hoe onbegrijpelijker de berichten werden. Het duizelde hem plotseling toen hij begreep dat hij las over gebeurtenissen die nog helemaal niet hadden plaatsgevonden, gebeurtenissen die hem wachtten in de meanders van de tijd, de meeste vreemd onheilspellend.

Wells wierp een blik op zijn collega's, om vast te stellen of de mengeling van opwinding en angst die hij ervoer ook bij hen te zien was. Stoker leek zo verdiept in een knipsel dat hij er als gehypnotiseerd naar stond te staren, maar James had zich na een vluchtige blik minachtend van de kaart afgewend, alsof de toekomst hem niet zozeer naargeestig en onbegrijpelijk leek, als wel minder goed beheersbaar dan zijn eigen werkelijkheid. De Amerikaan leek enorm opgelucht dat de dood hem ervoor zou behoeden zich te moeten redden in de angstaanjagende wereld die in de knipsels werd getoond. Ook Wells probeerde zijn ogen van de sliert knipsels af te houden, omdat hij bang was voor het effect dat het kennen van toekomstige gebeurtenissen op zijn handelen zou kunnen hebben, maar door een ziekelijke opwinding gedreven las hij toch snel zo veel mogelijk koppen door, in het besef dat dit een unieke kans was waar andere mensen een moord voor zouden doen.

Onwillekeurig stond hij echter wat langer stil bij een bericht dat ging over een van de eerste tijdreizen, zoals hij opmaakte uit de esoterische titel. Onder de kop 'Een tijdreizigster' werd bericht dat het personeel van warenhuis Olsen op de ochtend van 12 april 1984 bij het openen van de deuren een vrouw in de winkel had aangetroffen. Aanvankelijk hadden ze gedacht dat het om een inbreekster ging, maar toen ze haar hadden gevraagd hoe ze het warenhuis was binnengekomen, had ze geantwoord dat ze er gewoon zomaar opeens was geweest. Nog vreemder was dat de onbekende vrouw beweerde dat ze uit de toekomst kwam, uit het jaar 2008 om precies te zijn, iets wat door haar eigenaardige kleren leek te worden bevestigd. De vrouw vertelde dat ze in haar huis door een stel inbrekers was overvallen, maar zich in haar slaapkamer had weten te verschansen. Beangstigd door het geweld waarmee de mannen de deur probeerden in te trappen, was ze overvallen door een soort duizeligheid. En toen ze weer bijkwam bevond ze zich in warenhuis Olsen, vierentwintig jaar terug in de tijd. De politie had haar niet kunnen ondervragen, want na die eerste, enigszins onsamenhangende verklaring was ze op mysterieuze wijze weer verdwenen. 'Zou ze zijn teruggekeerd naar de toekomst?' zo vroeg de verslaggever zich tot besluit van het artikel dreigend af.

'De regering denkt dat het allemaal is begonnen met die vrouw,' zei Marcus bijna eerbiedig. 'Hebt u zich misschien afgevraagd waarom sommige mensen zich door de tijd kunnen bewegen en andere niet? Dat deed de regering ook, en genetisch onderzoek gaf het antwoord. Kennelijk hadden de tijdreizigers een gemuteerd gen, een begrip dat u op dit moment nog onbekend is. Ik geloof dat men het pas over een paar jaar zal gebruiken, als een Nederlandse bioloog het heeft bedacht. Het leek erop dat ze door dit gen een gebied in de hersenen konden activeren dat voor de rest van de bevolking ontoegankelijk bleef. Uit het onderzoek bleek dat het een erfelijk gen betrof, wat betekende dat alle tijdreizigers dezelfde verre oorsprong hadden. De regering slaagde er echter niet in vast te stellen wie de eerste drager was geweest, al vermoedde men dat het deze vrouw was. Velen denken dat ze een verbintenis is aangegaan met een man die ook tijdsprongen kon maken, en dat daaruit nakomelingen zijn voortgekomen met een extra krachtig gen en dat die nakomelingen zich mengden met de rest van de bevolking en tientallen jaren later voor de vloedgolf van tijdreizigers zorgden. Men is er nooit in geslaagd de vrouw te vinden. Nadat ze uit warenhuis Olsen was verdwenen, is er nooit meer iets van haar gehoord. Ik moet u bekennen dat sommige tijdreizigers, onder wie ikzelf, haar als een heilige vereren.'

Wells glimlachte en keek vertederd naar de doodgewoon en een beetje verward uitziende vrouw, die zelf niet leek te kunnen geloven wat er was gebeurd en die door Marcus tot de Madonna van de tijd was verheven. Waarschijnlijk liep ze inmiddels verloren rond in een of andere verre tijd, als ze al geen zelfmoord had gepleegd bij het vooruitzicht gek te worden.

'De andere koorden stellen elk een parallelle wereld voor,' zei Marcus, opnieuw de aandacht van de schrijvers vragend, 'een aftakking van de weg die de tijd eigenlijk had moeten volgen. De groene koorden staan voor de werelden die al zijn hersteld. Ik laat ze nog hangen uit pure nostalgie, want sommige van die parallelle werkelijkheden vond ik ontroerend.'

Wells keek naar een groen koord, waaraan verscheidene bekende portretten en foto's van Hare Majesteit hingen. De portretten waren precies gelijk aan die in zijn eigen tijd, op één klein detail na: de koningin had een roodbruin aapje op haar schouder.

'Dat koord stelt een van mijn favoriete parallelle werelden voor,' zei Marcus. 'Een liefhebber van doodshoofdaapjes had Hare Majesteit verteld dat elk levend wezen energie uitstraalt, een soort fysiek magnetisme met een genezende werking. En dat gold in het bijzonder voor die aapjes, die weldadig zouden zijn bij maagklachten en migraine. Stelt u zich mijn verrassing voor toen ik de kranten bestudeerde en op de foto's van de koningin die verbijsterende toevoeging zag! En daar bleef het niet bij. Dankzij Hare Majesteit werd het een rage om een aapje op je schouder te dragen, zodat een wandeling door de Londense straten een vermakelijk schouwspel bood. Maar helaas is de geschiedenis een stuk saaier, en moest ik een en ander corrigeren.'

Vanuit zijn ooghoeken keek Wells naar James en zag hoe hij diep zuchtte, kennelijk opgelucht dat hij niet hoefde te leven in een wereld waar je met een aap op je schouder moest lopen.

'De blauwe koorden daarentegen staan voor de tijden die nog moeten worden gecorrigeerd,' ging Marcus verder. 'Dit touw stelt onze huidige wereld voor, heren, een wereld exact gelijk aan de oorspronkelijke, maar een waarin Jack the Ripper na zijn vijfde slachtoffer niet op mysterieuze wijze is verdwenen, maar is gearresteerd door de burgerwacht van Whitechapel.'

De schrijvers keken nieuwsgierig naar het koord. Het eerste knipsel ging over de gebeurtenis die de parallelle wereld had doen ontstaan: de aanhouding van Jack the Ripper. Daarop volgden nog een paar knipsels waarin verslag werd gedaan van de latere terechtstelling van de zeeman Bryan Reese, de moordenaar van de hoeren.

'Maar zoals u ziet, is dit niet het enige blauwe koord,' zei Marcus, wijzend naar een ander. 'Dit tweede koord stelt een wereld voor die nog geen werkelijkheid is, maar dat de komende dagen zal worden. En die gaat u aan, heren. Daarom bent u hier!'

Marcus trok het eerste knipsel van het touw en hield het in zijn hand, zonder het nog aan zijn gasten te tonen, als een pokerspeler die talmt met het laten zien van de kaart die het spel een nieuwe wending zal geven.

'Volgend jaar zal de onbekende schrijver Melvin Frost drie romans publiceren waarmee hij van de ene op de andere dag beroemd wordt en de literatuurgeschiedenis ingaat,' zei hij.

Hij pauzeerde even en keek zijn gasten een voor een aan, tot zijn blik bleef rusten op de Ier.

'Eén daarvan is *Dracula*, het boek dat u zojuist hebt voltooid, meneer Stoker.'

De Ier keek verbijsterd. Wells nam hem nieuwsgierig op. Dracula, dacht hij, wat is dat voor raar woord? Hij wist het natuurlijk niet, zoals hij ook nauwelijks iets van Stoker wist. Hij kon in de verste verte niet vermoeden dat die gereserveerde, respectabele man, die zich overdag onderdanig schikte naar het drukke societyleven van zijn zelfingenomen chef, zich 's nachts overgaf aan eindeloze bacchanalen met hoeren van allerlei rang en stand, ongebreidelde drinkgelagen met het loffelijke doel de bittere smaak te verzachten van een stukgelopen huwelijk, dat na de geboorte van zijn zoon Irving Noel helemaal een schijnvertoning was geworden.

'Al weet u het nog niet, meneer Stoker, al durft u er niet eens van te dromen, uw roman wordt het op twee na meest gelezen Engelstalige boek ter wereld, na de Bijbel en Shakespeares *Hamlet*,' verkondigde de tijdreiziger. 'Uw Dracula zal in het pantheon van literaire grootheden worden opgenomen en wordt waarlijk onsterfelijk.'

Stoker zette een hoge borst op toen hij begreep dat zijn boek in de tijd van de tijdreiziger een klassieker zou zijn. Precies zoals zijn moeder hem na lezing van het manuscript had voorspeld, zou zijn roman hem een ereplaats onder de schrijvers van zijn tijd bezorgen. En had hij dat soms niet verdiend? Zes lange jaren had hij eraan gewerkt, vanaf het moment dat doctor Arminius Vambery, professor in de oosterse talen aan de Universiteit van Boedapest en expert op het gebied van het occultisme, hem een bijzonder manuscript ter hand had gesteld. Daarin legden de Turken getuigenis af van de wrede daden van prins Vlad van Walachije, beter bekend als Vlad de Spietser, omdat hij de gewoonte had zijn gevangenen op puntige palen te spietsen en hun bloed te drinken terwijl hij toekeek hoe ze stierven.

'Frosts volgende romans heet *The turn of the screw*,' vervolgde Marcus, zich nu richtend tot de Amerikaan. 'Komt die titel u bekend voor, meneer James?'

De Amerikaan keek hem sprakeloos aan.

'Ja, natuurlijk,' zei Marcus. 'Zoals u aan zijn reactie kunt zien, is dat de roman die meneer James zojuist heeft voltooid, een heerlijk spookverhaal dat een klassieker wordt.'

James mocht dan een meester zijn in het verbergen van zijn gevoelens, een voldane glimlach over het lot van zijn roman kon hij niet onderdrukken. Het was het eerste werk dat niet rechtstreeks uit zijn pen was gevloeid, want hij had besloten het te dicteren aan een typiste. En misschien was het die symbolische afstand tussen hem en het papier waardoor hij het had aangedurfd om te spreken over zoiets intiems en pijnlijks als de angsten uit zijn jeugd. Vermoedelijk had dat echter ook te maken met zijn besluit om niet langer te verblijven in hotels en pensions, maar zich te vestigen in het fraaie huis in Georgian stijl dat hij in Rye had gekocht, want pas toen hij daar in zijn werkkamer zat, in het herfstzonnetje, met een vlinder fladderend tegen het raam en een onbekende die met haar vingers op de toetsen van een monsterachtig apparaat op zijn woorden zat te wachten, had hij de roman durven schrijven die was geïnspireerd op iets wat hem lang geleden was verteld door de aartsbisschop van Canterbury, het verhaal van twee kinderen die op een eenzame plek woonden en werden geplaagd door de boze geesten van vroegere bedienden.

Bij het zien van James' verholen glimlach vroeg Wells zich af wat dat wel voor spookverhaal zou zijn: spoken die eigenlijk geen spoken waren, maar misschien toch weer wel, hoewel waarschijnlijk ook weer niet omdat het anders te denken gaf.

'En Frosts derde roman,' zei Marcus, zich nu tot Wells wendend, 'is natuurlijk *De onzichtbare man*, het boek dat u net hebt geschreven, meneer Wells. Ook de hoofdpersoon van die roman verwerft zich een plaats in het pantheon van hedendaagse mythische figuren, net als meneer Stokers Dracula.'

Moest hij nu ook zwellen van trots? vroeg Wells zich af. Misschien wel, maar hij zag er geen enkele reden toe. Het liefst was hij ergens in een hoekje gaan zitten snikken tot hij geen tranen meer overhad, want hij kon het toekomstige succes van zijn roman alleen maar als een mislukking zien, zoals hij ook *De tijdmachine* en *Het eiland van dr. Moreau* als mislukt beschouwde. Net zo haastig op papier gezet als zijn verhalen, was *De onzichtbare man* opnieuw een roman volgens de aanwijzingen van Lewis Hind, een toekomstroman waarmee hij de wereld wilde waarschuwen voor de gevaren waartoe verkeerd gebruik van de wetenschap kan leiden. Verne had zoiets nooit aangedurfd, en had de wetenschap altijd voorgesteld als een soort pure alchemie. Maar Wells kon het optimisme van de Fransman niet delen, en had daarom ook dit keer een sombere fabel geschreven over het gebruik van de technologie, met in de hoofdrol een geleerde die zichzelf onzichtbaar had weten te maken en ten slotte krankzinnig werd. Maar het was duidelijk dat de boodschap van het boek niet zou worden begrepen, want de mens had de wetenschap uiteindelijk op de slechtst denkbare manier gebruikt, zoals Marcus had laten doorschemeren en hij zelf aan de vreselijke berichten aan het witte hoofdtouw had kunnen zien.

Marcus gaf het knipsel aan Wells, om het na lezing aan de anderen door te geven. De schrijver was te neerslachtig om alle lof te lezen waaruit het artikel leek te bestaan, en wierp alleen een vluchtige blik op de foto van Frost die erbij stond: een kleine, keurige man, met één hand op lachwekkende wijze steunend op de schrijfmachine waaraan zijn romans zogenaamd waren ontsproten. Wells gaf het knipsel door aan James, die het na een onverschillige blik weer aan Stoker gaf. Die las het van a tot z door, en hij was het ook die de doodse stilte die over het vertrek was neergedaald ten slotte verbrak.

'Hoe is het mogelijk dat die vent precies dezelfde verhalen heeft bedacht als wij?' vroeg hij ongelovig.

James bekeek hem met dezelfde geringschatting als waarmee hij de kunstjes van een kermisaapje zou hebben gadegeslagen.

'Niet zo naïef, meneer Stoker,' zei hij afkeurend. 'Wat onze gastheer bedoelt, is dat de heer Frost die romans niet zelf heeft bedacht, maar ze op de een of andere manier van ons heeft gestolen vóór wij ze konden publiceren.'

'Inderdaad, meneer James,' zei de tijdreiziger.

'Maar hoe wil hij dan verhinderen dat wij hem aangeven?' vroeg de Ier weer.

'Ik denk dat u het antwoord op die vraag zelf wel kunt bedenken, meneer Stoker,' antwoordde Marcus.

Wells, die zijn neerslachtigheid inmiddels te boven was en het gesprek weer met belangstelling volgde, huiverde plotseling.

'Als ik me niet vergis, bedoelt meneer Rhys dat de beste manier om iemand het zwijgen op te leggen is om hem te vermoorden.'

'Te vermoorden?' vroeg Stoker geschokt. 'Bedoelt u dat die Frost ons eerst onze boeken ontfutselt en ons daarna zal... vermoorden?'

'Ik ben bang van wel, meneer Stoker,' zei Marcus, met een somber knikje. 'Toen ik na aankomst in uw tijd het bericht las dat een zekere Melvin Frost die romans had gepubliceerd, heb ik meteen uitgezocht wat er met u, de eigenlijke auteurs, was gebeurd. En het spijt me u dit te moeten zeggen, heren, maar alle drie zult u de komende maand sterven. U, meneer Wells, krijgt een fietsongeluk waarbij u uw nek breekt. U, meneer Stoker, valt in uw theater van de trap. En u, meneer James, krijgt thuis een hartaanval, maar, net als bij de dood van uw collega's, heeft daar natuurlijk iemand de hand in. Of dat Frost zelf is of iemand die hij daarvoor heeft ingehuurd weet ik niet, maar gezien Frosts weinig imposante postuur neig ik naar het laatste. Eigenlijk is Frost het typische geval van de tijdreiziger die bang is om terug te keren naar zijn eigen tijd, en besluit zich in het verleden te vestigen om daar een nieuw leven te beginnen. Dat is op zich begrijpelijk en volkomen legaal, maar het probleem is dat zulke mensen het volkomen belachelijk vinden om op de klassieke manier, dat wil zeggen, in het zweet huns aanschijns, de kost te verdienen, omdat ze rijk kunnen worden dankzij hun kennis van de toekomst. Bij de uitvoering van hun plannen brengen ze echter meestal veranderingen in het verleden aan en daarmee verraden ze zich dan, net als die Frost. Anders zouden we ze ook nooit kunnen opsporen. Maar ik heb u hier niet samengebracht om u te kwellen met verhalen over uw aanstaande dood, heren, maar juist om die te voorkomen.'

'Kunt u dat?' vroeg Stoker hoopvol.

'Dat niet alleen, ik zie het zelfs als mijn plicht, want uw dood is een belangrijke verandering in de eeuw waarover ik dien te waken,' antwoordde Marcus. 'Ik wil u alleen maar helpen, heren, en hopelijk heb ik u daarvan overtuigd. Ook u, meneer Wells.'

Wells schrok. Hoe kon Marcus weten dat hij vol wantrouwen

naar de afspraak was gekomen? Het antwoord vond hij toen hij de blikken van de tijdreiziger en zijn beide collega's volgde, die waren gevestigd op zijn linkerschoen, waar op dat moment het mes tevoorschijn kwam dat hij op zijn rug had gebonden. Kennelijk was de knoop waarmee hij zijn bedenksel had vastgemaakt niet al te stevig geweest. Beschaamd raapte Wells het mes op en stopte het in zijn zak, onder afkeurend hoofdschudden van James.

'U allen,' vervolgde de tijdreiziger, zonder verder aandacht aan het voorval te besteden, 'zult nog vele jaren leven en uw trouwe lezers, onder wie ik mijzelf reken, nog vele romans schenken, dat verzeker ik u. Maar staat u mij toe dat ik u verder geen informatie over uw toekomst geef, zodat u zich, als we dit kleine probleempje hebben opgelost, op een natuurlijke manier zult blijven gedragen. Eigenlijk had ik me niet aan u bekend moeten maken, maar die Frost is zeer gewiekst en zal zo onopvallend te werk gaan dat de informatie die ik nodig heb om uw dood te voorkomen, zoals het precieze tijdstip waarop u van de trap wordt geduwd, meneer Stoker, niet in de kranten komt te staan. Ik weet alleen op welke dag ieder van u zijn ongeluk krijgt, en in uw geval, meneer James, zelfs dat niet, want uw dood wordt pas bekend nadat een buurman uw lijk heeft gevonden.'

James knikte verdrietig, misschien omdat hij zich voor het eerst bewust was van de grote eenzaamheid in zijn leven, waardoor zijn dood een gebeurtenis zou zijn die onopgemerkt aan de wereld voorbijging.

'Laten we zeggen dat het een soort wanhoopsdaad is geweest om u hier samen te brengen, heren, want om uw dood te voorkomen kan ik niets anders bedenken dan uw medewerking te vragen. Die zult u me denk ik niet weigeren.'

'Natuurlijk niet,' antwoordde Stoker, bij wie de wetenschap dat hij binnen een paar dagen dood zou zijn tot fysiek ongemak leek te leiden. 'Wat moeten we doen?'

'O, dat is heel simpel,' zei Marcus. 'Zolang Frost uw manuscripten niet heeft, kan hij u niets doen, en daarom stel ik voor dat u me die zo snel mogelijk brengt. Morgen nog, als het kan. Die eenvoudige handeling zorgt voor een nieuwe vertakking van de tijdlijn, omdat Frost u dan niet vermoordt. Zodra ik de romans in mijn bezit heb, reis ik weer naar het jaar 1899, om daar te beslissen wat mijn volgende stap is.'

'Dat lijkt me een voortreffelijk plan,' zei Stoker. 'Morgen breng ik u mijn manuscript.'

James beloofde hetzelfde, en hoewel Wells het idee had dat het om een soort schaakpartij ging tussen Marcus en Frost, waarin zij slechts de pionnen waren, bleef hem niets anders over dan ook akkoord te gaan. Hij was te zeer van slag om te kunnen bedenken of er nog een andere mogelijkheid was dan de door Marcus voorgestelde. Morgen zou hij hem dus zijn roman brengen, maar het feit dat de tijdreiziger Frost daarmee tegenhield vormde nog geen garantie dat hij onbezorgd kon gaan fietsen, zolang hij de kwestie met Gilliam Murray niet had opgelost. En daarvoor moest hij inspecteur Garrett helpen Marcus te arresteren, de man die hem het leven wilde redden!

Het arresteren van een tijdreiziger was echter een peulenschil bij de moeite die het kostte om in Londen in het holst van de nacht een rijtuig aan te houden. Bijna een uur lang liepen James, Stoker en Wells zonder succes rond in de omgeving van Berkeley Square, en ze vingen pas een glimp op van een berline toen ze, scheldend en blauw van de kou, besloten naar Piccadilly te lopen. Ze schrokken op toen ze het rijtuig zagen opdoemen uit de dichte mist. De koetsier zat te dommelen op de bok en zou hen voorbij zijn gereden als hij niet plotseling de roodharige reus had gezien die hem zwaaiend met zijn armen de weg versperde. Op die roekeloze aanhouding volgden een paar lange minuten waarin de schrijvers de koetsier probeerden duidelijk te maken welke route hij moest volgen: eerst naar Stokers huis, dan naar het hotel waar James logeerde, en ten slotte Londen uit in de richting van Woking, waar Wells woonde. Toen de koetsier liet blijken dat hij het begrepen had – hij knipperde een paar keer met zijn ogen en bromde wat – stapten de drie mannen in het rijtuig en ploften zuchtend neer op de bankjes, als schipbreukelingen die eindelijk het strand hebben bereikt nadat ze dagenlang op een vlot op zee hebben rondgedreven.

Wells keek verlangend uit naar een moment van respijt om eens rustig na te denken over alles wat er de afgelopen uren was gebeurd, maar toen hij Stoker en James over hun romans hoorde beginnen, begreep hij dat hij nog even geduld moest oefenen. Het stoorde hem niet dat ze hem niet bij het gesprek betrokken; hij was zelfs opgelucht. Kennelijk hadden ze geen boodschap aan iemand die populaire boeken schreef en ook nog eens met een keukenmes op zijn rug naar afspraken kwam. Hij had ook absoluut geen belangstelling voor wat zij te bespreken hadden, en probeerde het gesprek dus langs zich heen te laten gaan door naar de indrukwekkende mist buiten te kijken. Al snel ontdekte hij echter dat Stokers stem, als die niet door angst werd omfloerst, een niet te negeren volume had als je samen een rijtuig deelde.

'Wat ik met mijn roman heb beoogd, meneer James,' legde de Ier hevig gebarend uit, 'is om de vampier, de elegante belichaming van het kwaad, een geheel nieuw aanzien te geven. Ik heb geprobeerd hem te ontdoen van alle romantische ballast die hem tot een lachwekkende sater heeft gemaakt die zijn slachtoffers amper wat wellustige schrik weet aan te jagen. De vampier in mijn roman is huiveringwekkend, en ik heb hem uitgerust met alle bekende kenmerken uit de folklore, al moet ik bekennen dat ik ook wat van mezelf heb toegevoegd, zoals het feit dat hij zichzelf niet in de spiegel kan zien.'

'Maar als het kwaad een gezicht krijgt, verliest het een groot deel van zijn mysterie, meneer Stoker, en ook van zijn macht!' riep James uit, op een beledigde toon die zijn collega verraste. 'Het kwaad moet subtiel worden weergegeven, moet voortkomen uit onzekerheid, verblijven op de dunne grens die twijfel en werkelijkheid scheidt.'

'Ik ben bang dat ik u niet helemaal begrijp, meneer James,' mompelde de Ier, toen de ander enigszins gekalmeerd leek.

James slaakte een lange zucht en weidde nog wat verder uit over het moeilijk grijpbare onderwerp, maar Wells zag aan Stokers perplexe gezicht dat hij steeds verder wegzakte in een moeras van verwarring. Toen ze stilhielden voor Stokers huis stapte er daarom een roodharige reus uit de koets die er nogal gedesoriënteerd uitzag. Na Stokers desertie – want zo zag Wells het – werd het allemaal nog een graadje erger, want nu waren beide heren overgeleverd aan een oorverdovende stilte. Een stilte die James uit beleefdheid natuurlijk wel moest verbreken, zodat Wells zich onderweg naar het hotel genoodzaakt zag een conversatie te voeren over de verschillende mogelijkheden om de bankjes in een rijtuig te bekleden.

Toen hij eindelijk alleen was, hief Wells dankbaar zijn handen ten hemel en gaf zich over aan zijn overpeinzingen, terwijl het rijtuig de stad uit reed. Er was veel om over na te denken. Echt belangrijke zaken, van de berichten uit de toekomst die hij aan de koorden had zien hangen en waarvan hij niet wist of het beter was ze te vergeten of te onthouden, tot en met het fascinerende idee dat iemand de tijd in kaart had gebracht alsof het een fysieke ruimte was. En daarbij ging het om een gebied dat nooit helemaal in kaart te brengen viel, want er was nooit achter te komen waar het witte koord eindigde. Of misschien ook wel. Als de tijdreizigers nu eens zo ver in de toekomst waren doorgedrongen dat ze de grens ervan hadden bereikt, zoals ook de uitvinder in zijn eigen roman had geprobeerd? Zou de tijd op een bepaald moment eindigen, of ging hij eindeloos door? In het eerste geval moest het einde te vinden zijn op het moment dat de mens uitstierf en er geen levend wezen meer op aarde was, want wat was de tijd nog als niemand die meer kon meten, als zijn verstrijken aan niets viel af te lezen? De tijd vertoont zich slechts in dorre bladeren, in tot litteken geworden wonden, in zich uitbreidende roest en in vermoeide harten. Als er niemand meer was om dat alles te ervaren, dan was de tijd niets, helemaal niets.

Maar dankzij de parallelle werelden was altijd iemand of iets van het verstrijken van de tijd getuige. En parallelle werelden bestonden, daarvan was hij nu absoluut zeker. Bij de minste verandering van het verleden ontsproten ze aan de oorspronkelijke wereld als takken aan een boom, zoals hij zelf amper drie weken geleden nog tegen de jonge Andrew Harrington had gezegd. En die ontdekking schonk hem meer voldoening dan het gunstige lot van zijn roman, want ze wees op de kracht van zijn intuïtie, op een efficiënt, zelfs vermetel brein. Hij mocht dan niet, zoals Marcus, door de tijd kunnen reizen, maar redeneren kon hij uitstekend.

Hij dacht terug aan de kaart die de tijdreiziger hun had getoond, het web van gekleurde koorden met de parallelle werelden die Marcus had moeten corrigeren. En op dat moment besefte hij dat de kaart niet volledig was, want hij toonde alleen de werelden die door het ingrijpen van de tijdreizigers waren ontstaan. Maar hoe zat het met hun eigen handelen? Parallelle werelden ontstonden niet alleen door verboden ingrepen in het onaantastbare verleden, maar ook door iedere beslissing die door de mens genomen wordt. Hij stelde zich Marcus' kaart met die toevoeging voor, met het witte touw plotseling vol gele koorden die stonden voor de werelden die de mens louter met zijn vrije wil had geschapen.

Hij schrok op uit zijn overpeinzingen toen de koets voor zijn huis stilhield. Hij stapte uit, en nadat hij de koetsier een flinke fooi had gegeven omdat hij voor hem in het holst van de nacht de stad had moeten verlaten, opende hij het hek en vroeg zich af of hij nog naar bed zou gaan of niet, en wat van beide het gevolg zou zijn voor het tijdweefsel.

Toen zag hij het meisje met het vlammende haar.

XL

Ze was slank en bleek, en haar rossige haar vloeide als een gloeiende lavastroom over haar schouders. Ze nam hem op met dezelfde blik die hem een paar dagen geleden al was opgevallen, toen hij haar tussen de omstanders had zien staan bij Marcus' derde moord.

'U?' riep Wells.

Het meisje zei niets, maar liep met lichte pas op hem af en gaf hem een brief. Een beetje verward nam hij hem aan uit haar sneeuwwitte hand. *Voor H.G. Wells. Overhandigen in de nacht van de 26e november 1896*, las hij op de envelop. Het meisje was dus een soort boodschapster.

'Leest u deze brief, meneer Wells,' zei ze met een stem die hem deed denken aan het geluid van vitrage die zachtjes wappert in de middagwind. 'Uw toekomst hangt ervan af!'

Na die woorden liep ze naar het hek. Wells stond aan de grond genageld bij zijn voordeur, stram als een totem. Toen hij weer in staat was om te reageren, rende hij achter haar aan.

'Wacht, juffrouw...'

Midden onder het lopen bleef hij staan: de vrouw was verdwenen, alleen haar parfum hing nog in de lucht. Wells had het tuinhek helemaal niet horen knarsen. Het was alsof ze na het overhandigen van de brief letterlijk in rook was opgegaan.

Een paar minuten lang bleef hij zo staan, luisterend naar het kalme ritme van de nacht en met de geur van de onbekende vrouw nog om hem heen, tot hij besloot naar binnen te gaan. Zonder lawaai te maken liep hij naar de woonkamer, stak de lamp aan en ging in zijn leunstoel zitten. Hij was nog steeds in de war over de verschijning van het meisje, dat hij, als ze zo'n twintig centimeter groot was geweest en libellenvleugels had gehad, voor zo'n fee zou hebben gehouden waar Doyle in geloofde. Wie was ze? En hoe had ze zo plotseling kunnen verdwijnen? Maar het was dom om daarnaar te gissen als hij het antwoord waarschijnlijk kon vinden in de brief die hij in zijn handen hield. Hij maakte hem open en haalde de velletjes papier eruit. Hij huiverde even toen hij het bekende handschrift zag, en met bonzend hart begon hij te lezen.

Lieve Bertie,
Als je deze brief in je handen houdt, heb ik gelijk en zullen de mensen in de toekomst door de tijd kunnen reizen. Ik weet niet wie je deze brief zal overhandigen, maar ik verzeker je dat die iemand bloed van jouw bloed zal zijn, en van het mijne, want zoals je aan het handschrift gezien zult hebben: ik ben jou. Een Wells uit de toekomst. Uit een heel verre toekomst. Je kunt dit beter eerst op je in laten werken voor je verder leest. En omdat ik weet dat het voor jou geen afdoende bewijs zal zijn dat ik hetzelfde handschrift heb als jij – iemand die een beetje handig is zou het immers zo hebben kunnen nabootsen – zal ik proberen je te overtuigen door je iets te vertellen wat alleen jij kunt weten. Wie, behalve jij, weet dat de mand met tomaten in de keuken niet zomaar een mand is? Is dat bewijs genoeg, of moet ik grof worden en je eraan herinneren dat je tijdens je huwelijk met je nicht Isabel masturbeerde terwijl je dacht aan de naakte standbeelden in het Crystal Palace? Vergeef me dat ik deze pijnlijke episode uit je leven ter sprake breng, maar ik weet zeker dat jij over dat soort dingen, net als over de mand, nooit iets zult vertellen tegen een toekomstige biograaf, waarmee overtuigend is aangetoond dat ik geen bedrieger ben die

jou alleen maar uit boeken kent. Nee, ik ben jou, Bertie. En alleen als je dat kunt accepteren, heeft het zin om verder te lezen.

Nu zal ik je vertellen hoe jij mij wordt. Als jullie morgen naar Marcus gaan om hem je manuscript te brengen, wacht jullie een onaangename verrassing. Alles wat de tijdreiziger jullie heeft verteld is een leugen. Alleen dat hij een groot bewonderaar is van jullie werk is waar. Hij zal dus in zijn vuistje lachen als jullie hem die kostbare buit zelf komen brengen. Vervolgens zal hij een van zijn lijfwachten een teken geven om die arme James neer te schieten. Je hebt inmiddels zelf gezien wat het effect van die wapens op het menselijk lichaam is, en ik bespaar je dus de details, maar je kunt er zeker van zijn dat je pak vol bloedspetters en stukjes ingewanden zal komen te zitten. Je zult geen tijd hebben om te reageren, want de lijfwacht zal opnieuw een schot afvuren, ditmaal op een ontstelde Stoker, die hetzelfde lot zal ondergaan als de Amerikaan. Verlamd van angst zul je vervolgens zien hoe hij op jou richt, maar Marcus zal zijn wapen zachtjes opzij duwen, en dat doet hij omdat hij je te hoog acht om je te laten sterven zonder dat je weet waarom. Je bent tenslotte de auteur van De tijdmachine, *de roman die de mode van het tijdreizen in het leven heeft geroepen. Op z'n minst is hij je een verklaring schuldig, en zo zal hij, voor zijn lijfwacht je ombrengt, de moeite nemen je de waarheid uit de doeken te doen, al was het maar om zichzelf hardop te horen vertellen hoe hij jullie drieën voor de gek heeft weten te houden. Terwijl hij met zijn verende tred zijn belachelijke rondjes loopt, zal hij bekennen dat hij helemaal geen waker over de tijd is, en dat hij slechts bij toeval weet heeft van het bestaan van de Bibliotheek van de Waarheid en van het feit dat het verleden door de staat wordt bewaakt.*

Marcus was een excentrieke miljonair, zo iemand die helemaal kon doen wat hij zelf wil. Toen de regering het departement van Tijd in het leven had geroepen, was hij een van de-

genen geweest die zich hadden moeten laten onderzoeken. Dat was niet eens zo'n vervelende ervaring geweest, al had hij moeten omgaan met mensen van allerlei rang en stand. Het was te verdragen geweest omdat daar informatie tegenover stond over zijn ziekte – zo had hij de twee tijdsprongen beschouwd die hij op momenten van grote spanning had gemaakt – en vooral omdat hij zag welke verrassende mogelijkheden die hem bood. Toen het departement werd opgeheven nam Marcus zich voor om zijn gave, die hij inmiddels voortreffelijk had leren beheersen, verder te perfectioneren door aan tijdtoerisme te gaan doen. Een tijdlang trok hij kriskras door het verleden, dwalend door de eeuwen, tot het hem verveelde historische zeeslagen bij te wonen, heksen op brandstapels te verbranden en Egyptische slavinnen met zijn zaad uit de toekomst te verblijden. Hij bedacht dat hij zijn gave ook kon inzetten om zijn passie voor zeldzame boeken helemaal uit te leven. Thuis had Marcus een goed gevulde bibliotheek met een schat aan eerste drukken en incunabelen uit de zestiende eeuw, maar opeens leken al die boeken hem van nul en generlei waarde. Wat had hij eraan om een eerste druk van Childe Harold's Pilgrimage *van Lord Byron te bezitten, als het uiteindelijk toch ging om verzen die voor iedereen toegankelijk waren? Iets heel anders zou het zijn als hij het enige exemplaar ter wereld in handen had. Dan zou het zijn alsof de Engelse dichter het werk alleen voor hem had geschreven. En dat was iets wat hij nu, met zijn recent verworven vaardigheden, zonder veel problemen kon bereiken. Als hij naar het verleden reisde, een manuscript ontvreemdde van een van zijn lievelingsschrijvers nog vóór het werd gepubliceerd en hem vervolgens ombracht, kon hij een exclusieve bibliotheek samenstellen met werken die voor de rest van de wereld nooit zouden bestaan. Dat hij voor zo'n particuliere literatuurgeschiedenis in zijn bibliotheek een paar schrijvers moest vermoorden was voor hem geen enkel probleem, want romans die hem aanstonden had Marcus altijd als geheel opzichzelfstaand beschouwd, los van hun schrijvers die ook maar mensen waren en dus over het algemeen zeer onaangenaam. Bovendien was het nu te laat om scrupules te hebben, vooral omdat hij zijn fortuin had vergaard met methoden die je naar de heersende moraal als misdadig zou bestempelen. Gelukkig hoefde hij zich echter niet te onderwerpen aan andermans moraal, want al sinds lange tijd hield hij er een eigen moraal op na. Dat moest ook wel, want anders had hij nooit zijn stiefvader uit de weg kunnen ruimen. Maar al had hij die vergiftigd zodra hij hem had opgenomen in zijn testament, Marcus liet geen zondag voorbijgaan zonder bloemen op zijn graf te leggen. Tenslotte had hij alles aan hem te danken. Maar het enorme fortuin dat hij van die onbehouwen, gewelddadige man had geërfd was niets vergeleken met de erfenis van zijn echte vader: het kostbare gen dat hem in staat stelde door de tijd te reizen, een erfenis waarmee het verleden aan zijn voeten lag. Hij zag dus al een unieke bibliotheek voor zich, met titels als* Schateiland, de Ilias, Frankenstein, *en de drie romans van zijn lievelingsschrijver, Melvin Aaron Frost. Hij nam Frosts* Dracula *in zijn handen en bekeek de foto van de schrijver. Ja, dat schriele mannetje, aan wiens ogen je kon zien dat er vanbinnen iets aan hem vrat, dat mannetje dat net zo veel ondeugden en zwakheden had als ieder ander en dat zijn gunst alleen verdiende als hij een pen in zijn vingers had, zou de eerste zijn van een lange lijst schrijvers die bij vreemde ongelukken om het leven zouden komen en hem op die manier zouden helpen met de opbouw van zijn spookbibliotheek.*

Met dat plan reisde hij samen met twee van zijn mannen naar onze tijd, een paar maanden voordat Frost beroemd zou worden. Eerst moest hij hem zien op te sporen, nagaan of hij zijn manuscripten nog niet bij zijn uitgever had ingeleverd, en hem in dat geval met het pistool op de borst dwingen het enige af te staan wat hem van de rest van de mensheid onderscheidde. Vervolgens zou hij een eind maken aan zijn armza-

lige bestaan door een of ander ongeluk te ensceneren. Maar tot zijn verrassing was er van Melvin Frost geen spoor te bekennen. Niemand scheen hem te kennen. Het was alsof hij gewoon niet bestond. Marcus kon immers niet weten dat Frost ook een tijdreiziger was, en dat hij zich pas bekend zou maken als hij zich van jullie werken meester had gemaakt. Maar Marcus was niet van plan met lege handen te vertrekken. Frost was nu eenmaal de auteur die hij als eerste slachtoffer van zijn literaire moordpartij had uitgekozen, en hij zou hem koste wat het kost vinden. Erg subtiel was zijn plan echter niet, want om Frost uit zijn schuilplaats te lokken viel hem niets beters in dan om drie mensen te vermoorden, en op de plaats van het misdrijf de eerste regels van Frosts drie romans achter te laten, die hij overschreef uit de boeken die hij had meegenomen. Dat zou Frost beslist nieuwsgierig maken. De teksten werden al snel in de pers gepubliceerd, precies zoals Marcus had verwacht, maar Frost hapte niet toe en liet zich niet zien.

Ten einde raad en razend van woede hielden Marcus en zijn mannen dag en nacht de wacht bij de plaatsen delict, maar tevergeefs, zo leek het. Onder de omstanders bij zijn derde slachtoffer bevond zich echter iemand die zijn aandacht trok. Het was niet Frost, maar zijn aanwezigheid bracht bij Marcus eenzelfde opwinding teweeg. Hij stond als anonieme toeschouwer te kijken naar het lichaam van mevrouw Ellis dat hij een paar uur eerder zelf rechtop geleund tegen de muur had gezet, en naar de inspecteur van Scotland Yard die bij het lijk stond – een jong ventje dat zo te zien zijn best deed om niet over te geven – toen hij plotseling een man van middelbare leeftijd opmerkte, rechts van de inspecteur, en gekleed naar de mode van de tijd: een elegant blauw kostuum, hoge hoed, monocle, pijp in de mondhoek. Marcus begreep echter dat het een vermomming was toen hij het boek zag dat de man bij zich had. Het was The turn of the screw *van Melvin Frost, een roman die nog niet was verschenen. Hoe kwam die vent daaraan? Hij was duidelijk ook een tijdreiziger. Marcus probeerde zijn opwinding voor zich te houden en keek vanuit zijn ooghoeken toe hoe de onbekende man de beginregels van zijn roman met de zinnen op de muur vergeleek en verrast zijn wenkbrauwen fronste toen hij zag dat ze overeenkwamen.*

Toen de man het boek in zijn zak stopte en wegliep, ging Marcus achter hem aan. De man leidde hem naar een zo te zien verlaten huis aan Berkeley Square, keek snel om zich heen en glipte naar binnen. Meteen daarop stormden Marcus en zijn mannen het huis in en overmeesterden de man, die al na een paar rake klappen bekende waarom hij een boek in bezit had dat nog niet eens bestond. Dat was het moment waarop Marcus hoorde van het bestaan van de Bibliotheek van de Waarheid en van de hele rest. Hij had de reis naar deze tijd gemaakt om zijn lievelingsschrijver te vermoorden en zo zijn enige lezer te worden, maar nog voor het zover was had hij meer ontdekt dan hij kon verwerken. De man, wiens gezicht totaal in elkaar was geslagen, heette August Draper en hij was de echte bibliothecaris die de taak had om over de negentiende eeuw te waken. Hij was naar deze tijd gereisd om de veranderingen ongedaan te maken die een tijdreiziger genaamd Frost in het tijdweefsel had veroorzaakt toen hij de schrijvers Bram Stoker, Henry James en H.G. Wells had vermoord en hun romans onder zijn eigen naam had gepubliceerd. Marcus stond perplex bij de ontdekking dat niet Melvin Frost de auteur was van de drie prachtige romans, maar de drie schrijvers die zijn gevangene noemde, en die, hoewel ze in zijn werkelijkheid waren gestorven toen ze nog maar amper beroemd waren, in het oorspronkelijke universum nog vele romans zouden schrijven. Nog verbaasder was hij toen hij tot de ontdekking kwam dat Jack the Ripper nooit was gepakt. Hij voelde zich bijna in metafysische zin beledigd toen hij begreep dat hij gewoon van de ene parallelle wereld in de andere terecht was gekomen, in het kielzog van andere tijdreizigers, die zich echter niet tevreden hadden gesteld met het bevredigen van Egyptische slavinnen. Hij probeerde de gedachte daaraan van zich af te zetten en zich te concentreren op de verklaringen van zijn gevangene. Hij was van plan geweest alles weer recht te zetten en de drie schrijvers te waarschuwen door bij ieder van hen zijn eigen roman, maar dan gepubliceerd onder de naam Melvin Frost, in de brievenbus te doen, samen met een plattegrond waarop was aangegeven waar ze hem konden ontmoeten. Hij stond op het punt om zijn plan ten uitvoer te brengen, toen de kranten met de berichten kwamen over Marcus' vreemde moorden, en dat had hem naar een van de plaatsen delict gevoerd. Wat daarna gebeurde, laat zich raden: Marcus ruimde hem rücksichtslos uit de weg, nam voor jullie zijn plaats in en gaf zich uit voor bewaker van de tijd.

Dat was wat werkelijk gebeurde, en als je er goed over nadenkt, verklaart dat veel. Vind je het soms niet eigenaardig dat Marcus op een zo weinig discrete manier contact met jullie opnam? Door in de kranten te verschijnen en de hele politiemacht te alarmeren met de brute moord op drie mensen die, zoals hij ons wil doen geloven, een paar dagen later toch wel gestorven zouden zijn? Maar het maakt nu niet meer uit wat je vindt, want op het moment dat je argwaan had moeten hebben, had je dat niet. Je bent niet zo slim als je denkt, beste Bertie. En je weet niet half hoeveel verdriet het me doet je dat te moeten zeggen!

Waar was ik gebleven? O ja. Je hoort Marcus' uiteenzetting aan zonder het wapen uit het oog te verliezen, je hart begint steeds sneller te kloppen, het zweet loopt in straaltjes over je rug en je bent een flauwte nabij. Als er op jou net zo onverwacht was geschoten als op James en Stoker, was er denk ik niets gebeurd. Maar door zijn lange verhandeling was je om zo te zeggen 'in de toestand geraakt'. Dus toen zijn handlanger daarna een stap naar voren deed en richtte op je borst, kwam alle opgebouwde spanning in een bliksemflits tot ontlading. Een se-

conde lang voelde je je bevrijd van je eigen gewicht, van je eigen vlees dat nu slechts een loos omhulsel leek, en had je het idee dat je onstoffelijk was. Maar de volgende seconde daalde je gewicht weer op je neer, als een anker waarmee je weer aan de wereld was geketend. Dat luchtte je op, maar gaf je tegelijk ook een gevoel van heimwee naar de toestand waarvan je zojuist een glimp had opgevangen. Nu zat je weer opgesloten in jezelf, in de gevangenis van je lichaam die je het zicht op het universum benam. Opeens voelde je dat je moest overgeven en je kokhalsde. Toen je maag weer tot rust was gekomen, keek je op om te zien of Marcus' lijfwacht al had geschoten of dat plezier nog even uitstelde. Maar er was niemand meer die op je richtte. In feite was er helemaal niemand meer, geen Marcus, geen lijfwachten, geen James en geen Stoker. Je stond helemaal alleen in de donkere hal, zelfs de kaarsen waren verdwenen. Het was alsof je het allemaal had gedroomd. Maar hoe had dit alles kunnen gebeuren? Ik zal het je vertellen, Bertie: gewoon omdat jij jij niet meer was. Je was mij geworden.

Als je het goedvindt ga ik nu verder in de eerste persoon. Welnu, het duurde even voor ik begreep wat er was gebeurd. Trillend van angst en gespitst op ieder geluidje wachtte ik een paar minuten in de hal, waar het nu donker was als in een sarcofaag, maar alles bleef stil. Het huis leek leeg. Toen er verder niets gebeurde, waagde ik me naar buiten. Ook de straat was verlaten. Ik was volkomen in verwarring, al wist ik één ding zeker: wat ik had meegemaakt kon geen droom zijn. Daarvoor was het veel te echt geweest. Wat was er met me gebeurd? Plotseling kreeg ik een ingeving. Met trillende handen haalde ik een verfrommelde krant uit een afvalbak en toen ik de datum las, zag ik dat mijn vermoedens klopten: die heftige lichamelijke reacties waren de begeleidende verschijnselen geweest bij een tijdsprong: het was nu 7 november 1888. Ik was acht jaar terug in de tijd gereisd!

Een paar minuten bleef ik sprakeloos staan en probeerde al-

les te verwerken, maar veel tijd kreeg ik daar niet voor, want direct daarop herinnerde ik me dat dit de nacht was waarin Jack the Ripper in Whitechapel de geliefde van de jonge Harrington had vermoord. Daarna was hij gearresteerd door de burgerwacht, die was gealarmeerd door een tijdreiziger... Was ik dat soms geweest? Ik was er niet zeker van, maar alles leek in die richting te wijzen. Wie anders dan ik kon weten wat er die nacht zou gebeuren? Snel keek ik op mijn horloge. Over een klein halfuur zou The Ripper zijn moord begaan. Ik moest opschieten. Ik rende weg, op zoek naar een koets, en toen ik die eindelijk vond, vroeg ik de koetsier me zo snel mogelijk naar Whitechapel te brengen. Terwijl we door Londen reden, vroeg ik me voortdurend af of ik het was die de geschiedenis had veranderd, die de wereld uit haar baan had gebracht, en haar de weg had doen inslaan van het blauwe touw, dat zich steeds verder verwijderde van het witte, zoals Marcus ons had uitgelegd, en zo ja, of ik dat dan uit vrije wil had gedaan, of dat het gewoon was gebeurd omdat het zo was voorbestemd, omdat het iets was wat ik al had gedaan.

Je kunt je voorstellen in wat voor opgewonden toestand ik in Whitechapel aankwam. Eerst wist ik absoluut niet wat ik moest doen. Natuurlijk was ik niet van plan naar Dorset Street te gaan om zelf de confrontatie met het bloeddorstige monster aan te gaan, mijn barmhartigheid had zo haar grenzen. Ik stormde dus een drukke kroeg binnen en schreeuwde dat ik Jack the Ripper in Miller's Court had gezien. Dat was het eerste wat me te binnen schoot, maar ik nam aan dat het wel goed was. Dat bleek inderdaad het geval, want te midden van de mensen om me heen dook een forse, blonde man op met de naam George Lusk, die mijn arm omdraaide, mijn gezicht tegen de toog drukte en zei dat hij het zou nagaan, maar dat ik het, als ik gelogen had, mijn hele leven zou berouwen. Na dit vertoon van spierballen liet hij me los, verzamelde zijn mannen, en zonder zich te haasten togen ze naar Dorset Street. Wrijvend over mijn arm liep ik naar de deur, en vervloekte die lompe kerel die nu met alle eer zou gaan strijken. Tot mijn schrik ontwaarde ik plotseling de jonge Harrington in de menigte op straat. Bleek als een geest baande hij zich een weg tussen de mensen en schudde heftig zijn hoofd, onsamenhangende woorden prevelend. Ik begreep dat hij zojuist het opengereten lichaam van zijn geliefde had gevonden. Hij was de wanhoop zelve. Ik wilde hem troosten en zette een paar stappen in zijn richting, maar bleef meteen weer staan toen ik bedacht dat ik geen flauw idee had of ik dat barmhartige gebaar ook in het verleden had gemaakt. Ik keek hem dus alleen maar na, tot hij aan het eind van de straat verdween. Ik moest me aan het libretto houden; elke improvisatie van mijn kant kon onverwachte gevolgen voor het tijdweefsel hebben.

Toen hoorde ik achter me een bekende stem, een stem die alleen kon komen uit een met zijde gevoerde keel: 'Nee maar, daar hebben we meneer Wells!' Marcus stond tegen de muur geleund, met zijn geweer in zijn handen. Ik keek hem aan alsof hij me in een droom was verschenen. 'Dit was de enige plek waar ik kon hopen u te vinden, en mijn vermoeden klopt dus: u bent de tijdreiziger die de burgerwacht heeft gewaarschuwd, zodat ze Jack the Ripper konden aanhouden, waarmee de loop van de geschiedenis is veranderd. Wie had dat gedacht, meneer Wells? Maar dat is denk ik niet uw echte naam. De echte schrijver is waarschijnlijk allang dood. Maar goed, ik begin al aardig te wennen aan het gemaskerde bal dat de tijdreizigers van het verleden maken. Het kan me ook niet schelen wie u bent: dood moet u!' Hij lachte en richtte langzaam zijn wapen op me, alsof hij geen haast had en er eens goed van wilde genieten.

Maar ik was niet van plan om daar werkloos te blijven staan, en met de armen over elkaar te wachten tot zijn hittestraal me zou doorboren. Ik draaide me om en rende zo hard ik kon al zigzaggend weg. Bijna op hetzelfde moment voelde ik een soort lavastraal over mijn hoofd gaan die mijn haar schroeide, en ik hoorde Marcus hard lachen. Kennelijk wilde hij nog wat plezier aan me beleven voor hij me ombracht. Ik rende verder en dacht alleen aan overleven, hoewel dat me elke seconde onhaalbaarder leek. Mijn hart bonkte en ik hoorde hoe Marcus me zonder zich te haasten achtervolgde, als een roofdier dat geniet van de jacht op zijn prooi. Gelukkig was de straat uitgestorven, zodat er geen onschuldige slachtoffers zouden vallen. Opnieuw voelde ik een hittestraal langs me heen schieten die rechts van me een muur verwoestte. Toen een straal links, die een straatlantaarn in de as legde. Op hetzelfde moment zag ik een paard-en-wagen uit een zijstraat opduiken. Ik nam een spurt en kon er nog net voorlangs schieten. Meteen daarna hoorde ik een oorverdovend gekraak achter me, en ik nam aan dat Marcus de kar geraakt had. Mijn vermoeden werd bevestigd toen er een brandend paard vlak over mijn hoofd heen vloog dat een paar meter voor me op de grond neerkwam. Ik ontweek het verkoolde dier en sloeg een andere straat in, weg van die ravage. Ik kwam in een doodlopend straatje terecht, en het licht van een straatlantaarn wierp een lange schaduw op de muur voor me: Marcus! Doodsbang zag ik hoe hij stil bleef staan en richtte; ik begreep dat het hem nu ernst was. Binnen een paar seconden zou ik dood zijn, zei ik bij mezelf, maar toch rende ik verder.

Toen kreeg ik weer het bekende duizelige gevoel. Een ogenblik lang leek de grond onder mijn voeten te verdwijnen, om het volgende moment, met een andere consistentie leek het wel, onder mijn voeten terug te keren, terwijl het felle daglicht me verblindde. Ik bleef staan, klemde mijn tanden op elkaar om niet over te geven en knipperde met mijn ogen. Toen ik weer helder kon zien, zag ik hoe er een enorme ijzeren machine op me afkwam. Ik wierp me opzij en rolde een paar meter over de grond. Toen ik mijn hoofd optilde, zag ik de monsterachtige machine haar weg vervolgen, terwijl de mannen die erin zaten me uitmaakten voor dronkenlap. Maar die luidruchtige machine was niet de enige: de hele straat was ermee gevuld, en het was alsof er een op hol geslagen kudde ijzeren bizons voorbijtrok. Ik kwam overeind en keek sprakeloos om me heen, opgelucht dat ik nergens ook maar een spoor van Marcus zag. Ik pakte een krant van een bankje om te zien waar mijn tijdsprong me ditmaal had gebracht, en ontdekte dat ik in het jaar 1938 terecht was gekomen. Het ging me kennelijk steeds beter af: dit keer was ik veertig jaar de toekomst in gereisd.

Ik verliet Whitechapel en wandelde vol verwondering door het vreemde Londen, waar op Berkeley Square 50 nu een antiquariaat was gevestigd. Alles was veranderd, maar gelukkig kwam het me allemaal nog wel bekend voor. Urenlang liep ik gedesoriënteerd door de straten en keek naar de rijdende monsters, die niet door paarden werden getrokken en ook niet door stoom werden aangedreven, want het stoomtijdperk zou, anders dan jullie destijds dachten, slechts van korte duur zijn. Aan mij was het verstrijken van de tijd voorbijgegaan, maar aan de wereld kon je die veertig jaar afzien. Honderden nieuwe uitvindingen zag ik om me heen, allerlei machines die getuigden van de onuitputtelijke fantasie van de mens, en dat terwijl de directeur van het New Yorkse Octrooibureau destijds, aan het eind van jouw eeuw, erop had aangedrongen zijn bureau te sluiten omdat hij vond dat alles al uitgevonden was.

Ten slotte ging ik, verzadigd van alle wonderen, in een park op een bankje zitten en dacht na over mijn nieuwe lot als tijdreiziger. Was ik in de toekomst waarover Marcus had gesproken? Bestond er een departement van Tijd waartoe ik me kon wenden? Ik nam aan van niet. Tenslotte was ik maar veertig jaar de toekomst in gereisd. Als er in deze tijd nog meer tijdreizigers waren, voelden die zich waarschijnlijk net zo hulpeloos en alleen als ik. Ik vroeg me af of ik mijn geest opnieuw kon activeren en terug kon gaan naar het verleden, naar jouw tijd, om je te waarschuwen voor wat je te wachten stond. Maar na een aantal vergeefse pogingen gaf ik het op. Ik begreep dat ik hier in deze tijd vastzat. Maar ik leefde tenminste nog, en het was niet erg waarschijnlijk dat Marcus me hier zou zoeken. Dat was toch een reden tot vreugde, nietwaar?

Toen ik de situatie eenmaal had geaccepteerd, nam ik me allereerst voor om na te gaan wat er met de wereld was gebeurd, vooral met Jane en mijn vrienden en kennissen. Ik liep een bibliotheek binnen en nadat ik urenlang de kranten had doorgebladerd, had ik een globaal beeld van de wereld waarin ik me bevond. Die stevende niet alleen regelrecht af op een wereldoorlog, maar had enkele jaren daarvoor ook al een verschrikkelijke oorlog doorgemaakt, die acht miljoen doden had gekost. Maar de mensheid had er niets van geleerd: de wereld verkeerde opnieuw in een wankel evenwicht dat het ergste deed vrezen, ook al waren de begraafplaatsen inmiddels overvol. Ik herinnerde me een aantal van de vreselijke krantenknipsels die ik aan de Kaart van de tijd had zien hangen en begreep dat die tweede oorlog niet te voorkomen was, want het was zo'n vergissing in het verleden die de mensen van de toekomst maar liever ongemoeid hadden gelaten. Ik kon alleen maar wachten tot hij uitbrak, en proberen te voorkomen dat ik een van de miljoenen lijken zou zijn waarmee de wereld binnen een jaar bezaaid zou liggen.

Ik vond ook een bericht dat me tegelijkertijd verwonderde en verdrietig maakte. Het ging over de vijfentwintigste sterfdag van de schrijvers Bram Stoker en Henry James, die waren omgekomen toen ze hadden geprobeerd een nacht in het spookhuis aan Berkeley Square door te brengen. Diezelfde nacht had de wereld van de letteren nog een tragisch verlies geleden: H.G. Wells, de schrijver van De tijdmachine, *was op mysterieuze wijze van de aardbodem verdwenen en niemand had ooit meer iets van hem gehoord. Was hij soms op tijdreis gegaan? vroeg de verslaggever zich op het eind van zijn artikel spottend af, en hij wist niet hoe dicht hij daarmee bij de waarheid zat. In het artikel werd je aangeduid als de vader van de sciencefiction. Je zult je afvragen wat dat in vredesnaam betekent. Die term is de opvolger van het begrip 'toekomstroman'. Het woord is in 1926 bedacht door een zekere Hugo Gernsback voor zijn tijdschrift* Amazing Stories, *de eerste publicatie die uitsluitend aan wetenschappelijke fictie was gewijd, en waarin veel van de verhalen die je voor Lewis Hind had geschreven opnieuw waren afgedrukt, samen met verhalen van de Amerikaan Edgar Allan Poe, en natuurlijk van Jules Verne, die met je streed om de titel. Zoals inspecteur Garrett al had voorspeld, hadden de romans over de wereld van de toekomst een heel eigen genre in het leven geroepen, en dat was grotendeels te danken aan Garrett zelf, omdat hij Murray Tijdreizen als het grootste bedrog van de negentiende eeuw had ontmaskerd. De toekomst was daarna weer een lege ruimte geworden die door iedere schrijver naar believen kon worden aangekleed, een terra incognita, een ononderzocht gebied zoals de witte vlekken op oude zeekaarten, waar naar men beweerde monsters huisden.*

Toen ik dat las, begreep ik tot mijn schrik dat mijn verdwijning een keten van noodlottige gebeurtenissen in gang had gezet: zonder mijn hulp had Garrett Marcus niet te pakken kunnen krijgen en had hij volgehouden dat hij naar het jaar 2000 moest reizen om kapitein Shackleton te arresteren, waarbij hij het bedrog van Gilliam had ontdekt, die ten slotte in de gevangenis was geëindigd. Ik dacht natuurlijk onmiddellijk aan Jane, en nam honderden kranten en tijdschriften door op zoek naar een bericht over de dood van de 'weduwe' van de schrijver H.G. Wells, die bij een tragisch fietsongeluk om het leven was gekomen. Maar Jane was niet dood. Na de mysterieuze verdwijning van haar man was ze nog steeds in leven, en dat betekende dat Gilliam zijn dreigement niet had uitgevoerd. Had hij dat dreigement alleen maar geuit omdat hij mij voor zijn karretje wilde spannen? Misschien wel. Of misschien had hij gewoon niet de tijd gehad om zijn plan uit te voeren, of had hij zijn tijd verdaan door me overal in Londen te zoeken om te informeren waarom ik niet bezig was de echte dader van de moorden op te sporen. Maar ondanks zijn uitgebreide netwerk van informanten had hij me niet weten te vinden. Natuurlijk was hij niet op het idee gekomen me in het jaar 1938 te zoeken. Hoe dan ook, Gilliam was geëindigd in de gevangenis, en mijn vrouw leefde nog. Maar niet langer als mijn vrouw.

Uit wat ik in de kranten las kon ik me een beeld vormen van haar bestaan, van het leven dat ze na mijn plotselinge vertrek had geleid. Bijna vijf jaar had Jane in ons huis in Woking gewacht tot ik terug zou komen, totdat al haar hoop was vervlogen. Ze had zich erbij neergelegd dat ze zonder mij verder moest en was teruggekeerd naar Londen, waar ze trouwde met de gerenommeerde advocaat Douglas Evans, met wie ze een kind kreeg dat ze Selma noemden. Ik stuitte ergens op een foto van haar en zag een allerliefste oude dame, met om haar lippen nog steeds dezelfde glimlach waarop ik op onze wandelingen naar King's Cross verliefd was geworden. Mijn eerste impuls was haar te gaan zoeken, maar dat was natuurlijk heel onnadenkend van mij. Wat had ik tegen haar kunnen zeggen? Als ik nu plotseling opdook zou ik haar rustige leventje op zijn kop hebben gezet. Ze had zich bij mijn verdwijning neergelegd, waarom zou ik alles weer oprakelen? Dus ik heb het lieve schepsel dat op dit moment waarschijnlijk op de verdieping boven je ligt te slapen nooit meer gezien. Misschien is dat voor jou een reden om haar straks vol liefde te wekken als je deze brief uit hebt. Dat laat ik aan jou over, ik bemoei me niet met je huwelijk. Maar natuurlijk moest er meer gebeuren dan afzien van het zoeken naar Jane. Ik moest weg uit Londen, niet alleen omdat ik bang was Jane of iemand van mijn vrienden tegen te komen, die me onmiddellijk zouden herkennen omdat ik er nog steeds hetzelfde uitzag, maar gewoon om het er levend van af te brengen, want Marcus zou me naar alle waar-

schijnlijkheid blijven zoeken en eeuw na eeuw uitkammen op zoek naar iets wat duidde op mijn aanwezigheid.

Ik voorzag mezelf dus van een valse identiteit, liet een weelderige baard staan en koos het beeldige middeleeuwse plaatsje Norwich uit om daar zonder veel ophef mijn nieuwe leven te beginnen. Dankzij de kennis die jij in de apotheek van meneer Cowap had opgedaan, vond ik werk als bediende in een apothekerswinkel, en een jaar lang verkocht ik overdag zalf en siroop, en luisterde 's avonds in bed naar het nieuws, naar berichten over de langzaam opkomende oorlog die een nieuwe wereldordening tot gevolg zou hebben. Vrijwillig leidde ik nu het onbeduidende, doelloze bestaan waartoe ik altijd had gevreesd door mijn koppige moeder veroordeeld te zijn, en ik kon zelfs geen verhalen meer schrijven omdat ik bang was dat ik daarmee Marcus zou alarmeren. Ik was een schrijver die afstand moest doen van de gave waarmee hij de wereld om hem heen mooier had kunnen maken: kun je je een ergere kwelling voorstellen? Nou, ik niet! Ik was dan wel veilig, maar ik zat gevangen in een treurig bestaan waarvan ik me bij tijd en wijle afvroeg of het wel waard was geleefd te worden. Gelukkig verscheen er iemand die mijn leven weer glans gaf: ze heette Alice en ze was allerliefst. Op een ochtend kwam ze de winkel in om een doosje aspirines te kopen, een acetylsalicylzuur-preparaat dat in die tijd door een bekende Duitse verffabrikant in de handel was gebracht, maar uiteindelijk vertrok ze met mijn hart, in vloeipapier gewikkeld.

Onze liefde gedijde verrassend makkelijk, en toen de oorlog ten slotte uitbrak hadden Alice en ik veel meer te verliezen dan daarvoor. Gelukkig bleef de oorlog ver van ons dorp, dat immers geen enkele bedreiging vormde voor Duitsland, waar de nieuwe kanselier de wereld wilde veroveren onder het dubieuze voorwendsel dat het bloed van een superieur ras door zijn aderen stroomde. De vreselijke gevolgen van de oorlog konden we afleiden uit de doffe geluiden die de wind in onze richting voerde, als een voorschot op de latere krantenberichten, en ik begreep direct dat deze oorlog zich van alle voorgaande onderscheidde, omdat de wetenschap de mensen de middelen had gegeven om elkaar op geheel nieuwe manieren af te slachten. Ditmaal speelde de strijd zich af in de lucht. Maar je moet je geen legers met luchtballonnen voorstellen van waaruit de vijanden elkaar beschieten om te zien wie er het eerst in vlammen opgaat. Nee, de mens had de hemel veroverd met een vliegende machine, zwaarder dan lucht, een machine zoals Verne had beschreven in zijn roman Robur de veroveraar, maar dan niet van papier-maché, en bovendien in staat om bommen af te werpen. Nu kwam de dood uit de hemel, en hij kondigde zich aan met een angstaanjagend gefluit. Hoewel er door allerlei ingewikkelde allianties zeventig landen bij deze oorlog waren betrokken, bleef daarvan al snel alleen Engeland nog overeind, terwijl de rest van de wereld ongelovig toekeek hoe een nieuwe orde tot stand kwam. Duitsland was vastbesloten ons verzet te breken en voerde onophoudelijk bombardementen uit op ons land, in het begin alleen op de vliegvelden en havens, vanwege een vreemd soort eerbegrip dat soms bij oorlogen een rol speelt, maar al snel ook de steden. Na nachtenlange bombardementen was er van ons geliefde Londen niet veel meer over dan een rokende puinhoop, maar hoog daarbovenuit stak de koepel van St. Paul's Cathedral, als een teken van onze onoverwinnelijke geest. Ja, Engeland bood verzet, en ging zelfs in de tegenaanval met snelle luchtaanvallen boven Duitsland. Eén daarvan bracht aanzienlijke schade toe aan Lübeck, een historisch stadje aan de Trave, zodat het razende Duitsland zijn aanvallen verdubbelde. Toch waren Alice en ik in Norwich relatief veilig, omdat het een plaatsje was zonder enig strategisch belang. Norwich had echter drie sterren in de beroemde Baedeker-gids, die de Duitsers kennelijk raadpleegden toen ze besloten ons historisch erfgoed te verwoesten. Karl Baedekers gids beval de reizigers aan om de romaanse kathedraal, het twaalf-

de-eeuwse kasteel en de talloze kerken te bezoeken, maar de Duitse kanselier gaf er de voorkeur aan die te bombarderen.

De oorlog verraste ons in de kathedraal, waar we met z'n allen luisterden naar de preek van pater Helmore, tot zijn woorden plotseling werden overstemd door een angstaanjagend geronk vanuit de hemel. Allemaal keken we op naar het waaiergewelf boven onze hoofden, alsof ons nu pas opviel hoe mooi de ribben waren. Nu zouden ook wij de verschrikkingen ervaren waarvan de kranten spraken. Pater Helmore vroeg ons het huis van God te verlaten, omdat hij aannam dat de kerk een van de eerste doelen van de Duitsers zou zijn, en hoewel sommige mensen bleven, verlamd van angst of omdat hun geloof hun zei dat dit het beste toevluchtsoord was, nam ik Alice bij de hand en trok haar mee naar de uitgang, terwijl ik me een weg baande door de geschrokken menigte in het middenschip. We stonden net buiten toen de eerste bommen vielen. Hoe kan ik je die verschrikking beschrijven? Misschien is het voldoende als ik je zeg dat Gods toorn verbleekt bij die van de mens. Doodsbang renden de mensen alle kanten op, terwijl de bommen de aarde deden splijten, de huizen in puin legden en de lucht vulden met een donderend geraas. De wereld om ons heen stortte in, scheurde, viel uiteen. Ik probeerde een veilig heenkomen te zoeken, maar terwijl ik hand in hand met Alice door de puinhopen liep, kon ik er alleen maar aan denken hoe weinig een mensenleven uiteindelijk waard is.

Toen, midden onder dat doelloze heen-en-weergeren, werd ik overvallen door een gevoel van duizeligheid dat me inmiddels heel bekend voorkwam. Mijn hoofd klopte pijnlijk, de wereld werd wazig, en ik begreep wat er ging gebeuren. Ik bleef meteen staan en vroeg Alice mijn handen heel stevig vast te houden. Ze keek me niet-begrijpend aan, maar deed wat ik haar vroeg, en, terwijl de werkelijkheid vervaagde en ik voor de derde keer gewichtloos werd, klemde ik mijn tanden op elkaar en probeerde haar met me mee te nemen. Ik wist niet waar de reis me zou brengen, maar ik wilde haar niet achterlaten, zoals ik Jane had achtergelaten, zoals ik mijn leven had achtergelaten, zoals ik alles had achtergelaten wat me lief was geweest. Wat volgde was hetzelfde als de keren daarvoor: een onderdeel van een seconde trad ik buiten mijn lichaam, voelde ik me zweven, en daarna keerde ik terug en nestelde me weer tussen mijn botten, maar ditmaal voelde ik een warme hand in de mijne. Al knipperend opende ik mijn ogen en probeerde niet over te geven. Toen overviel me een gevoel van geluk en ik glimlachte toen ik zag hoe ik Alice' handen in de mijne hield. Tere, fijne handen, die ik na het bedrijven van de liefde altijd dankbaar kuste, handen die overgingen in slanke armen met heerlijke blonde haartjes. Maar die handen waren het enige wat ik van Alice had meegenomen.

Ik begroef ze in de tuin waar ik was geland, in het Norwich van het jaar 1982, waar alleen het monument voor de gevallenen ergens midden op een plein eraan herinnerde dat het ooit was gebombardeerd. Tussen alle namen vond ik ook die van Alice, maar altijd zal de twijfel blijven knagen of ze door de oorlog was gedood of door Otto Lidenbrock, de man die haar had bemind. Hoe dan ook, ik moest ermee zien te leven, want ik was aan het bombardement ontsnapt en opnieuw in de toekomst beland. Weer veertig jaar verder in de tijd, dat was blijkbaar mijn handelsmerk geworden.

Ik bevond me nu in een wereld die ogenschijnlijk wijzer was, een wereld waar individualisme de boventoon voerde en waar het leven iets ludieks had, iets vernieuwends. Ja, het was een wereld die nogal aanmatigend was, en die haar successen vierde met de trots van een kind. Maar het was ook een vredige wereld, waar de oorlog een pijnlijke herinnering was, de beschamende constatering dat de mens een wrede kant had die je maar beter kon verbergen, al was het maar onder een dun laagje wellevendheid. Men had de wereld weer moeten opbouwen, maar pas bij het ruimen van het puin en het bergen van de doden, bij het bouwen van nieuwe huizen en het herstellen van de bruggen, bij het toedekken van de innerlijke en uiterlijke wonden die de oorlog had geslagen, begrepen de mensen wat er eigenlijk was gebeurd, en was alles wat altijd redelijk had geleken redeloos geworden, als een dansfeest waar opeens geen muziek meer klinkt. Ik lachte opgelucht: de heftigheid waarmee de mensen om me heen nu de daden van hun grootouders veroordeelden vertelde me dat er nooit meer zo'n oorlog zou komen als die ik had meegemaakt. En ik kan je zeggen, ik heb me niet vergist. De mens is in staat te leren, Bertie, ook al heeft hij daarbij soms de zweep nodig, net als de dieren in het circus.

Ik moest in elk geval weer vanaf nul beginnen, vanaf de grond opnieuw een bestaan zien op te bouwen. Ik verliet Norwich, waarmee ik geen banden meer had, en ging terug naar het herbouwde Londen, waar ik me verbaasde over de vorderingen van de wetenschap, en waar ik vervolgens werk probeerde te vinden dat passend was voor een man uit het victoriaanse tijdperk met de naam Harry Grant. Zou dat dan mijn lot zijn? Om als een blad door de wind van het ene tijdperk naar het andere te worden meegenomen, voor altijd alleen? Nee, deze keer zou het niet zo gaan. Ik was wel alleen, maar ik wist dat mijn eenzaamheid niet heel lang zou duren. In de toekomst wachtte mij een ontmoeting, al hoefde ik er niet opnieuw voor door de tijd te reizen. Die toekomst was dichtbij genoeg om te wachten tot ze naar mij toe zou komen.

Maar de mysterieuze hand die mijn bestaan bestierde bleek eerst nog een andere ontmoeting voor me in petto te hebben, een die met mijn verleden te maken had. Een ontmoeting in een bioscoopzaal. Ja, Bertie, je hoort het goed! Hoe moet ik je dit uitleggen? Sinds de gebroeders Lumière in 1895 de eerste beelden vertoonden van hun arbeiders bij de fabriekspoort in Lyon Monplaisir, is het snel gegaan met de filmkunst. In jouw tijd heeft niemand nog een idee welke enorme mogelijkheden die uitvinding heeft. Maar als het nieuwtje er eenmaal af is, zullen de mensen méér op het scherm willen zien dan kaartspelletjes, stoeiende kinderen en arriverende treinen, alledaagse dingen die ze ook vanuit hun eigen raam kunnen zien, en dan bovendien met geluid; ze willen meer zien dan slaapverwekkende documentaires met op de achtergrond het geluid van een piano. Daarom tovert de filmprojector nu hele verhalen op het doek. Om dat te begrijpen moet je je voorstellen hoe met een camera een theaterstuk wordt gefilmd, dat zich echter niet langer hoeft te beperken tot de ruimte van het toneel, maar zich overal ter wereld kan afspelen. En als je je dan ook nog voorstelt dat de regisseur niet alleen over een handvol kleurige achtergronddoeken beschikt, maar over een heel arsenaal aan trucs, zoals het voor onze neus laten verdwijnen van personages, dan zul je begrijpen dat de film het populairste vermaak van de toekomst is geworden, populairder nog dan de music-hall. *Het toestel van de broeders Lumière is uitgegroeid tot een hoogontwikkeld apparaat, dat dromen en magie in het leven van alledag brengt, en waaromheen een hele industrie is ontstaan waarin enorme bedragen omgaan.*

Ik vertel je dit allemaal omdat die filmverhalen soms op boeken zijn gebaseerd. En nu komt de verrassing, Bertie: in 1960 zal een regisseur met de naam George Pal jouw roman De tijdmachine *verfilmen. Ja, jouw woorden zullen worden vertaald in beelden! Met Verne was dat al eerder gebeurd, maar dat deed aan mijn plezier niets af. Hoe kan ik je uitleggen wat ik voelde toen ik op het witte doek het verhaal zag dat jij had geschreven? Daar had je jouw uitvinder, die ze naar jou hadden genoemd, gespeeld door een acteur met een vastbesloten gezicht en dromerige ogen, en daar had je de lieve Weena, die door een wonderschone Franse actrice werd gespeeld, de Morlocks, angstwekkender dan je ze ooit had kunnen bedenken, en de kolossale sfinx, de trouwe, praktische Filby, en zelfs mevrouw Watchett met haar schort en haar smetteloos witte kapje. En terwijl de scènes elkaar opvolgden, zat ik trillend van emotie in mijn stoel, en bedacht dat dit alles niet mogelijk was geweest als jij het niet had verzonnen, als deze stroom van beelden niet eerst door jouw hoofd was gegaan. Ik moet je zelfs bekennen dat ik op een gegeven ogenblik mijn blik afwendde van het doek, om naar de reacties van de mensen om me heen te kijken. Jij had vast hetzelfde gedaan, Bertie. Ik weet dat je wel eens van die mogelijkheid droomde, want ik herinner me je weemoedige stemming als iemand je had verteld hoe hij van je roman had genoten. Zelf kon je immers niet zien welke indruk deze of gene passage op je lezer had gemaakt, of hij op het juiste moment had gelachen en gehuild, want daarvoor had je je als een ordinaire dief in zijn bibliotheek moeten verstoppen. Maar je kunt gerust zijn, het publiek reageerde precies zoals je had gehoopt. Al was dat natuurlijk ook de verdienste van meneer Pal, die de sfeer van je verhaal meesterlijk heeft weten te treffen. Hij moest echter wel een paar veranderingen aanbrengen om het aan te passen aan de tijd, want wat voor jou toekomst was, was inmiddels allang verleden tijd. Bij al je wantrouwen over het gebruik van de wetenschap was je bijvoorbeeld niet eens op het idee gekomen dat we in een wereldomspannende oorlog verwikkeld zouden kunnen raken. Maar dat is wel gebeurd, tot tweemaal toe zelfs, zoals ik al eerder vertelde. Pal liet je uitvinder dus door de Eerste en Tweede Wereldoorlog reizen, en hij voorspelde zelfs een derde, in 1966, maar dat is gelukkig al te pessimistisch gebleken.*

Zoals gezegd, de gevoelens die die hele carrousel van beelden bij me opriep waren onbeschrijflijk. Het ging weliswaar om iets wat jij had geschreven, maar alles wat op het doek verscheen was nieuw voor mij. Op één ding na: de tijdmachine. Jouw machine, Bertie. Stel je mijn verrassing eens voor toen ik die daar tegenkwam! Even twijfelde ik of ik het wel goed had gezien, maar het was geen gezichtsbedrog. Het was jouw machine, fraai en glanzend, sierlijk als een muziekinstrument van de hand van een kunstenaar, en van een waardigheid die de machines in de tijd waarin ik was beland misten. Maar hoe was het toestel daar gekomen, en waar zou het nu zijn, twintig jaar nadat Rod Taylor, de acteur die jou speelde, eruit was geklommen?

Wekenlang doorzocht ik de kranten in de bibliotheek, en zo slaagde ik erin zijn veelbewogen reis te reconstrueren. Ik kwam erachter dat Jane de machine niet had willen wegdoen en had meegenomen naar Londen, naar het huis van advocaat Evans. Die had waarschijnlijk gelaten toegekeken hoe het bizarre, schijnbaar nutteloze geval, dat tot overmaat van ramp voor zijn kersverse vrouw haar verdwenen echtgenoot symboliseerde, zijn huis werd binnengesjouwd. Ik stelde me voor hoe hij tijdens slapeloze nachten om het apparaat heen liep, op de knoppen drukte en de glazen hendel overhaalde om te constateren dat het inderdaad nergens toe diende, en hoe hij zich afvroeg welk mysterie huisde in het ding dat door zijn vrouw de tijdmachine werd genoemd. Jane zou hem daar vast niets over hebben verteld, omdat de machine deel uitmaakte van een intimiteit waarvan advocaat Evans niets hoefde te weten. Toen, vele jaren later, George Pal voorbereidingen trof voor zijn film, stuitte hij op een probleem: geen van de ontwerpen van de tijdmachine die zijn medewerkers hadden gemaakt vond hij overtuigend. Ze waren lelijk, bizar en veel te gecompliceerd; één deed hem zelfs denken aan een elektrische stoel. Geen van de ontwerpen kwam ook maar in de buurt van het elegante, voorname voertuig waarmee hij de uitvinder in gedachten de eindeloze tijden zag doorkruisen. Hij beschouwde het dus als een wonder dat een zekere Selma Evans hem het vreemde toestel te koop aanbood dat haar inmiddels overleden moeder elke zondag had afgestoft, in een devoot ritueel dat de kleine Selma bijna net zo op de zenuwen had gewerkt als advocaat Evans. Pal stond versteld: het was precies het toestel dat hij zocht. Het was fraai en imposant, en het had het dynamische van de sleden uit zijn jeugd. Hij herinnerde zich de ijzige wind die je in het gezicht sloeg als je van de hellingen naar beneden kwam suizen, een magische wind haast, en hij stelde zich voor dat je zo'n wind ook zou voelen wanneer je in deze machine de tijd doorkruiste. Maar wat de doorslag had gegeven was het plaatje op het bedieningspaneel: GEMAAKT DOOR H.G. WELLS. *Zou de machine werkelijk door de schrijver zijn gebouwd? En zo ja, met welk doel? Het mysterie zou voor altijd onopgelost blijven, omdat Wells in 1896, net toen hij beroemd begon te worden, spoorloos verdween. Wie weet hoeveel wonderbaarlijke romans hij de wereld nog had kunnen schenken! Maar ook al wist hij niet met welk doel het toestel was gebouwd, Pal had het gevoel dat het nergens beter tot zijn recht zou komen dan in zijn film. En zo werd jouw machine onsterfelijk door de filmkunst.*

Tien jaar later hielden de studio's een openbare veiling van de rekwisieten uit hun producties, waaronder de tijdmachine. Het toestel bracht tienduizend dollar op en de koper trok ermee door het land en exposeerde het in allerlei dorpen en steden. Uiteindelijk, toen hij eraan had verdiend wat eraan te verdienen viel, verkocht hij het aan een antiquair in het graafschap Orange. Daar werd het in 1974 bij toeval ontdekt door Gene Warren, iemand die aan Pals film had meegewerkt. Gehavend en verroest stond het toestel in een hoek; de zetel ontbrak, die was al lang daarvoor verkocht. Warren kocht het voor een luttel bedrag, en met veel zorg en toewijding herstelde hij het heerlijke stuk speelgoed dat voor iedereen die bij de film betrokken was geweest zoveel had betekend. Hij schilderde de stangen, repareerde de kapotte onderdelen en bouwde zelfs uit zijn hoofd een nieuwe zetel. Weer helemaal opgeknapt kon het toestel zijn reis hervatten; het werd tentoongesteld op jaarmarkten en evenementen die iets met sciencefiction te maken hadden, soms zelfs bestuurd door een acteur in jouw rol. Op een dag toonde de omslag van het tijdschrift Star Log *George Pal, zittend in de machine, lachend als een kind dat met zijn slee een besneeuwde helling afdaalt. In datzelfde jaar stuurde Pal zijn vrienden zelfs een kerstkaart met daarop de Kerstman in jouw tijdmachine. Je kunt je voorstellen hoe ik de reis van de machine vertederd volgde, als een vader die de lotgevallen van zijn verloren zoon gadeslaat, in de wetenschap dat hij vroeg of laat weer bij hem terug zal komen.*

En op 12 april 1984 ging ik naar mijn afspraak in warenhuis Olsen. Ze was er al, verward en bang, en het waren mijn handen en mijn in haar oor gefluisterde woorden – 'Ik geloof je, want zelf kan ik ook door de tijd reizen' – die haar voor ieders ogen lieten verdwijnen. In de chaos die volgde op haar verdwijning verlieten we het warenhuis via de nooduitgang. Buiten stapten we in de wagen die ik had gehuurd, en reden naar Bath in het graafschap Somerset, waar ik een paar weken eerder een fraai Georgian huis had gekocht. Daar zou ik met haar gaan wonen, ver van Londen en de talloze tijdreizigers die waarschijnlijk in opdracht van de regering naar haar op zoek waren, omdat men had besloten haar te offeren om zo het kwaad bij de wortel aan te pakken.

Aanvankelijk wist ik niet of ik er goed aan had gedaan. Was ik de persoon die haar had moeten redden uit warenhuis Olsen, of had ik me de rol toegeëigend van een andere tijdreiziger die bestemd was de redder van de Madonna van de tijd te zijn? Het antwoord kreeg ik een paar dagen later, op een mooie lenteochtend. We waren bezig de muren in de kamer te schilderen, toen zich plotseling midden op het tapijt een kind van een jaar of drie, vier materialiseerde. Het kirde vrolijk, alsof het zachtjes werd gekieteld, en vervolgens verdween het weer, maar op het tapijt lag nog een stukje van de puzzel waarmee het had zitten spelen. Na die korte, onverwachte glimp van het kind dat we nog niet eens hadden verwekt, begrepen we dat bij ons de toekomst begon, dat bij ons het gemuteerde gen moest ontstaan dat, jaren of misschien wel eeuwen later, de mens in staat zou stellen door de tijd te reizen. Ja, zei ik bij mezelf, in dat afgelegen huis zou, in alle stilte, de vloedgolf van tijdreizigers ontstaan waarover Marcus het had gehad, en ik raapte het puzzelstukje op, als een onbedoeld geschenk van ons kind. Ik bewaarde het stukje toekomst in de keukenkast, tussen de blikken met bonen, in de wetenschap dat het me over een paar jaar van pas zou komen als het kind vroeg of laat, precies op het juiste moment, de puzzel van iemand cadeau zou krijgen.

Over wat volgde valt niet veel meer te vertellen. We waren zo gelukkig als in een sprookje. We genoten van de kleine dagelijkse dingen en probeerden een zo rustig en kalm mogelijk leven te leiden, om te voorkomen dat een van ons een onverwachte tijdsprong zou maken en de ander kwijt zou raken. In een opwelling kocht ik zelfs je tijdmachine toen Gene Warrens zoon die te koop aanbood, hoewel ik die natuurlijk helemaal niet nodig had, omdat ik nu door de tijd reisde zoals iedereen, door de dagen aan me voorbij te laten trekken, terwijl ik intussen kaal werd, steeds sneller moe werd van het traplopen en hoe langer hoe meer rimpels kreeg. Het bewijs van ons vredige geluk vormden onze drie kinderen, van wie we er één dus al kenden. Onnodig te zeggen dat zij veel beter in staat waren om door de tijd te reizen dan wij. Ze hadden nog geen beheersing over hun gave, maar ik wist dat dat bij hun nakomelingen wel het geval zou zijn, en glimlachend keek ik toe hoe ze betrekkingen aanknoopten met de wereld, waarbij onze erfenis zich onder de mensen verspreidde. Ik wist niet hoeveel generaties eroverheen zouden gaan tot de tijdreizigers de aandacht van de regering zouden trekken, maar ik wist wel dat dat vroeg of laat zou gebeuren. En toen kwam ik op het idee je deze brief te schrijven en hem aan een van mijn kleinkinderen te geven, die hem weer aan zijn kleinkind moest geven, tot hij in handen zou komen van iemand die in staat was om te voldoen aan mijn wens: om de brief in de nacht van de 26e november 1896 te overhandigen aan de auteur H.G. Wells, de vader van de sciencefiction. En als je hem nu leest, neem ik aan dat het inderdaad zo is gegaan. Ik weet niet wie hem je zal geven, maar zoals ik je al zei, die iemand zal bloed van ons bloed zijn. En wanneer dat gebeurt zullen deze woorden, zoals je intussen wel hebt geraden, de woorden van een dode zijn.

Misschien had je liever gewild dat ik je deze brief niet had geschreven. Misschien had je liever gewild dat ik je zonder waarschuwing de toekomst in had laten gaan. Tenslotte is het helemaal niet slecht wat je te wachten staat: een leven dat zelfs gelukkige momenten kent, zoals je hebt gezien. Maar ik heb je geschreven omdat ik op de een of andere manier het gevoel heb dat je dit leven niet zou moeten leiden. Misschien moet je verder leven in het verleden, met Jane, gelukkig zijn aan haar zijde, en van mij een succesvol schrijver maken die niets van tijdreizen weet, tenminste niet van de echte. Voor mij helpt dat natuurlijk niet meer. Ik kan geen ander leven kiezen. Maar jij wel. Jij kunt nog kiezen tussen je huidige leven en het leven dat ik je heb beschreven, tussen Bertie blijven of mij worden, want daarom gaat het bij het reizen door de tijd, om een tweede kans, om alsnog voor de andere mogelijkheid te kiezen.

Ik heb er veel over nagedacht wat er zou gebeuren als je morgen niet op je afspraak met Marcus verschijnt. Als je niet gaat, zal niemand een wapen op je richten, zal je geest niet worden geactiveerd en zul je geen tijdreis maken. Je zult er niet voor zorgen dat The Ripper wordt gearresteerd en evenmin zul je Alice leren kennen, je zult niet vluchten voor de Duitse bommen en natuurlijk zul je geen vrouw uit warenhuis Olsen redden. En zonder jouw medewerking zal het gemuteerde gen niet ontstaan, zullen er geen tijdreizigers zijn en geen Marcus die naar het verleden reist om je te doden. Ik denk dat alles wat er sinds de moord op de bedelaar in Marylebone is gebeurd zou verdwijnen, alsof het met een enorme bezem uit de tijdstroom wordt geveegd. Verdwijnen zouden bijvoorbeeld alle gekleurde touwen aan het witte touw van de Kaart van de tijd, want er zouden geen parallelle werelden zijn waarin Jack the Ripper is gearresteerd of waarin Hare Majesteit een aapje op haar schouder heeft. Lieve hemel, ook de tijdkaart zelf zou verdwijnen! Immers, wie zou die moeten maken? Je ziet, Bertie, als je niet naar je afspraak gaat, zou je een hele wereld wegvagen. Maar laat dat je niet afschrikken. Het enige wat onveranderd blijft, is het opduiken van de vrouw in warenhuis Olsen in het jaar 1984, ook al zou niemand haar vervolgens bij de hand nemen om haar mee te nemen naar een mooi Georgian huis om daar gelukkig te zijn.

En wat zou er met jou gebeuren? Ik denk dat je zou teruggaan naar het moment vlak voor je tijdreis. Nog vóór Gilliams handlanger je met chloroform bedwelmt? Waarschijnlijk wel, want als Marcus nooit naar jouw tijd is gereisd en niemand heeft omgebracht, zou Garrett Shackleton niet verdenken en dan zou Gilliam je niet laten ontvoeren om de kastanjes voor hem uit het vuur te halen. Dan zou je dus in de nacht van de twintigste november 1896 geen zakdoek met chloroform op je neus gedrukt krijgen. Maar naar welk moment je ook terugkeert, ik denk niet dat je het fysiek zou merken, zoals bij de tijdsprongen, maar je zou gewoon als bij toverslag ergens anders zijn, zonder iets van de overgang te merken, en natuurlijk zonder een herinnering aan wat je vanaf dat moment hebt meegemaakt. Je zou niet weten dat je een tijdreis hebt gemaakt, en ook niet dat parallelle werelden inderdaad bestaan. Dat is wat er, vrees ik, zal gebeuren als je besluit om wat gebeurd is te veranderen: je zult niets van mij weten. Het zou zijn alsof je een schaakpartij terugdraait tot de zet die leidt tot schaakmat. Als je dan in plaats van met de loper een zet doet met een toren, krijgt het spel een ander verloop, net zoals dat bij jouw leven zal gebeuren als je niet naar je afspraak gaat.

Alles hangt dus van jou af, Bertie. De loper of de toren, jouw leven of het mijne. Doe wat je denkt dat je doen moet!

Voor altijd de jouwe,
Herbert George Wells

XLI

En de voorzienigheid dan? Hoe zat het daarmee? vroeg Wells zich af. Misschien was het gewoon zijn lot om door de tijd te reizen, eerst naar het jaar 1888 en dan naar die gruwelijke oorlog waarin de hele wereld zou worden meegesleept, en om alles precies zo te doen als in de brief was beschreven. Misschien was het zijn lot om de eerste van een geslacht van tijdreizigers te zijn. Misschien had hij het recht niet om de toekomst te veranderen en te voorkomen dat de mensen op een dag door de tijd zouden reizen, alleen maar omdat hij zijn leven niet wilde opgeven, omdat hij bij Jane wilde blijven, in het verleden dat hij met zo veel moeite naar zijn eigen wensen had ingericht.

Maar het ging niet louter om de morele kant van zijn keuze, maar ook om erachter te komen of hij werkelijk iets te kiezen had. Wells betwijfelde of het probleem gewoon op te lossen viel door niet op zijn afspraak te verschijnen, zoals zijn toekomstige ik dacht. Hij was ervan overtuigd dat Marcus hem in dat geval vroeg of laat toch zou vinden en hem evengoed zou doden. In de grond van de zaak had hij geen keus, zei hij bij zichzelf en klemde het manuscript van *De onzichtbare man* in zijn handen terwijl het rijtuig langs Green Park in de richting van Berkeley Square reed, waar de man op hem wachtte die hem van het leven wilde beroven.

Nadat hij de brief had gelezen en hem weer in de envelop had gedaan, was hij nog lange tijd in zijn stoel blijven zitten. Hij had zich geërgerd aan de minzame ironie waarmee de toekomstige Wells hem had toegesproken, maar hij kon hem geen verwijten maken, want de schrijver van die woorden was hij immers zelf. En hij moest toegeven dat hij in zijn plaats ook zo'n paternalistisch toontje zou hebben aangeslagen tegen dat groentje in het verleden dat nog maar net op de wereld kwam kijken. En in feite was dat ook gebeurd. Maar dat was in de grond van de zaak nog het minste. Het belangrijkste was om zo snel mogelijk in het reine te komen met het ongelooflijke feit dat hij die bladzijden zelf had geschreven, zodat hij zich kon concentreren op wat werkelijk belangrijk was: de beslissing die hij moest nemen. Daarbij wilde hij rekening houden met de metafysische ethiek die de zaak leek te omgeven. Welk van de twee levens die zich voor hem vertakten moest hij leven, welk pad moest hij inslaan? Was er een manier om daarachter te komen? Hij wist het niet. Volgens de meervoudige-wereldentheorie waren veranderingen die werden aangebracht in het verleden niet van invloed op het heden, maar creëerden ze een alternatief heden, een nieuwe lijn die parallel liep aan de oorspronkelijke, die intussen intact bleef. De mooie boodschapster die de tijd had doorkruist om hem de brief te geven had hem dus aangetroffen in een parallelle wereld, want in de echte was hij door niemand bij zijn voordeur aangesproken. En dat betekende dat, ook al ging hij niet naar de afspraak, hij dat wél zou doen in de wereld waarin hij geen brief kreeg. Zijn andere leven, het leven dat die toekomstige Wells had geleefd, zou daarmee echter niet verdwijnen, en het was daarom zinloos om het niet-buigen voor zijn lot als iets verwerpelijks te zien.

Hij moest dus beslissen welk leven hij koos zonder zich door morele bijkomstigheden te laten leiden. Hij moest gewoon het leven kiezen dat hem het aantrekkelijkst leek, het leven dat hij het liefst wilde leven. Wilde hij hier blijven met Jane, romans schrijven en dromen over de toekomst, of wilde hij het leven leiden van die verre Wells? Wilde hij Bertie blijven, of de schakel worden tussen *homo sapiens* en *homo temporis*? Hij moest toegeven dat het verleidelijk was om zich te onderwerpen aan het lot dat in de brief werd geschetst, een leven te aanvaarden met spannende gebeurtenissen als het bombardement van Norwich, dat hij – waarom zou hij het ontkennen? – best graag wilde meemaken, omdat hij immers wist dat hij het zou overleven. Hij zou onbekommerd kunnen rondlopen terwijl de bommen uit de lucht vielen, vol bewondering voor de verschrikkelijke kracht van de menselijke redeloosheid, voor de schoonheid die in het schouwspel van vernietiging school. Om nog maar te zwijgen van de wonderen die hij bij zijn tijdsprongen zou zien, dingen die zelfs Verne niet had kunnen bedenken. Maar daarvoor moest hij Jane offeren, en bovenal de literatuur, want schrijven zou hij nooit meer doen. Was hij daartoe bereid? Hij dacht er lang over na, tot hij ten slotte een besluit nam. Vervolgens ging hij naar boven, naar de slaapkamer, wekte Jane met een liefdevolle kus en in de beklemmende, vochtige duisternis van de nacht, beminde hij haar alsof het voor het laatst was.

'Je hebt me bemind alsof het voor het eerst was, Bertie,' zei Jane verrast, voor ze weer in slaap viel.

En toen hij haar zachtjes naast zich hoorde ademen, begreep Wells voor de zoveelste keer dat zijn vrouw zijn wensen en verlangens veel beter kende dan hijzelf, en dat hij zich dus het gepieker over zijn beslissing had kunnen besparen. Een beslissing die nu ook nog eens de verkeerde bleek. Ja, zei hij bij zichzelf, om erachter te komen wat we echt willen, is het soms beter precies het tegenovergestelde te kiezen.

Hij liet zijn gedachten voor wat ze waren toen het rijtuig stilhield voor Berkeley Square 50, het meest behekste huis van Londen. Goed, eindelijk was het dan zover. Hij ademde diep in, stapte uit de koets en liep zonder al te veel haast naar het huis, met het manuscript van *De onzichtbare man* onder zijn arm. Bij binnenkomst zag hij dat Stoker en James er al waren, en geanimeerd stonden te praten met de man die hun moordenaar zou zijn. Voortaan zou hij alleen nog maar hard kunnen lachen als hij een criticus de bovennatuurlijke opmerkingsgave van de Amerikaan hoorde prijzen.

'Ah, meneer Wells,' riep Marcus, toen hij hem binnen zag komen, 'ik dacht al dat u niet meer zou komen.'

'Neemt u me niet kwalijk dat ik wat verlaat ben, heren,' zei Wells, met een berustende blik naar Marcus' mannen, die zich ophielden aan de rand van de door kaarsen verlichte plek en wachtten op orders om het dwaze drietal uit de weg te ruimen.

'O, dat geeft niets,' zei zijn gastheer. 'Waar het om gaat is dat u uw roman hebt meegebracht.'

'Ja,' zei Wells, onnozel zwaaiend met het manuscript.

Marcus knikte tevreden en wees naar het tafeltje naast hem waar de beide andere manuscripten al lagen. Met een weinig plechtig gebaar voegde Wells het zijne eraan toe, en liep daarna een paar passen achteruit. Hij stond nu tegenover Marcus en zijn mannen, rechts van James en Stoker, de ideale plek om door eerstgenoemden te worden doodgeschoten.

'Hartelijk dank, meneer Wells,' zei Marcus, met een tevreden blik naar de buit die op het tafeltje lag.

Nu gaat hij lachen, dacht Wells. En Marcus lachte. Nu zal hij daarmee ophouden en ons plotseling ernstig aankijken. En Marcus hield op met lachen en keek hen plotseling ernstig aan. En nu zal hij zijn rechterhand opheffen. Maar het was Wells die zijn hand ophief. Marcus zag het met geamuseerde nieuwsgierigheid aan.

'Is er iets, meneer Wells?' vroeg hij.

'O, ik hoop van niet, meneer Rhys,' antwoordde Wells, 'maar dat zullen we gauw genoeg zien.'

Na die woorden liet hij zijn arm zakken en zwaaide ermee door de lucht, maar, onervaren als hij was in het geven van zulke signalen, leek het eerder alsof hij stond te zwaaien met een wierookvat. Maar het werd begrepen door degene voor wie het was bedoeld. Op de bovenverdieping klonk plotseling lawaai, en eensgezind richtten de aanwezigen hun blikken naar de trap, waar iets naar beneden kwam wat ze op dat moment alleen maar hadden kunnen omschrijven als een min of meer menselijke schim. Pas toen de moedige kapitein Derek Shackleton midden in de lichtkring zijn landing maakte, zagen ze dat het inderdaad een mens betrof.

Wells glimlachte onwillekeurig toen hij Tom zo zag staan, met gebogen knieën en gespannen spieren, als een wilde kat die op het punt staat zijn prooi te bespringen. Zijn harnas, dat alleen zijn markante kin onbedekt liet, glinsterde in het kaarslicht. Het zag er werkelijk heldhaftig uit, dacht Wells, en nu begreep hij waarom Tom zijn vroegere collega's had gevraagd het harnas voor hem uit Gilliam Murrays kleedkamer weg te nemen. Voordat iemand van de aanwezigen begreep wat er gebeurde, trok Shackleton zijn zwaard, zwaaide ermee door de lucht, en stak het met een vloeiende beweging in de buik van een van de lijfwachten. Zijn collega wilde zijn wapen op de aanvaller richten, maar stond veel te dichtbij om goed te kunnen manoeuvreren, zodat de kapitein alle tijd had om het zwaard uit de buik van zijn slachtoffer te trekken en zich met een elegante zwaai naar de tweede man te wenden. Even gefascineerd als ontzet zag die het zwaard op zich afkomen, vóór hij door Shackleton met een snelle houw werd onthoofd. Met een grimas van afgrijzen rolde het hoofd over de grond, en verdween in de duisternis buiten de cirkel van licht.

'Hebt u dit keer een moordenaar meegebracht, Wells?' riep James, geschokt over het bloedige schouwspel dat zich voor hun ogen afspeelde.

Wells negeerde hem, hij had al zijn aandacht bij Toms bewegingen. Eindelijk reageerde ook Marcus. Wells zag hoe hij het wapen van een van zijn lijfwachten van de grond raapte en op Tom richtte, die zich op hetzelfde moment met het bloedige zwaard naar hem omdraaide. Ze stonden minstens vier passen van elkaar vandaan, en Wells constateerde vol schrik dat de kapitein die afstand onmogelijk kon overbruggen vóór de ander de trekker zou overhalen. En zo gebeurde het ook. Tom had amper een stap gezet, of hij kreeg de hittestraal vol op zijn borst. Zijn harnas versplinterde als het pantser van een schaaldier onder een houten hamer. De kapitein werd naar achteren geslingerd en verloor zijn helm. Met een dampend gat in zijn borst, zijn knappe gezicht verlicht door de dichtstbijzijnde kandelaar, bleef hij liggen. Uit zijn mondhoek stroomde een straaltje bloed, en in zijn mooie ogen schitterde nog slechts het licht van de kaarsen.

Het triomfantelijke gegrom waarmee Marcus de stilte verbrak, dwong Wells zijn blik van Tom af te wenden en op de tijdreiziger te richten. Met een soort geamuseerd ongeloof keek Marcus naar de drie lijken om zich heen. Even schudde hij zijn hoofd, en daarna wendde hij zich naar de schrijvers, die aan de andere kant van de hal op een kluitje bij elkaar stonden.

'Goed geprobeerd, meneer Wells,' zei hij, terwijl hij met verende pas op hen toeliep, een wrede glimlach om zijn lippen. 'Ik moet toegeven dat u me hebt verrast. Maar behalve een paar extra lijken heeft uw plan u niets opgeleverd.'

Wells antwoordde niet. Hij zag hoe Marcus het wapen hief en op hem richtte, en voelde zich plotseling duizelig worden. Waarschijnlijk stond hij op het punt een tijdsprong te maken. Hij zou dus toch naar het jaar 1888 reizen! Hij had geprobeerd het te voorkomen, maar kennelijk viel er niet te ontsnappen aan zijn lot. Waarschijnlijk bestond er een wereld waarin Shackleton de tijd had gehad om Marcus te doden, een wereld waarin hij zelf niet meer door de tijd hoefde te reizen en Bertie kon blijven, maar helaas, hij bevond zich in een andere wereld, een wereld die verdacht veel leek op die van de toekomstige Wells. In die wereld zou hij ook acht jaar naar het verleden reizen, maar daarin was kapitein Shackleton omgekomen, doorboord door een krachtige hittestraal.

Toen Wells zag dat zijn plan was mislukt, gleed er een droevig lachje over zijn gezicht, terwijl Marcus zijn vinger om de trekker spande. Op dat moment klonk er een schot. Maar het was een schot uit een conventioneel wapen. Nu was het Marcus die een droevig lachje vertoonde. Een seconde later gleed het wapen uit zijn handen en viel op de grond, als een voorwerp dat plotseling volkomen nutteloos is geworden. Vervolgens zakte hij door zijn knieën, als een marionet waarbij een voor een de draden worden doorgeknipt, en zo kwam hij ten slotte op de grond terecht, op zijn gezicht een bloedige grimas naar de schrijvers. Achter hem zag Wells inspecteur Colin Garrett staan, met zijn dampende pistool in de hand.

Had de inspecteur hen soms de hele tijd in de gaten gehouden? vroeg hij zich af, een beetje beduusd door zijn verschijning. Nee, dat kon niet, want als hij in de oorspronkelijke wereld door Garrett was bespied – dat wil zeggen, in de wereld waarin hij onvermijdelijk zijn tijdreizen maakte en zichzelf een brief schreef, en voor ieders verbaasde ogen in het niets verdween – zou de inspecteur tussenbeide zijn gekomen en zou hij Marcus in de kraag hebben gevat, of in elk geval, mocht de arrestatie zijn mislukt omdat Marcus via de ruimte of de tijd had weten te ontsnappen, de waarheid aan het licht hebben gebracht. Maar Wells wist dat het zo niet was gegaan, omdat zijn toekomstige ik een artikel had gelezen over het feit dat de schrijvers Bram Stoker en Henry James onder vreemde omstandigheden in het spookhuis aan Berkeley Square om het leven waren gekomen. Het was duidelijk dat dat artikel nooit was verschenen als Garrett van die gebeurtenis getuige was geweest. Daarom kon de inspecteur in deze wereld niet aanwezig zijn, zoals hij ook in de vorige niet aanwezig was geweest. De enige nieuwe kaart in het spel was Shackleton, die hij zelf om hulp had gevraagd bij zijn strijd tegen zijn lot. Dat Garrett hier was, kon dus alleen aan Shackleton te danken zijn, en dat bracht de schrijver op de gedachte dat de inspecteur de kapitein misschien hierheen was gevolgd.

En daarin vergiste hij zich niet, want ik, die alles zie, kan u verzekeren dat Garrett amper een paar uur daarvoor, na een heerlijke wandeling door Green Park met juffrouw Nelson, op Piccadilly was opgebotst tegen een kolossale man. Hij had zich omgedraaid om zich te verontschuldigen, maar de man leek veel haast te hebben en bleef niet eens staan. Die vreemde haast was echter niet het enige wat Garretts nieuwsgierigheid had gewekt, ook de hardheid van zijn lichaam, waaraan hij zijn schouder behoorlijk had bezeerd, was hem opgevallen. De man moest onder zijn lange jas minstens een ijzeren harnas dragen. Een seconde later leek die gedachte hem helemaal niet meer zo vreemd. Zijn blik viel op de eigenaardige laarzen van de vreemdeling, en huiverend begreep hij wie de man was. Ongelovig bleef hij staan en zijn mond viel open van verbazing. Hij vermande zich en begon Shackleton onopvallend te volgen. Zijn trillende hand klemde zich om de revolver in zijn zak, maar hij had geen idee wat hij moest doen. Het beste was om hem een tijdje te volgen, zei hij bij zichzelf, in elk geval tot hij wist waarheen de man zo haastig op weg was. Opgewonden en behoedzaam tegelijk volgde Garrett hem door heel Old Bond Street, zijn adem inhoudend als de dode bladeren onder zijn voeten kraakten als oud perkament, en vervolgens door Bruton Street, tot hij ten slotte aankwam op Berkeley Square. Daar bleef Shackleton staan voor een verlaten uitziend pand, klom tegen de gevel op en verdween door een raam op de bovenverdieping. De inspecteur, die het allemaal vanachter een boom had gadegeslagen, vroeg zich af wat hem nu te doen stond. Moest hij ook het huis binnendringen? Maar voor hij zijn vraag kon beantwoorden, stopte er een rijtuig voor het pand. Tot zijn niet-geringe verbazing stapte de schrijver H.G. Wells uit; in alle rust liep hij naar het huis en verdween eveneens naar binnen, al was dat ditmaal via de deur. Wat hadden de schrijver en de man uit de toekomst met elkaar te maken? vroeg Garrett zich verbluft af. Er was maar één manier om daarachter te komen. Hij sloop naar het huis, klom tegen de gevel op en ging naar binnen door hetzelfde raam waardoor hij een paar minuten geleden kapitein Shackleton had zien verdwijnen. In het halfduistere pand had hij vervolgens alles gadegeslagen zonder dat hij zelf was opgemerkt. En zo wist hij dat Shackleton niet uit de toekomst was gekomen om straffeloos kwaad te doen, zoals hij aanvankelijk had gedacht, maar om Wells te beschermen tegen de tijdreiziger genaamd Marcus, wiens onzalige plan, zoals hij inmiddels had begrepen, eruit bestond om zich meester te maken van een van zijn werken.

Wells keek toe hoe de inspecteur neerknielde bij Toms lijk en teder zijn ogen sloot. Vervolgens stond Garrett op, glimlachte naar de schrijvers met zijn kinderlijke lachje, en zei iets wat Wells niet meer hoorde, omdat precies op dat moment de wereld verdween alsof hij nooit had bestaan.

XLII

De hendel van de tijdmachine stond helemaal naar beneden, maar er gebeurde niets. Een snelle blik om zich heen leerde Wells dat het nog steeds 20 november 1896 was. Hij lachte bedroefd, en had het vreemde gevoel dat hij al een hele tijd zo lachte, sinds ver voor het moment dat hij de hendel had overgehaald en had vastgesteld wat hij allang wist, dat het ding ondanks zijn majestueuze schoonheid niet meer was dan een speeltje. Het jaar 2000 – het echte, niet wat die charlatan van een Gilliam Murray ervan had gemaakt – bleef voor hem onbereikbaar. Zoals ook de rest van de toekomst. Hij kon het ritueel zo vaak herhalen als hij wilde, maar het was gewoon voor-de-gek-houderij: hij zou nooit een tijdreis maken. Niemand kon dat. Hij zat vast in het heden en zou er nooit uit kunnen ontsnappen.

Met een melancholiek gezicht stapte hij uit de machine en liep naar het zolderraam. Het was een kalme nacht. Een onschuldige stilte lag als een zorgzame deken over het land en de naburige huizen, en de wereld leek uitgeput, weerloos, overgeleverd aan zijn genade. Hij kon de bomen in een andere volgorde zetten, de bloemen een andere kleur geven of welk ander vergrijp dan ook ongestraft begaan, want als hij naar die stille wereld keek had hij het gevoel dat hij de enige wakkere mens op aarde was. Als hij zijn oren spitste, meende hij het beuken van de golven op de kust te horen, het gestage groeien van het gras, de wolken die zachtjes de huid van de hemel schuren, en zelfs de planeet die kraakt in haar voegen bij het draaien om haar as. En de stilte kalmeerde ook zijn ziel, want als altijd kwam er een grote kalmte over hem als hij de laatste punt had gezet achter een roman, zoals nu bij *De onzichtbare man.* Hij was weer terug bij het begin, het voor schrijvers zo verleidelijke, maar ook beangstigende moment waarop ze moesten beslissen tegen welk van de vele verhalen die in de lucht hangen ze het zouden opnemen, aan welke plot ze zich voor lange tijd zouden binden. En ze moesten daarbij met beleid te werk gaan, en alle mogelijkheden rustig bestuderen, alsof ze voor een enorme klerenkast stonden vol kleren om uit te kiezen, want er zijn verhalen die gevaarlijk zijn, verhalen die tegenstribbelen en verhalen die je vanbinnen opvreten terwijl je ze schrijft, en ook, en dat zijn de ergste, verhalen als de prachtigste keizerskleren die na verloop van tijd vodden blijken te zijn. Tot dat moment, vóór hij na rijp beraad de eerste letter op papier zette, kon hij alles schrijven wat hij wilde, werkelijk alles, en dat gaf hem een enorm gevoel van vrijheid, een gevoel dat echter even heerlijk als vluchtig was, want hij besefte dat het zou verdwijnen op het moment dat hij één bepaald verhaal koos en daarmee alle andere onherroepelijk kwijt was.

Met een vredige glimlach keek hij naar de sterren aan de hemel. Maar plotseling voelde hij een steek van angst. Hij herinnerde zich een gesprek dat hij een paar maanden daarvoor met zijn broer Frank had gevoerd, bij zijn laatste bezoek aan het huis in Nyewood waar zijn familie als afgedankte rommel op zolder samenhokte. Toen de anderen naar bed waren gegaan, waren Frank en hij nog even buiten gaan staan met sigaretten en bier, gewoon om zich te laten overrompelen door de majestueuze hemel vol sterren, als de met onderscheidingen behangen borst van een dappere generaal. Onder die sterrenhemel, die op bijna aanstootgevende wijze een idee gaf van de diepte van het heelal, leek het hele menselijke bedrijf vreselijk onbeduidend en kreeg het leven iets van een spel. Wells nam een slok van zijn bier en liet het aan Frank over om de atavistische stilte te verbreken. Hoewel het leven hem niet had gespaard, blaakte hij als altijd van optimisme, waarschijnlijk omdat hij had ontdekt dat hij alleen op die manier het hoofd boven water kon houden, en dat optimisme zocht zijn rechtvaardiging in concrete dingen, zoals de trots die elke onderdaan van het Britse Rijk ongetwijfeld moest voelen. Misschien was dat de reden waarom Frank was begonnen de Britse koloniale politiek op te hemelen, waarop Wells, die de despotische manier waarop zijn land de wereld onderwierp verafschuwde, zich genoodzaakt voelde melding te maken van de schadelijke effecten van de Britse kolonisatie op de vijfduizend inboorlingen in Tasmanië, die in korte tijd bijna waren uitgeroeid. Daarbij waren de Tasmaniërs niet door superieure waarden verleid, zoals Wells de dronken Frank probeerde uit te leggen, maar veroverd door de machtige technologie van het Britse Rijk, zoals ook het Rijk zelf door een hoger ontwikkelde technologie kon worden veroverd. Daarop had zijn broer gelachen en trots gezegd dat er in de bekende wereld geen technologie bestond die superieur was aan die van het Rijk. Wells had er geen discussie over willen beginnen, maar toen Frank weer naar binnen was gegaan, was hij nog lang ongerust naar de sterren blijven kijken. In de bekende wereld misschien niet, maar hoe zat dat met de andere?

Met dezelfde argwaan keek hij nu naar de sterrenhemel, en vooral naar de planeet Mars, een puntje nauwelijks groter dan een speldenknop. Ondanks die onbeduidende aanwezigheid aan het firmament speculeerden zijn tijdgenoten over de mogelijkheid dat Mars door mensen werd bewoond. Niet voor niets was de rode planeet omgeven door een dunne atmosfeer, en ook al waren er geen oceanen, er waren wel poolkappen van koolzuurijs. Alle astronomen waren het erover eens dat deze planeet na de aarde de beste omstandigheden had voor het ontstaan van leven. En wat eerst een vermoeden van enkelen was geweest, was uitgegroeid tot een zekerheid van velen toen de astronoom

Giovanni Schiaparelli een paar jaar geleden enkele lijnen op het rode oppervlak had ontdekt, die heel goed kanalen zouden kunnen zijn, een onweerlegbaar bewijs van de Martiaanse ingenieurskunst. Maar als de Marsbewoners, mochten ze werkelijk bestaan, nu eens niet inferieur waren aan henzelf? Als het nu eens geen primitief volk was dat het zendingswerk van de aardbewoners zou verwelkomen, zoals bij de inboorlingen van de Nieuwe Wereld het geval was, maar een soort die de mens in intelligentie overtrof en op hem neerkeek, zoals de mens neerkeek op apen en lemuren? Wat zou er gebeuren als ze over de technologie beschikten om de ruimte te doorkruisen en op onze planeet te landen, gedreven door dezelfde veroveringsdrang als de mens? Hoe zouden zijn landgenoten, de grootste veroveraars op de aardbol, mensen tegemoet treden die hen wilden onderwerpen, hun waarden en zelfrespect wilden vernietigen, zoals zij zelf hadden gedaan bij de volken bij wie ze onder aanmoediging van mensen zoals Frank waren binnengevallen? Wells streek over zijn snor en overdacht de mogelijkheden van zo'n denkbeeld, en stelde zich meteen een invasie van Marsbewoners voor, die in een regen van door stoom aangedreven cilinders neerdaalden op de vredige dorpsweide van Woking.

Hij vroeg zich af of hij hiermee misschien het onderwerp van zijn volgende roman te pakken had. Zijn opgewonden gevoel zei hem van wel, maar hij wist niet wat zijn uitgever ervan zou denken. Een invasie van Marsbewoners? Had hij het goed gehoord? Was dat waarmee hij op de proppen kwam na zijn tijdmachine, een geleerde die met dieren rommelde om ze om te bouwen tot mensen, en nog een geleerde die aan onzichtbaarheid leed? Na de uitstekende ontvangst van *The wonderful visit*, zijn vorige boek, had Henley zijn talent geprezen. Akkoord, het was geen wetenschap zoals Verne die bedreef, maar door iets als een 'ijzeren logica' waren zijn ideeën toch geloofwaardig. En met zijn buitengewone werkkracht produceerde hij ook nog eens meerdere romans per jaar. Maar Henley had grote twijfels of boeken die in zo'n tempo uit de hoge hoed werden getoverd wel echt literatuur waren. Als hij wilde dat zijn naam langer zou beklijven dan het merk van een nieuwe saus of een nieuw soort zeep, moest hij zo snel mogelijk ophouden zijn enorme talent te verspillen aan romans die, dat ontkende niemand, dan wel een feest van de verbeelding waren, maar de nodige diepgang misten om de lezers echt bij te blijven. Kortom, als hij een briljant schrijver wilde worden, niet slechts een kundig, vindingrijk verteller, moest hij meer van zichzelf eisen dan die verzinseltjes die hij in een paar dagen schreef. Literatuur was meer, veel meer. Echte literatuur moest de lezer treffen, pijn doen, zijn perspectief op de dingen veranderen, hem met een flinke zet in de afgrond van de helderziendheid duwen.

Maar had hij zo'n diepgaand begrip van de wereld dat hij haar waarheden kon herkennen en overbrengen? Kon hij met zijn woorden zijn lezers veranderen? En zo ja, waarin moest hij ze dan veranderen? In betere mensen, vermoedelijk. Maar met wat voor soort verhalen dan? Wat kon hij ze vertellen om ze in die staat van inzicht te brengen waarover Henley sprak? Zou hij zijn lezers uit hun dagelijkse routine halen als hij hen confronteerde met een slijmerige massa met een kwijlende mond, ogen als schoteltjes en een wilde bos tentakels? Als hij de Marsbewoners zo afschilderde, bedacht hij, zouden de onderdanen van Hare Majesteit waarschijnlijk nooit meer inktvis eten.

Een geluid verstoorde de stilte, en haalde hem uit zijn gedachten. Het was geen cilinder uit de ruimte, maar de paardenkar van de jonge Scheffer. Wells zag hoe de wagen stilhield voor zijn deur, en glimlachte toen hij de jongen min of meer dommelend op de bok zag zitten. Het maakte de knaap niet uit om voor dag en dauw op te staan als hij daarmee een paar penny's kon verdienen. Wells liep de trap af, pakte zijn jas en verliet stilletjes het huis om Jane niet wakker te maken. Hij wist dat zijn vrouw niet zou goedkeuren wat hij ging doen en kon haar ook niet uitleggen waarom hij het toch doen moest, al begreep hij wel dat het niet bepaald iets was wat je van een heer zou verwachten. Hij begroette de jongen, wierp een goedkeurende blik op de lading – de jongen had ditmaal bijzonder zijn best gedaan – en klom op de bok. De jongen trok de teugels aan en het tweetal zette koers naar Londen.

Onderweg wisselden ze wat gemeenplaatsen uit waarvan ik het niet de moeite waard vind om ze hier weer te geven. Wells liet de stilte op zich inwerken en bestudeerde zwijgend en gefascineerd de slaperige, argeloze wereld, die weerloos overgeleverd zou zijn aan een aanval door wezens uit de ruimte. Met een schuin oog keek hij naar de jonge Scheffer, en vroeg zich af hoe iemand met zo'n simpele geest, die waarschijnlijk dacht dat de wereld ophield bij de horizon, op een buitenaardse invasie zou reageren. Hij stelde zich voor hoe een kleine delegatie boerenpummels de plek naderde waar het Marsschip was neergekomen, zonder veel overtuiging zwaaiend met een witte vlag, en hoe de buitenaardse wezens hun naïeve groet zouden beantwoorden met een verblindende steekvlam, een soort hittestraal die de aarde zou schoonvegen en een grote brandplek achterliet, vol verkoolde lichamen en rokende bomen.

Toen ze het slapende Londen binnenreden, vervlogen zijn gedachten aan de invasie van Mars en concentreerde hij zich op zijn plannen. Terwijl het getrappel van de paardenhoeven de nachtelijke stilte verbrak, kwamen ze via een wirwar van steeds verlatener straatjes ten slotte aan in Greek Street. Wells kon een kwajongensachtige grijns niet onderdrukken toen de jongen de kar voor het gebouw van Murray Tijdreizen tot staan bracht. Hij wierp een blik in de straat, en stelde tevreden vast dat die geheel verlaten was.

'Nou, jongen,' zei hij, terwijl hij van de kar stapte, 'eropaf!'

Ze pakten ieder twee emmers van achter op de kar en liepen naar het pand. Zo geruisloos mogelijk doopten ze hun borstel in de met koeiendrek gevulde emmers en smeerden er de gevel mee vol. Het vieze karweitje kostte hun niet meer dan tien minuten. Er hing intussen een misselijkmakende geur in de lucht, die Wells echter met het grootste genot opsnoof: het was de geur van zijn woede, van de haat die hij had moeten inslikken, van de razernij die voortdurend in zijn binnenste had gegist. Enigszins geschrokken keek de jongen toe hoe hij de vieze lucht diep inademde.

'Waarom doet u dit, meneer Wells?' waagde hij het ten slotte te vragen.

Even keek Wells hem scherp aan. Zelfs voor een simpele ziel als hij moest het absurd lijken dat iemand zich 's nachts bezighield met zo'n zonderling en smerig karwei.

'Omdat het, tussen iets doen en niets doen, dat is wat ik kan doen.'

Bij die duistere uitspraak knikte de jongen vaag, en misschien had hij al spijt dat hij zo brutaal was geweest de geheime beweegredenen van een schrijver te willen onderzoeken. Wells betaalde hem en zei dat hij terug kon gaan naar Woking. Zelf bleef hij, want hij had in Londen nog wat zaken af te handelen. De jongen knikte opgelucht. Hij wilde er zelfs niet aan denken wat dat voor zaken konden zijn. Hij sprong op de kar, spoorde het paard aan en verdween aan het eind van de straat.

XLIII

Wells bekeek de kleurrijke gevel van Murray Tijdreizen en vroeg zich opnieuw af hoe het mogelijk was dat dat kleine theatertje plaats bood aan het enorme decor dat Tom hem had beschreven, het verwoeste Londen van het jaar 2000. Het was een raadsel dat hij ooit nog eens moest zien op te lossen, maar voorlopig kon hij het beter vergeten, wilde hij zich niet nodeloos ergeren aan de onloochenbare slimheid van zijn rivaal. Hij schudde zijn hoofd als om de gedachte daaraan te verdrijven, en bekeek zijn werk met trots. Tevreden liep hij vervolgens in de richting van Waterloo Bridge. Hij kende geen betere plek om het prachtige schouwspel van de zonsopgang te bekijken. Algauw zou de zwarte nacht bezwijken onder de aanhoudende kracht van de dageraad, en voor hij naar het kantoor van Henley ging, kon hij best een paar minuten van zijn tijd aan dat kleurige duel besteden.

Elk excuus was in feite goed om de ontmoeting met zijn uitgever nog even uit te stellen, want hij was er zeker van dat die niet erg enthousiast zou zijn over zijn nieuwe manuscript. Henley zou het natuurlijk wel willen uitgeven, maar hij zou weer een van zijn preken moeten aanhoren over hoeveel beter het was om de weg te volgen van schrijvers die bestemd zijn om de literatuurgeschiedenis in te gaan. Maar waarom zou hij niet naar hem luisteren, waarom zou hij zijn raad niet aannemen? bedacht hij opeens. Ja, waarom hield hij niet op met schrijven voor naïeve lezers, het soort lezers dat zich door elk ook maar enigszins fantasievol avonturenverhaal laat imponeren, en richtte hij zich in plaats daarvan op meer ontwikkelde mensen, op lezers, kortom, die op populaire fictie neerkijken en een voorkeur hebben voor serieuze, diepgaande literatuur waarin de wereld en hun eigen nietige insectenbestaan wordt verhelderd? Misschien moest hij een ander soort verhalen durven schrijven, iets wat zijn lezers op een andere manier raakte, een roman die een openbaring zou zijn, zoals Henley wilde.

Met die gedachte sloeg Wells Charing Cross Road in en kwam uit op The Strand. Om hem heen begon een nieuwe dag te ontwaken. Langzaam maakte het zwart van de nacht plaats voor een donker, ietwat onwerkelijk blauw, dat daarna aan de horizon begon op te lichten, en de zachte violette kleur aannam die voorafging aan het oranje. In de verte zag de schrijver het silhouet van Waterloo Bridge, zich steeds scherper aftekenend tegen de wijkende duisternis die stukje bij beetje door het ochtendlicht werd beschenen. Een symfonie van zachte, nog onbestemde geluiden bereikte zijn oren, en hij glimlachte tevreden. Langzaam ontwaakte de stad, en die kleine, overal vandaan komende beetjes geluid zouden spoedig overgaan in het eerlijke, aanhoudende lawaai van het leven, een onverdraaglijk geraas dat hoger en hoger opsteeg en zich misschien in de vorm van een vredig bijengegons verspreidde in de ruimte en aangaf hoe bewoond de derde planeet van het zonnestelsel was.

En ook al kon Wells onderweg naar de brug alleen zien wat vóór hem lag, op de een of andere manier had hij het gevoel dat hij onderdeel was van een grote theatervoorstelling die, doordat alle inwoners van de stad er zonder uitzondering aan meededen, voor niemand in het bijzonder leek te worden opgevoerd. Behalve dan misschien, dacht hij, voor de oplettende Marsbewoners, die het menselijk bedrijf bestuderen zoals een mens door de microscoop de vergankelijke wezentjes bekijkt die krioelen in een druppel water. En zo was het in feite ook, want terwijl hij in gedachten verzonken langs The Strand liep, doorkliefden tientallen met oesters beladen barkassen in een spookachtige stilte het steeds feller oranje kleurende water van de Theems, van Chelsea Reach in de richting van de haven van Billingsgate waar een legertje mannen de vis langs de kades aan land bracht; en in de rijke buurten, waar het rook naar het brood uit de bakkerijen en de bloemen uit de manden van de viooltjesverkoopsters, wandelden de mensen van hun chique huizen naar hun niet minder chique kantoren, en staken de straten over die zich vulden met cabriolets, berlines, omnibussen en alles wat maar op wielen reed, ritmisch ratelend op het plaveisel; en hoog boven de stad mengde de rook uit de fabrieksschoorstenen zich met de nevel die uit de rivier opwasemde tot een lijkwade van dichte, plakkerige mist; en een leger van karren, door muilezels getrokken of met de hand voortgeduwd, barstensvol fruit, groente, paling en inktvis, zocht onder luid geschreeuw een plaatsje op de markt van Covent Garden, terwijl inspecteur Garrett na een half ontbijt in Sloane Street arriveerde, waar hij werd opgewacht door meneer Ferguson die hem angstig vertelde dat hij de vorige avond was beschoten, en hem zelfs het kogelgat in zijn hoed toonde, waardoor hij zijn mollige vinger stak; en Garrett bekeek met een taxerende blik de omgeving, dook zelfs de struiken in bij Fergusons huis, en kon een vertederde glimlach niet onderdrukken toen hij de aardige in het zand getekende kiwivogel zag, die hij, met een snelle blik op de straat om te zien of er iemand keek, snel met zijn voet uitwiste om daarna schouderophalend tussen de struiken vandaan te komen, en Ferguson zogenaamd ontsteld mee te delen dat hij geen enkel spoor had gevonden; terwijl op hetzelfde moment in een pensionkamer in Bethnal Green John Peachey, de man die, tot hij in de Theems was verdronken, bekendstond als Tom Blunt, de vrouw omhelsde van wie hij hield, en Claire Haggerty zich door zijn sterke armen liet beschermen, blij dat hij om haar uit de toekomst, uit het troosteloze jaar 2000 was gevlucht, waar op dat moment kapitein Derek Shackleton op een berg puin met een onaangenaam schelle stem verzekerde dat als deze oorlog ergens goed voor was geweest, het was dat hij de mensheid had verenigd als nooit tevoren; en Gilliam Murray schudde verdrietig zijn hoofd, en zei bij zichzelf dat dit de laatste expeditie was die hij had georganiseerd, dat hij genoeg had van dat incompetente stelletje en van die verdomde schurk die zijn gevel volsmeerde met koeienstront, dat het tijd was om zijn eigen dood voor te bereiden, en zich zogenaamd te laten verslinden door zo'n verschrikkelijke draak uit de vierde dimensie; de draak door wiens scherpe tanden Charles Winslow zich vermalen voelde in zijn droom, waaruit hij zojuist vol afgrijzen en zwetend ontwaakte, waardoor hij de twee Chinese hoertjes in zijn bed vreselijk aan het schrikken maakte; terwijl zijn neef Andrew over de leuning van Waterloo Bridge hing en toekeek hoe het langzaam ochtend werd en plotseling iemand met een vogelgezicht op zich af zag komen die hem bekend voorkwam.

'Meneer Wells?' riep hij toen de schrijver hem passeerde.

Wells bleef staan, nam de jongen een paar seconden op, en probeerde te bedenken waar hij hem eerder had gezien.

'Weet u het niet meer?' vroeg hij. 'Ik ben Andrew Harrington!'

Bij het horen van zijn naam wist Wells het meteen. Het was de jongeman die hij een paar weken geleden het leven had gered door een grote vertoning te ensceneren waarin hij het had kunnen opnemen tegen Jack the Ripper, de moordenaar die in de herfst van 1888 Whitechapel had geterroriseerd.

'Jazeker, meneer Harrington, natuurlijk weet ik het nog,' zei hij, verheugd dat de jongen nog leefde en zijn werk niet voor niets was geweest. 'Blij u te zien.'

'Insgelijks, meneer Wells,' zei Andrew.

Een paar tellen keken ze elkaar aan met een onnozele grijns.

'Hebt u uw tijdmachine inmiddels al vernietigd?' vroeg Andrew ten slotte.

'Eh... ja, ja,' antwoordde Wells haastig, en probeerde snel van onderwerp te veranderen. 'En wat brengt u hier? Komt u de zonsopgang bekijken?'

'Inderdaad,' antwoordde Andrew en richtte zijn blik naar de hemel, op dat moment een fraai geheel van oranje en purper. 'Al gaat het me eigenlijk meer om wat erachter ligt.'

'Erachter?' vroeg Wells verbaasd.

Andrew knikte.

'Weet u nog wat u me zei toen ik in uw tijdmachine uit het verleden terugkwam?' vroeg hij, terwijl hij in zijn jaszak naar iets zocht. 'U zei dat ik Jack the Ripper had neergeschoten, hoewel in dit krantenknipsel iets anders stond.'

Andrew toonde hem het vergeelde knipsel dat hij hem eerder in de keuken van zijn huis in Woking had laten zien. JACK THE RIPPER MOORDT VERDER! luidde de kop, en daarna volgde een opsomming van de gruwelijke wonden die het monster had toegebracht aan zijn vijfde slachtoffer, de prostituee uit Whitechapel die Andrews hart had gestolen. Wells knikte en vroeg zich onwillekeurig af, net als iedereen sinds die tijd, wat er van de meedogenloze moordenaar was geworden, waarom hij plotseling was opgehouden met moorden en was verdwenen zonder een spoor achter te laten.

'Maar mijn daad had voor een splitsing in de tijd gezorgd,' vervolgde Andrew nadat hij het knipsel weer in zijn zak had gestoken. 'Een parallelle wereld noemde u het, geloof ik. In die wereld was Marie Kelly in leven en was ze gelukkig met mijn tweede ik... Ikzelf bevond me helaas in de verkeerde wereld.'

'Ja, dat herinner ik me,' zei Wells voorzichtig, omdat hij niet wist waar de jongen heen wilde.

'Welnu, meneer Wells, omdat ik Marie Kelly had gered, kon ik mijn zelfmoordplannen vergeten en doorgaan met mijn leven. En daar ben ik nu mee bezig. Ik heb me verloofd met een allerliefste vrouw, en probeer samen met haar te genieten van de kleine genoegens des levens.' Hij pauzeerde even en keek opnieuw naar de hemel. 'Maar iedere ochtend heel vroeg kom ik hier en probeer de parallelle wereld te zien waarover u me hebt verteld, waar ik vermoedelijk gelukkig ben aan de zijde van Marie Kelly. En weet u wat, meneer Wells?'

'Nou?' vroeg de schrijver, en hij slikte even omdat hij bang was dat de jongeman zich op hem zou storten, of hem bij de kraag zou grijpen om hem in de rivier te gooien uit wraak omdat hij hem met zo'n kinderachtig verhaal voor de gek had gehouden.

'Soms zie ik haar,' zei Andrew met een lichte trilling in zijn stem.

De schrijver keek hem met open mond aan.

'U ziet haar?'

'Ja, meneer Wells,' herhaalde de jongen, gelukzalig lachend alsof hij een visioen had gehad, 'soms zie ik haar.'

Wells wist niet of Andrew het echt geloofde of zichzelf alleen maar voor de gek hield, maar dat was ook niet van belang, want in beide gevallen leek het effect hetzelfde. Zijn leugen hield hem in leven. Hij zag hoe de jongen bijna kinderlijk blij naar de dageraad keek, of misschien naar wat 'erachter' lag, en onwillekeurig vroeg hij zich af wie van hen beiden het nu mis had, de sceptische schrijver die niet eens in zijn eigen verzinsels kon geloven, of de wanhopige jongeman die zich in blind vertrouwen aan zijn fraaie leugen had vastgeklampt, omdat immers ook het tegendeel niet viel te bewijzen.

'Het was fijn u weer te zien, meneer Wells,' zei Andrew, en reikte hem de hand.

'Dat vond ik ook,' antwoordde Wells, en drukte de hand stevig.

Hij keek de jongen na, en zag hoe hij langzaam de brug overliep, het gouden ochtendlicht tegemoet. Parallelle werelden! Hij was helemaal vergeten wat hij had verzonnen om het leven van de jongeman te redden. Maar als die werelden nu eens werkelijk bestonden? Klopte het dat elke keus die de mens maakt een vertakking van de wereld tot gevolg heeft? Eigenlijk was het naïef om te denken dat er bij ieder dilemma maar één alternatief bestond. Wat gebeurde er met de niet-gekozen werelden, de werelden die in de gootsteen verdwenen, waarom hadden die niet hetzelfde bestaansrecht als de andere? Wells betwijfelde of de toestand van het universum afhing van de grillige wil van de mens, dat wispelturige, bangelijke wezen. Het was logischer te denken dat het universum veel rijker en ondoorgrondelijker was dan we ons konden voorstellen, en dat de mens, als hij de keus had uit twee of meer alternatieven, ze gegarandeerd allemaal koos, omdat zijn vermogen om te kiezen uiteindelijk slechts een illusie was. Zo splitste de wereld zich almaar in nieuwe werelden, werelden die de uitgestrektheid en complexiteit van het universum aantoonden, zijn hele potentieel benutten, naast elkaar bestonden en soms slechts van elkaar verschilden in zoiets onbeduidends als het aantal vliegen, omdat immers ook het besluit om zo'n hinderlijk insect te doden een keuze was die een nieuwe wereld tot gevolg had.

En hoeveel vliegen had hij zelf niet doodgeslagen, hoeveel van die arme diertjes die altijd in gevecht leken te zijn met het raam had hij niet verminkt door hun vleugeltjes uit te trekken terwijl hij nadacht over een probleem bij het schrijven? Maar dat was misschien een belachelijk voorbeeld, dacht Wells, want die beslissingen zouden de wereld niet onherstelbaar hebben veranderd. Een mens kon immers zijn leven lang vliegen doodslaan zonder dat de loop van de geschiedenis daardoor werd beïnvloed. Maar voor belangrijker beslissingen ging het natuurlijk wel op, en hij moest denken aan de tweede keer dat Gilliam Murray bij hem was langsgekomen. Had hij toen niet ook de keus gehad tussen twee mogelijkheden, en ten slotte een beslissing genomen? Machtsdronken had Wells besloten de vlieg dood te slaan, en daardoor was er een wereld ontstaan waar een bedrijf bestond dat reizen naar de toekomst verkocht, het absurde universum waarin hij nu zelf gevangenzat. Maar wat zou er zijn gebeurd als hij anders had besloten, als hij Murray had geholpen zijn roman uit te geven? Dan zou hij in een wereld leven die als twee druppels water op de andere leek, maar dan zonder Murray Tijdreizen, een wereld waarin aan de stapel toekomstromannetjes nog een flutwerkje moest worden toegevoegd: *Kapitein Derek Shackleton, het ware en schokkende verhaal van een held uit de toekomst*, door Gilliam F. Murray.

Bij een bijna oneindig aantal verschillende werelden, bedacht Wells, zou dus alles gebeuren wat maar kon gebeuren. Of, wat op hetzelfde neerkwam: elke wereld, beschaving, creatuur of situatie die je maar kon voorstellen bestond al. Er zou bijvoorbeeld een wereld zijn waar een niet-zoogdierachtige soort de scepter zwaaide, een andere waar vogelmensen in enorme nesten woonden, één waarin het alfabet op de vingers werd afgeteld, en weer een andere waar het geheugen in de slaap werd gewist en de mensen elke ochtend een nieuw leven begonnen, een wereld waar echt een detective bestond die luisterde naar de naam Sherlock Holmes, met als onafscheidelijke begeleider een slimme boef genaamd Oliver Twist, en zelfs een wereld waar een uitvinder een tijdmachine had gebouwd en in het jaar 802.701 een decadent paradijs had ontdekt. En als je dat tot in het uiterste doorvoerde, zou er ergens in het universum ook een wereld bestaan waarin de fysieke wetten van Newton niet golden, en die daarom bewoond zou kunnen zijn door feeën, eenhoorns, sirenen en sprekende dieren, want in een wereld waar alles mogelijk was, waren zelfs kinderverhaaltjes geen bedenksel meer, maar een plagiaat uit andere werelden waarin de auteurs, om welke reden dan ook, een blik hadden kunnen werpen.

Werd er dan nooit iets uitgevonden? Konden de mensen dan alleen maar kopiëren? vroeg Wells zich af. De schrijver dacht een paar minuten na over de kwestie, en ik maak daarvan gebruik om afscheid van u te nemen, want het einde van dit verhaal is in zicht. Ik dank u hartelijk voor uw aandacht, en ik hoop oprecht dat u van de voorstelling hebt genoten. En laten we nu terugkeren naar Wells, die uit zijn gepeins ontwaakte met een haast metafysische huivering, omdat zijn bespiegelingen hem op een volgende vraag hadden gebracht. Als zijn eigen leven nu eens door iemand uit een andere werkelijkheid werd geschreven, bijvoorbeeld uit de parallelle wereld die zo leek op de zijne maar waar Murray Tijdreizen niet bestond en Gilliam Murray een schrijver van flutromannetjes was? Hij overwoog serieus de mogelijkheid dat iemand zijn leven nauwgezet opschreef en liet doorgaan voor fictie. Maar wie zou die moeite nemen? Hij was toch geen romanheld? Als hij, zoals Robinson Crusoe, op een of ander ver tropisch eiland was gestrand, had hij nog niet eens een lemen pot kunnen maken. Bovendien was zijn leven zo saai dat niemand er een spannend verhaal van zou kunnen maken. Aan de andere kant moest hij toegeven dat de afgelopen weken zeker opwindend waren geweest. In een paar dagen tijd had hij het leven van Andrew Harrington en dat van Claire Haggerty gered, louter door zijn fantasie te gebruiken, zoals Jane niet zonder gevoel voor dramatiek had benadrukt, alsof ze sprak tot een publiek dat voor hem onzichtbaar was. In het eerste geval had hij moeten doen alsof hij in het bezit was van een tijdmachine zoals hij in zijn roman had beschreven, en in het tweede had hij zich moeten uitgeven voor een held uit de toekomst die liefdesbrieven schreef. Bood dat stof voor een roman? Mogelijk wel. Misschien voor een roman waarin werd beschreven hoe Murray Tijdreizen was ontstaan – iets waaraan hij helaas zelf een bijdrage had geleverd – en die voor de lezers ongeveer op de helft een verrassing in petto had als bleek dat het jaar 2000 niet meer dan een decor van sloopafval was, al zou dat natuurlijk alleen een verrassing zijn voor de lezers uit zijn eigen tijd. Als de roman de tijd doorstond en ook na het jaar 2000 nog zou worden gelezen, zou er geen geheim te onthullen zijn, want dan had de werkelijkheid zelf de in de roman beschreven toekomst gelogenstraft. Maar betekende dat dat je geen in je eigen tijd spelende roman kon schrijven waarin werd gespeculeerd over een toekomst die voor de schrijver al verleden tijd was? Dat was een treurig idee. Liever stelde hij zich voor dat de lezers wel zouden begrijpen dat ze de roman moesten lezen alsof ze leefden in het jaar 1896, alsof ook zij een tijdreis hadden gemaakt. Maar omdat hij niet in de wieg was gelegd voor held, moest het een roman zijn waarin hij slechts een bijfiguur was, iemand bij wie de echte hoofdrolspelers te rade gingen als ze niet wisten hoe het verder moest.

Maar ook als iemand in een parallelle wereld zijn leven had opgeschreven, in welke tijd dan ook, hoopte hij dat hij nu op de laatste bladzijde was aangekomen, want hij betwijfelde zeer of hij op deze manier verder kon gaan. Waarschijnlijk had hij de afgelopen twee weken zijn hele quotum aan emoties opgebruikt en zou zijn leven nu weer verlopen in de aangename eentonigheid die het schrijversbestaan kenmerkt.

Hij keek Andrew Harrington na, het personage waarmee die denkbeeldige roman had moeten beginnen, en toen hij zag hoe hij aan de overkant van de brug in het gouden licht van de dageraad verdween, waarschijnlijk met een euforische glimlach om zijn lippen, zei hij bij zichzelf dat dit een perfect beeld was om het verhaal mee af te sluiten en, alsof hij mij op de een of andere manier had gezien of gevoeld, vroeg hij zich af of er op dat moment werkelijk iemand was die het geluksgevoel ervoer dat schrijvers altijd overvalt bij het voltooien van een roman, het geluksgevoel dat niets anders in het leven hun kan geven – noch het drinken van Schotse whisky in een warm bad tot het water langzaam koud wordt, noch het strelen van een ander lichaam, en zelfs niet het zachte briesje op je huid dat de komst van de zomer aankondigt.

Sanlúcar de Barrameda
oktober 2006 – maart 2008

WOORD VAN DANK

Een schrijver heeft het eenzaamste beroep dat er is. En wij die op die manier de kost verdienen hebben dat van het begin af aan geaccepteerd. Als het ons erom te doen was mensen te leren kennen, werkten we waarschijnlijk wel als gids of als barpianist. Bij deze roman heb ik me echter willen wagen aan een experiment: ik wilde uitproberen of ik in gezelschap kon schrijven. En ik heb ontdekt dat dat mogelijk is, want nooit heb ik me in beter gezelschap gevoeld dan tijdens het schrijven van deze roman. En dat heb ik te danken aan twee heel bijzondere mensen.

Een van hen is mijn vriend en collega Lorenzo Luengo, die over deze roman heeft gewaakt als was het zijn eigen boek. Elke aflevering die ik hem stuurde las hij met onbevooroordeelde aandacht, hij gaf me raad over plot en personages, sprak me moed in als ik aan het eind van mijn krachten was en sprak zijn vertrouwen in de onderneming uit als het mijne wankelde. Met zijn belangeloze hulp heeft hij me niet alleen geleerd hoe je een roman schrijft, maar ook wat het woord vriendschap betekent. Als dank vermeld ik zijn naam aan het eind van het boek dat zoveel aan hem te danken heeft, en schenk ik hem het doodshoofdaapje waarop hij een beetje verliefd is geraakt.

De andere persoon is mijn vriendin Sonia, die toen ik het boek schreef over mij heeft gewaakt. Hoewel ze het pas heeft gelezen toen het af was, heeft ze het tijdens het wordingsproces geduldig en vol meegevoel begeleid, want romans komen niet alleen tot stand op papier, maar ook tijdens gezamenlijke wandelingen en cafébezoeken. Zij gaf me de rust die ik nodig had, en als ik weer eens was verdwaald in het labyrint van mijn eigen woorden, was zij het die me bij de hand nam en me hielp de uitgang te vinden.

Deze roman is daarom net zozeer van hen als van mij, want zonder hun hulp had ik hem niet kunnen schrijven. Fouten en vergissingen komen uitsluitend voor mijn rekening, maar alles wat eventueel geslaagd is aan deze roman is ook hun verdienste. Ik hoop dat ik hen beiden altijd naast me zal hebben om te delen in alle vreugde die dit boek ons brengen mag.